黄河治理实践与科学研究

李希宁 著

黄河水利出版社

内 容 提 要

本书是作者多年来从事黄河治理实践与科学研究成果的结晶,是作者在不同时期、不同阶段科学治理黄河工作实践的真实写照,以黄河下游河道整治及黄河河口治理开发为主,内容包括:科学研究、挖河固堤、工程管理、河道治理、防汛抢险、水资源管理等。本书可供水利科技工作者阅读参考。

图书在版编目(CIP)数据

黄河治理实践与科学研究/李希宁著. —郑州:黄河水利出版社,2006.9
ISBN 7 - 80734 - 118 - 1

Ⅰ.黄…　Ⅱ.李…　Ⅲ.①黄河 - 河道整治 - 研究
②黄河 - 水利资源开发 - 研究　Ⅳ.TV882.1

中国版本图书馆 CIP 数据核字(2006)第 096035 号

组稿编辑:王路平　电话:0371 - 66022212　E-mail:wlp@ycrp.com

出 版 社:黄河水利出版社
　　　　地址:河南省郑州市金水路 11 号　邮政编码:450003
发行单位:黄河水利出版社
　　　　发行部电话:0371 - 66026940　传真:0371 - 66022620
　　　　E-mail:hhslcbs@126.com
承印单位:河南省瑞光印务股份有限公司
开本:787 mm×1 092 mm　1/16
印张:20.25
字数:468 千字　　　　　　　　印数:1—2 600
版次:2006 年 9 月第 1 版　　　印次:2006 年 9 月第 1 次印刷
书号:ISBN 7 - 80734 - 118 - 1/TV·473　　　定价:35.00 元

序　一

　　我与希宁同志是在治理黄河的特殊路段上相识的。那是1999年7月,省政府为加强对黄河的研究,批准我组团,应埃及水利部的邀请,赴埃及考察尼罗河。李希宁同志是代表山东黄河河务局参加考察的成员。一路相处,他丰富的水利知识、认真的工作态度、严谨的治学精神,给我留下了深刻的印象。在以后的岁月里,水利科学、黄河研究把我们紧紧联系在一起。

　　李希宁同志1982年毕业于河海大学,2000年获武汉水利水电大学工程硕士学位。教授级高级工程师,国家防总抗洪抢险专家,黄委会"治黄科技拔尖人才",中国海洋大学、河海大学等大学的兼职教授,现任山东黄河河务局副总工程师。

　　李希宁同志长期工作在治黄工程建设与管理、防洪抢险、科学研究一线,积累了丰富的实践经验和比较深的理论造诣。多年来,他承担国家、水利部、黄委会和山东黄河河务局的多项科研课题,很好地完成了科研任务。荣获省部级、黄委会、山东黄河河务局等各项奖励20余项。他勤奋好学,深钻细研,注重总结,多年笔耕不辍,写了大量的文章,《黄河治理实践与科学研究》的出版,是山东黄河水利界的一件喜事,值得祝贺!

　　李希宁同志治黄实践和研究的领域相当广泛。先后参加主持完成了王庄等5座引黄涵闸的建设;主持完成了多项治黄项目的规划、30多处河道工程设计、科研课题近30项。例如:黄河口防洪工程规划,山东黄河淤背区开发利用"九五"规划等。他对黄河下游游荡型河道治理有深刻的研究,主要完成的"八五"国家重点科技攻关项目"黄河下游游荡型河道整治研究"课题,获得了国家科技进步二等奖和水利部科技进步一等奖。根据这一研究成果实施的多项河道整治工程,均收到很好的效果。

　　李希宁同志开展了多项黄河基础性研究工作。主要完成了"八五"国家重点科技攻关增补项目"黄河口高水位分洪的必要性和可行性研究","九五"国家重点科技攻关项目"小浪底水库运用初期对下游河道演变影响和对策研究","黄河口生态流量研究"等项目。他还对新材料、新技术、新设备进行大胆的引进运用和探索研究,主持开展了"黄河泥沙烧结石关键技术前期技术研究","手提式捆枕器研制"等。这种紧密结合治黄实际、与时俱进、勇于探索的精神非常可贵,值得我们认真学习。

　　黄河是世界上最难治的大河之一。历史的经验证明,黄河的灾害在下游,治理的难点在下游,而祸根在上中游。新中国成立以后,国家治黄的重点一直在上游,主要在拦水拦沙,节制黄河洪水下泄,确保黄河下游安全。鉴于新中国成立之初黄河中上游无任何拦蓄节制措施,黄河洪水直泄下游,危害很大。所以,在当时的条件下,国家对黄河下游的治理采取了孤立黄河和分割山东的重大措施。实践证明,这些上、下游措施的相互配合,取得了黄河50多年安澜的伟大成就,也奠定了黄河治理方式实现战略性转移的基础条件。新时期,在南水北调的配合下,黄河的治理将由过去的防洪为主向兴利为主转变;由水沙失衡向水沙相对平衡转变;由高堤悬河向相对地下河转变;由黄河、淮河、海河分割山东向整合山东、协调三河、服务优化华北平原的生态转变。这一转变的总趋势是以黄河为主,重新划定三河流域和治理规划,实行"鲁水鲁用,治黄兴水,纳南泄北,网络平衡"。初步研究山东大约有5万 km^2 可划入黄河流域;巧妙改造河南省周口至商丘的古运河,可使周口以上诸河的河水分流南四湖,注入黄河。黄河下游的根治必须给黄河下游增水,而增水的捷径在山东、在河南、在分流淮河的洪水、在科学设计济梁运河使南四湖之水北流入黄。这些乍看不可能的事情,实际存在着自然地理的可行性。古时李冰建都江堰,治理岷江水患,使多灾的成都平原变成水旱从人的天府之国,为秦国统一中国奠定了经济基础。今天,我们运用都江堰原理治理黄河和淮河,同样可使这里达到水旱从人的境界,从而使我国经济发展的战略腹地——黄淮海平原为伟大祖国在新时代的和平崛起做出重大贡献!这一切说明,时代正呼唤自主创新、开辟未来的大水利专家的出现,而黄河下游历来是培育水利专家的沃土。山东水利的未来在黄河,黄河根治的希望在山东,希望山东的水利专家自觉参加治理黄河的理论研究,特别利用山东的洪水治理黄河的理论研究,这一理论研究成果必为根治黄河做出贡献,也必然为开创一个水旱从人的新山东做出贡献!

"水"字是中国祖先造得最好的会意字。顶天立地,润泽四方;居高位不安乐,在低处不懈怠;公正高洁,从不媚俗,以柔克刚,从不畏难。"黄"字亦然,广阔的田地在水的基础上,支撑起晴朗的天,茂密的草,由此黄河孕育出永立世界的中华民族!有幸在水利战线工作的同志要深刻研究水字的科学内涵,学习水精神,搞好水利科学研究,切实做好水利工作。

在《黄河治理实践与科学研究》专著出版之际,我写下上述文字,表明我的态度和希望,是为序。

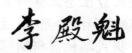

2005 年 12 月

序 二

今年是人民治理黄河 60 周年,也是山东黄河河务局成立 60 周年,还是黄河口清水沟流路相对稳定 30 周年。在这喜庆之年,希宁同志的专著《黄河治理实践与科学研究》一书就要出版了,可以说这是一份献礼! 书中所涉及的有关山东黄河在河道整治、施工技术及综合治理方面的研究成果,无疑对指导我们的治黄工作是很有积极作用的。因此,在向希宁同志表示祝贺的同时,更应向像他一样为山东的治黄事业做出贡献的老专家、老同志、专业技术人员等一并表示感谢!

1946 年人民治黄以来,在黄委和山东省委省政府的正确领导下,山东黄河职工以高度的事业心和责任感,以对国家、对人民、对事业负责的态度,艰苦奋斗、无私奉献、勇于献身、埋头工作,取得了黄河岁岁安澜,为社会发展和进步做出了巨大贡献。"科学技术是第一生产力",在治黄科技战线上,涌现出了许多勤于实践、努力学习、认真研究、大胆探索、勇于思考的优秀科技工作者,我局副总工程师李希宁同志就是其中的佼佼者。作为业务技术骨干,希宁同志长期从事工程建设与管理、防汛抢险、黄河治理开发及研究工作,特别注重学习,在工作实践中不断丰富自己的理论素养,跟踪捕捉国内外大江大河的最新治理成果,认真听取老专家、老同志的意见,努力提高自己的理论素养和技术水平。希宁同志还非常注重实践和创新,为了探索和验证实际效果,他跳入水中探摸,体验深水漏洞的发展机理。正是由于不断学习、潜心研究、大胆实践、开拓创新,才有了今天的累累硕果。比如书中"小浪底水库运用后黄河口生态需水量"、"南北展宽工程综合运用研究"、"河口模型与河口研究"、"挖河固堤分析研究"等一系列带有前瞻性、指导性的研究成果都是他和同志们勤于学习、不断探索、勇于实践、大胆创新的结果,而这也正是我们在治黄实践中所必须面对和需要解决的关键问题,尤其是治黄工作由治理向治理与开发并重转变的今天,更是需要我们针对具体情况去研究、发现、解决所出现的新矛盾、新问题。

践行"维持黄河健康生命"的新理念,对我们黄河职工来说是崭新的命题,实现"堤防不决口、河道不断流、污染不超标、河床不抬高"的目标,是新时期赋予我们的奋斗使命,也是全面落实科学发展观,实现人民治黄可持续发展的关键,面对挑战和机遇,我们黄河人责无旁贷。要勇敢地挑起践行"维持黄河健康生命"新理念的重担,用我们辛勤努力的工作,用我们的智慧和实践,换取黄河的永久安澜,为建设大而强、富而美的社会主义新山东做出更大贡献,为实现绿而美、健而富的山东黄河而努力奋斗。

袁崇仁

2005 年 12 月

目　录

第一章　科学研究

黄河口滨海区生态需水量

黄河口滨海区生态需水量
神经网络模型的建立

黄河口及其附近水域是多种鱼类幼体的集中分布区和经济渔场,素有"百鱼之乡"和"东方对虾故乡"之美誉。黄河口生物资源之所以丰富,主要源于黄河陆源性生物营养物质的大量输入。黄河断流将使海域失去重要的饵料来源,海洋生物的生殖繁衍受到严重影响;大量洄游鱼类将会游移他处,造成渤海海洋生物链的断裂,并会对渤海生态系统带来无法弥补的危害。

小浪底水库运行后,通过调水调沙措施能够实现黄河下游不断流,但因近海与河口生态系统是生物种群与非生物环境相互作用的复杂动力学系统,生态需水量不仅包含着生物多样性,而且包含生物地化循环过程、物理过程的多样性及其非线性相互作用的复杂性。因此,塑造黄河下游协调的水沙关系,维持黄河口健康生命,是亟待解决的重要问题。我们以河口近海叶绿素作为主要研究指标,利用卫星遥感资料和神经网络仿真技术,探讨黄河入海净生态环境最小需水量和含输沙因素的最小需水量等紧迫问题,旨在为黄河下游调水调沙提供科学依据。

1　人工神经网络概述

人工神经网络(Artificial Neural Network ANN)简称神经网络(NN),作为人脑最简单的一种抽象和模拟,是探索人工智能奥秘的有力工具。神经网络作为智能科学的领头羊,是近来发展起来的一门十分活跃的交叉学科。它涉及生物、电子、计算机、数学、物理等学科,有着广泛的应用前景。

神经网络作为一种新的方法体系,具有分布并行处理、非线性映射、自适应学习和鲁棒容错等特性。这使得它在模式识别、控制优化、智能信息处理以及故障诊断等方面有广泛的应用前景。

目前神经网络在应用研究方面可以分为以下两类:一是神经网络的软件模拟和硬件实现的研究;二是神经网络在各个领域内应用的研究,这些领域主要包括模式识别、信号处理、知识工程、专家系统、优化组合、智能控制等。

2　神经网络的基本结构与描述

　　神经网络的基本单元称为神经元,它是对生物神经元的简化与模拟。神经元的特性在某种程度上决定了神经网络的总体特性。大量简单的神经元互连即构成了神经网络,一个典型的具有 R 维输入 S 个神经元组成的神经网络模型可以用图 1 来加以描述。

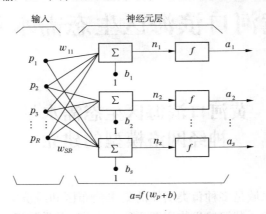

图 1　一个典型的具有 R 维输入 S 个神经元组成的神经网络模型

　　如前面所定义的,神经元层包括权重矩阵、乘法运算、阈值向量 b、求和符号和转移函数框。如图 2 输入为 $p=[p_1,p_2,\cdots,p_R]$,权值 w,阈值 b,无论是权值还是阈值都是可调的。

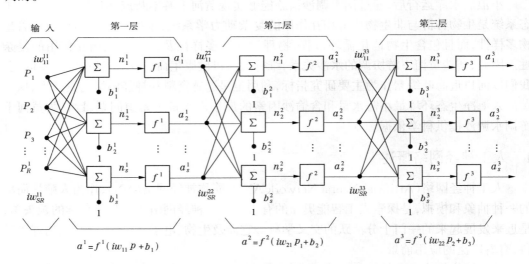

图 2　多层神经网络

　　一个网络可以有几层,每一层都有权重矩阵 w、阈值向量 b 和输出向量 a。为了区分这些权重矩阵、输出矩阵等,在图中的每一层,为感兴趣的变量加上标以使下述三层网络图和等式中使用层符号。

　　设图 1 所示的网络有 R_1 个输入,第一层有 S_1 个神经元,第二层有 S_2 个神经元,依次类推。一般不同层有不同数量的神经元。每一个神经元的阈值输入是常量 1。

　　中间层的输出就是下一层的输入。第二层可看做有 S_1 个输入,S_2 个神经元和 $S_1 \times S_2$ 阶权重矩阵 w_2 的单层网络。第二层的输入是 a_1,输出是 a_2,已经确定了第二层的所有向量和矩阵,就能把它看成一个单层网络了。其他层也可以照此步骤处理。

　　多层网络中的层扮演着不同的角色,给出网络输出的层叫做输出层,所有其他的层叫做隐层。图 2 所示的三层网络有一个输出层(第三层)和两个隐层(第一和第二层)。

3　反向传播网络(BP 网络)

　　在实际应用中,应用最广的是反向传播网络(BP 网络)。它的核心是 BP 算法,一种对于多基本子系统构成的大系统进行微商计算的严格而有效的方法。

　　BP 网络(Backpropagation NN)是一单向传播的多层前向网络。网络除输入输出节点外,有一层或多层的隐层节点,同层节点中没有任何耦合。输入信号从输入层节点依次传过各隐层节点,然后传到输出节点,每一层节点的输出只影响下一层节点的输出。其节点单元特性(传递函数)通常为 Sigmoid 型 $f(x) = 1/[1 + \exp(-Bx)]$ $(B > 0)$,但在输出层中,节点的单元特性有时为线性。

　　BP 网络可看成是一从输入到输出的高度非线性映射。有 Kolmogorov 定理(证明:Hecht-Nielsen,1987 年):给定任一连续函数 $f: Un \in Rm$, $f(X) = Y$,这里 U 是闭区间 $[0,1]$,f 可以精确地用一个三层前向网络实现,次网络的第一层(输入层)有 n 个处理单元,中间层有 $2n + 1$ 个处理单元,第三层(输出层)有 m 个处理单元,如图 3 所示。

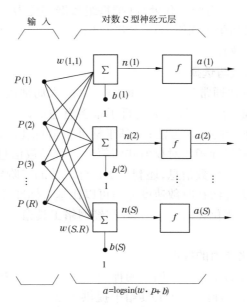

图 3　BP 网络结构

BP 网络是采用 Widrow-Hoff 学习算法和非线性可微转移函数的多层网络。一个典型的 BP 网络采用的是梯度下降算法,也就是 Widrow-Hoff 算法所规定的。Backpropagation 就是指的为非线性多层网络计算梯度的方法。现在有许多基本的优化算法,例如变尺度算法和牛顿算法。神经网络工具箱提供了许多这样的算法。

一个经过训练的 BP 网络能够根据输入给出合适的结果,虽然这个输入并没有被训练过。这个特性使得 BP 网络很适合采用输入/目标对进行训练,而且并不需要把所有可能的输入/目标对都训练过。为了提高网络的适用性,神经网络工具箱提供了两个特性——规则化和早期停止。

4 Matlab 神经网络工具箱

Matlab 是公认最优秀的数学应用软件,其中 Matlab6.5 对应的神经网络工具箱为 NN Toolbox4.0,几乎包含了神经网络理论的最新研究及应用成果,涉及感知器、线性网络、BP 网络、径向基网络、自组织网络和回归网络等。

它针对各类网络模型,集成了许多经典的神经网络学习算法,使得它能够快速实现对实际问题的建模求解。由于其编程简单,可使用户直观、方便地进行分析、计算及仿真工作。

4.1 神经网络对象

神经网络对象封装了网络结构、网络权值和阈值以及训练函数等所有重要的网络属性。用户只需按需要设置好网络属性,就可以方便地使网络按照自己的期望进行训练和工作,而不必再编写冗长的算法语句,从而大大提高了神经网络系统的设计与分析效率。

4.2 数据预处理

如果对神经网络的输入和输出数据进行一定的预处理,可以加快网络的训练速度。Matlab 提供的预处理方法有归一化处理(把每组数据都变为 - 1～ + 1 之间的数)、标准化处理(把每组数据都化为均值为 0、方差为 1 的一组数据)和主成分分析(进行正交处理,减少输入数据的维数)。

4.3 快速学习算法比较与选择

标准的 BP 学习算法通常具有收敛速度慢、易陷入局部极小值等缺点。为了克服这些缺陷,人们在标准 BP 算法的基础上进行了很多有益的改进。改进算法主要分为两大类:①基于标准梯度下降的改进方法;②基于标准数值优化的改进方法。基于标准梯度下降的改进方法只用到目标函数对权值和阈值的一阶导数信息,基于数值优化的方法不仅利用了目标函数的一阶导数信息,还利用了目标函数的二阶导数信息。试验表明:基于数值优化方法上的改进算法在收敛速度方面可以比基于标准梯度法的改进算法提高一个数量级以上。这些数值优化算法在 Matlab 神经网络工具箱中都予以集成,用户只要进行简单的函数调用即可。

4.4 BP 神经网络泛化能力的提高

所谓网络的泛化能力是指经过训练的神经网络能否适应未经训练的工作样本。为了提高网络的泛化能力,在神经网络工具箱中提供了 2 种方法,即正则化方法(regularization)和提前停止方法(early stopping)。正则化方法通过修正神经网络的训练性能函数来提高其推广能力;提前停止方法是将训练样本集在训练之前划分为训练集、验证集或测试集,到验证误差增大到一定程度时,网络训练会提前停止,这时训练函数会返回到验证误差取最小值时的网络对象。

4.5　网络的训练和仿真

在 Matlab 中训练网络有 2 类模式:逐变模式和批变模式。在逐变模式中,每个输入作用于网络后,权重和偏置量被更新一次;在批变模式中,网络在接收全部样本矢量数据后,才对网络的权值和阈值进行调整。许多改进的快速训练算法只能采用批变模式。

为了验证神经网络的训练效果,需要对训练结果作进一步的仿真,分析模型的拟合预测效果。若满足要求,则固定网络结构;否则,改变网络结构和网络的训练函数等,重新进行训练,直至达到预期目标。

5　结语

利用神经网络的分布并行处理、非线性映射、自适应学习和鲁棒容错等特性模拟河口生态系统是可行的;借助 Matlab 工具箱的强大功能,能快速实现黄河口滨海区水文、泥沙及生态指标等输入数据的预处理、网络的训练和仿真。

(原载于《人民黄河》2005 年第 10 期)

黄河口滨海区叶绿素浓度与水文资料聚类分析

近海与河口生态系统是生物种群与非生物环境相互作用的复杂动力学系统。影响河口生态动态变化的因素不仅仅有能流和物流,而且有别于一般流体动力学系统的生物信息流也起着重要作用。因此,河口来水流量在生物信息流上应该有所体现,同时作为主要的因变量,如水量、水位与泥沙含量等因素在生物信息流以及生态环境研究中应作为系统输入变量。

由于河口与近海生物对环境条件变化响应的非线性和不连续性特征,使得生态系统动力学是多尺度的各种生物过程与非生物过程耦合的非线性动力学系统,具有明显的多源性、开放性、耗散性和远离平衡态的复杂动力学特征。各种变量与研究目标的相互作用,在通常状况下难以观测和控制。通过聚类、小波分析等分析方法对复杂问题的分解,可以简化问题,进而求解出合适的目标变量或其联系。

1　资料的选取

1.1　水文、泥沙资料

采用黄河利津水文站 2000~2003 年逐月实测成果以及《黄河河口水沙特征及三角洲近期演变趋势的研究》报告中所引的资料。

1.2　遥感资料

中国海洋大学 SWIFS 海洋水色卫星地面站提供了 2000~2002 年叶绿素分布遥感

图,其范围为东经 118°～121°、北纬 37°～39°。用 IDL6.0 软件提取河口附近海域 -5～ -10 m深度范围内的叶绿素分布均值和标准方差。

2 自组织特征映射网络

自组织特征映射网络(Self-Organizing Feature Map，简称 SOM)是由芬兰赫尔辛基大学神经网络专家 Kohonen 教授在 1981 年提出的。在大脑皮层中，神经元的输入信号一部分来自感觉组织或其他区域的外部输入信号，另一部分来自同一区域的反馈信号。神经元之间的信息交互具有的共同特征是，最邻近的 2 个神经元互相刺激而兴奋，较远的相互抑制，更远的又是弱刺激，这种局部作用的交互关系如图 1 所示。

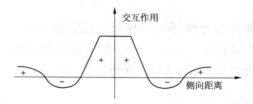

图 1　自组织特征映射网络神经元侧向交互关系

Kohonen 网络结构如图 2 所示。输入层神经元数为 n，竞争层由 $M = m^2$ 个神经元组成，且构成一个二维平面阵列。输入层与竞争层之间实行全互连接，有时竞争层各神经元之间还实行侧抑制连接。网络中有 2 种连接权值，一种是神经元对外部输入反应的连接权值，另一种是神经元之间的连接权值,它的大小控制着神经元之间交互作用的大小。

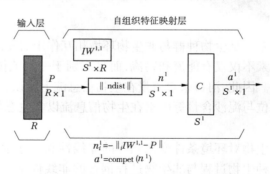

图 2　自组织映射网络结构

3　组织特征映射网络的学习及工作规则

如图 2,设网络的输入模式为:

$$P_k = (p_1^k, p_2^k, \cdots, p_N^k) \quad (k = 1, 2, \cdots, q)$$

竞争层神经元矢量为 $A_j(a_{j1}, a_{j2}, \cdots, a_{jm})$ ($j = 1, 2, \cdots, M$)，A_j 为数字量。

竞争层神经元 j 与输入层神经元之间连接权为:

$$W_j = (w_{j1}, w_{j2}, \cdots, w_{ji}, \cdots, w_{jm})$$
$$(i = 1, 2, \cdots, N; j = 1, 2, \cdots, M)$$

(1)初始化。将网络的连接权 $\{w_{ji}\}$ 赋予[0,1] 区间内的随机值($i = 1, 2, \cdots, N$;

$j = 1,2,\cdots,M$）。确定学习率 $G(t)$ 的初始值 $G(0)(0 < G < 1)$，确定邻域 $N_g(t)$ 的初始值 $N_g(0)$。邻域 $N_g(t)$ 是指以步骤（4）确定的获胜神经元 g 为中心，且包含若干神经元的区域范围。这个区域一般是均匀对称的，最典型的是正方形或圆形区域。$N_g(t)$ 的值表示在第 t 次学习过程中邻域中所包含的神经元个数。确定总的学习次数 T。

（2）任选 q 个学习模式中的一个模式 P_k 提供给网络的输入层，并进行归一化处理。

$$\overline{P_k} = \frac{P_k}{\| P_k \|} = \frac{(p_1^k, p_2^k, \cdots, p_N^k)}{[(p_1^k)^2 + (p_2^k)^2 + \cdots + (p_N^k)^2]^{1/2}}$$

（3）对连接权矢量 $W_j = (w_{j1}, w_{j2}, \cdots, w_{ji}, \cdots, w_{jm})$ 进行归一化处理，计算 $\overline{W_j}$ 与 $\overline{P_k}$ 间的欧氏距离。

$$\overline{W_j} = \frac{W_j}{\| W_j \|} = \frac{(w_{j1}, w_{j2}, \cdots, w_{jm})}{[(w_1^k)^2 + (w_2^k)^2 + \cdots + (w_N^k)^2]^{1/2}}$$

$$d_j = \left[\sum_{i=1}^{N} (\overline{p_i^k} - \overline{w_{ji}})^2 \right]^{1/2} \quad (j = 1,2,\cdots,M)$$

（4）找出最小距离 d_g，确定获胜神经元 g。

$$d_g = \min[d_j] \quad (j = 1,2,\cdots,M)$$

（5）进行连接权的调整，对竞争层邻域 $N_g(t)$ 内所有神经元与输入层神经元之间的连接权进行修正。

$$\overline{w_{ji}(t+1)} = \overline{w_{ji}(t)} + \eta(t) \cdot \left[\overline{p_i^k} - \overline{w_{ji}(t)} \right]$$

$$j \in N_g(t) \quad (j = 1,2,\cdots,M), \quad [0 < \eta(0) < 1]$$

（6）选取另一个学习模式提供给网络的输入层，返回步骤（3），直至 q 个学习模式全部提供给网络。

（7）更新学习率 $G(t)$ 和 $N_g(t)$。

$$\eta(t) = \eta(0)(1 - t/T)$$

式中，$\eta(0)$ 为初始学习率；t 为学习次数；T 为总的学习次数。

设竞争层某神经元 g 在二维阵列中的坐标值为 (x_g, y_g)，则邻域的范围是以点 $[x_g + N_g(t), y_g + N_g(t)]$ 和点 $[x_g - N_g(t), y_g - N_g(t)]$ 为右上角和左下角的正方形，其修正公式为：

$$N_g = \text{int}[N_g(0)(1 - t/T)]$$

式中，$\text{int}[x]$ 为取整符号；$N_g(0)$ 为 $N_g(t)$ 的初始值。

（8）令 $t = t + 1$，返回步骤（2），直至 $t = T$ 为止。

4　基于 SOM 的河口与遥感数据聚类分析

利用卫星遥感数据处理得出叶绿素浓度均值、利津水文站 2000~2002 年的泥沙含量及水量。样本矢量取水量、叶绿素含量、泥沙含量。确定网络的输入模式为：

$$P_k = (p_1^k, p_2^k, \cdots, p_N^k)$$

$$k = 1,2,\cdots,q \quad (q = 93, N = 3)$$

即共计有 93 组样本矢量，每个样本矢量包含 3 个元素，利用 Matlab6.5 软件编写计算，分类结果如表 1 所示。

表 1　基于 SOM 的样本聚类结果

分类数	样本序号
1	12　14　16　17　18　19　20　21　22　23　24　27　28　29　30　35　37　38　39　40
	41　42　43　44　45　46　47　48　49　50　56　57　60　61　62　63　64　65　66　67
	68　69　70　72　75　76　77　78　79　80　81　82　83　84　85　86　87　88　89　90
	91　92　93
2	11　34　36　71
3	3　13　15　26　52　54　55　58　59
4	1　2　4　5　6　7　9　10　25　31　32　33　51　53　73　74

聚类分析结果显示,相关系数 R 均达到了 0.8 以上,这说明水位、流量、含沙量和叶绿素间存在很强的相关性。

5　结语

以水位、流量、含沙量和叶绿素作为河口生态系统的输入变量,既考虑了水文因素又考虑了河口生态环境因素的影响。相关分析表明,相关系数 R 达到了 0.8 以上,说明建立河口神经网络模型,开展黄河河口滨海区生态需水量的预测研究是可行的。

(原载于《人民黄河》2005 年第 10 期)

黄河口滨海区生态需水量
神经网络模型的仿真

BP 神经网络以其强大的非线性映射能力,在模式识别和非线性预测中取得了广泛的应用。笔者结合黄河河口遥感资料,利用两层级联前向 BP 网络对 2000～2002 年相关日期的河口滨海区水流量作了有益而成功的预测,实现了对未知年水量输入过程的仿真。

1　样本数据的定义与处理

用以处理的样本数据与检验数据包括:河口 -5～-10 m 深度范围内叶绿素含量均值、叶绿素分布标准差及利津水文站提供的水文数据(包括含沙量、水位、日均流量)。叶绿素含量均值、叶绿素分布标准差、含沙量、水位为网络的输入变量,日均流量为网络的输出变量。

利用 SOM 神经网络的聚类分析结果,筛选含有 4 类样本矢量的样本 16 个,筛选的各类样本含量近似比例接近分类比例。另外筛选用于仿真的数据为 2001 年 5 月 25~28 日数据(见表 1)。

表 1　人工网络模型仿真数据

序号	叶绿素含量 (mg/m^3)	图像 标准差	含沙量 (kg/m^3)	水位 (m)	流量 (m^3/s)
1	3.514 49	0.125 563	1.140	11.28	48.3
2	1.044 27	1.585 510	1.090	11.29	47.5
3	3.265 97	0.216 019	1.020	11.49	70.5
4	3.458 40	1.526 990	0.994	11.24	40.8

2　两层级联前向 BP 网络预测模型

(1)建立网络。网络采用两层级联前向 BP 网络,第一层 6 个神经元,各层的加权函数为 dotprod,输入函数为 netsum,传递函数为 tansig′ 和 poslin,训练函数为 trainlm,权值和阈值的学习函数为 learngdm,各神经元的权值和阈值初始化函数为 initnw,网络的自适应调整函数为 trains。

(2)训练与仿真。利用 train(net,p,t)函数进行训练,利用 sim(net,p1)函数进行仿真,在这里,p、p1 分别为训练的样本矢量与仿真样本矢量。学习函数选用动量梯度下降权值和阈值学习函数,以达到较快的速率与较好的精度。训练过程、训练效果、仿真效果、对网络的输出矢量与目标矢量进行的线性回归分析分别见图 1~图 4。

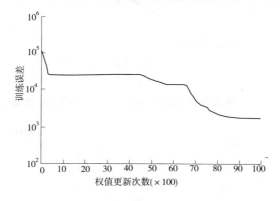

图 1　两层级联前向 BP 网络训练过程

为验证该两层串联 BP 网络的泛化能力,对 2000~2002 年有效遥感数据的水量进行预测,预测结果如图 5 所示。从图中可见,预测曲线与目标曲线吻合很好。相关回归分析结果见图 6,其相关系数大于 0.8。

(3)网络的固化与使用。用"save netok.net"命令把训练好的神经网络固化到 netok.mat 中,调用时,用"load netok"命令,其中环境中"net"为所训练的神经网络系统。

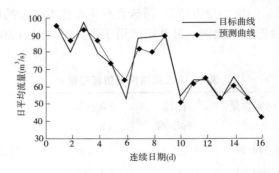

图 2　两层级联前向 BP 网络训练效果

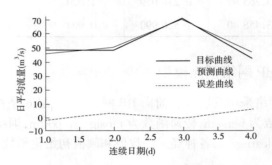

图 3　两层级联前向 BP 网络仿真结果

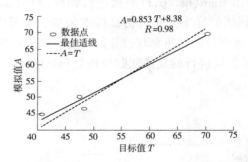

图 4　两层级联前向 BP 网络输出的回归分析结果

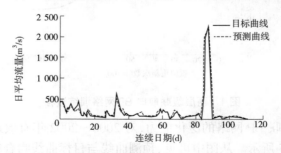

图 5　2000～2002 年有遥感数据的日期预测结果

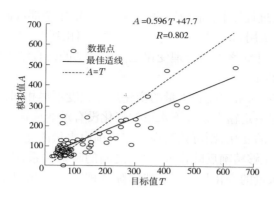

图6　2000～2002年水量预测结果相关回归分析

3　结论

黄河河口与其近海属于Ⅱ类海域,自然因素与人类活动对河口生态的影响极为复杂。以营养位较低的海域叶绿素浓度作为生物指标,建立以水位、流量、含沙量、叶绿素浓度为输入变量的神经网络模型,可开展黄河口滨海区生态需水量的探索,将实现对复杂系统的仿真研究。

（原载于《人民黄河》2005 年第 10 期）

黄河口滨海区生态需水量研究❶

黄河口生态需水量并非固定不变,而是定义在多个水平层次上,因此生态需水量研究应该客观反映动态特定层次的生态需求。作者把河口左右宽度各10 km、从潮流界到-15 m等深线位置的扇形区域作为滨海区,研究此区域黄河清水输入及实测含沙水流输入时的生态最小需水量。

1　两级串联神经网络在样本点附近精确逼近中的应用

用全部样本数据建立的两级 BP 网络对研究随局部挠动而引起的水量变化具有重大意义。求取生态环境需水量的标志流量法、水力学法与栖息地法等均提出了推荐的流量范围值,但是生态环境是动态的过程,一条河流或一个地区在不同时期的生态需水量会有变化,依据推荐的流量范围值并不能客观地反映研究时段生态环境的阶段性与特殊性。另外,目前对于生态环境健康状态的判断及生态环境水平层次的划分还没有统一的标准。因此,需要建立维持当前状态的最低需水模式,以便对现实生态用水起指导作用。

---

❶　中国海洋大学拾兵教授等参加了该项目研究。

神经网络模型建立过程如下:将所研究的 2000~2002 年全部数据矢量输入到 newrb 函数中,建立神经元模型;采用 60 个神经元模型经过训练固化到 NetALL 中,调用变量为 net。

此神经网络模型在叶绿素含量合理变化范围内挠动的仿真结果能否反映需水量的情况,要依据以下 6 条判断:

(1)水位、含沙量、叶绿素浓度及水量的变化虽然频度不尽相同,但可认为它们的变化是连续的。若此模型在一定输入条件下水量的变化没有跳变或输入的微小挠动引起水量在已知点周围发生相应的变化,则可认为在一定范围内水量的变化是连续而有界的。

(2)如果神经网络能够精确反映输入、输出之间的映射关系,则可以模拟在一定叶绿素含量的变化范围内水量的变化趋势。虽然实际物理过程与此相反,但作为实体的仿真模型是可行的。

(3)虽然无法得出此模型的精确表达式及此模型的适用范围,但是我们可以在已知点附近对有限量的挠动及其引起的变化进行观察,并在一定的误差范围内对其分析,得出在客观层次上的需水量。

(4)研究需要的是生态的特征量(叶绿素含量)与水量之间的变化关系,对于已知点,水量变化的同时水位也在变化,在这里假设已知点的水位在有限挠动内变化不大,可以认为变化为零。

(5)此研究中叶绿素含量均值在0~50 mg/m² 之间,则可以观察在此范围内的已知点附近的叶绿素—水量关系,超出此范围的观察与研究是毫无意义的;若根据所建立的计算机模型得出流量为零或负值,则说明在此范围内的观察与研究也是无意义的。

(6)不必跟踪较大范围内叶绿素含量变化时水量的变化,但可以在已知点附近一定范围内跟踪水量变化趋势。

依据这 6 条,可判断出用 2000~2002 年有关数据所建立的神经网络模型在叶绿素合理变化范围内挠动的仿真结果基本反映了需水量的变化情况,在此范围内需水量的最小值,可看做是此生态层次的最小生态需水量。

2　河口滨海区生态需水量神经网络模型应用

将 2003 年各月平均含沙量与平均水位作为输入,代入以上模型,可以推算当月的清水生态环境需水量与实测含沙的生态需水量(见表 1)。

表 1　2003 年生态环境需水量　　　　　　　(单位:m³/s)

项　目	1月	2月	3月	4月	5月	6月	7月	8月	9月	10月	11月	12月
清水生态最小需水量	50.8	49.3	48.2	47.6	48.9	50.7	53.4	57.9	93.4	99.2	80.9	70.3
实测含沙最小需水量	59.2	62.4	77.7	74.0	64.9	65.3	71.5	91.7	685	428	336	175

由表 1 可知,全年平均清水最小需水量为62.55 m³/s,实测含沙的最小生态需水量为182.66 m³/s。

同样,依据 2004 年水文资料,可得到 2004 年逐月生态环境需水量(见表 2)。

表2　2004年生态环境需水量 （单位：m³/s）

项 目	1月	2月	3月	4月	5月	6月	7月	8月	9月	10月	11月	12月
清水生态最小需水量	66	49.9	47.4	46.4	51.9	66.5	72.2	72.5	55.0	51.5	52.3	50.9
实测含沙最小需水量	66	49.9	47.4	46.4	51.9	231	216	405	228	76.8	52.3	50.9

由表1、表2数据可知：2003年与2004年黄河口年均清水最小生态需水量为59.73 m³/s，需水总量为18.85亿m³。由于生物量年际变化基本稳定，因此黄河口滨海区不含输沙的最小生态需水量也基本稳定。年均实测含沙的需水量为154.73 m³/s，需水总量为57.6亿m³。

3　河口需水量分析与比较

沈珍瑶等人以河道内生态环境需水量的预测和计算为研究对象，选择不同流域及生态系统类型进行分析，并结合不同流域及地区的生态环境保护目标，提出了生态环境需水量计算准则。通过分析不同水平年及保证率下的生态环境需水差异，建立了河道内生态环境需水量计算方法体系，对不同规划水平年的生态环境需水进行预测。

作者建立的模型计算结果与沈珍瑶在《黄河流域地表水资源开发利用阈值研究》中所给出的黄河近海与河口部分生态环境需水量估算结果相比较可以看出：二者流量与含沙量接近常年月份的推测值较吻合，大体上反映了生态需水状况；笔者所得全年考虑输沙的最小需水量为57.6亿m³，沈珍瑶方法约为63.2亿m³，可见笔者得出的结果低于沈珍瑶的结果，此差异主要是由作者未考虑河口陆域水量需求引起的；沈珍瑶方法需要大量的现场观测数据，而作者的神经网络建模方法是根据河口近海浮游生物与水文要素的非线性关系建立起来的有效的非线性系统仿真模型，水量、泥沙状况等水文资料较易获取，可操作性较强。理论上讲，此方法与沈珍瑶方法相比更具有客观性与适用性。

1997～1999年黄河下游曾发生多次长时间的断流，河口生态发生一定程度的退化。小浪底水库蓄水运行后，下游及河口未出现断流，河口生态得到恢复。2000～2002年基本属于枯水年，但各项需水指标比1997～1999年高，同时生态状况趋于正常，河口湿地和地下水位得以维持。2003年属于典型年，水量接近平水年，输沙量与年径流量都远远高于2000～2002年，但非汛期流量较低，汛期流量较高，生态基本正常，生态层次同2001年和2002年相当。通过本模型的仿真计算得到的最小需水量真实反映了2003年的生态状况；含沙最小需水量在9～12月份与净生态环境需水量相比差距较大，真实反映了该时期河流泥沙含量过大，输沙需水占较大比重的客观现实。

沈国舫在《中国生态环境建设与水资源保护利用》中估计输沙用水为100亿m³，黄河下游的生态基流量与蒸发消耗为60亿m³，共160亿m³，此值仅为黄河下游含输沙的总需水量，并未给出河口滨海区淡水需求量。实际上黄河下游输沙用水量随来沙量的多少而变化，并非为常数。

牛志明在《生态用水理论及其在水土保持生态环境保护中的现实意义》一文中，从水循环与水量平衡的角度估算黄河流域水土保持需要生态用水100亿m³，维持水沙平衡生态用水为170亿m³，保护黄河三角洲生态系统及黄河枯季生态基流需要50亿m³，河流水面蒸发为 10 亿 m³,总计 330 亿 m³。其中河口三角洲生态系统及黄河枯季生态基流量 50 亿 m³ 小于作者计算值。

4　结语

　　以河口海域叶绿素浓度作为重要输入参数的神经网络模型,比现有的各种河口需水量预测模型更能反映河口生态系统的变化特征,具有更大的可操作性。黄河河口 2003～2004 年年均清水最小生态需水流量约为 59.73 m³/s,此值基本稳定,可作为黄河口滨海区无输沙最小需水量;2003～2004 年均实测含沙的最小生态需水流量约为 154.73 m³/s,此值随河口来沙量的增加而增加。上述数值基本代表了小浪底水库运行后黄河下游输水输沙接近协调情形下的典型年份的最小生态需水量。

(原载于《人民黄河》2005 年第 10 期)

南北展宽工程

南北展宽工程防凌运用综合研究概述

黄河下游山东河段北岸的齐河展宽工程(以下简称北展宽工程)和南岸的垦利展宽工程(以下简称南展宽工程),系黄河下游防洪防凌工程体系的组成部分,主要用于解决工程所处窄河段河道凌汛威胁。此外,在黄河发生特大洪水时,北展宽工程还可用于分滞洪水。南北展宽工程于1971年经原水电部批准修建。南展宽工程于1978年完成主体工程建设,截至1990年共完成投资6 298万元;北展宽工程于1982年基本建成,共完成投资9 246万元。

由于近30年来黄河下游一直没有出现严重凌汛。南北展宽工程自建成至今尚未分洪运用。在此期间,黄河下游防洪防凌形势、河道径流及边界条件、展宽工程区域的社会经济环境等都发生了很大变化,特别是小浪底水库运用后对下游防洪防凌产生了重大影响。所以,迫切需要对南北展宽工程防凌运用问题进行分析研究。

1 南北展宽工程运用条件的变化

1.1 南北展宽工程运用难度大

近30年来展宽工程区域的社会经济环境等发生了很大变化,并出现了新的特点:一方面,展宽区作为滞洪区经济社会发展受到制约,群众生活水平低下,成为当地贫困区;另一方面,随着展宽区人口的逐步增加和一些重要基础设施的建设,如津浦铁路、济(南)—邯(郸)铁路、(北)京—福(州)高速公路、309国道、北展鹊山水库、南展东张水库、利津黄河大桥、胜利油田油井等,增大了展宽工程运用的难度。

1.2 小浪底水库的运用增大了防凌库容

1999年10月小浪底水库投入运用,它具有51亿 m^3 的长期调节库容,其中20亿 m^3 的防凌库容可以承担大部分的防凌蓄水。在小浪底水库运用初期前10年,因其有效库容大,充分利用小浪底水库调度运用即可满足防凌调节要求;在其以后至小浪底水库正常运用期之前,大多数年份依靠小浪底水库也可满足防凌要求。但当来水量大、凌情十分严重的年份,仍需要适当利用三门峡水库防凌蓄水运用。在小浪底水库正常运用期,必须保证三门峡水库15亿 m^3 的防凌库容,通过小浪底水库与三门峡水库联合运用,科学调度,以满足防凌的水量调节要求。

由于小浪底水库的运用,凌汛期增大了防凌库容,加之下游防洪工程的建设,黄河下游河道防凌水量调蓄能力增强。其次,目前黄河下游凌情(特别是来水情况)预报技术手段有了较大提高;同时,随着黄河水量调度管理系统的建立,对河道水量的控制措施逐步完善,各河段将根据来水条件及需水要求实现有效控制。在此情况下,南北展宽工程的运用条件、运用几率都发生了很大变化。

1.3　黄河下游凌汛期水量减小

随着沿黄河各地社会经济的发展,引黄水量逐年增多,下游河道槽蓄水量、尤其是凌汛期河道槽蓄水量相对减少,对下游凌汛产生了较大影响。客观地讲,黄河下游的防洪、防凌调度运用已进入一个新时期。根据黄河下游河道及展宽区现状,充分考虑小浪底水库运用对下游河道和凌汛形势的影响,研究南北展宽区运用问题以及防凌运用的条件和方式,对于妥善安排展宽区内群众生活、促进展宽区经济发展具有重要的现实意义。2002年5月,原国家发展计划委员会刘江副主任率领黄河下游防汛抗旱检查组,对山东、河南进行了汛前检查。在检查报告中建议黄委会根据小浪底水库运用后黄河下游防洪、防凌形势的变化,水资源合理利用、滞洪区群众生产、生活和致富发展的需要,加紧对南北展宽区问题的研究,提出具体解决意见,按程序报批。黄委党组高度重视南北展宽工程的运用问题,李国英主任两次批示要加快研究工作,山东黄河河务局袁崇仁局长积极组织人员开展工作,以尽快提出研究成果。

2　项目开展过程

《小浪底水库运用后黄河下游南北展宽工程防凌运用综合研究》项目,分别在黄委会和山东黄河河务局立项,山东黄河河务局项目组自2002年5月开始研究,至2004年7月完成。历时2年多。先后有8个单位、近40人参加该项研究工作,查阅资料20余种、近百册参考文献。项目成果经过6次专家咨询,其中黄委会科技委专家咨询5次、山东黄河河务局专家咨询1次,相应研究报告进行了5次较大修改。2004年6月底,黄委会主任李国英主持召开由黄委会领导、专家参加的第六次技术咨询会定稿。研究报告主要内容有:黄河下游防凌形势分析,凌汛期三门峡、小浪底水库联合运用后下游来水分析,黄河下游河道凌汛期水流演进分析,南北展宽工程河段防凌能力水文水力计算分析,黄河下游防凌措施,南北展宽工程河段防凌(防洪)能力分析及南北展宽工程运用意见分析等11个部分,连同附件合计近40万字。

鉴于小浪底水库建成后,黄河下游(花园口站)千年一遇洪峰流量可削减到22 600 m³/s,而北展宽工程原设计仅考虑在花园口站洪峰流量超过30 000 m³/s以上的大洪水时才有分洪任务。所以,项目研究重点放在南北展宽工程的防凌运用问题上。《小浪底水库运用后黄河下游南北展宽工程防凌运用综合研究》采用的技术路线是:通过对黄河下游冰凌灾害成因的分析,寻求有效的凌灾防御措施。针对黄河下游的实际情况,研究以水库调度为主解决下游凌汛灾害的调度方案。在分析黄河下游河道冰塞、冰坝生成机理的条件下,判断小浪底水库运用后严重凌汛典型年生成冰塞、冰坝的可能性,并进行冰坝河段不同方案的调洪演算和相应的水量平衡校核演算。通过对不同方案、方法演算结果与大堤相应设防水位相比较,判别是否需要南北展宽工程分凌运用,同时对南北展宽工程保留与否有关遗留问题进行研究。《小浪底水库运用后黄河下游南北展宽工程防凌运用综合研究》的方法是:

(1)分析三门峡水库的来水过程。选定1919~1998年计79年系列水文资料,根据三门峡以上工农业用水量,考虑上中游龙羊峡、刘家峡、万家寨水库等运用方式和宁蒙河段冬季河道封冻的影响等因素,确定三门峡水库来水过程。

(2)根据三门峡水库以往的防凌运用经验,提出小浪底水库的防凌调度方式,通过对下游历年凌汛期冰下过流资料的分析,提出下游凌汛期河道的冰下过流能力,进而确定凌汛不同时期小浪底水库下泄量,加上小浪底到花园口区间的来水,即为花园口断面的流量过程,以上过程作为黄河下游凌汛期来水过程。

(3)研究花园口以下河段的冰流演进方法。以马斯京根法计算,通过历史资料分段确定计算参数,重点对河道槽蓄增量进行分析。在研究冰流演进时,将黄河下游分三段进行分析:花园口—艾山河段,属宽浅型和宽浅到弯曲过渡河段,该段水流变化较为复杂,封冻情况不稳定,冰流演进变化很大;艾山—老徐庄(添口)河段,属弯曲型河段,北展宽工程在此河段内,该段河道弯曲、险工对峙,冰坝发生机会较多,冰流变化比较复杂;老徐庄—王庄河段,亦属弯曲型河段,南展宽工程在此河段内,历年冰坝发生次数较多,凌汛威胁比较严重。

(4)南北展宽工程河段冰塞、冰坝研究与计算。在研究冰塞、冰坝形成机理的条件下,结合南北展宽工程河段冰坝的历史资料,分析冰坝生成的条件和发生、发展情况,概化出产生冰坝的主要技术参数。然后作两种演算:一是假定冰坝壅水河段按水库进行调洪演算;二是假定冰坝壅水河段按水量平衡进行校核演算。根据上述演算结果,对照相应河段堤防设防水位,分析南北展宽工程是否需要运用。

(5)由于三门峡、小浪底水库距下游冰凌多发河段较远,在利用水库防凌的同时,还要充分利用黄河下游常用的行之有效的防凌措施。这些措施包括利用下游两岸引黄涵闸分水分凌,破除冰凌及防凌信息收集、传递、处理,信息网络数字化建设,防凌技术软件开发等。

(6)进行综合研究分析,提出南北展宽工程在下游防凌中是否运用和存在问题的处理意见。

3 认识

3.1 小浪底水库运用后防凌库容增大、防凌调控能力增强

根据多年的研究,解决黄河下游防凌问题,需要防凌总库容35亿 m³。在小浪底水库运用初期(前30年),大部分年份可由小浪底水库承担防凌任务,只有极少数上游来水较丰、下游冰情又十分严重的年份,需要三门峡水库蓄水。在小浪底水库正常运用期,小浪底水库承担防凌库容20亿 m³,三门峡水库承担防凌库容15亿 m³,小浪底水库与三门峡水库联合防凌运用,可基本解决下游凌汛水量调度问题,河道槽蓄增量将明显减少,大大降低了堤防的防凌压力。水库防凌调度在封河期控制泄量也减少了封河发生冰塞的几率。

3.2 小浪底水库运用后出库水温增高,零温断面下移

模拟结果显示,在出库水温为4℃时,将封河流量控制在500 m³/s左右,即使遇到特冷年份,高村以上河段也不会出现封冻,封冻上首将较水库运用以前下移200多 km,而且,出库水温每升高1℃,封冻上首将下移50 km左右。根据小浪底水库运用近3年水库蓄水量和出库水温统计,在同等气温条件下,2000～2001年凌汛年零温断面下移约400 km,2002～2003年凌汛年零温断面下移约250 km。

3.3　下游沿岸凌汛期用水量增加有利于减少下游河道槽蓄增量

下游沿岸引黄涵闸 94 座,设计引水流量约 4 170 m³/s,20 世纪 90 年代凌汛期年引水量已达 12 亿 m³。如果在凌汛期及时引出产生凌峰的槽蓄增量,对预防冰塞、冰坝的产生是有利的。凌汛期沿岸用水必须进行统一调度,在有利于防凌安全的前提下,进行有计划引水,应避免在丰水年份采用小流量封河,否则会引起人为的冰凌灾害。

3.4　下游河道主槽淤积对排凌的不利因素可以通过小浪底水库调节降到最低

黄河下游河道近几年主槽淤积,断面几何形态发生了变化,还出现了河槽高于滩地二级悬河的不利局面,造成冰塞、冰坝临界流量降低。这种不利形势可以通过小浪底水库调水调沙、疏浚主河槽等综合治理措施逐步解决。

3.5　小浪底水库运用后黄河下游河道凌汛期产生冰坝的几率减小

对一般凌汛年份,利用小浪底水库防凌调度,可有效削减凌汛期河道槽蓄水量、控制开河凌汛流量,南北展宽工程河段产生冰坝的可能性小。如果出现上中游来水量大、下游冰情特严重的年份,利用小浪底水库与三门峡水库联合防凌运用,也减少了封河出现冰塞、冰坝的几率。

3.6　黄河下游河道凌汛期即使产生冰坝,也不会产生堤防漫溢问题

假定凌汛开河时在容易卡冰阻水的北展宽工程窄河段老徐庄断面或南展宽工程窄河段王庄断面产生冰坝,出现壅高水位的严重凌情。通过对南北展宽工程河段防凌能力分析计算,北展宽工程老徐庄冰坝壅水河段,在不运用北展宽工程分凌滞洪的情况下,依据 2000 年水平设防标准的大堤设防水位,不考虑冰坝壅水河段上游引(分)水影响,按特严重凌汛典型年 1954~1955 年度,在对防凌最不利的防凌调度方案和封河上界(小浪底水库防凌调度方案 1 和封河上界至夹河滩)情况下,防凌能力为:冰坝壅水河段最小防凌剩余库容为 3.68 亿 m³,是河段全部防凌库容的 60%;冰坝头部断面最高壅水位低于相应大堤设防水位的最小值为 1.92 m。

南展宽工程王庄冰坝壅水河段,在不运用南展宽工程分凌滞洪的情况下,依据 2000 年水平大堤设防标准的设防水位,不考虑冰坝壅水河段上游引(分)水影响,在与北展宽工程相同凌汛典型年、防凌调度方案、封河上界等情况下,防凌能力为:冰坝壅水河段最小防凌剩余库容为 1.23 亿 m³,是全部防凌库容的近 30%;冰坝头部断面最高壅水位低于相应大堤设防水位的最小值 0.85 m。

4　结语

综上所述,小浪底水库运用后,南北展宽工程河段一旦遭遇历史上最严重的凌情,在不运用南北展宽工程分凌滞洪和不考虑壅水河段上游引(分)水的条件下,黄河下游南北展宽工程河段防洪工程,特别是堤防工程,其设防水位(2000 年水平)分别高于相应冰坝壅水最高水位 0.85 m(南展)、1.92 m(北展)。故南北展宽区工程,可不作分滞凌洪区运用。

同时考虑到,小浪底水库运用后,可以将花园口千年一遇洪水流量由 42 300 m³/s 削减为 22 600 m³/s 以下,而北展宽工程原设计只有当花园口洪峰流量超过 30 000 m³/s 以上时才有分洪任务,故北展宽工程可不作分洪区运用。

(原载于《水利建设与管理》2005 年第 4 期)

南北展宽工程概况及存在的问题❶

　　黄河下游山东河段北岸的齐河展宽工程(以下简称北展宽工程)和南岸的垦利展宽工程(以下简称南展宽工程),是黄河下游防洪防凌工程体系的组成部分,主要用于解决工程所处窄河段河道凌汛威胁。此外,在黄河发生特大洪水时,北展宽工程还可用于分滞洪水。

1　南北展宽工程修建背景

　　黄河下游凌汛灾害是因为河道冰坝、冰塞形成过程中壅高水位超过了堤防的防御能力造成的。据历史资料统计,黄河下游凌汛期形成的冰坝多出现在弯曲型窄河段,其中尤以艾山以下的窄河段为甚。

　　山东黄河齐河县南坦险工至济南历城区盖家沟险工河段,长约30 km,两岸堤距平均宽约1 km,其中最窄处仅465 m;东营市麻湾至利津县王庄险工河段,长约30 km,两岸堤距平均宽约1 km,其中最窄处仅441 m。这两段窄河道,是黄河下游凌汛期极易结冰卡凌,形成冰塞、冰坝、壅高水位,严重威胁堤防安全的河段。历史上的凌汛期,上述两河段内曾多次发生冰塞、冰坝。1951 年及 1955 年凌汛,黄河大堤曾在利津县王庄和五庄决口。1960 年三门峡水库建成投入运用后,利用水库调节河道流量,对防凌起了很大的作用。但由于防凌库容有限,水库距下游窄河道较远,三门峡水库的防凌调度难以掌握,因此黄河下游还不断出现严重的凌汛。1969 年凌汛期三封三开,虽然三门峡水库防凌水位达327.72 m,下游防凌形势仍十分紧张。1970 年凌汛,济南市老徐庄至齐河县南坦形成冰坝,插冰河道长达15 km,济南北店子水位陡涨4.21 m,超过 1958 年汛期洪水位(泺口洪峰11 900 m³/s)0.91 m,严重威胁济南市的安全。为解决黄河下游弯曲型窄河段防凌问题,1971 年 4 月与同年 9 月原水电部分别批准兴建北展宽工程和南展宽工程。

2　南北展宽工程概况

2.1　北展宽工程

　　黄河下游北展宽工程,位于济南市北店子至泺口窄河段的北岸,展宽堤与临黄堤距离3 km左右,展宽区总面积106 km²,按当时八里庄设防水位31.58 m(大沽基面,下同)修建展宽堤,最大库容为 4.75 亿 m³,考虑分滞洪水泥沙淤积高度1 m作为死库容,有效库容为3.9 亿 m³。

　　北展宽工程主要包括展宽大堤、分泄洪闸、群众避水村台和排灌闸 4 个部分。

　　北展宽堤自齐河曹营村南接临黄堤(桩号 102＋002)起沿倪伦河东岸到东彦村,在老屯村东穿津浦铁路至八里庄与临黄堤(桩号 140＋762)相接止,总长37.78 km。展宽堤修

---

❶　孙丽娟等同志参加了该项目研究。

筑标准与原临黄堤相同:起、止点堤顶高程与原临黄堤顶相平,起点堤顶高程38.46 m,止点堤顶高程33.66 m,堤顶宽9.0 m,超高2.1 m。

为控制分滞凌(洪)峰,在展宽区上、中部临黄堤上分别建有豆腐窝分凌(洪)闸和李家岸分凌灌溉闸,在展宽区下部展宽堤上兴建有大吴泄洪闸。豆腐窝分凌(洪)闸是展宽区的主要分凌(洪)闸,设计分洪流量为2 000 m³/s,分凌流量为1 200 m³/s。李家岸分凌灌溉闸(现已报废堵复)分别承担展宽区分凌分洪和德州地区引黄灌溉任务,该闸分凌流量为800~1 000 m³/s,灌溉引水流量为100 m³/s。大吴泄洪闸是展宽区防洪运用的主要泄洪退水闸,设计泄洪流量近期为300 m³/s,远期为500 m³/s。大吴泄洪闸后的大吴泄洪河是展宽工程防洪运用的主要退水河道,原水电部于1978年批准设计,上自大吴泄洪闸,下至济阳县西魏家铺村,北入徒骇河,全长46.44 km,按最大泄洪流量500 m³/s设计堤防标准,需配套修建桥涵等渠系建筑物82座。由于国民经济调整,该工程仅于1979年完成张仙寨穿涵闸1座,其他工程均未实施。

北展宽工程兴建时涉及齐河县及济南市郊区的6个公社109个自然村4.38万人。为了保障展宽区内人口在展宽工程运用时的安全,于1975~1978年将齐河县城陆续迁至晏城,展宽区群众分别安排在展宽区外和展宽区内靠临黄堤筑台定居。村台高程:李家岸以上高出设计水位0.6 m,以下高出设计水位1 m,边坡1:2.5。村台面积按每人45 m²规划。展区外村台高于附近地面1.5 m,边坡1:2。

为了解决展宽区内外引黄灌溉、排水及因修筑大堤和村台所挖大片土地还耕等问题,先后在临黄堤上分别建有豆腐窝、李家岸和大王庙引黄灌溉闸等4处工程,在展宽堤上分别建有赫庄排灌闸、王窑干排灌闸和王府沟、小八里、齐济河、大吴、后市等5座排水闸。

经过多次区划调整,现北展宽工程涉及德州市的齐河和济南市的天桥两个县区的6个乡镇103个自然村,展宽区群众5.21万人。另外,在展宽区下端,1998年修建有鹊山水库,占地9.5 km²,设计库容4 600万 m³,水库的主要功能是向济南市提供生活用水。

2.2 南展宽工程

黄河下游南展宽工程,位于利津宫家至五庄窄河段南岸,展宽区总面积123.33 km²,区内按章丘屋子处保证水位13.0 m修建展宽堤,相应库容为3.27亿 m³。

南展宽区工程主要包括展宽大堤、分泄洪闸、群众避水村台和排灌涵闸4个部分。

南展宽堤自博兴县老于家皇坝接临黄堤(桩号189+121)起至垦利县西冯与临黄堤(桩号235+230)相接止,总长38.651 km。大堤顶高程设计标准按1962年设计水平,防艾山13 000 m³/s流量相应水位超高2.1 m,起点堤顶高程19.39 m,止点堤顶高程14.81 m,堤顶宽7 m,临背边坡1:3,按1:8浸润线出逸点高于1 m的标准加修后戗。

为控制蓄滞凌洪,在展宽区上部临黄堤上分别建有麻湾分洪闸和曹店分洪放淤闸,在展宽区下端临黄堤上兴建有章丘屋子泄洪闸。麻湾分洪闸的主要任务是分泄凌洪,设计分凌流量为1 640 m³/s;曹店分洪放淤闸(现已报废堵复)的主要任务是分凌和放淤造滩,设计分凌流量为1 090 m³/s,放淤流量为800 m³/s;章丘屋子泄洪闸的任务是当展宽工程防凌运用时,将蓄水排回黄河,设计泄水流量为1 530 m³/s。

展宽工程兴建时涉及博兴和垦利两县的6个公社80个村庄的5.02万人。为了保障区内群众在展宽工程运用时的安全,展宽区群众分别安排在展宽区外和展宽区内靠临黄堤筑台定居,修筑村台人口按1973年统计数另增加15%考虑,每人台顶面积45 m²,高度为超过展区内设计水位0.6 m,展宽区外村台高于附近地面1~1.5 m,边坡1:2。

为了解决展宽内外引黄灌溉、排水及因修筑大堤村台所挖大片土地还耕等问题,在临黄堤上先后分别建有麻湾、曹店、胜利、路庄、纪冯等5座引黄灌溉闸以及麻湾分凌(洪)闸、章丘屋子泄水闸,在展宽堤上分别建有大孙灌溉闸、清户灌排闸、胜干排灌闸、胜干灌溉闸、宁海排灌闸和大孙、胜干、王营(新)、王营(旧)、路干5座排水闸。

经过多次区划调整,现南展宽工程涉及东营市的东营、垦利和滨州市的博兴三个区县的6个乡镇73个自然村,展宽区群众5.11万人。另外,在展宽区内下端于1996年建有东张水库,水库占地面积6.0 km²,设计库容3 675万 m³。

3　南北展宽工程运用存在的主要问题

几十年来,南北展宽工程虽未使用过,但承担分凌分洪的任务没有改变,致使南北展宽区内的经济发展受到了极大制约,生产落后、群众生活困难。各级人大代表年年有提案、群众年年有上访,展宽区群众的生产生活问题已成为地方各级政府关心的焦点。同时,展宽工程本身也存在着诸多问题。

3.1　展宽工程不能满足防洪要求,建筑质量差

展宽堤堤身单薄残缺,尤其是堤防施工时正值"文革"时期,大堤填筑质量较差,加之长期以来维护费用不足,堤身蛰陷、裂缝、残缺现象较为严重,一旦运用很难保证安全。

3.2　工程尚存部分尾工至今没有完成

展宽区工程于1971年冬动工兴建,1980年国民经济调整时期,国家计委确定为缓建项目。按原计划剩余的尾工:一是北展宽工程大吴泄洪闸至徒骇河的泄洪河道尚未开挖,退水无出路,若分滞洪运用,只能临时抢修齐济河西堤和邢家渡干渠西堤,需做土方43万m³,淹没耕地2.27万 hm²(34万亩),迁移13万人;二是南展宽工程新堤后戗工程和沿展宽堤截渗排水沟等至今没有完成。

3.3　展宽堤穿堤建筑物存在问题较多

灌排水涵闸已建成20多年,不同程度存在混凝土老化、裂缝等问题。如北展宽堤赫庄排灌闸部分底板裂缝宽达18 mm,整个底板断裂;小八里排水闸有一条纵向裂缝贯穿涵洞顶板;大吴泄水闸闸门止水橡皮老化严重等。

3.4　展宽区内群众房台面积小,生活困难

展宽区避水村台面积按每人45 m²修建,几十年来,由于人口自然增长,村台居住区面积已相对减少到每人30 m²,房舍拥挤、群众居住条件很差,部分群众不得已又搬回展区内居住。南展区内修堤筑房台所挖土地尚未完成改造,盐碱地较多,群众吃水困难。

3.5　展宽区内经济落后

由于展宽区具有分滞洪水的任务,展宽区经济发展受到严重制约。目前区内几乎没有任何村镇企业,群众生活水平低下,已成为当地贫困区,引起了地方政府、人大的高度重视。南北展宽工程内,村台沿临黄大堤修建,严重影响了临黄堤防工程的管理和工程的加高、续建。

(原载于《水利建设与管理》2005年第4期)

南北展宽工程原设计运用方案及主要技术指标

1　北展宽工程

1.1　原设计运用方案

防凌：当凌汛期济南河段形成冰塞、冰坝，壅水达到设计防洪水位以上，危及堤防安全时，开启豆腐窝分凌(洪)闸和李家岸分凌闸分凌。

防洪：1985年6月，国务院批转的原水电部《关于黄河、长江、淮河、永定河防御特大洪水方案报告的通知》中确定：当花园口站发生30 000～46 000 m³/s的特大洪水时，除采取其他拦洪滞洪措施外，运用豆腐窝和李家岸两座分洪闸，向北展宽区分洪2 000 m³/s，再由展宽区大吴泄洪闸向徒骇河泄水700 m³/s。

1.2　主要技术指标

1.2.1　分凌调洪计算

按照设计艾山来水过程和槽蓄曲线及设计典型年泺口站泄流能力、豆腐窝分凌闸进流能力做工作曲线，用蓄率中线法进行分凌调洪计算。

1.2.2　设计凌汛来水过程

(1)凌汛开河期洪峰流量和洪水总量。经过对艾山站1949～1970年整编资料的整理分析，凌峰流量除1949～1953年因艾山无整编资料采用泺口资料外，其余年份均采用艾山资料。对不易查出的个别年份凌峰流量，采用历年凌汛总结中的数据进行统计。

(2)典型年选择计算。凌汛期洪峰流量和洪水总量按目估适线法用 P－Ⅲ 型曲线进行了频率计算，洪峰流量20年一遇为3 070 m³/s(变差系数 $C_v=0.70$，偏态系数 $C_s=2C_v$，平均流量 $\overline{Q}=1 300$ m³/s，下同)；洪水总量20年一遇为7.0亿 m³($C_v=0.85$，$C_s=2C_v$，$W=2.6$亿 m³)。根据以上资料及频率计算结果，选用1969年凌汛第二次开河作为典型年，按20年一遇标准相应放大1.1倍，则凌峰流量为3 036 m³/s，洪水总量为6.38亿 m³，其数量相当于1955年利津王庄冰坝。来水过程则以艾山站1969年凌汛开河时凌峰流量过程加大10%求得。

1.2.3　冰坝下大河过流能力

设计采用1970年凌汛老徐庄冰坝下泺口水文站实测过流资料(过流比50%)，考虑到以后冰凌插塞有可能比1970年更严重，过流比按1970年过流比的70%，即按35%过流。1970年冰坝上首在北店子，设计冰坝上首在李家岸，故将北店子水位按0.1‰比降，即北店子水位减0.08 m换算成李家岸水位与泺口过流建立相关关系。

1.2.4　壅水水面比降

冰坝上游壅水水面比降采用0.01‰。

1.2.5　分凌调洪

当冰坝在李家岸插塞,利用豆腐窝分凌闸分凌调洪,当李家岸水位达32.98 m时,开闸调洪,76 h后关闸,确保李家岸水位不超过设防水位33.90 m,调洪水量2.44亿 m³。

2　南展宽工程

2.1　原设计运用方案

当凌汛水位达到或超过该河段设防水位时,即利用麻湾分凌分洪闸和曹店分洪放淤闸分凌滞洪,利用章丘屋子泄洪闸退水入黄河。

2.2　主要技术指标

2.2.1　分凌调洪计算

采用简化近似方法。展宽区、河段相当于一个两级水库,第一级水库在大河,第二级水库在展宽区。先进行第一级水库调洪计算(闸下游尾水按展宽区的回水曲线求得),求得第一级水库的出流过程,即为第二级水库(展宽区水库)的入流过程。在第二级水库调洪计算中,库容曲线采用动库容,动库容按稳定流计算的回水曲线求得。

2.2.2　设计凌汛来水过程

凌汛开河时期最大日平均流量:根据利津站1950~1970年的资料统计,并参考杨房、罗家屋子水文站资料进行修正、插补,求得凌汛开河时期最大日平均流量的平均值为1 126 m³/s。

2.2.3　典型年的选择和设计来水过程的选定

该河段凌汛期形成冰坝的年份有:1950~1951年、1954~1955年、1967~1968年,其中以1954~1955年度最为严重,171 h内的总水量为9.91亿 m³。在此时段内,来自三门峡以上的流量一般在500 m³/s左右,所以1954~1955年凌汛洪水主要来自三门峡以下。此次凌汛洪水不但形成了冰坝,而且壅水点恰在利津以上綦家嘴附近,壅水水位高达15.31 m,与当地设防水位相等,设计采用1954~1955年度凌汛洪水作为典型年。考虑到凌峰水量已足够大,所以来水过程不放大。

2.2.4　冰坝上游壅水河段水面比降

麻湾分凌闸以上水面比降采用0.03‰;麻湾分凌闸以下水面比降采用0.01‰。

2.2.5　冰坝下过流能力

选用冰坝壅水点下游利津站1955年1月实测凌洪流量作为设计条件下冰坝过流量,冰坝形成后第一天假定冰坝下过流能力为1 000 m³/s,以后一律为500 m³/s。

2.2.6　设计冰坝位置

设计冰坝位置有两个:一个在曹店闸上游附近,麻湾闸单独运用,闸门开启水位15.50 m,闸前最高水位16.15 m,相应流量1 640 m³/s;另一个在綦家嘴上游附近,麻湾、曹店两闸联合运用,麻湾闸前最高水位15.49 m,相应流量940 m³/s,为使麻湾水位不超过当地设防水位17.00 m,麻湾闸设计最大分洪能力为2 350 m³/s。

(原载于《水利建设与管理》2005年第4期)

南北展宽工程河段防凌能力水文水力
计算参数的选择与采用

　　以凌汛开河期南北展宽工程河段形成冰坝后可能造成的凌汛威胁为模式,进行冰坝壅水河段防凌能力水文水力计算分析。根据黄河下游的历史凌情,假定凌汛开河时在容易卡冰阻水且凌情危害严重的北展宽工程河段形成老徐庄冰坝,或南展宽工程河段形成王庄冰坝,冰坝上游壅水河段视为"水库",其入库控制断面相应拟定为艾山、杨房断面。同时,分别对以上两冰坝相应壅水河段进行水库调洪计算和河段水量平衡校核计算,根据计算结果,判定南北展宽工程相应冰坝壅水河段的防凌能力,确定是否需要运用其相应工程分凌滞洪。

1　冰坝头部断面位置

　　根据历史上实际发生冰坝的河段、地点,选定济南老徐庄(1955～1956 年、1969～1970 年度凌汛两次发生冰坝)为北展宽工程河段冰坝头部断面位置;利津王庄(1954～1955 年度凌汛发生冰坝)为南展宽工程河段冰坝头部断面位置。因老徐庄在泺口断面上游3 km,距离很近,河段情况相似,为计算方便,老徐庄冰坝头部断面的有关计算资料,使用泺口水文断面资料。王庄断面借用利津站资料。

2　冰坝头部最高壅水水位

　　老徐庄冰坝头部最高壅水水位,设定为老徐庄断面(泺口,下同)2000 年水平标准的大堤"设防水位",其值为36.02 m(大沽基面高程,下同);王庄冰坝头部最高壅水水位设定为王庄断面 2000 年水平标准的大堤"设防水位",其值为16.69 m。

3　冰坝壅水河段壅水水面比降

　　对黄河下游有资料可查的历次冰坝上游壅水水面比降进行了统计计算,其中南展宽工程附近河段有 4 次冰坝:1951 年垦利前左冰坝、1955 年利津王庄冰坝、1973 年利津东坝(宁海,下同)冰坝和 1979 年博兴麻湾冰坝,相应壅水河段水面比降分别为 0.42‰、0.41‰、0.45‰、0.44‰。北展宽工程附近河段有 2 次冰坝:1969 年齐河顾小庄冰坝和1970 年济南老徐庄(齐河王窑,下同)冰坝,相应壅水河段水面比降分别为 0.40‰、0.16‰。从偏安全考虑,拟定的王庄、老徐庄冰坝壅水河段水面比降分别采用相应附近河段历史冰坝壅水河段水面比降的最小值,其值分别为 0.41‰、0.16‰。

4　冰坝壅水河段长度

　　老徐庄、王庄冰坝壅水河段长度,按最高壅水水位与相应设防水位同高(冰坝头部最高壅水位:老徐庄36.02 m、王庄16.69 m),相应壅水河段水面比降(老徐庄 0.16‰、王庄

0.41‰)、壅水河段 2001 年 10 月实测大断面河底纵剖面比降(按 0.1‰),用二元一次方程组计算出老徐庄冰坝壅水河段长度为95.5 km,王庄冰坝壅水河段长度为90.9 km。

5 冰坝过流能力

冰坝过流能力可用冰坝头部断面过流能力和冰坝壅水河段过流能力表示,前者用于冰坝壅水河段调洪计算,后者用于冰坝壅水河段水量平衡计算。

5.1 冰坝头部断面过流能力

冰坝头部断面过流能力指冰坝头部断面在相同水位下,形成冰坝后下泄流量 $Q_{形成冰坝后}$ 与形成冰坝前下泄流量 $Q_{形成冰坝前}$ 之比,即

$$K_l = \frac{Q_{形成冰坝后}}{Q_{形成冰坝前}}$$

式中,K_l 为冰坝头部断面过流能力。

用上述公式,对南北展宽工程河段有资料可查的历次冰坝头部断面过流资料进行计算分析。其中,南展宽工程河段有 2 次冰坝,即 1954~1955 年利津王庄冰坝、1978~1979 年博兴麻湾冰坝;北展宽工程河段有 4 次冰坝,即 1955~1956 年济南老徐庄冰坝、1968~1969 年 1 月齐河顾小庄冰坝及 2 月邹平方家冰坝、1969~1970 年济南老徐庄(齐河王窑)冰坝。通过分析比较,资料比较齐全、断面过流能力代表性较好的典型年为:南展宽工程河段冰坝头部王庄断面(利津断面)计算过流能力采用 1978~1979 年麻湾冰坝头部断面过流能力,见图 1;北展宽工程河段冰坝头部老徐庄断面(泺口断面)计算过流能力采用 1969~1970 年济南老徐庄冰坝头部断面过流能力,见图 2。

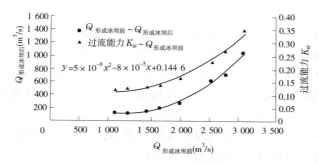

图 1　1978~1979 年麻湾冰坝 K_w~$Q_{形成冰坝前}$关系曲线

5.2 冰坝壅水河段过流能力

冰坝壅水河段过流能力指考虑水流传播时间后,冰坝壅水河段下断面的出流量 $Q_下$ 与上断面相应时间内的入流量 $Q_上$ 之比,即

$$K_l = \frac{Q_下}{Q_上} \times 100\%$$

式中,K_l 为冰坝壅水河段过流能力。

用上述公式对南、北展宽工程河段有资料可查的历年冰坝壅水河段过流能力实测资料进行统计计算。南展宽工程河段有 2 次冰坝资料,其中,1954~1955 年,王庄冰坝因冰坝形成后不到一天(20 h),上游大堤决口,加之下断面代表站(利津站)位于冰坝河段内,

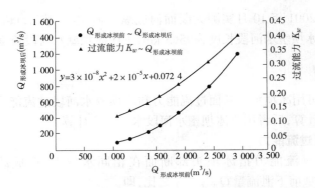

图 2　1969～1970 年老徐庄冰坝 K_w～$Q_{形成冰坝前}$ 关系曲线

过流资料代表性较差,不宜采用,所以,南展宽工程冰坝壅水河段计算过流能力就采用 1978～1979 年博兴麻湾冰坝壅水河段实测过流能力,其值 $K_l = 52.1\%$;北展宽工程河段有 4 次冰坝资料,其中 1955～1956 年济南老徐庄冰坝,冰坝持续时间过短(4 h),1968～1969 年 1 月齐河顾小庄冰坝及 2 月邹平方家冰坝,由于冰塞、冰坝混合一起难以分辨,致使冰坝持续时间统计过长(19～49 d),上述 3 次冰坝过流资料代表性差,不宜采用,故北展宽工程河段计算过流能力采用 1969～1970 年济南老徐庄冰坝壅水河段实测过流能力,其值 $K_l = 48.7\%$。

6　冰坝形成时间与上游临近站凌峰出现时间的关系

依据历年有资料可查的冰坝统计,南展宽工程河段仅有 1955 年利津王庄冰坝一次资料,冰坝形成于 1955 年 1 月 29 日,其上游临近杨房站凌峰亦在当日出现;北展宽工程河段则有 3 次冰坝资料:第一次(1956 年 1 月济南老徐庄冰坝)冰坝形成时间与上游临近艾山站凌峰出现时间相同,第二次(1969 年 1 月齐河顾小庄冰坝)冰坝形成时间较上游附近站艾山站凌峰出现时间迟后 1 d,第三次(1970 年 1 月济南老徐庄冰坝)冰坝形成时间较上游临近站艾山站凌峰出现时间提前 1 d,北展宽工程河段若按 3 次冰坝平均,则冰坝形成时间和上游临近艾山站凌峰出现时间相同。

根据上述情况,南、北展宽工程河段拟定的王庄、老徐庄冰坝形成时间,与相应上游临近的杨房、艾山站凌峰出现时间,均视为同日出现。

7　凌汛期小浪底至利津站传播时间

根据 20 世纪 60～70 年代黄河下游封冻期三门峡枢纽关闸后各级流量传播时间,并参考 90 年代凌汛期各级流量(100、200、300、400、500、600 m³/s)传播时间进行统计计算,凌汛期小浪底到利津站传播时间分别为 17.2、13.5、11.3、10.7、9.5、7.3 d。

8　冰坝持续时间

冰坝持续时间与当时气温变化、坝体规模、强度和水流动力、坝体头部水位差等因素有关,是非常复杂的问题。为此,对黄河上、下游有水文记载的历年冰坝资料进行了统计计算。上游宁夏河段 20 世纪 50～70 年代有水文资料记载的冰坝有 7 次,冰坝持续时间一般为2 d左右(44 h),最短1 d(14 h),最长3 d多(80 h);内蒙河段20世纪50~80年代初有水文资料记载的冰坝有244次,冰坝持续时间一般为1 d左右(26 h),最短0.5 d,最长2 d(48 h)。黄河下游20世纪50年代初至70年代末有水文资料记载的冰坝有9次,其中因冰坝壅水引起大堤决口2次(1951年1月30日晚垦利前左冰坝、1955年1月29日晚利津王庄冰坝),河段严重冰塞与冰坝混合难以分辨的2次(1969年1月19日齐河顾小庄冰坝、2月11日邹平方家冰坝),其他原因(1957年1月27日在宽浅河段形成的梁山南党冰坝及1973年1月19日利津东坝冰坝)致使冰坝持续时间过长,失去代表性外,尚有3次,即1956年1月29日济南老徐庄冰坝、1970年1月27日济南老徐庄(齐河王窑)冰坝、1979年1月23日博兴麻湾冰坝,资料较为完整。根据以上3次冰坝资料统计,黄河下游冰坝持续时间一般为2 d左右,最短0.5 d,最长3 d。

根据黄河下游历年冰坝持续时间统计,结合上游宁、蒙河段历年冰坝持续时间统计资料分析,黄河上、下游冰坝持续时间一般情况下为2 d。从计算安全考虑,黄河下游冰坝持续时间采用3 d。

(原载于《水利建设与管理》2005年第5期)

黄河下游凌汛期河道槽蓄增量分析

在河流中,某一河段所容蓄的水量称之为该河段的槽蓄量。它随河段水位的涨落而变化,因此槽蓄量 W 是水位 H 的函数,即 $W = f(H)$。因为水位的涨落是由于河段流量的增减所致,所以河段槽蓄量的增减值 ΔW 与该河段进出流量的差值 ΔQ 和时间 T 密切相关,即 $\Delta W = f(\Delta Q, T)$。

河道槽蓄量由槽蓄基量和槽蓄增量两部分组成,而槽蓄增量又包括由河段入流变化所引起的和由河槽阻力变化所引起的两种。某河段 L 在畅流期某时刻 T_0 下泄一定流量 Q_0 时,相应水位下的河槽水量叫做 L 河段的槽蓄基量(W_0)。当河道入流由 Q_0 变为 Q_1 时,河道水位随之变化,河道槽蓄量也相应变化,所增加或减少的这部分河槽水量就叫做槽蓄增量 ΔW_1。当入流增大时,ΔW_1 为正值;反之,为负值。而当河流封冻后,由于冰凌的阻力作用,下泄同一流量 Q_1 时,河段水位增高,河槽的蓄水量也相应增大,所增加的这部分河槽水量就叫做 L 河段的槽蓄增量 ΔW_2。因为畅流期 $\Delta W_2 = 0$,所以 $W = W_0 + \Delta W_1$;在封冻期,$W = W_0 + \Delta W_1 + \Delta W_2$。

1　影响黄河下游河道槽蓄增量的主要因素

影响河道槽蓄增量变化的主要有四个因素。

(1)气温。气温是影响凌情变化的主要热力因素,也是影响河道槽蓄增量的主要因素之一。在冬季,河道水体温度随气温的下降而降低,静止的水当水温下降到0 ℃时就开始结冰;流动的水随着气温的继续降低,河道开始流凌,流凌密度增大到一定程度就形成冰盖。由于冰盖的阻挡,以及上游冰块在冰盖下的积聚,出现冰塞,河道过流能力减小,河段出现壅水,大量槽蓄增量开始形成。在其他条件相同的情况下,气温越低,河道封冻越严重,封河河段越长、冰盖厚度越大,河道的槽蓄增量也就越大。

(2)封河流量。封河流量的大小直接影响冰盖的高低,进而影响冰下的过流能力和河道的槽蓄增量。但封河流量与槽蓄增量的关系比较复杂,封河流量大时,河道在结冰时就能形成高冰盖封河。一方面,在相同的封河长度条件下,高冰盖封河会导致较多的冰量储存,使槽蓄冰量增大;同时,大流量封河由于较强的水动力容易导致冰塞,河道槽蓄增量会明显增加。封河时如果流量小,在相同的气温下,不仅容易出现封河,而且往往形成低冰盖封河,冰下过流能力较小,遇到后期来水增多,槽蓄增量就会大大增加。

(3)封河后来水流量。河道槽蓄增量的形成主要是由于封冻河段水流阻力增大或冰盖下冰花的积聚形成冰凌堵塞,使冰下过流能力减小,上游来水不能顺利从冰下通过所致,因此封河后上游来水是影响槽蓄增量的一个最主要因素。如果封河后上游来水量大于下游冰盖下过流能力,大量的来水就会积蓄到冰盖上游,使河道槽蓄增量增大。反之,如果封河后能根据冰下过流能力有效控制上游来水,使来水流量不大于冰下过流能力,则上游来水就会顺利从冰下通过,其槽蓄增量就会大大减小,能形成槽蓄的仅仅是当时的冰量。

(4)河道形态。河道形态对冰情的影响是通过热力和水力两种形式表现出来的。就大范围的平面形态看,黄河下游河道从兰考东坝头以下折向东北,气温呈上暖下寒分布,这是河道形态影响凌汛的热力因素;而河道的上宽下窄引起排泄凌洪能力的上大下小就是其水力因素。历年来黄河下游凌汛威胁较严重的年份,大多是由于大量冰凌在弯曲、狭窄或宽浅河段受阻,形成冰塞或冰坝而引起的。所以,河道形态与凌汛的关系极为密切,同样也就影响着河道的槽蓄增量。

2　黄河下游河道槽蓄增量的计算方法

河道槽蓄增量的计算主要是依据河道地形资料、水文站及水位站断面流量和水位来进行,有多种计算方法,如水量平衡法、水位断面法、同水位流量法、储冰量计算法等,不同的方法有不同的资料要求和计算精度。根据黄河下游凌汛资料情况,槽蓄增量计算采用水量平衡法。

根据水量平衡原理,在不考虑沿程引水及河段自然损耗的条件下,河段槽蓄方程为:

$$\Delta W = (Q_上 - Q_下)\Delta t$$

式中,ΔW 为河段槽蓄增量;$Q_上$、$Q_下$ 分别为考虑传播时间后计算河段上、下断面相应时段流量;Δt 为时段长。

根据上式,由河段入口断面与出口断面日均流量过程,以日为计算时段,可计算河段封冻期逐日槽蓄增量,累加可求得河段各年度凌汛期的槽蓄增量。

3　黄河下游花园口至利津河段槽蓄增量分析

根据黄河下游河道状况、水文站断面设置以及南北展宽工程布局,分别将艾山、杨房断面作为北展宽、南展宽工程冰坝壅水河段的入口控制断面,将老徐庄、王庄断面分别作为北展宽、南展宽工程冰坝头部的出口控制断面。考虑河道水流演进和冰坝防凌能力水文水力计算的需要,在槽蓄增量计算时按花园口—艾山、艾山—老徐庄、艾山—杨房、杨房—王庄分河段进行。由于老徐庄、王庄非固定水文站观测断面,在分析计算时,分别借用其邻近站洑口、利津断面资料;杨房站除 1951～1956 年用本站实测资料外,其余年份也借用洑口站断面资料。

3.1　不同年份河段槽蓄增量变化

　　为分析不同来水、不同封冻条件下河道槽蓄增量的变化,根据影响河道槽蓄增量的主要因素,考虑历年黄河下游河道封冻程度,以封河上界为参数,点绘各河段槽蓄增量与封冻期上断面平均流量关系,如图 1、图 2 所示。由两图可以看出,河道槽蓄增量与封冻期间上断面平均入流量、封河长度(代表了气温与流量的综合作用)具有较好的相关关系。一方面,河段槽蓄增量随封河期间上断面平均流量的增大而增加,说明利用三门峡、小浪底水库调节下游来水可以有效控制河道的槽蓄增量;另一方面,河段槽蓄增量随封河长度的增长而增加。而封河长度与气温、水温及水动力条件有关,在相同的气候条件下,如果提高小浪底水库出库水温或增大河道流量可以使下游河道封冻长度缩短甚至不封河,从而减少槽蓄增量。小浪底水库蓄水防凌运用后,提高了出库水温,使下游河道零温度断面下移,封冻长度变短,河道冰量减少。对于增大河道流量问题,从黄河下游已有水温资料分析,封河前流量即使加大到 1 300 m³/s,遇到强寒流仍有封河的可能。同时,在目前水资源紧缺的情况下,加大封河期的河道流量可能性不大。如果加大封河期的流量,一旦下游封冻就会出现冰塞,从而增大槽蓄增量。所以,凌汛期河道流量应控制在一个适度的范围。

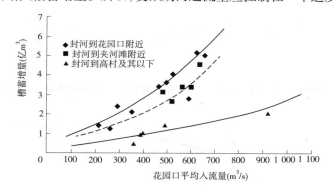

图 1　历年封冻期花园口—艾山河段槽蓄增量与花园口平均入流量关系

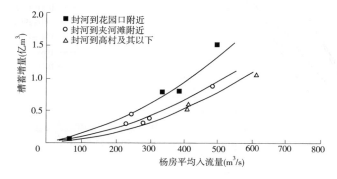

图 2　历年封冻期杨房—王庄河段槽蓄增量与杨房平均入流量关系

3.2 封河期槽蓄增量变化过程

在凌汛期,自河道出现流冰时,河道槽蓄增量即开始形成。随着河道流冰密度增大,槽蓄增量也随之增加,至封河后,随着封河河段的加长,槽蓄增量也逐步增加。尤其在封冻初期,由于下断面出流量的急剧减小,槽蓄增量增加迅速。随后,随着下断面过流能力的回升,河段槽蓄增量增长速率减慢。当冰盖下出流能力达到相对稳定后,河段槽蓄增量随河段入流的变化而变化,即槽蓄增量的变化与上断面入流有同步的变化趋势。图 3、图 4 为典型年花园口—艾山河段槽蓄增量变化过程,显示了封冻期槽蓄增量在不同阶段的增长速率。

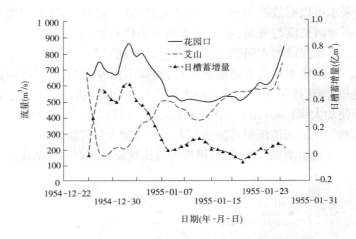

图 3　1954～1955 年花园口、艾山凌汛期流量及相应河段槽蓄增量变化过程

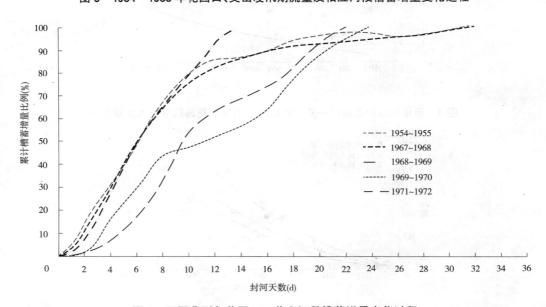

图 4　不同典型年花园口—艾山河段槽蓄增量变化过程

图 5 为花园口—艾山河段槽蓄增量累计百分比与花园口站封河期来水量累计百分比关系,以封河时间 X 为参数。由图 5 可以看出,封河时间长,曲线偏上,曲线前段陡,后段

平缓,说明封河前期累计槽蓄增量随累计来水量的增加而快速增长,累计槽蓄增量所占总槽蓄增量的比例较大,到后期,累计槽蓄增量增长较慢,亦即槽蓄增量主要是在前一阶段形成;封河时间短时,曲线偏下,除开始和最后短时间内曲线较平缓外,中间很长时间曲线变化均匀,说明封河时间短时,累计槽蓄增量随累计入流量的增加而比较均衡地增加。

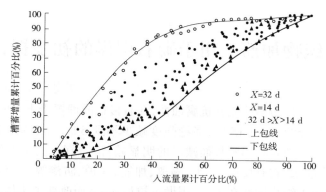

图5　花园口—艾山河段槽蓄增量累计百分比与花园口入流量累计百分比关系

黄河下游凌汛期,多是自上而下逐段解冻开河,随着冰凌的消融,解除了对水流施加的阻力,滞蓄于河道中的槽蓄增量迅速地释放出来,于是形成了开河期的凌洪,凌洪流量的最大值就是凌峰。因此,凌洪和凌峰都是凌汛开河期河道槽蓄增量释放的产物,也常常是形成黄河下游凌汛灾害的直接原因。

(原载于《水利建设与管理》2005 年第 5 期)

土工织物应用

土工织物加筋土用于砌石坝岸的初步探讨❶

　　土工织物具有良好的力学性能和抗腐蚀性,在有覆盖或埋置于土中的情况下,使用效果较好。据有关资料介绍,经过 15 年,涤纶强度减少不到 5%,丙纶强度减少不到 10%,而且二者的老化速度有随着时间延长而减慢的明显趋势。当前,土工织物在全国各地已得到广泛应用,综合起来,它有反滤、排水、隔离、加筋、保护、防渗等六种基本功能。土工织物加筋土就是将土工织物铺埋在土中,用做抗拉材料,从而改变了土体的变形特性和强度特性,提高了土的抗剪强度,增强了挡土结构或土体的承载能力和稳定性。本文拟就土工织物加筋土新技术用于黄河险工砌石坝岸问题进行初步探讨。

1　问题的提出

　　根据 1992 年资料统计,山东黄河有险工 98 处,各类坝岸3 778段,其中砌石坝岸 768 段,约占险工坝岸总数的 1/5。砌石坝岸为重力式挡土墙形式,坝外坡 1:0.35 左右,内坡直立。大多数坝岸是新中国成立前修建的,20 世纪 50 年代改建时,坝高 5~6 m,坝身挡土稳定问题不大。以后随着大堤加培,险工坝岸相应进行加高,一般加高 4~6 m,加高后坝高 8~12 m,其中高度大于10 m的占 60%。由于坝高、坡陡、头重脚轻,更因土压力随坝高的平方增加,坝岸的稳定问题愈见突出,且根石标准偏低,多数坝岸处于或接近于极限平衡状态,潜伏着垮坝的危险。1981 年以来,已有 6 处险工的 13 段砌石坝岸先后出现裂缝、蛰陷、滑塌等严重险情,有些险情还发生在非汛期。为此也曾采取加固根石、逐步拆改为坡度较缓的扣石坝等措施,以减少险情的发生,但有的堤段,特别是一些临堤下埽的护岸,无法退坦缓坡,加高根石,投资又过大,短时期也难以实现,且今后坝岸越加越高,稳定安全问题越突出。为解决上述矛盾,我们设想采用土工织物加筋土新技术,在砌石坝岸背后填土内,沿坝高方向,自下而上平铺若干层土工织物,依靠织物的抗拉能力及其与土之间的摩阻力,增加抗滑力量,提高坝岸的稳定性(见图 1)。为便于探讨技术上的可行性和经济合理性,现以历城段盖家沟险工 21#坝为例进行墙背填土未加筋(现状)和加筋两种情况的抗滑稳定分析。

2　墙背填土未加筋情况抗滑稳定分析

　　盖家沟险工 21#坝是浆砌石护岸工程,长83 m,1952 年拆修时,高6.3 m,1963 年和

---

❶　李祚谟同志参加了该项研究工作。

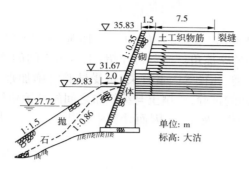

图1　加筋土砌石坝岸示意图

1981年两次挖槽戴帽加高共4.16 m,现高10.46 m。1982年1月5日,该工程砌石护岸背后的土基发生严重顺堤裂缝,缝距沿子石外边缘7～9 m,长77 m,宽1～10 cm,深2 m左右。裂缝发生后,当即采取加根、减载等措施进行处理。为进一步研究分析裂缝发生的原因,对土坝基作了取样分析,并按圆弧滑动法作了抗滑稳定计算,计算成果见表1和表2。

表1　裂缝时根石断面抗滑稳定安全系数验算

滑动面编号	滑动半径 R(m)			
	29	32	36	39
Ⅰ	1.136	1.065	0.928	0.950
Ⅱ	1.010	0.984	0.881	0.882
Ⅲ	0.888	1.073	1.024	1.022

表2　增加根石后抗滑稳定安全系数验算

滑动面编号	根石坡度		附注
	1:1.5	1:2	
Ⅰ	1.010	1.068	
Ⅱ	0.931	1.021	滑动半径 $R=36$ m
Ⅲ	1.115	1.160	

由地质剖面图知:盖家沟21#护岸基底以下地基为两层约5 m厚的软黏性土,抗剪强度 τ 值较小,稳定分析计算成果表明,第Ⅱ滑动面当 $R=36$ m时,安全系数 K 值最小,出现裂缝时的根石断面 $K_{\min}$ 仅 0.881。增加根石后,坡度1:1.5时,K 值为 0.931,坡度 1:2 时,K 值为 1.021。由此可知21#护岸土坝基裂缝是因根石不足,沿上述软土层滑动引起的。

3　墙背填土加筋后抗滑稳定分析

3.1　加筋材料

选用每平方英寸12×12扣(或14×14扣)聚丙烯塑料编织布,两层重叠并用尼龙线缝合,分坯水平铺设,一端在墙背处将土包裹绕回,埋于土内。

(1)计算抗拉强度。单层编织布(试样宽5 cm、长20 cm)经纬向抗拉强度大于60 kg,据资料介绍,5 cm宽试样的抗拉强度比1 m宽试样的强度约高15%,因此每坯编织布的计

算抗拉强度为:

$$T = 60 \times 100/5 \times 2 \times (100\% - 15\%) = 2\,040(\text{kg/m})$$

(2)土与编织布之间的摩擦角。据资料介绍,土与布之间的摩擦角和土颗粒的大小、形状、密实度以及织物种类、孔径等因素有关,也受试验时施加垂直应力大小的影响。根据国外利用大剪力盒所做的试验,砂壤土与编织布之间的摩擦角接近土本身的内摩擦角。21#护岸墙背填土多为砂壤土及壤土,因而计算中采用土的内摩擦角作为土与布之间的摩擦角。

3.2　加筋长度

加筋长度需要满足握裹力的要求,初估按墙高的0.8倍考虑,即

$$L = 0.8H = 0.8 \times 10.5 = 8.4(\text{m})$$

加筋长度也可按下式计算:

$$L = L_a + L_b$$

式中,L 为加筋全部长度,m;L_a 为滑裂区内加筋的长度,m;L_b 为滑裂区外加筋的长度,m。

其中

$$L_a = H\tan(45° - \frac{\phi}{2})$$

式中,H 为墙高,m;ϕ 为回填土的内摩擦角。

当 ϕ 取 19.8°,H 取10.5 m时,$L_a = 10.5 \times \tan(45° - \frac{19.8}{2}) = 7.4(\text{m})$。盖家沟21#坝裂缝距墙背处为 $9 - 1.5 = 7.5(\text{m})$,与上述计算值相近。

L_b 需经计算确定,初算采用2 m。此时 $L = 7.5 + 2 = 9.5(\text{m})$。

3.3　内部稳定核算

加筋织物发挥作用必须满足两个条件,即织物不被拉断和不被拔出。

3.3.1　加筋织物不被拉断

此条件下按下式校核拉抗强度:

$$T_i < T/K_t = [T]$$

式中,T_i 为第 i 坯织物的拉力,t;T 为加筋织物材料极限抗拉强度,t/m;K_t 为抗拉安全系数,采用1.5;$[T]$ 为加筋织物允许抗拉强度,t/m,按实例情况,$[T] = \frac{2.04}{1.5} = 1.36(\text{t/m})$。

墙背填土的力学指标及主动土压力系数见表3,墙背所受主动土压力见图2。

表3　土的力学指标及土压力系数

高　　程	$\phi(°)$	$\gamma_w(\text{t/m}^3)$	K_a
35.87 - 33.71 ($H_1 = 2.16$ m)	28.4	1.65	0.355
33.71 - 30.32 ($H_2 - H_1 = 3.39$ m)	19.8	1.77	0.494
30.32 - 28.87 ($H_3 - H_2 = 1.45$ m)	26.8	1.90	0.379

注:$K_a = (1 - \sin\phi)/(1 + \sin\phi)$。

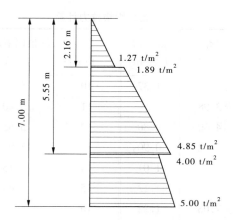

图 2　墙背主动土压力

(1)加筋织物布置。第一层土加筋织物的总拉力为：

$$T_1 = \frac{1}{2} K_{a1} \gamma_{w1} H_1^2 = \frac{1}{2} \times 0.355 \times 1.65 \times 2.16^2 = 1.37 (\text{t/m})$$

所需加筋织物的坯数为：

$$n_1 = \frac{T_1}{[T]} = \frac{1.37}{1.36} = 1 (\text{坯})$$

应铺设在坝顶以下 $2.16 \times \frac{2}{3} = 1.44 (\text{m})$ 处。

第二层土加筋织物的总拉力为：

$$T_2 = \frac{1}{2} K_{a2} \gamma_{\omega2} (H_2^2 - H_1^2) = \frac{1}{2} \times 0.494 \times 1.77 \times 26.14 = 11.43 (\text{t/m})$$

$$n_2 = \frac{T_2}{[T]} = \frac{11.43}{1.36} = 8.4 (\text{坯})$$

每坯织物间距 $S_2 = \frac{H_2 - H_1}{n_2} = \frac{3.39}{8.4} = 0.4 (\text{m})$，为安全计，采用 $S_2 = 0.35$ m，$n_2 = 10$ 坯。

第三层土加筋织物的总拉力为：

$$T_3 = \frac{1}{2} K_{a3} \gamma_{\omega3} (H_3^2 - H_2^2) = \frac{1}{2} \times 0.379 \times 1.9 \times 18.2 = 6.55 (\text{t/m})$$

$$n_3 = \frac{T_3}{[T]} = \frac{6.55}{1.36} = 4.8 (\text{坯})$$

$S_3 = \frac{H_3 - H_2}{n_3} = \frac{1.45}{4.8} = 0.3 (\text{m})$，为安全计，采用 $S_3 = 0.25$ m，$n_3 = 6$ 坯。

(2)校核抗拉强度。按下式计算：

$$T_i = K_{ai} \sigma_i S_i$$

式中，σ_i 为第 i 坯织物处的垂直压力，$\sigma_i = \gamma_{wi} H_i$。

按上述织物布置计算各坯织物拉力，见表 4。

表 4　各坯织物拉力计算

织物坯号 (i)	坝顶以下高度 (m)	σ_i (t/m²)	拉力 T_i(t/m)	织物坯号 (i)	坝顶以下高度 (m)	σ_i (t/m²)	拉力 T_i(t/m)
1	1.44		1.37	10	5.05	8.94	1.55
2	2.25	3.98	0.69	11	5.40	9.56	1.65
3	2.60	4.60	0.80	12	5.65	10.00	1.02
4	2.95	5.22	0.90	13	5.90	11.21	1.06
5	3.30	5.84	1.01	14	6.15	11.69	1.11
6	3.65	6.46	1.12	15	6.40	12.16	1.15
7	4.00	7.08	1.22	16	6.65	12.64	1.20
8	4.35	7.70	1.33	17	6.90	13.11	1.24
9	4.70	8.32	1.44				

由表 4 看出，T_9、T_{10}、T_{11} 均大于 [T] = 1.36 t/m，需调整织物间距。取 S_{8-9} = 0.3 m，$S_{9-10} = S_{10-11} = S_{11-11'} = 0.25$ m，即再增加一坯织物。经验算 T_9、T_{10}、T_{11}、$T_{11'}$ 分别为 1.34、1.07、1.13、1.18 t/m，均小于 [T]，满足要求。

3.3.2　加筋织物不被拔出

此条件下按下式校核墙背填土对织物的握裹力：

$$T_i < \frac{U_i}{K_p} = [U_i]$$

式中，U_i 为第 i 坯织物的握裹力，t；K_p 为抗拔安全系数，采用 3；[U_i] 为第 i 坯织物允许握裹力，t，$[U_i] = \dfrac{2L_b \sigma_i \tan\phi_i}{K_p}$。

按调整织物间距后，计算成果见表 5。

表 5　各坯织物拉力和握裹力计算

织物坯号 (i)	坝顶以下高度 (m)	σ_i (t/m²)	拉力 T_i (t/m)	[U_i] (t/m)	织物坯号 (i)	坝顶以下高度 (m)	σ_i (t/m²)	拉力 T_i (t/m)	[U_i] (t/m)
1	1.44		1.37	2.26	10	4.90	8.67	1.07	4.16
2	2.25	3.98	0.69	1.91	11	5.15	9.12	1.13	4.37
3	2.60	4.60	0.80	2.21	12	5.40	9.56	1.18	4.59
4	2.95	5.22	0.90	2.51	13	5.65	10.00	1.02	7.23
5	3.30	5.84	1.01	2.81	14	5.90	11.21	1.06	7.55
6	3.65	6.46	1.12	3.10	15	6.15	11.69	1.11	7.87
7	4.00	7.08	1.22	4.17	16	6.40	12.16	1.15	8.19
8	4.35	7.70	1.33	3.70	17	6.65	12.64	1.20	8.51
9	4.65	8.23	1.34	3.95	18	6.90	13.11	1.24	8.83

由表 5 看出，每坯加筋织物握裹力均大于所受拉力，原设加筋长度满足要求。

3.4 外部稳定验算

整体稳定，按圆弧滑动法验算。墙背填土加筋后，各种力的作用分析见图 3。抗滑稳定安全系数按下式计算：

$$K = \frac{1}{\sum_{i=1}^{n} R_i W_i \sin\alpha_i} \left[\sum_{i=1}^{n} (R_i W_i \cos\alpha_i \tan\phi_i + R_i C_i l_i) + \sum_{j=1}^{m} (R_j T \sin\beta_j \tan\phi_j + R_j T \cos\beta_j) \right]$$

式中，W_i 为第 i 块土条重量，t；ϕ_i、ϕ_j 为所在土层的内摩擦角；C_i 为所在土层的凝聚力，t/m^2；T 为织物的拉力，t/m。

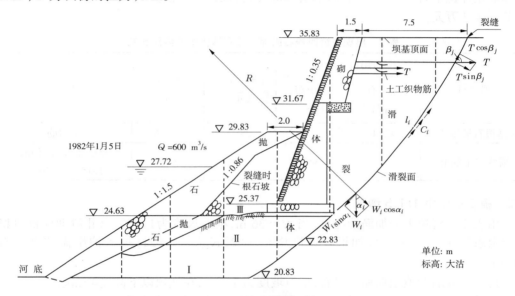

图 3　加筋土抗滑稳定验算作用力分析

以下按出现裂缝时根石断面加筋和根石坡度 1∶1.5 加筋两种情况，分别采取坝顶以下高度为 3、4、6、7 m 范围内加筋四个方案进行稳定分析，计算成果见表 6。

表 6　墙背填土加筋抗滑稳定验算安全系数

坝顶以下高度(m)	出现裂缝时根石断面的滑动面编号			根石坡度 1∶1.5 时滑动面编号		
	Ⅰ	Ⅱ	Ⅲ	Ⅰ	Ⅱ	Ⅲ
3	1.018	0.954	1.119	1.076	1.003	1.212
4	1.064	1.003	1.183	1.121	1.051	1.276
6	1.114	1.057	1.254	1.171	1.105	1.347
7	1.168	1.115	1.330	1.224	1.163	1.423

注：$R = 36$ m，$T = 1.36$ t/m（应按各层织物拉力计算，为简化计算采用此值）。

4　经济比较

4.1　出现裂缝时根石断面

由表1墙背填土未加筋情况看，当 $R=36$ m，第Ⅱ滑动面抗滑稳定安全系数 $K_{min}=0.881$；由表2知，如根石坡度增至1:2，$K_{min}=1.021$，每米护岸工程需加抛乱石42.4 m³。

再由表6墙背填土加筋情况看，在坝顶以下高度6 m范围内加筋，第Ⅱ滑动面 $K=1.057$，与上述未加筋情况，根石坡度1:2的 K_{min} 值相近。

以上两种情况经济效益比较见表7。由表7看出，在相同 K 值情况下，砌石坝墙背填土加筋比抛根石，每米工程长可节省506元，占加抛根石投资的42%，盖家沟21#坝共可节省4.2万元。

表7　出现裂缝时根石断面与墙背填土加筋经济比较

项　　目	需用材料数量		单　价（元）	复　价（元）	附　注
	乱石（m³）	编织布（m²）			
加抛根石坡度1:2	42.4		28.2	1 196	未加筋
墙背填土加筋		345	2.0	690	每层布长11.5 m，共15×2=30层

4.2　根石坡度由1:1.5增至1:2

由表2墙背填土未加筋情况看，当 $R=36$ m，根石坡度为1:1.5，第Ⅱ滑动面抗滑稳定安全系数 $K_{min}=0.931$；如根石坡度增至1:2，$K_{min}=1.021$，每米护岸需加抛乱石20.3 m³。

再由表6墙背填土加筋情况看，根石坡度为1:1.5，在坝顶以下高度4 m范围内加筋，第Ⅱ滑动面 $K=1.051$，与上述未加筋、根石坡度1:2的 K_{min} 值相近。

以上两种情况经济效益比较见表8。由表8看出，在相同 K 值情况下，根石坡度为1:1.5，墙背填土加筋比加抛根石，坡度增至1:2，每米工程长可节省204元，占加抛根石投资的36%。

表8　根石坡度1:1.5与墙背填土加筋经济比较

项　　目	需用材料数量		单　价（元）	复　价（元）	附　注
	乱石（m³）	编织布（m²）			
加抛根石坡度1:2	20.3		28.2	572	未加筋
加　筋		184	2.0	368	每层布长11.5 m，共8×2=16层

5　几点意见

（1）土工织物加筋土的应用前景。土工织物加筋土是国外一项专利技术，我国没有正式引进,近几年,国内有关部门都在研究这项技术。其优点是施工简易、经济效益明显,可以提高挡土结构的稳定性和增强地基的承载能力。国外已建成的加筋土挡土墙高达40 m以上,国内建成的这种挡土墙最高达12 m。为了探索解决山东黄河砌石坝岸稳定问题,特别是需要解决今后改建无条件退坦缓坡,必须顺坡加高的砌石坝岸稳定问题,通过以盖家沟险工21#坝为例,进行墙背填土未加筋和加筋两种情况的抗滑稳定分析和经济比较,可以看出土工织物加筋土用于解决上述问题是一条新的途径,在技术上是可行的,经济效益也是明显的(投资节省40%左右)。

　　(2)研究新结构。在砌石坝岸背后另加修一个土工织物挡土墙,即使用编织袋填充水泥土排垒成墙,其后填土仍采取加筋措施,见图4。这种结构的优点:①增加了砌石坝岸坝身中段的强度;②提高了砌石坝岸整体稳定性。据初步计算,当根石坡度为1:1.5,在未加修织物挡土墙情况下,沿基底抗滑稳定安全系数 $K=0.81$;根石坡度增至1:2,$K=0.96$;在加修织物挡土墙后,安全系数 $K=1.3$。

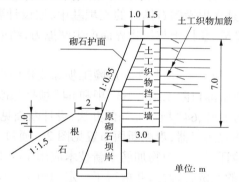

图4　土工织物挡土墙结构

　　(3)修建试验坝。目前,土工织物加筋土技术计算,常用方法是以古典土压力理论极限平衡法为基础,依靠加筋材料与填土之间的摩阻力,限制土体侧向位移,从而提高挡土结构稳定性。但织物与土共同作用,形成了一种复合土体,改善了土的变形和强度特性,按极限平衡法计算,并没有反映其实质,因此建议修做试验坝,列为专题科研项目,通过运用观测,积累资料,总结经验,研究这种新型结构的安全可靠性,进一步进行理论探讨,寻求合理的计算参数,完善工程设计方法,使其更能反映此种结构实际的工作状态。

　　(4)土工织物使用寿命。据资料介绍,聚丙烯腈纶纤维在防止紫外线照射情况下,20年以后初始强度仍保留70%。广州有机材料老化研究所认为埋在土内的有机材料不存在老化问题。山东黄河河务局在鄄城段桑庄试验观测,在水下或埋于土中的聚丙烯编织布,经4年运用,外观、强度均无大变化。按照黄河河道淤积特点,砌石坝岸每隔一二十年需要加高改建一次,因此即便织物使用20年以后,由于老化或蠕变影响,强度降低较多,可以随着坝岸改建更新织物。

(原载于《人民黄河》1990年第3期)

土工织物加筋土在黄河险工砌石坝加高中的应用试验❶

1 前言

　　土工织物具有较高的抗拉强度,又有较好的柔性,受力后在一定的变形范围内不致破坏。将土工织物铺设在土体的拉伸变形区内,可阻止土体的变形,从而增加土体的强度和整体稳定性,这种土工织物与土体的混合体即称为"加筋土"。

　　黄河险工砌石坝垛为重力式挡土墙结构,应用土工织物加筋土相当于一般桥闸的加筋挡土墙。其工作机理就是在坝垛砌石体后的土坝基中,按设计要求埋设若干层土工织物,当坝垛受水流冲刷失稳滑裂时,土与织物界面产生摩擦力,约束土体滑裂,从而增加坝垛的稳定性。

　　为了能更好地利用这一新技术,使其在今后险工坝垛改建中得到推广应用,山东黄河河务局于1993年春在济南市泺口险工结合63#坝和64#坝拆除改建时,进行了土工织物加筋土试验,采取63#坝为加筋、64#坝不加筋的办法,设计断面见图1。为了便于对比分析,在两坝均埋设了必要的观测仪器,观测断面布置见图2。通过一年多的现场观测和对资料的分析研究,进一步验证了土工织物加筋土新技术应用于险工坝垛的可能性、设计方法的可靠性以及加筋坝垛的经济合理性,并取得了一定的施工经验。

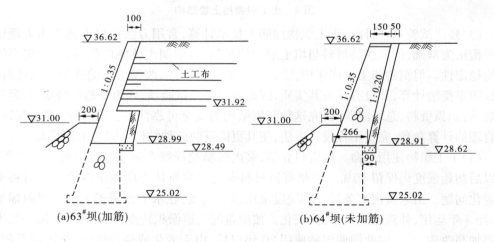

(a)63#坝(加筋)　　　(b)64#坝(未加筋)

（高程为大沽基点,以m计;尺寸单位为cm,下同）

图1　泺口险工63#、64#砌石坝拆改设计断面

❶ 李祚谟等同志参加了该试验研究。

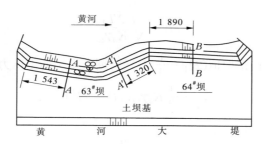

图2 土工织物加筋试验坝观测断面布置

2 加筋土试验坝设计

2.1 设计参数的选用

选用青岛麻纺厂生产的灰黑聚烯烃编织布,径向极限抗拉强度为44 kN/m,允许抗拉强度为29.3 N/m。墙后填土为原坝基开挖土,力学指标见表1。土、布间的摩擦系数为0.49。

表1 填土的力学指标

干容重 γ_d (kN/m³)	湿容重 γ_w (kN/m³)	内摩擦角 φ (°)
15.0	17.9	23.3

2.2 加筋土高度的确定

按照坝垛受力后出现的滑裂面通过和绕过铺设的土工织物两种情况最小稳定安全系数相接近、工程量小、投资省的原则,确定加筋土高度为5 m,即从根石台向上至坝面顶。

2.3 加筋织物布置和抗拉计算

加筋织物在砌石坝垛墙背土坝基内发挥作用,必须满足织物不被拉断和不被拔出。

(1)抗拉计算。加筋织物不被拉断,按下式校核抗拉强度:

$$T_i < \frac{T}{K_t} = [T]$$

式中,T_i 为第 i 坯织物所承担的土压力;T 为加筋织物的极限抗拉强度;K_t 为抗拉安全系数,采用1.5;$[T]$ 为加筋织物允许抗拉强度。

土工布采取垂直水流方向铺设,经计算,$T_i < 29.3$ kN/m。

主动土压力系数按下式计算:

$$K_a = \left[\tan(45° + \frac{\varphi - \varepsilon}{2}) - \tan\varepsilon \right]^2 \cos\varepsilon$$

式中,ε 为砌石坝体仰斜角;φ 为土的内摩擦角。

(2)加筋织物布置。第一坯织物承担的土压力为:

$$T_1 = \frac{1}{2} K_a \gamma_w H_1^2$$

则

$$H_1 = \sqrt{\frac{2T_1}{K_a\gamma_w}}$$

第一坯织物应布置在距坝顶$(H_1 - \frac{1}{3}H_1)$处,剩余土层的土压力为:

$$T = \frac{1}{2}K_a\gamma_w(H^2 - H_1^2)$$

需土工织物的层数为:

$$n = \frac{T}{[T]}$$

经计算,加筋土高度为5 m时,共需 3 坯土工织物。但考虑到黄河防洪安全的重要性以及坝垛出险难抢护等特点,并拟减少加筋坝垛原砌石厚度(约减少一半),为安全计,拟多加两层土工织物,初步布置情况见表2。

表 2 　土工织物初步布置及拉力计算

织物坯号(i)	1	2	3	4	5
坝顶以下高度(m)	1.5	2.7	3.5	4.1	4.7
拉力 T_i(kN/m)	14.5	15.5	14.1	14.1	16.1

(3)校核抗拉强度。按下式计算:

$$T = K_a\sigma_i S_i$$

式中,σ_i 为第 i 坯织物的垂直压力,$\sigma_i = \gamma_w H_i$;S_i 为织物间距。

按上述织物布置计算各坯织物拉力见表2。各坯织物拉力均小于$[T]$,满足要求。

2.4 　外部稳定计算

整体稳定分析按圆弧滑动法验算,抗滑稳定安全系数按下式计算:

$$K = \frac{1}{\sum_{i=1}^{n} R_i w_i \sin\alpha_i} \Big[\sum_{i=1}^{n}(R_i w_i \cos\alpha_i \tan\varphi_i + R_i C_i l_i) + \sum_{j=1}^{m}(R_j T_j \sin\beta_j \tan\varphi_j + R_j T_j \cos\beta_j) \Big]$$

式中,w_i 为第 i 块土条重量;φ_i、φ_j 为所在土层的内摩擦角;C_i 为所在土层的凝聚力;T_j 为织物拉力。

经计算,原坝的抗滑稳定安全系数为 1.049,圆弧半径为25.81 m,坝顶处滑裂面至坝前沿距离为5 m。取锚固长度为 1.5~2.5 m,则加筋长度为 6.5~7.5 m。

2.5 　抗拔计算

假定加筋织物不被拔出,按下式校核墙背填土对织物的握裹力:

$$T_i < \frac{U_i}{K_p} = [U_i]$$

式中,U_i 为第 i 坯织物的握裹力;K_p 为抗拔安全系数,采用3;$[U_i]$为第 i 坯织物允许握裹力,按被动区筋条的握裹力考虑。

允许握裹力按下式计算:

$$[U_i] = \frac{2L_b\sigma_i \tan\varphi}{K_p}$$

式中, $\tan\varphi$ 为土与织物间的界面摩擦系数; L_b 为锚固长度。

经计算,每坯织物握裹力均大于单位长度所受拉力, L_b 满足要求。

2.6 砌石护坡设计

按黄河险工砌石坝垛原拆改标准设计断面图,根石台顶处断面砌石厚度应为2 m左右,加筋后,砌石厚度主要按抗风浪冲刷条件拟定:

$$t = 1.2 \frac{h\sqrt{1+m^2}}{m(m+2)(\gamma_b-1)}$$

式中, t 为砌石护坡厚度; m 为边坡系数; γ_b 为砌石容重。

按 B.A 里英公式:

$$h = 0.37\sqrt{D}$$

式中, D 为风浪吹程。

经计算, $t = 0.9$ m,则水平宽度为0.95 m,为安全计取1 m。

2.7 加筋后坝体的稳定计算

坝垛铺设5层土工织物,设计承担的拉力为 $14.1 \sim 16.1$ kN/m。经计算,坝垛稳定安全系数可提高到1.099。如果加筋织物承担的拉力达到允许抗拉强度,坝垛安全系数可提高到1.122。

2.8 预拉力土工布设计

为使土工布拉力充分得到发挥,给土工布施加预拉力。具体做法是:将拟铺土工布的坝基面做成波浪形(见图3),当两端固定时土工布被拉紧,在土压力作用下,便产生了预拉力。

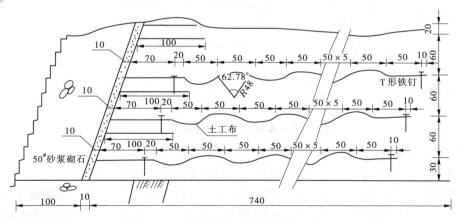

图3 土工布设计铺放

3 试验坝观测及加筋效果分析

为掌握加筋坝土压力的变化和土工织物应变情况,施工时,在 A—A 和 A'—A' 断面(见图2)分别分三层共埋设了20只柔性应变计(A—A 断面埋设情况见图4),在三个断面埋设了14支土压力计,其中 A—A 断面埋设情况见图5,并定期进行了测试。

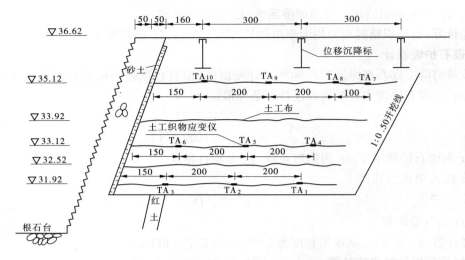

图 4 A—A 断面土工织物应变仪和位移沉降标埋设剖面图

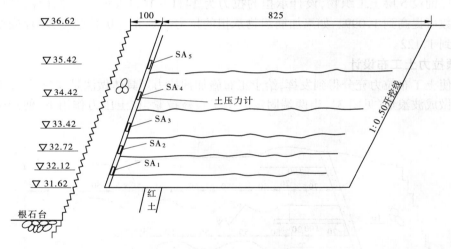

图 5 A—A 断面土压力计埋设剖面图

3.1 土工布应变测试和资料分析

施工期土工布的平均应变值为 4.0%,最大应变值为 5.2%。根据土工布 $\sigma \sim \varepsilon$ 关系曲线得平均拉力为 3 kN/m,最大拉力为 4.5 kN/m。自 1993 年 5 月施工结束观测至 1994 年 9 月,土工布实测平均总应变为 4.9%,平均拉力为 4.0 kN/m,最大总应变为 8.2%,对应的拉力为 11 kN/m,运行期平均应变为 0.9%,占总应变的 19.8%。图 6 表明了随时间延长土工布拉力增长和沿土工布长度方向拉力分布情况。可以看出,土工布距砌石体后 1.5~3.5 m 一段长度内应变量最大,两端应变量较小。这是施工时先两头上土、后中间上土造成的。

3.2 土压力测试及观测资料分析

测得的土压力盒读数值见表 3(A—A 断面)。从表中可以看出,试验坝在建成后土压力出现最大值,而后随着土体的固结和土工织物的蠕变,侧向变形趋于稳定,土压力呈

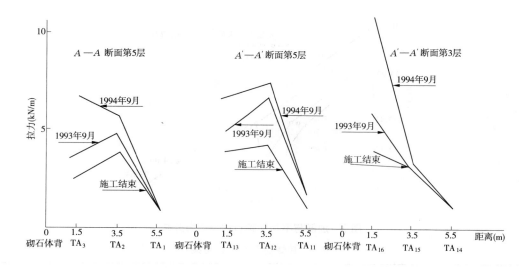

图6　土工织物承担的拉力增长及沿长度方向分布

减小趋势。将砌石体背部土压力绘成图7(取 SA_5 和 SA_1、SA_2 和 SA_1 的平均值为上、下端压力值)。从图中可以看出,加筋比不加筋砌石坝后的土压力小得多,竣工 15.5 个月后的土压力值减少了 50%～80%,这说明加筋土用于砌石坝垛效果明显。另外,从整个试验坝外部看也未发现异常现象。

表3　土压力观测资料

断面	仪器序号	埋深 (m)	施工结束后1天		1993年9月			1994年9月		
			读数	压力 (kPa)	读数	压力 (kPa)	与前者比较	读数	压力 (kPa)	与前者比较
	SA_5	1.2	832	1	824	0	减少	824	0	不变
	SA_4	2.2	1 019	12.5	1 001	6	减少	894	3	减少
A—A	SA_3	3.2	865	15.5	856	12	减少	849	9	减少
	SA_2	3.9	879	9.6	874	7.5	减少	859	3	减少
	SA_1	4.5	950	21	950	21	不变	950	21	不变

3.3　砌石坝垛的稳定分析

(1)内部稳定。经计算,砌石体在自重、土压力(施工期最大)作用下的抗倾安全系数为3.99。

(2)整体稳定。土工布在承担不同拉力时,坝垛抗滑稳定安全系数和相应滑弧半径见表4。实测土工布已承担的平均拉力为4 kN/m,则由表4可知,其安全系数为1.062,比未加筋坝垛安全系数增加了0.013。按土工布设计承担拉力计算,其安全系数可提高0.05左右。

4　经济效益分析

砌石坝垛加筋后提高了工程安全度,降低了成本,经济效益显著。

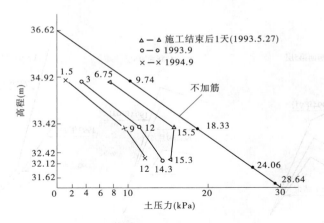

图 7　加筋与不加筋砌石坝土压力分布

表 4　整体稳定性计算结果

土工布拉力 （kN/m）	滑弧半径 （m）	安全系数
0	25.8	1.049
5	25.8	1.065
10	25.8	1.080
20	25.7	1.111
50	25.7	1.143

4.1　工程成本计算

加筋坝垛与不加筋坝垛的施工,不同之处在加筋部分,所以成本费的计算也只考虑这部分工程。加筋坝垛由于减小了砌石厚度,每米工程成本费为 645 元,比不加筋坝垛节省 40.5 元。该坝成本费共节约 2 106 元。

4.2　经济效益分析

已测得土工织物平均承担的拉力为 4 kN/m,最大 11 kN/m,按设计承担 14.1～16.1 kN/m 计算,坝垛抗滑稳定安全系数可提高 0.05。这相当于每米工程抛 21.83 m³ 的护根石所达到的效果。经计算,试验坝工程共可节约投资 58 864 元。

5　结语

试验坝自 1993 年 5 月下旬建成运用,到 1995 年已经历了三个汛期。在这三个汛期中,黄河来水来沙较常年偏枯,试验坝所在河段出现的最大洪峰流量为 3 290 m³/s,相应水位为 31.06 m,尚未达到埋设的最下层土工布的高程,即试验坝还未经历过大洪水时的挡水抗冲和坝基被浸泡饱合土压力增大以及水位骤降等不利工作条件的考验。所以,现在的试验研究成果只是阶段性的,有待今后继续观测分析补充。

（原载于《人民黄河》1995 年第 11 期）

土工织物加筋土用于砌石坝岸的观测研究

1　前言

土工织物有较高的抗拉强度,又具有较好的柔性,允许一定的变形而不破坏。土工织物铺设在土体的拉伸变形区以阻止土体的变形,从而增强土体内部的强度和整体稳定性,这种土工织物与土体的混合体即称为"加筋土"。

黄河险工砌石坝岸应用土工织物加筋土,即相当于加筋挡土墙。其工作机理就是在坝岸砌石体后的土坝基中,根据设计要求,埋设若干层土工织物,当坝岸受水流冲刷失稳滑裂时,土与织物界面产生摩擦力,约束土体滑裂应变,从而增加坝岸的稳定性。

为了能更好地利用这一新技术,使其在今后险工坝岸改建工程中得到推广应用,山东黄河河务局于1993年春在泺口险工结合坝岸拆改修建了土工织物加筋土试验坝,埋设了必要的测试传感器。通过1年多的现场观测和对资料的分析研究,进一步验证了险工坝岸应用土工织物加筋土的可能性、设计方法的可靠性、加筋坝岸的经济合理性,也取得了一定的施工经验。

2　试验坝简介

试验坝建在泺口险工。泺口险工始建于光绪十六年(1890年),山东巡抚张曜鉴于该险工为山东省城的门户,首改传统用秸料修坝为用石料筑坝,将泺口险工全部建成了石坝。新中国成立后,1952年在原险工基础上,拆(翻)修了残破的旧石坝。重力式挡土墙坝身为干砌石结构,坝高仅6.9 m。后经1957年、1964年、1978年三次挖槽顺坡戴帽加高(白灰泥浆砌石或水泥砂浆砌石),坝顶高程加至36.62 m,坝高达11.4 m。每次加高标准不一,外坡1:0.35,内坡直立或为1:0.2,砌体厚0.7~3 m。坝身已成干、浆砌混杂异型结构,顶部断面大,中间断面小,整体上处于头重脚轻腰里软状态,不符合结构受力的要求。坝身中下部石料为新中国成立初期砌筑,表面石破碎严重,破碎面积占总面积的20%~30%,并伴有10~15 cm直径的孔洞、裂缝、外凸石等,险情时有发生,因此需将险工坝岸进行拆除改建。

结合坝岸拆改,在63#坝修建了土工织物加筋坝。坝体拆改高度为坝顶以下7.5 m,加筋高度为坝顶以下5 m,坝身砌体设计主要满足抗风浪冲刷和冰凌撞击,厚度由拆改标准1.5~2.3 m减为1.0 m,水泥浆砌石结构,内外坡度均为1:0.35。加筋按设计铺设5层,并在砌体后将坝基土包裹。加筋长度按 $L = L_a + L_b + L_c$ 计算,自下至上为7.9~9.7 m,其中:L_a 为滑裂区内长度,长5 m;L_b 为滑裂区外锚固长度,长1.5~2.5 m;L_c 为包裹坝基土长度,长1.4~2.2 m。加筋材料选用青岛麻纺厂生产的灰黑聚烯烃编织布,径向极限抗拉强度为44 kN/m,允许抗拉强度为29.3 kN/m,设计承担拉力14.1~16.1 kN/m。

为克服土工织物延伸率较大,拉伸起始阶段为非弹性应变,影响拉应力充分发挥的弱点,设计给土工织物加预应力。其具体做法是将拟铺土工织物的坝基面设计成波浪状,见图1。当两端固定拉紧平铺的土工织物,在土竖向压力作用下,与波浪形坝基面接合时,土工织物就已被拉伸,并产生了预应力。该试验坝长52 m,设有两个观测断面,分别以 A—A 和 A′—A′ 标记。

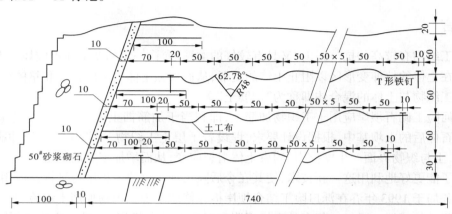

图 1　土工织物设计铺放

3　观测项目及仪器的选择

加筋坝观测项目有:土工织物的张拉应变,坝岸砌石挡土墙后的土压力,土坝基的沉降位移,土中的孔隙水压力,以及坝岸工作条件和工作状态等。

3.1　土工织物应变计

为了解埋于土内的加筋织物的实际工作情况,探求土工织物经济合理的布置形式,土工织物应变测量分3层共埋设20支柔性应变计,每层布置3~4只(见图2),以得到各层土工织物沿长度方向的应变分布,再由土工织物的应力应变关系,进而得到其应力分布。土工织物应变计选用(原)电力部南京自动化研究所研制的产品。该应变传感器的量程为50%,利用自身的弹性和弱抗弯性与土工织物协调变形,由于采用柔性结构,能满足要求。传感器长25 cm,宽3 cm,厚0.5 cm,利用电位计传感原理,具有较好的可靠性。采用袖珍型测量仪表,普通层叠电池供电,适用于无电的现场测试条件。

3.2　土压和孔压传感器

为获取砌石坝岸后土压力的大小和分布情况,并分析加筋效果,在加筋高度内,每个观测断面安设5只土压力计,见图3。为了解附加荷载引起的孔隙水压力的大小及消散情况,以获取加筋织物是否能形成水平向排水通道这一重要信息,在每个观测断面安设3只孔隙水压力计。孔压和土压力计均选用钢弦式传感器。

3.3　土坝基沉降和位移

土体水平位移量的大小和分布是一项检验加筋效果的重要指标,又因水平位移与地表沉降之间存在着一定的对应关系,每个观测断面安设自制的沉降标3个(见图2),以监测土坝基的沉降和位移。

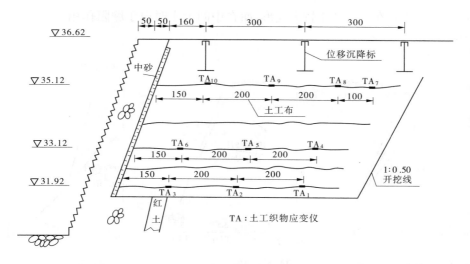

图2　土工织物应变仪、位移沉降标埋设剖面图

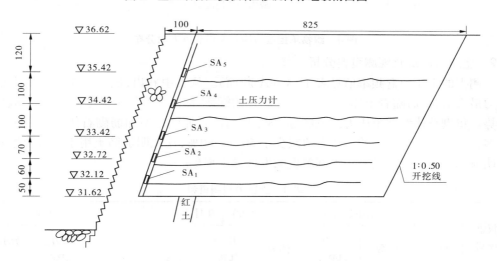

图3　土压力计埋设剖面图

4　加筋坝观测资料分析

4.1　土工布应变测试资料分析

分析观测资料,施工期土工布的平均应变值为4%,最大应变值为5.17%,根据土工布的 $\sigma \sim \varepsilon$ 关系曲线得平均拉应力为3 kN/m,最大拉应力4.5 kN/m。至1994年9月观测结束,土工布实测平均总应变为4.904%,平均拉应力为4 kN/m,最大总应变8.19%,对应的拉应力为11 kN/m。其中运行期平均应变为0.901%,占总应变的19.8%。图4表明了土工布随时间延长拉力增长和沿土工布长度方向应力分布情况。可以看出,土工布距砌石体后1.5～3.5 m一段长度内应变量最大,从测量结果分析其趋势,两端应变量较小。究其原因,在土工布两端各有一平直铺设段,相对而言,在两端单位长度的变形会较小;施工时采用了先两头上土,后中间上土的方法,当两头上土时,中间有出现较大变形的条件,使得土工布在中间产生较大变形,而在中间上土时由于摩阻作用,不易使土工布两端产生变形。

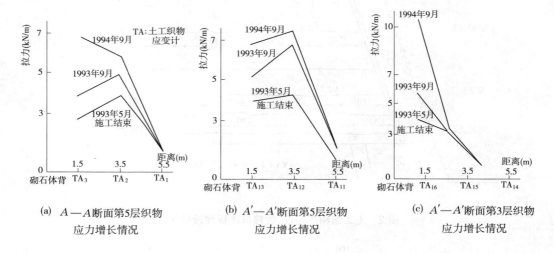

(a)　A—A断面第5层织物
应力增长情况

(b)　A'—A'断面第5层织物
应力增长情况

(c)　A'—A'断面第3层织物
应力增长情况

图4　织物承担拉力增长及沿长度方向分布

4.2　土压力测试及观测资料分析

测得的土压力盒频率值见表1($A—A$断面)。从表中看出,试验坝在建成后出现土压力最大值,而后随着土体的固结、土工织物的蠕变,侧向变形趋于稳定,土压力呈减少的趋势。将砌石体背部土压力绘成图5。从图中看出,加筋比不加筋砌石体后的土压力小得多,竣工15.5个月后的土压力值减少了50%～80%,这说明加筋土用于砌石坝岸效果很明显,另外,从整个试验坝外部看也未发现异常现象。

表1　土压力观测资料

仪器序号	埋深(m)	施工结束后1天		1993年9月			1994年9月		
		读数	压力(kPa)	读数	压力(kPa)	与前者比较	读数	压力(kPa)	与前者比较
SA₅	1.2	832	1	824	0	减少	824	0	不变
SA₄	2.2	1 019	12.5	1 001	6	减少	894	3	减少
SA₃	3.2	865	15.5	856	12	减少	849	9	减少
SA₂	3.9	879	9.6	874	7.5	减少	859	3	减少
SA₁	4.5	950	21	950	21	不变	950	21	不变

4.3　砌石坝岸的稳定分析

4.3.1　抗倾稳定

砌石坝岸的抗倾稳定示意图见图6。砌石体在自重、土压力(施工期最大)作用下的抗倾安全系数为:

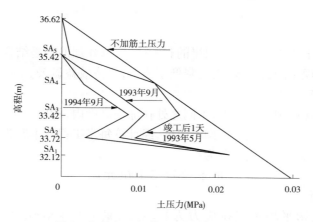

图 5　加筋与不加筋砌石坝后土压力分布

$$F_s = \frac{抗倾力矩}{倾覆力矩} = \frac{G \cdot X}{\int_n^x y \cdot P \cdot \mathrm{d}y} = \frac{36}{9.04} = 3.99$$

4.3.2　整体稳定

土工布在承担不同拉力下,坝岸抗滑稳定安全系数和相应滑弧半径见表2。实测土工布已承担的拉力平均为4 kN/m,则由表2可知,其安全系数为1.062,比未加筋坝岸安全系数增加了0.013,按土工布设计承担拉力计算,其安全系数可提高0.05左右。

4.4　沉降位移和孔隙水压力的观测分析

土坝基填土在施工过程中已经过夯实碾压,在运行过程中

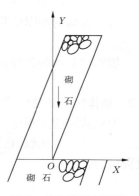

图 6　抗倾稳定示意图

沉降量不大,观测断面平均沉降1.1 cm,最大沉降1.2 cm,在工程竣工后的一个汛期内基本完成。水平位移较小,工程设计可不考虑此因素。加筋坝自1993年5月底建成运用,至1994年9月观测结束,虽然经历了1993年和1994年两个汛期,但在这两个汛期中,黄河来水来沙均较常年偏枯,最大洪水位没有达到孔压计埋设的高程,未能取得预期的观测资料。

表 2　整体稳定性计算结果

土工布拉力 （kN/m）	滑弧半径 （m）	安全系数
0	25.8	1.049
5	25.8	1.065
10	25.8	1.080
20	25.7	1.111
50	25.7	1.143

5　经济效益分析

土工织物加筋土用于黄河砌石坝岸的观测研究,修建加筋坝是结合坝岸拆改进行的,加筋后不但提高了坝岸的安全度,而且降低了成本,经济效益显著。

5.1　工程成本计算

加筋坝岸与不加筋坝岸的施工,不同之处在加筋高度内,所以工本费的计算也只考虑这部分工程。加筋坝岸由于减小了砌石厚度,经计算每米工程成本费为 645 元,比不加筋坝岸节省成本 40.5 元,节约成本费为:

$$40.5 \times 52 = 2\ 106 (元)$$

5.2　经济效益分析

已测得土工织物平均承担拉应力为 4 kN/m,最大 11 kN/m,按设计承担 14.1 ~ 16.1 kN/m 计算,坝岸安全系数可提高 0.05。经计算得,相当于每米工程抛 21.83 m^3 的护根石所提高的坝岸的稳定性,而抛石所花费的投资为:

$$21.83 \times 50 \times 52 = 56\ 758 (元)$$

加筋坝节约的总投资为:

$$2\ 106 + 56\ 758 = 58\ 864 (元)$$

5.3　总体经济效益估算

山东黄河险工坝岸护砌总长度为 167 km,其中砌石坝和扣石坝各约占 1/5,据上述单位工程经济效益比较,在获得相同稳定安全系数的情况下,坝基内加筋比加抛根石节约的投资(砌石坝)为:

$$21.83 \times 50 = 1\ 091.5 (元/m)$$
$$(40.5 + 1\ 091.5) \times 167 \times 1/5 \times 1\ 000 = 3\ 780.1 (万元)$$

并且加筋土也可在扣石坝岸、涵闸工程挡土墙内推广应用。如山东黄河能在 10% ~ 20% 的砌石坝岸内推广应用,估计可节约投资 300 万 ~ 500 万元或更多。

6　结语

(1)土工织物用于黄河险工砌石坝岸,砌石坝体厚度由原 1.5 ~ 2.3 m 减至 1.0 m,结构是稳定的、安全的,在运行期间没有发现异常现象。经计算,加筋坝岸的抗倾安全系数为 3.989,整体稳定安全系数不加筋坝岸为 1.049,加筋后为 1.097,增加了 0.05 左右,提高了坝岸的稳定性,经济效益显著。

(2)加筋坝采用给土工织物预加应力的办法,充分发挥了土工织物的作用,克服了土工织物拉伸起始阶段非弹性应变,影响拉应力充分发挥的弱点。观测资料表明该方法效果明显,在施工中平均应变 4%,施加了 3 kN/m 的预应力。

(3)在加筋坝砌石体后铺设土工织物将坝基土包裹,工程竣工后 15.5 个月实测坝体背部的土压力,比不加筋时的土压力减少了 50% ~ 80%,效果较好。

(4)观测资料表明,埋设的土工织物在砌石体后 1.5 ~ 3.5 m 范围内,应变较大,两固定端较小。其原因:一是与施工中先使土工织物两端固定上土,然后中间上土的施工方法有关;二是与坝岸整体稳定最小安全系数所对应的滑弧半径处相吻合。

(5)加筋坝是结合旧坝拆改进行的,虽然增加了开挖、回填土方工程量,但由于减少了砌石坝体厚度,故成本略低于未加筋坝,如果新建坝岸使用土工织物加筋土将会更经济。综上所述,在黄河险工坝岸加高改建中使用土工织物加筋土新技术是可行的,经济上是合理的。

(原载于《大坝观测与土工测试》1996 年第 2 期)

铰链式模袋混凝土沉排设计与施工

铰链式模袋混凝土沉排是应用土工合成材料进行护岸及基础保护的新技术。它是将流动性混凝土或砂浆用混凝土输送泵压入化纤材料编织的双层高强度模袋内,充入模袋的混凝土或砂浆在灌注压力作用下,多余的水分便从模袋中挤出,从而形成不同形状和厚度的混凝土块体。模袋由锦纶、涤纶、维纶及丙纶原材料制成,具有较高的抗拉强度和耐酸、耐碱、抗腐蚀性等特点,在充灌混凝土过程中起到模板的作用。

模袋形式根据两层模袋布之间的联结方式分为两种,一种是混凝土充填凝固后成为整体的整体式模袋;另一种是混凝土充填凝固后形成一个个相互关联的分离式混凝土模袋,因块与块间由模袋内预设好的高强度绳索联结,类似铰链,故也称铰链式混凝土模袋。

铰链式模袋混凝土沉排具有较好的整体性和柔性,可适应河床冲刷变形。底部与河床相贴的反滤布对下部土体有可靠的保护作用,可防止土颗粒被水流带走。上层块状混凝土压载体可有效地抵御水流的冲刷,整个结构对工程基础保护十分有效。

1 铰链式模袋沉排排体设计

铰链式模袋沉排排体结构是由反滤布、混凝土压载、模袋布、铰链绳等部分组成的,设计内容包括结构形式的选择和结构稳定性的校核等。

1.1 反滤布

模袋沉排一般底层采用无纺布(即反滤布)保土,上层采用编织布(即模袋)承载。反滤布既要满足保土性、透水性和防堵性,又要有一定强度,一般选用单层高强机织反滤布。

1.1.1 保土性

保土性即防止被保护土体流失引起渗透变形。黄河下游河床沙粉粒含量多,颗粒细,凝聚力小。泺口以下床沙中值粒径为 0.04~0.06 mm,反滤材料的保土性应符合

$$\phi_{95} \leqslant 0.5 \, d_{85}$$

式中,ϕ_{95} 为土工织物的等效孔径,mm;d_{85} 为土的特征粒径,mm,按土中小于该粒径的土粒质量占总土粒质量的 85% 确定。

1.1.2 透水性

反滤材料应保证渗透水通畅排除,要求为:

$$k_g \geqslant 10k_s$$

式中,k_g 为土工织物渗透系数,cm/s;k_s 为土的渗透系数,cm/s。

1.2 混凝土压载

以沉排压载量大小确定土工模袋的厚度,模袋重应能满足抗浮稳定性和抵抗水体水平冻胀力将其沿坡面推动(护底沉排此项不考虑)。

抗漂浮所需模袋厚度可按下式估算:

$$\delta \geqslant 0.07 CH_w \sqrt[3]{\frac{L_w}{L_r} \cdot \frac{\gamma_w}{\gamma_c - \gamma_w} \cdot \frac{\sqrt{1+m^2}}{m}}$$

式中,C 为面板系数,大块混凝土护面 $C=1$,护面上有滤水点的 $C=1.5$;H_w、L_w 为波浪高度与长度,m,在河流状态下,$H_w/L_w = 1/10$;L_r 为垂直于水边线的护底长度,一般为 $13.5 \sim 18.0$ m;m 为坡度 α 的余切;γ_c 为砂浆混凝土有效容重,kN/m³;γ_w 为水容重,kN/m³。

据上述计算出模袋混凝土块体平均厚度应为0.18 m。考虑到黄河水流含沙量高,流态复杂,冲刷力强等因素,取模袋厚度为0.25 m。

1.3 模袋布

要求缝制模袋的布要保证混凝土砂浆中的水分能迅速排出,而细骨料又不能穿过,且水泥颗粒流失较少。

1.3.1 模袋尺寸

模袋尺寸是指一次连续充填计算的模袋布的最小尺寸,即每块模袋的加工尺寸。它主要取决于模袋的收缩率、缝制模袋的布幅、施工场地和施工能力。按规范要求单块排体宽度一般不小于10 m。

1.3.2 灌浆通道

每个块体纵向布设 4 条灌浆通道,分别与前、后排块体相连,通道在河床变形时能及时断裂,保证排体随河床变形下沉。

1.3.3 灌注孔

每个单元排体上布设若干个混凝土灌注孔。灌注孔的布设需考虑混凝土的泵送距离,一般每个灌注孔应控制4 m²的充填面积。灌注孔由厂家按模袋布特性设计加工并直接缝制在模袋布上层。

1.4 排体长度计算

为保证护岸底部河床达到极限冲刷状态时排体仍能维持稳定,按最大冲刷坑深度计算排体总长度。护底沉排排长计算公式为:

$$B = B_0 + \sqrt{1+m^2}(h_m - h_1)$$

式中,B_0 为排体锚固长度,取4 m;m 为冲刷坑稳定边坡系数;h_m 为最终冲刷坑深度,m;h_1 为排体底部距造床流量相应水位的水深,m。

1.5 铰链绳

每个块体内沿水流方向布设 1 根直径8 mm铰链绳,沿垂直于水流方向布设 2 根直径10 mm铰链绳。

考虑冲刷坑局部形态的特异性,并可能存在粘土夹层,沉排前缘会出现垂直悬挂现象,此时对铰链绳的受力要求最高,故以此为控制条件选择铰链绳的强度。黄河上的粘土夹层厚度一般不超过2 m,悬挂重量为单位长度沉排重与悬挂高度的乘积。铰链绳的安全系数取2,考虑通道断裂的不同步性及混凝土块水下脉动对铰链绳的磨损,单根绳的最小断裂强力应为11 290 N。

2 稳定分析

护底沉排主要进行抗滑稳定和抗水流冲击计算。

2.1 抗滑稳定

排体的抗滑稳定安全系数为:

$$F_s = \frac{L_3 + L_2\cos\alpha}{L_2\sin\alpha}f_{cs}$$

式中,L_2、L_3 分别为斜坡段模袋长度与斜坡坡脚处模袋长度,m;α 为坡角,(°);f_{cs} 为模袋与坡面间摩擦系数,编织布与细沙之间的摩擦系数为 0.44;F_s 为抗滑稳定安全系数,取值不小于 1.3。

2.2 排体边缘抗掀动稳定性

排体边缘不致被掀起的条件是该处的流速必须小于某临界流速 V_{cr},即

$$V_{cr} = \sqrt{\gamma'_r g\delta_m}$$

式中,γ'_r 为排体在水下的无因次相对重度;δ_m 为排体边缘厚度,m。

其中

$$\gamma'_r = \frac{\rho_m - \rho_w}{\rho_w}$$

式中,ρ_m、ρ_w 分别为排体和水的密度,t/m³。

排体边缘流速用下式计算:

$$V = V_{sm}(\frac{Y}{h_0})^x$$

式中,Y 为水下计算点距排块距离,m;h_0 为排前水深,m;x 为指数,取值为 1/3;V_{sm} 为水面实测流速。

$V < V_{cr}$,则排体边缘不会被掀起。

3 模袋混凝土沉排施工

3.1 模袋混凝土沉排施工方法

根据水利部《水利水电工程土工合成材料应用技术规范》和有关施工规定,针对工程施工特点,有以下施工要求:

(1)模袋混凝土底面基础整平。对起伏过大的河床地形需进行整平(不平度取±15 cm)。在断流河段,模袋混凝土底面基础应保持整洁,无腐殖物和其他杂物。

(2)反滤布的铺设。在旱地或水深小于1.5 m的部位可直接铺放。当水深较大时,需用船定位铺设。铺放时保证船只定位准确,船只移动要保持平稳,船的轴线始终垂直于水流方向,同时使反滤布自然展开,平顺无皱,并注意两个单元布的搭接宽度,适当留有余

量。

（3）铺设模袋布。模袋布的铺设位置、长宽尺寸及各部高程必须符合设计要求。保证布面无折皱现象，松紧度一致。模袋布水下铺放既要考虑模袋定位准确，还要考虑模袋充填过程中纵向和横向的收缩。当水深较小时，可在水中直接铺设，水深较大时将模袋布后端穿钢管，拉至岸边靠近护岸一侧上游，留足锚固部分及收缩量，并固定在葫芦上。每个模袋灌注口处设浮漂一个，模袋前端配重，沉入水中，模袋铺放应从下游往上游，充填完一块铺放一块。

（4）模袋混凝土充灌。模袋混凝土充灌是极其关键的一道工序，充灌效果直接影响到混凝土强度，因此模袋混凝土充灌要做到：①机械安装完毕后，先用高压水泵注射清水湿润料斗、分配阀及管道。然后泵送 1:2 水泥浆1.5 m³，并反复进行两次。同时要注意检查管道接头，以防水泥砂浆外渗。②混凝土灌注必须由远至近，从下而上按照注入口右、左、中的顺序水平、均衡地充灌，充填速度 10～15 m³/h，充填压力不小于200 kPa。③水深大于1.5 m的部位采用流动性较好的砂浆充填，水泥砂子配合比为 1:2.5，塌落度为26 cm，充填时将附近的灌注口扎紧；水深小于1.5 m的部位采用细骨料混凝土充灌，以降低成本。④在模袋混凝土充灌过程中，设专人观察混凝土在模袋中的流态情况，准确判断混凝土的和易性及塌落度。⑤巡视检查混凝土输送管道接头是否漏浆、混凝土在管道内的流动声音等，发现异常及时处理。⑥每充完一排灌注孔后，由于模袋布纵向收缩，需适当放松顶部控制布的手拉葫芦，并应连续浇注，对已完工的岸上模袋护坡浇水养护。

3.2　主要施工设备

采用装载机装料、自动配料拌和、自动输料至泵送混凝土系统。主要机械设备有800型自动配料机 2 台，500 型强制式搅拌机 2 台（1 台自动配料机与 1 台强制式搅拌机相配套），30 型混凝土输送泵 2 台（1 台备用），150 kW与50 kW发电机各 1 台，另外还有高压水泵、潜水泵等。

3.3　混凝土砂浆配合比设计

根据模袋混凝土充灌要求，混凝土砂浆必须具有一定的流动性并满足塌落度的要求，据此设计混凝土的配合比。采用 425 号普通硅酸盐水泥，碎石粒径小于1 cm。为了提高混凝土的和易性与抗冻性，有利于混凝土泵输送和在模袋内畅通扩散，根据经验，每立方米 150 号的混凝土砂浆添加粉煤灰55.12 kg、减水剂4 kg、引气剂0.2 kg、防渗剂4 kg。

3.4　防止可能造成的工地污染

可能造成的工地污染有两种，一是原材料的散落，二是成品混凝土砂浆的泄露。防护的方法是：原材料由专人保管，专用库棚储藏；成品混凝土砂浆主要是防止管道泄露和充灌模袋的泄露，要建立健全各项规章制度，严格责任制，不使泄露。

3.5　施工中常见异常现象及其处理方法

（1）堵塞现象。堵塞常出现于泵送机械料斗、输送管道及模袋内，原因和处理方法如下：①泵送机械运转不正常。应有备用设备，以保证混凝土浇灌的连续。②骨料规格不符合要求。粗骨料粒径最大不能超过泵送管道直径的1/3。③充灌料配合比不合适。应严格控制配合比。④气温对塌落度的影响。天热时应给管道洒水降温，防止管道内出现结实段。

（2）鼓胀现象。鼓胀现象常出现在坡底或灌料口。防止方法是灌料至与灌料口齐平时,应停泵待析水后再泵入。有时也由于袋内控制厚度的尼龙绳被拉断造成,这时应暂停泵送,往鼓胀处加载,待袋内料初凝后再继续充填。

（3）模袋块之间接缝不密。施工不善会出现两块模袋靠接不紧。可采用高强拉链先将两块模袋连好,再进行泵送料。也可以在泵送料前先将两块模袋的底角靠紧并予以固定。

（4）模袋充填不饱满。出现此现象应打开原灌口再行补灌。未灌入部位要另开灌注口补灌,灌注口应放在未灌入处的中间并在边缘缝纫线处。

（5）水下施工要特别注意水下潜水员施工安全,避免水下各种管、索缠绕,危及生命安全。

（原载于《人民黄河》2000 年第 5 期）

黄河十八户控导工程铰链式模袋混凝土沉排应用分析❶

黄河十八户控导工程是水利部定点的土工合成材料示范工程,其中主要是铰链式模袋混凝土沉排护底。此项工程的施工,关系到铰链式模袋混凝土在黄河工程中的应用前景,同时也是为下次同样工程的施工积累经验。

1　工程概况

黄河十八户控导工程位处黄河河口段,工程长度2 000 m,包括 $1^\#$ ～ $12^\#$ 人字垛 12 段,$13^\#$ ～ $20^\#$ 铰链式模袋混凝土沉排丁坝 8 段。$12^\#$ 坝主流顶冲,采用乱石护根修做,自 1998 年 12 月份刚建成投入使用至今,多次发生坝身掉蛰、坍塌险情;此次施工中的 $13^\#$ ～ $20^\#$ 8 段丁坝全部坐落在河道主河槽内,均靠主溜,水流速较大。

2　铰链式模袋混凝土沉排设计情况

此工程的 $13^\#$ ～ $20^\#$ 8 段坝设计为铰链式模袋混凝土沉排护底,模袋混凝土厚度为 30 cm,C20 混凝土。每段坝模袋混凝土 2 165 m²,其中迎水面平直段分 6 个单元,背水面平直段分 1 个单位,圆头段分 9 个单元,单元间搭接宽度为1 m。模袋沉排排体的组成有反滤布、模袋布、铰链绳。

3　施工工艺总结

3.1　平整场地

由于这 8 段坝全部建在黄河的主河槽内,并且在施工期内黄河多次来水,水位较深,

---

❶　张生同志参加了该项目应用分析。

且地形变化较大,所以无法平整场地,只好把反滤布和模袋布铺放在原河床上。

3.2 铺设反滤布

在铺设前,需要把迎水面直线段的 6 个单元,圆头段的 9 个单元各自缝合成一体。铺设时可采用先旱地后水中的原则。水深大于 1.5 m 时,需用浮排布设定位桩双向锚固。

3.3 铺设模袋布

(1)模袋布缝合。由于设计中单元间搭接宽度为 1 m,在铺设前,需要把迎水面直线段的 6 个单元、圆头段的 9 个单元各自缝合对接成一体。

(2)模袋布铺设。在水中铺设时,靠岸边采用穿直径 8 cm 钢管锚固在岸上,并布设调整模袋压力用的手拉葫芦,末端与布设定位桩锚固,勿须拉紧,并要充分考虑模袋布在充填过程中的纵向和横向收缩。

3.4 模袋混凝土充填

首先必须做到均衡充填,以防止模袋布发生不均匀收缩,确保混凝土饱满密实。在充填时,必须严格控制混凝土塌落度。由于模袋内混凝土通道较细,易受阻,为此在每个通道口都要有专人负责踩压。插入灌注口的喷管应做左右移动,使混凝土充填均匀、密实、厚度饱满。随时调整充填压力及放松控制模袋布压力的手拉葫芦,防止充填压力过大造成模袋布爆裂。

4　施工情况分析

4.1　施工时间及顺序

本工程的模袋混凝土沉排自 5 月 24 日开工,施工期十八户河段流量情况见表 1。总的施工顺序为 $19^{\#} \rightarrow 20^{\#} \rightarrow 18^{\#} \rightarrow 17^{\#} \rightarrow 20^{\#} \rightarrow 15^{\#} \rightarrow 16^{\#} \rightarrow 15^{\#}(\rightarrow 14^{\#} \rightarrow 13^{\#})$ 坝,到 6 月 12 日完成 $15^{\#} \sim 20^{\#}$ 坝的全部模袋混凝土沉排。由于 $13^{\#}$、$14^{\#}$ 坝前水太深,如要再按原设计进行模袋混凝土的施工,工程质量不易控制,施工速度太慢,故把模袋混凝土沉排护底改为传统的铅丝笼石护根。

表 1　模袋混凝土施工期间十八户河段黄河流量情况

日期 (月-日)	05-24	05-25	05-26	05-27	05-28	05-29	05-30	05-31	06-01	06-02
流量 (m^3/s)	0	0	0	128	97.3	34.3	19.2	4.94	242	95.1
日期 (月-日)	06-03	06-04	06-05	06-06	06-07	06-08	06-09	06-10	06-11	06-12
流量 (m^3/s)	75	47.5	39.6	74.7	258	237	200	112	31.6	17.4

4.2　施工的不利影响因素分析

4.2.1　水深的影响

在 $15^{\#}$、$16^{\#}$ 坝沉排设计位置处,经潜水员实测,坝背水面水深均在 1.5~2.0 m 之间,圆裹头处水深 3～4 m,且在两坝的坝头处均有水深 5～6 m 的冲刷坑,为摸索施工经验,对两坝分别采取两种不同的方式。

对冲刷坑深度较大的 15[#] 坝,采取把柳石枕直接填入冲刷坑的底部,使沉排设计位置的底部基本平顺,然后再进行模袋混凝土的充填;对冲刷坑深度稍浅的 16[#] 坝采取在原河道地形上直接随地形把反滤布、模袋布铺到冲刷坑的底部,铺成 U 型,进行充填。充填时,当浇筑完 4 m 锚固长度内的混凝土后,先从冲刷坑的底部开始灌入混凝土,然后沿冲刷坑的坡度顺坡向上浇筑,直到完成。

从以上两段坝模袋混凝土施工情况来看,15[#] 坝施工进度较快,质量易保证;而 16[#] 坝由于水深远远超过 1.5 m,只有通过 2 个潜水员来控制混凝土充填的质量和速度。由于黄河含沙量大,潜水员在水下的能见度低,影响了工程的质量和进度。但最终还是找出规律,摸索出在水下爬行、跪行,使用膝、肘挤压通道的经验,以求混凝土充填密实饱满。

4.2.2　溜急的影响

在黄河流量加大,坝前水深 2～3 m,流速 2 m/s 时施工,由于流急,反滤布和模袋布无法固定。即使反滤布可以勉强铺下,模袋布也无法平直自然展开,易起皱,模袋内的混凝土通道易受阻,模袋内的混凝土密实度不易达到要求,潜水员在水中也根本无法作业。故在流速为 2～3 m/s 的动水中,模袋混凝土的施工质量不易控制,施工进度大大降低。

4.2.3　含沙量大的影响

在水流含沙量大,落淤严重时,会使预先铺设在圆头及下游直线段的模袋布上面已落淤 30 cm 厚。厚厚的泥沙压在模袋布上,混凝土根本无法充填。

5　施工成果分析

5.1　配合比基本参数的采用

5.1.1　塌落度

模袋混凝土塌落度不但要满足设计要求的抗压强度,还要满足充填过程中有足够大的流动性,使它在模袋里能够顺利地流淌、充满整个模袋并达到一定的密实度。根据设计要求和本次施工所用原材料的骨料试验,确定混凝土拌和物塌落度为 (23±2) cm。

5.1.2　砂、水灰比的确定

经试验室试验及多次现场试验,砂的细度模数小于 3.0,属于中砂。经现场试验,泵送混凝土细粒含量最好超过 420 kg/m³(包括水泥用量),水泥用量 360 kg/m³,砂率为 65% 较合适。水灰比 0.65,即可满足设计及施工要求。

5.2　模袋充填

5.2.1　充填

(1)充填混凝土的流畅性能。由于河道地形不平,在冲刷坑处,混凝土由下而上充填到模袋内,混凝土可以自由流动基本不需人工踩压,能够达到一定的密实度;在河道平直段,在每个通道处,要设专人踩压。

(2)模袋的收缩率及平均厚度。模袋充填混凝土后,纵横向均发生收缩。纵向(顺水流方向)收缩率为 5% 左右,横向(垂直于水流方向)收缩率为 8% 左右。

模袋混凝土设计厚度为 30 cm。在混凝土充填 2～3 h 后,用钢钎测量充填混凝土厚度,块体最高点厚度均不低于30 cm,边沿圆弧处最低处25 cm。对凿开后的断面测量充填混凝土厚度,旱地施工的 19#坝,混凝土平均厚度为30.4 cm,水下施工的 15#、16#坝,混凝土平均厚度为29.6 cm,满足设计要求。

(3)充填面积控制。根据现场地形情况、泵送距离、水深情况及每个浇注口的间距(纵向、横向)均为4 m,一次充填面积不应小于16 m^2,但不宜太大。

(4)沉排锚固长度内混凝土的充填。由于锚固长度内的模袋混凝土作为配重,为节省投资,只是在个别坝段采用增加粉煤灰掺量,作为降低工程投资的试验。

(5)模袋充填饱满度的检查。一是凭手感觉,二是混凝土输送速度明显减慢,同时压力逐渐增大,在确认不是因管道堵塞的情况下,便说明模袋饱满度达到要求,即可再充填另一注入口。

5.2.2　机械、劳力组合

主要机械:30A 型混凝土输送泵 1 台、800 型自动配料机 1 台、500 型强制式拌和机 1 台等机械。每班作业人数 27 人。一个停机位置,泵送距离可达300 m,可充填600 m长坝段。

6　存在问题分析及建议

6.1　注入口堵塞

一是输送管管口顶在控制模袋混凝土厚度的拉线上,使填料堆积受阻;二是更换注入口间歇时间过长,致使留在泵管中主要是斜坡管路中混凝土失去流动性,发生堵塞。

6.2　局部拉线断裂

控制厚度的拉线受到填料及泵送的压力作用而崩断,其原因之一是没有控制好填料的进入量,致使模袋内压力增加,拉线断裂;二是人为将注入口间距加大,运送距离长,拌和物失去流动性所致。

6.3　厚度不足

其原因是在混凝土充入模袋时,由于水分较多,经过2~3 h后,水分排出,则厚度亦随之降低。为此不能靠增加用水量来提高混凝土的流动性,机口应严格控制混凝土塌落度。

6.4　有待进一步改进的问题

能否将模袋布与反滤布作为一体,这样可节省一层模袋布,既降低造价,也达到了设计目的,又加快了施工进度。灌注口间相互贯通,使混凝土充填密度不一,可改成每个灌注口控制一定的封闭面积。进一步试验研究优化混凝土配合比,以降低水泥用量,达到节省投资的目的。合理安排施工期,尽量安排在枯水期施工,尽量减少水下施工,那样质量易保证、进度易控制。在溜急、水深、含沙量高的坝段不宜安排此项目。

7　效果及经济分析

7.1　效果评价

模袋混凝土自完工以来,从黄河多次来水的情况看,凡是已做完模袋混凝土的坝段,均未出现任何险情,而未做模袋混凝土的坝段,均出现不同程度的裂缝、掉蛰等情况。模袋混凝土可按工程要求设计成各类形状施工,适合复杂起伏的黄河河道地形,整体防护效果好。

7.2 经济分析

在黄河控导工程中,传统的抛石护根护底投资较大,每年管理维护费用很高,模袋混凝土沉排护底,节省投资。如采取适当措施,比如本次使用的锦纶模袋布可改为丙纶织造的模袋布,以降低成本;今后可掺加粉煤灰,减少水泥用量,降低成本,混凝土控制在150$^{\#}$以内。

8 结束语

在山东黄河工程上进行铰链式模袋混凝土施工才刚刚起步,它采用了全新的施工工艺技术和设备,为黄河河道整治工程的结构和施工技术的发展开辟了一条新的途径。铰链式模袋混凝土虽然在一些方面还存在问题,尤其是水下施工,还需进一步完善,但其技术的先进性、经济的合理性是可以肯定的。随着对铰链式模袋混凝土施工技术的进一步研究和发展,这种新结构一定能在减少黄河河道防护工程的出险方面起到显著作用,具有良好的推广价值和前景。

铰链式混凝土板块护岸工程的研究和应用

黄河上修建控导工程和护岸工程的传统方法有以下2种:一是旱工裹护,采用柳石枕、铅丝笼及块石结合使用防护土坝胎;二是水中进占,采用柳石楼厢作占体掩护土坝修筑,并用柳石枕偎根和散抛乱石裹护。传统的筑坝方法存在着许多缺陷。

广大水利科技工作者,一直在探索能适应地形变化需要、具有一定稳定性的柔性建筑结构形式,经过多年的试验研究,已取得了初步成效,现介绍铰链式混凝土板块在黄河坝岸防护工程中的应用。

铰链式混凝土板块技术是利用土工布作反滤层,其上用高强度合成纤维绳索将混凝土块体按照一定的要求纵横向联结在一起作压载,形成一个可以任意适应地形变化需要的具有一定稳定性的柔性整体结构。其优点为:能移始终贴紧坡面任意适应地形变化,且又相互联结成护底防冲淘刷保持整体稳定,运行安全可靠,整齐美观,整体性强。

铰链式混凝土板块软体排,其结构从上至下依次为绳索混凝土块、编织布。绳索混凝土块的作用为压载和抗冲刷,编织布的作用为反滤、保土。

1998年在黄庄控导工程选取了一段护岸工程作为试验段,混凝土块尺寸为40 cm×40 cm,板厚15 cm,纵横向预留直径为16 mm的绳孔,以备直径14 mm丙纶绳索串联,绳索混凝土相邻板块之间用一个高度为3 cm的塑料环隔开,使排体有较好的适应变形能力。

1　冲刷坑位置、深度、坡度的分析确定

1.1　冲刷坑的位置分析

通过模型试验资料及防洪抢险、根石探测成果得知控导工程单坝的冲刷坑位置一般在坝前头,即坝轴线的延长线上。对于群坝或近似直线的护岸形式来讲,由于水流相对平稳,冲刷坑几乎连成一线。冲刷坑位置在平行坝头连线或平行于护岸线的一条深泓线上,一般在上跨角至圆头前半部。

1.2　确定冲刷坑的深度和坡度

确定冲刷坑深度的目的,就是使修做的绳索混凝土块软体排能够按一定的坡度将冲刷坑防护起来。从而保证坝岸的安全。

目前,计算冲刷坑深度的公式很多,如武汉水利电力大学公式、马卡维也夫公式和张红武公式等,各公式都有侧重,计算的差值也较大。堤防工程设计规范中给出的参考数据,需结合工程的具体情况采用。根据黄河上的多年实测情况,新建河道整治工程坝前最大冲深,陶城铺以上河段为12 m,陶城铺以下河段为9 m。绳索混凝土块软体排稳定的坡度,根据目前国内成功的实例,结合黄河工程根石冲刷的实际情况,一般坡度选用1:2能满足稳定要求。

1.3　软体排的尺寸

软体排顺水流方向的尺度称排宽,垂直水流方向的尺度称为排长。排长分为水下和水上两部分。枯水位以上的排长为护坡部分,排体长度的确定分为两种情况:

(1)水上部分排长为护坡长度与挂排所需长度之和。

(2)水下部分排长由三部分组成:①与水上部分排体连接所需长度;②水下坡长度,应考虑排布褶皱和收缩,留有余幅;③预留冲刷增加的长度。

(3)排长 = 水下排长 + 水上排长。

(4)排体末段应有压坠作为排体随冲刷下沉的措施,根据不同冲刷的情况,确定选用不同的压坠形式。

(5)排体锚固。岸坡上的排体应在坡顶与坡底分别加以锚固,水下排体应与护坡排体连接在一起。

2　稳定性校核

2.1　护岸整体稳定性分析

(1)一般校核以下5种情况:①建成无水,未形成冲刷坑;②无水,冲刷坑形成;③设计水位,冲刷坑形成;④施工水位,冲刷坑形成;⑤危险水位,冲刷坑形成。

(2)计算方法。根据《堤防工程设计规范》(GB50286—98)第8.2.4条规定,采用瑞典圆弧滑动法计算,不考虑土条之间的作用力。

2.2　绳索混凝土板块护面稳定分析

应对下列情况进行校核:

(1)绳索混凝土板块斜坡垫层(或排体)之间的抗滑稳定。

(2)垫层(或排体)与斜坡(或冲刷坑边坡)之间的抗滑稳定。

（3）没有水平阻滑盖重（或梁）的情况，可采用水利部《水利水电工程土工合成材料应用技术规范》（SL/T225—98）附录 A 公式（A.3.1）计算稳定安全系数。

（4）设置有水平阻滑盖重（或梁）的情况，抗滑稳定计算应考虑水平阻滑盖重的作用。

（5）合理确定摩擦系数。参照国内类似工程的试验资料，一般情况下，绳索混凝土板块与针刺土工布和编织布之间的摩擦系数为 0.54 和 0.67；针刺土工布与砂壤土的摩擦系数为 0.51；编织布与细砂之间的摩擦系数为 0.44。

3　土工织物滤层稳定分析

首先，应对被保护土进行土工试验分析，对于在往复水流和波浪作用下的护坡垫层和护底软排，必须进行针对性的滤层分析计算，满足所谓"保土"、"渗透"和"防淤堵"三项要求。其次，应对土工合成材料进行性能指标测试，具体指标根据工程具体需要，选择材料的测试项目。一般应测试物理指标（单位面积质量、厚度、等效孔径）、力学指标（拉伸强度、撕裂强度、握持强度、顶破强度，材料与土相互作用的摩擦强度等）、水力学指标（垂直渗透系数、平面渗透系数、梯度比 GR）、耐久性等。

3.1　保土准则

我国土工合成材料应用技术规范 GB50290—98 和 SL—98 推荐的保土准则为：

$$O_{95} \leqslant Bd_{85}$$

式中，O_{95} 为土工织物的等效孔径，mm；d_{85} 为土的特征粒径，脚标 85 表示按土中小于该粒径的土粒质量占总土粒质量的 85%；B 为系数，按工程经验确定，宜采用 1~2，当土中细粒含量大，或为往复水流时取小值，并选用较厚织物。

3.2　渗透准则

我国 GB50290—98 要求反滤材料的透水性应符合下式要求：

$$K_g = A \times K_s$$

式中，A 为系数，按工程经验确定，不宜小于 10；K_g、K_s 分别为土工织物和被保护土的渗透系数，cm/s。

对于编织型土工织物滤层，辽宁省水科所通过试验提供的准则为保土准则：

$$O_{95} \leqslant 10d_{90}$$

渗透性准则：

$$K_g > K_s$$

3.3　防堵性准则

我国土工织物合成材料应用技术规范规定，对于淤堵后损失巨大，被保护土易管涌，具有分散性，水力梯度高，流态复杂的情况，应拟用土工织物和现场土料进行室内淤堵试验。

对于被保护土级配良好，水力梯度低，液态稳定，修理费用小及不发生淤堵时 $O_{95} \geqslant 3d_{15}$。

在对护岸整体稳定、绳索混凝土板块护面稳定分析后，对土工织物的保土准则、渗透准则、防堵性准则更应严格校核。只有全面符合要求后，才能具体选用厂家的土工合成材料用于防护工程。

4 施工要点及注意事项

　　绳索铰链混凝土板块护面是一种新的护面结构形式,它具有工程量小、板块厚度薄、抗冲刷能力强、施工速度快、造价低等特点,在护坡和护底工程中有着广泛的发展潜力,但是由于结构比较复杂,在施工上必须加强管理,严格控制各个施工环节,才能确实保证施工质量。施工中,应制定施工细则,并在施工中严格遵守。

4.1 混凝土板块施工

　　混凝土板块作为一种混凝土构件,应满足混凝土构件的质量要求,对于绳索混凝土板块除应注意板块几何尺寸外,特别要注意绳孔位置和尺寸的准确性,严格控制混凝土的水灰比和振捣质量则是确保板块强度和耐久性的关键。

4.2 护坡针刺土工布垫层的施工

　　护坡针刺土工布垫层的施工包括平整场地、织物备料、铺设土工织物垫层和铺设绳索混凝土板块等工序。平整场地应整平并清除斜坡面上一切可能损伤土工织物的带尖棱硬物,填平坑凹;铺设土工织物应力求表面平顺、松紧适度,织物与土面密贴,不留空隙,发现织物有损,应立即修补或更换。织物的搭接和缝接应符合规范要求,铺设土工织物工人应穿着软底鞋,以免损坏织物,织物铺设好后,应避免受日光直接照射,随铺随护。有往复水流时,宜在织物下铺设 5～10 cm 砂层。

4.3 绳索混凝土软体排施工

　　绳索混凝土板块软体排的施工方法,应根据软体排的制造特点、排体尺寸、地形、气候和水情,水上作业或水下作业的现有机具能力等因地制宜确定,主要工序包括:场地准备,排体制作、沉排和压载。

4.4 工程原体观测

　　为了达到设置护底护岸的目的,除在设计和施工时注意研究问题、积累资料、总结经验外,工程建成后更要对工程的运用情况进行有计划有目的的原体观测。观测项目主要是:①当地的风向、风速、气温和冰冻情况等;②试点段护岸工程附近的水位、流量与河边冲淤情况;③护岸工程体本身的沉陷、变形以及混凝土板块、绳索、土工织物(垫层、排冻)的老化情况;④验证工程使用的效果,设计和施工的经验与教训;⑤探讨绳索混凝土板块护坡和护底及黄河堤防工程其他类似工程中的使用前景。

　　铰链式混凝土板块在黄河防洪工程中的应用还处于起步摸索阶段,虽然该项技术在其他水利工程方面应用的比较成功,但黄河防洪工程的各种情况比较复杂,还有待于广大治黄科技工作者们共同努力,继续探讨好的设计和施工方案。

(原载于《山东水利》1999 年第 10 期)

土工合成材料用于堤防漏洞抢护试验研究

1　概述

堤防漏洞尤其是深水漏洞,进水口难查找,险情发展快,极易造成溃堤决口。据调查,1996 年湖北省发生 7 处长江大堤溃口特大险情,其中因漏洞造成的就有 5 处。黄河上因堤防漏洞造成决口的例子也不胜枚举,如 1951 年和 1955 年利津县王庄、五庄凌汛决口等。因此,对漏洞险情必须予以高度重视,不断试验研究堤防漏洞抢护的新方法、新材料、新机具,以确保黄河防洪安全。今年 8 月山东黄河河务局组织科技人员,进行了较大规模地试验研究。试验地点在东阿县河务局井圈险工 63#～65# 坝之间。新修长 96 m 围坝,模拟大堤修作,并预埋造洞的钢管和钢丝绳,围堤顶宽9.75 m,临河靠下游49 m长围坝,边坡1:2.5,上游47 m长临河,边坡 1:3,背河边坡均为 1:3,堤顶高度超设计水位1.0 m。

经过近一个月的努力,试制了多种工器具,其中多数以土工合成材料为主,制订了多个实施方案和小型试验,抢堵了 3 个 2 m 以上的深水漏洞,研究出了多种实用技术方案,取得了一定的成效。

2　几种土工合成材料抢护工具的改制及特性

2.1　大网兜

大网兜一般采用直径 1～2 cm 的高强丙纶、锦纶绳制作,编织成 15～20 cm 见方的网眼,进口处用直径 2～3 cm 的编织绳作网框。网兜可制成体积为 0.5、1、1.5、2 m³ 等不同规格,内装小土袋十几个至几十个,重量 1～4 t。根据需要在进水口处装填,然后集中人力推下,或用机械吊装到位。利用其体积大的优势将漏洞口封死。

2.2　管袋式软帘

传统软帘的制作材料如草帘、苇箔、棉絮、柳枝、秸料等,透水性大、强度低,近十几年来,多以蓬布及土工布制作软帘,但蓬布软帘存在浸水后较重难展开,土工布易漂浮,同时两种软帘在深水漏洞时均很难将土袋抛投到位、在短时间内将四周压牢闭气。为此,我们设计了管袋式软帘。

管袋式软帘由不透水土工布作底,底端和两侧设互相连通的透水或不透水管袋,直径0.5～0.8 m,两侧管袋顶端留喇叭型进口,可在岸上向管袋内冲泥浆,先将软帘周边压实。两边管袋外侧各留1.0 m宽的土工布,以便抛压土袋,底管袋的外侧设联结鼻。利用由滚筒、推杆等组成的软帘展开设备,平时将软帘卷在滚筒上,现场用时展开。实施步骤如下:①根据已探明的洞口位置,将已卷好的软帘摆放在临河堤肩上;②打桩拴绳:在堤肩打3～5 根长80 cm、直径10 cm的木桩,将软帘加筋绳系在木桩上,成能松能紧的绳扣;③施放软帘:用软帘展开机具将软帘展开,罩在洞口上;④充填泥浆:每个装袋口由 2 人撑开,4 人向管袋内填土,1 人开汽油机(8 kW),1 人持水枪冲土,直至充满;⑤抛压土袋:在充填泥浆的同时,一部分人向管袋的内外侧抛压土袋。

管袋式软帘的优点:①解决了一般软帘周边难压实、无法在短时间内与堤坡紧密结合、在软帘和堤坡间漏水的难点;②可在岸上操作,效率高,经初步试验,直径1 m、长12 m 的管袋7 min可充满,泥土约占60%;③在充填管袋的同时,可由人工在两管袋之间向软帘中部抛压土袋,而底管袋起到了阻滑作用;④在多个洞口或裂缝洞口的情况下,无法快速查找出漏洞进口,还可利用软帘较大的面积在一定范围内多铺设数个软帘,盖压漏洞口,达到堵漏的目的。

2.3　框架式软帘

框架式软帘由4根钢管组成底框架,中间设土工布软帘,并用绳与底框架钢管相连,框架四角预焊螺栓,与4根竖立的操作杆相连。框架式软帘的特点,一是质轻、高强,3 m×4 m的软帘整体重仅10 kg左右,而每米宽度土工布可承受100 kN左右的拉力;二是钢管将软帘布撑开,解决了传统软帘难展开和易漂浮问题;三是可根据需要现场拼装成4 m×6 m、3 m×4 m、2.5 m×3.5 m等不同尺寸,软帘布与四周钢管的连接可通过绳索调节软帘布的松紧度,避免布帘架空,手持操作杆盖压洞口,灵活机动;四是施放软帘后,4根操作杆可作为标志,为快速抛压土袋和浇散土等指明范围和方向;五是可利用其较大面积进行查找漏洞口:一种方法是利用其较大的面积,由4～6人操作,在水中将软帘贴地移动,当罩在漏洞口上时,洞口将对软帘有吸引力,凭手感判断漏洞口的位置;第二种方法是面积排查法,即将软帘罩住一个地方,看背河出水口的水量有无变化,若变小表明已罩在漏洞上,若无变化,继续探查相临的区域,直至找准漏洞。

2.4　滤水软排

"临背并举"是成功经验,即临河抢护的同时,背河在漏洞出水口一般快速修做反滤围井,以滤水保土,抬高背河水位,减少水头差,控制漏洞扩大。但传统方法所用反滤料为麦糠、麦秸、柳枝等秸料或砂石料,试验效果表明,若压盖不严,反滤料大部分被水流冲走,多数起不到滤水保土的作用。而以土工布制作的反滤软排,具有质量均匀、抗拉伸强度大、轻便、价格低廉、滤水保土性能优良等特点。

除此之外,还研制了麻料橡胶软楔、不锈钢摸水杆,简易便桥等。

3　堤防漏洞抢护试验

3.1　2.1 m 水深漏洞试验情况及认识

时间:1999年8月16日上午。

造洞方式:2部拖拉机从围堤临河方向拉出预埋在围堤内的钢管,钢管直径5 cm。为保证造洞成功,在背河钢管上拴粗麻绳,随同钢管穿过围堤后,再从背河由人工将粗麻绳抽出。

漏洞处围堤顶宽9.75 m,临河堤坡1:2.5,背河堤坡1:3。

堵漏方案:临河摸准洞口后堵软塞,盖压框架式软帘,同时搭设便桥后人工抛压土袋,机械浇散土进占;背河用滤水软排修做反滤围井。

漏洞抢护情况:9时45分造洞成功,背河出现一直径约5 cm的漏洞。临河立即组织6人下水排成人排探找漏洞进口,其中2名水性好的队员潜水探摸,在1 min内找到漏洞,直径6~8 cm。约2 min时摸水组组长在2名队员按压肩膀下潜水将软楔塞入洞口，软楔入洞口2/3，约50 cm，并插摸水杆标示，随后6人将3.5 m×2.5 m的两布一膜土工布框架式软帘盖在洞口上，并抛压土袋。5 min时便桥架好，并在其上人工运土袋。同时，自卸车按照预先划定的卸土区，向抢险现场运送散土。

临河抢堵的同时，背河用滤水软排和土袋修做围井。滤水软排为机织加针刺土工布，单位面积质量410 g/m²，纵向抗拉强度55 kN/m²，梯形撕裂强度120 kN/m²，垂直渗透系数0.000 9 cm/s，等效孔径0.1 mm，约用土袋1 100条，修筑了高2 m的围井。因对滤水软排施压效果好，滤水排发挥了较好的效果，在水压力下滤水排鼓胀大。

至45分时完全闭气，事后检查，滤水排使漏洞出口基本淤死，有一淤泥堆。

这次试验用自卸车3辆、挖掘机1部、装载机1部，耗用土袋1 600条，人员70名。做到了抢早、抢小、临背并举。软楔塞堵及时，6人操作框架式软帘，在水中移动较灵活、盖堵迅速。由此证明软塞、框架式软帘方案是成功的。便桥架设仅用5 min，其作用是大的。大型机械如自卸车、挖掘机、推土机等，发挥了速度快、工作强度大的优势，对快速浇土闭气起了重要作用。

但是也存在一些问题，主要是人机配合不理想，挖掘机进场作业，与抢险人员配合不好，相互干扰，加上作业回转半径10 m，初期挖掘机作业影响了人工抛运土袋。

3.2　2.5 m水深漏洞抢护情况及分析

时间：8月19日下午。

造洞方式：同前。

抢险人员：80人，其中包括济南市河务局抢险队潜水员6人。

漏洞轴线处围堤顶宽9.75 m，临背河堤坡均为1∶3。2.5 m水深漏洞，则漏洞距围堤临河堤肩水平距离为10.5 m。

堵漏方案：由潜水员探摸确定洞口位置，并实施软楔塞堵洞口，然后盖堵管袋式软帘，搭设便桥抛土袋压护，同时机械浇散土闭气，背河为反滤围井，滤水软排采用两层机织布缝制而成，尺寸为5 m×5 m，每层机织布重240 g/m²，纵向抗拉强度55 kN/m，横向抗拉强度40 kN/m，梯形撕裂强度100 kN，垂直渗透系数0.001 1 cm/s，等效孔径0.13 mm。

漏洞抢护情况：8月19日下午2时36分造洞成功，洞漏直径约5 cm。临河立即组织2名潜水员下水探摸漏洞、塞软楔，随后12人下水将6 m×12 m的管袋式软帘展开铺好，3 min时软帘两侧管袋各有2人撑管袋进料口，1人持水枪，4人向管袋内填土，至11 min时两管袋均充满泥浆；约6 min时便桥架设完，随即运送土袋压护软帘，另有一部分人员从两管袋之间送土袋，由水下人员接力排压土袋；12 min 50 s时挖掘机抛散土，至19 min时软帘基本被压住后，撤离挖掘机由推土机向洞口方向推土进占，此时背河仍在流浑水；到58 min时背河出水量有所增大，背河用2 000条土袋修筑的1.8 m高的反滤围井被冲毁。此时，继续用2部推土机在临河推土，并向漏洞两边扩展盖压，背河逐渐停止出水，此时已历时1 h 5 min。在临河继续推土修作前戗加固时，到4时6分（总历时1 h 30 min）背河漏洞处又有浑水流出，用挖掘机在堤顶中间抽槽，当挖深至3.5 m时，发现漏洞呈椭圆形，上下高约1 m，左右宽约70 cm，采取逐层用粘土回填，挖掘机铲击砸压实，4时56分背河停止流水，总历时2 h 20 min。第二天将背河出水口土袋、滤水排清除后发现，背河洞口上下高60 cm、宽50 cm。

这次试验共用土袋3 500条,在漏洞发展到如此大的情况下能抢堵成功,有许多经验和教训值得总结:一是临背并举起了作用,临河抢堵的同时,背河修做了高1.8 m反滤围井,长达58 min才被冲毁,滤水排滤水效果较好,对减小临背水头差、减缓险情发展的速度等起了重要作用;二是自卸车、推土机配合水中进占作前戗速度快,挖掘机进行抽槽截堵闭气速度快、效果好;三是发挥了在深水较大面积压盖的作用,但管袋式软帘结构不尽合理,充填试验表明,管袋与底布的连接面积大,当管袋充满泥浆后,造成两管袋间的底布局部绷得太紧而悬空,悬空部分与堤坡间仍有漏水的现象;四是在展开软帘时未能使软帘展开器滚筒内先充满水,短时间内有漂浮现象。

3.3　3.0 m水深漏洞抢护情况

时间:8月25日上午。

造洞方式:同前。

抢险人员:140人。

分析:漏洞轴线处围堤顶宽9.75 m,临河堤坡 1:2.5,背河堤坡 1:3。水下3.0 m深漏洞出现在1:2.5的堤坡上,堤顶超过设计水位1.0 m,则漏洞距围堤临河堤肩水平距离为12 m。

堵漏方案:先有2名潜水员探摸漏洞进口,并用软楔塞堵洞口,然后在2名潜水员的配合下,6人施放4 m×6 m的框架式软帘,同时在靠近软帘的两边分别架设便桥抛土袋,在两便桥中间堤顶处机械浇散粘土进占;背河为土袋围井、土工布反滤。

漏洞抢护情况:8月25日上午9时52分造洞成功,当背河向外拉绳时即开始流水,绳子拉出后已形成近10 cm直径的漏洞。临河组织2名潜水员探摸漏洞、塞软楔,用时近1 min 40 s;2 min时12人下水将框架式软帘就位,接着由岸上人员传递土袋,水下人员排压;3 min时挖掘机进场,6 min时抛散土,由于抛土速度较慢,8 min时撤离;5 min时浮桥架设完毕,8 min时同时上2部推土机进占,但背河流水仍未减少,至10 min时背河0.5 m高的围井被冲垮;14 min时背河堤肩以下塌陷长约5 m、宽1~2 m、深2.5~4 m的深坑,情况非常危急,临河人工又继续抛投土袋,此时漏洞已爬至堤坡近水面处,已能看出水的流动,小土袋已不起作用。决定在临河用人工抛投多个大网兜,每个网兜装小土袋10~20个,在新洞口又放2.5 m×3 m小型框架式软帘一个,此时挖掘机进场在背河堤肩挖槽截堵,推土机继续水中进占,至33 min背河完全闭气,继续修作前戗近30 min。共计用土250 m³,土袋4 000~5 000条,其中临河约2 500条;参加抢险人员120名,其中临河70人。

近几年的演习中尚未有堵住3 m水深漏洞的先例,此次在非常危急的情况下,抢堵成功。总结该漏洞的特点:①深水漏洞的抢堵难度明显增大,由于压力的增加,抢堵的每一步都增加了不少的难度。②漏洞发展特别快,其原因:一是土质差,多为砂性土,碾压不实,抗冲能力差,从这一点看,可能与黄河大堤的实际情况有一定差距;二是水深压力大、流速快;三是为防止预埋钢管拉不出来,造洞不成功,约8时预先拉出钢管2 m多,造成钢管周围土体松动而浸水,在临河水压下钢管周围土壤已经浸透,造成漏洞土壤流失快。

分析堵漏的过程和漏洞的发展变化,抢堵的方法和步骤基本正确,软楔和框架式软帘起了一定作用,背河出水量未见减少的原因是多方面的:一是漏洞发展太快,抛投土袋的速度相对较慢;二是洞口上移,框架式软帘上面的堤坡已向漏洞进水,当洞口发展到一定程度后,推土机推下的散土随即被冲走,从背河出水口的高含沙量以及临河水边的抛投大网兜和下小软帘起作用的现象可证明这一点。

从抢险中也发现,当漏洞发展较快、出水量较大时,滤水排应采用孔径较大的材料,否则围井四周土袋来不及压住软体排,在水压力下,从软排底部漏水,并冲毁围井。

4　结语

这次试验中抢堵了3个深水漏洞均获成功,特别是抢堵了3 m水深的漏洞,增强了战胜深水漏洞的信心和决心,表明了土工合成材料的运用、抢护方案是基本正确的。但也存在一些问题,如工器具的完善改进、抢险方案的优化组合等,建议进一步加强研究,完善漏洞抢护方法,提高抢护技术水平,并进而开展其他险情的研究,以确保黄河防洪安全。

山东黄河土工合成材料的应用与展望

山东黄河河道长628 km,现有各类堤防1 472 km,其中,临黄堤803 km。河道整治工程有险工118处,长223.5 km;控导(护滩)工程114处,长169 km。分泄洪闸及引黄涵闸72座。黄河下游的工程建设、管理及防汛任务十分繁重,应用土工合成材料的领域也十分广阔。山东黄河河务局从20世纪80年代开始在黄河防洪工程建设和防汛抢险中,推广应用土工合成材料新技术、新材料、新工艺,取得了较好的成果。本文简要回顾了应用的情况,分析了存在的问题,并对今后的发展前景等进行了展望。

1　土工合成材料的分类

土工合成材料是以高分子聚合物如聚乙烯、聚丙烯、聚酯等为主要原料的产品,包括四大类:

(1)土工织物。透水性土工合成材料,按制造方法分为织造土工织物和非织造织物。

(2)土工膜。由聚合物或沥青制成的一种相对不透水卷材。

(3)土工特种材料。如土工格栅、土工网等。

(4)复合材料。由两种或两种以上土工合成制品经复合或组合而成的材料。

2　山东黄河土工合成材料的应用情况

2.1　塑料编织袋土枕筑坝

根石是黄河险工、控导工程坝岸的基础,因受水流冲刷走失需经常补抛,用量较大。在菏泽和河口地区因当地缺石而石料价格较高,为了降低工程造价,1985~1987年先后在鄄城桑庄险工20#坝,东明老君堂控导工程26#、27#坝,高村险工下延41#坝建设中,采用了塑料编织袋装土代替石料作根石筑坝的试验。其中桑庄20#坝在接长时,迎水面及下跨角约149 m长用了编织袋土枕固根,共抛大中小型土袋枕34 271个,装土9 341 m³。在1988年、1989年、1990年高村站流量分别为5 150、5 280、3 800 m³/s情况下,桑庄

17#、18#、19#坝均出现了不同程度的根石走失,抛根石 1 000 多 m³。而同样靠大溜的桑庄 20#坝未出现蛰裂等险情,表明土袋枕的固根、防冲效果是良好的,且具有就地取材、施工方便等优点。按当时综合价格比较,土袋枕为石料造价的 42.7%,是柳石枕造价的 59.8%。

2.2　土工织物加筋土用于砌石坝岸

　　用土工织物加筋土砌筑险工坝岸,相当于加筋挡土墙。其工作原理是在坝岸石护坡后的土坝胎中,按设计要求,于滑裂区埋设若干层土工织物,当坝岸水流冲刷失稳或滑塌时,土与土工织物界面产生摩擦力,约束土体滑裂应变,提高土体的抗剪强度,增强坝体的稳定性。1991 年山东黄河河务局结合泺口险工 63#、64#砌石坝拆改进行了对比试验,并进行了多年观测。结果表明:砌石体厚度可由原来的 1.5~2.3 m 减少至 1 m,工程竣工一年多后,实测砌石坝体背部土压力减少了 60%~70%,并提高了安全系数,节约了部分抛根石经费。1997 年在陶城铺险工 7#坝改建中因坝体无法后退,也采用该技术,同样取得了良好效果。

2.3　垂直铺塑及堤坡截渗

　　济南市槐荫区睦里至常其屯渗水堤段地基土质属分散性粘土,在水中易崩解沉淀。历年来,临河偎水不足 24 h 背河堤脚即出现渗水。加固设计中选择了垂直铺塑截渗墙和堤坡铺复合土工膜防渗方案。工程长度 1 050 m,垂直铺塑深 6 m,铺塑面积 0.63 万 m²。堤身防渗采用堤坡铺复合土工膜,用量 3.95 万 m²,其上铺盖壤土保护。

　　1997 年在济南历城区秦家道口堤段,长 400 m 采用了堤基垂直铺塑截渗和堤坡铺设复合土工膜的防渗方式,共使用塑料薄膜 0.6 万 m²,SJN-2 型复合土工膜 1.2 万 m²。

　　1998 年在鄄城县八孔桥堤防长 3 km 堤基采用混凝土截渗墙截渗,墙厚 0.22 m,深 13 m 左右;堤坡采用现浇混凝土斜墙,下铺 SJN-2 型复合土工膜 6.2 万 m²。

　　1999 年滨州蒲城新堤 1 000 m 长截渗工程也采用了垂直铺塑截渗和堤坡铺设复合土工膜。垂直铺塑深度 8 m,堤坡铺复合土工膜 3 万 m²,上压土料保护层。

　　高青(118+200~119+300)和邹平(107+200~109+600)防渗加固堤段,都采用了堤基为混凝土截渗墙、堤身铺设复合土工膜、外加土料保护层的方案,截渗墙厚 0.22 m,深度分别为 10~13 m 和 16~22 m,共铺设 SJN-2 型复合土工膜 8.5 万 m²。

　　据分析,垂直铺塑具有良好的隔水性和适应变形的性能,特别适用于背河有村庄、淤背有难度的堤防加固,而且工期短、投资省。蒲城新堤垂直铺塑截渗单价约 62 元/m²,仅为混凝土截渗墙的 1/3~1/2。

2.4　铰链式模袋混凝土沉排护底

　　铰链式模袋混凝土沉排是采用有一定强度和渗透性的双层有纺布作模板,内充混凝土或砂浆,在灌注压力作用下,混凝土或砂浆形成一个个相互关联、分离式、高强度的固结体。块与块之间在模袋内预设高强度的绳索连接,类似铰接。排体的下部铺设一层反滤布,以防止排体下的土颗粒被水流带走。所以它既能有效地抵御水流的冲刷,又能适应河床的变形,整体性好,外形整齐美观,维修养护费低。1990 年在高青北杜护滩工程 7#、8#护岸,利津东坝控导工程 20#护岸,垦利十八户控导工程 13#~20#坝和东明老君堂控导工程 28#、29#坝中均采用了该技术,总面积达 3.3 万 m²。模袋充填后单个块体尺寸为

91 cm×46 cm×25 cm。根据实际施工情况,在流速不大、水深小于1.5 m或旱地施工中,一台 30 型混凝土泵每天可灌注1 500 m²以上,若水深超过1.5 m,则需有潜水员配合作业,日完成量不足500 m²。

2.5　绳索式混凝土块护岸

该技术是利用土工布作反滤层,其上用高强度的尼龙绳将按设计预制的混凝土块纵横向串成一整体作压载。1998～1999 年在东平县黄庄控导工程上下游直线段护岸工程中,各取 100 m进行新型绳索式混凝土块护岸结构试验。混凝土块尺寸为40 cm×40 cm×15 cm,纵横向预留绳孔直径16 mm,以备直径 14 mm丙纶绳串联,绳索混凝土相邻板块之间用一个高度为3 cm的塑料套环隔开,使排体有较好的适应变形能力。

2.6　土工合成材料在防汛抢险中的应用

用土工袋代替传统的麻袋,在防风浪、作反滤围井、制作软帘堵漏等方面均进行了试验,如河口区河务局研制的充气充水防风浪用的 PVC复合膜布袋枕、滨州地区河务局研制的土工布软帘及其展开机具等。而利用土工布苫盖抢堵菏泽刘庄闸闸门漏水,证明了土工布在防汛抢险中的广泛用途。1998 年 7 月中旬,刘庄闸在关闭闸门时,一孔闸门落到距底板约0.35 m高度时被卡阻,单孔流量约13 m³/s,此时大河流量2 300 m³/s,闸前水深已达5.25 m,且水位不断上升,单孔泄流量不断增大,长时间下去将有可能引起闸门的局部损坏等险情。采用双层土工布缝制成10.0 m×7.1 m的苫盖,内加尼龙绳,底部栓重物使之紧贴闸门放下,解决了闸门顶止水处和闸孔底部的漏水问题。

2.7　复合土工膜作游泳池防渗层

天桥区河务局在淤背区沙土地上修建游泳池,面积6 324 m²,最大水深2.5 m,蓄水量1.2 万 m³。利用土工膜近万平方米作游泳池底及侧墙的防渗层,运用 4 年来效果良好。

3　推广土工合成材料存在的问题

有些人在坝岸设计中,喜欢采用传统土石结构方法,而对新技术、新材料、新坝型缺乏了解,也不愿采用。还有人认为推广应用新技术、新材料就应以节省投资为前提,而忽略了新技术对工程质量、效果的提高。据测算,使用土工布可使部分水利工程造价降低,也有一部分工程造价提高不足 5%,但均在提高工程质量和抗击洪水的能力方面效果显著。有个别单位在新坝型施工中遇到了一些困难,不是积极采取措施解决,而是拖、等,总想改为传统坝型,结果错过了施工的大好时机,造成工作的被动。

4　应用前景展望

1998 年"三江"大水全国军民奋勇抗洪救灾之时,瑞士苏尔寿鲁蒂公司冯清先生于8 月15 日写信给朱镕基总理,建议在大江大河治理以及公路、铁路、农业等方面推广使用土工布。朱镕基总理于 8 月 21 日在此信上作了批示。国家经贸委主任盛华仁召集水利、交通、铁路、民航、质量技监、石化、纺织、建材等九部门负责同志进行研究,提出了近期工作的初步设想,朱总理又明确批示:"请有关部门贯彻落实,首先在今年开始的大修堤防工程中采用。"这足以说明使用土工合成材料具有良好的经济效益和巨大的社会综合效益。1998 年 11 月水利部发布了《水利水电工程土工合成材料应用技术规范》,将进一步推动土工合成材料的生产和推广应用。

4.1　继续在防洪基建工程中推广应用

目前已采用的新材料、新技术,通过设计、施工,已基本掌握了其技术特点,优越性也已逐步显现出来,今后必须大力推广,拓宽应用领域,为确保防汛安全做贡献。

4.1.1　险工控导工程

对已采用的两种形式的土工合成材料沉排坝,需加强运用观测,进一步验证其适应性和护底效果,为大量推广应用积累经验。在砌石坝改建中,对后退缓坡有困难的,建议采用土坝加筋技术。同时要引进应用长管袋沉排坝、褥垫坝等土工合成材料筑坝技术。

4.1.2　堤防防渗

作为黄河防洪屏障的下游堤防是在历史民埝基础上加修而成的,堤身内隐患较多,基础土多为砂壤土、粉砂层,结构松散、透水性强,特别是历史决口口门堤段的坝基,埋有堵复口门的秸料、砖石等,透水性更强。虽采用压力灌浆、淤临淤背等加固了一些薄弱渗水堤段,但仍有一些堤段亟待处理。鉴于垂直铺塑及堤坡铺塑技术的优越性,其防渗处理方案应优先考虑。

4.1.3　涵闸建设

黄河下游引黄涵闸和分泄洪闸建设,多采用传统的砂石料反滤层和粘土铺盖防渗层,施工繁琐,质量难以保证。可用防渗土工布代替粘土铺盖,利用土工布良好的反滤和排水性能代替砂石反滤和排水,上下游翼墙采用加筋技术,利用各种沉排进行涵闸护底防冲等。

4.2　防汛抢险中的应用

防汛抢险成败的关键是要抢早抢小,但必须有充足的料物。传统的柳料有缓流落淤的功效,又可就地取材,但体积大、运输不便、造价高;土工合成材料具有品种多、强度高、重量轻、体积小、易运输等优点,且具有广泛的应用范围,在防汛抢险中的作用将越来越大。

4.2.1　用于常见险情抢护

《水利水电工程土工合成材料应用技术规范》对堤坝工程的 5 种险情推荐了土工合成材料抢护方案:①当堤坝上游坡有大面积塌落险情时,可采用软体排覆盖防护;②当堤身有漏洞或裂缝时,上游坡以软体排覆盖,下游坡一般可铺无纺布土工织物,上盖足够量的透水料;③当下游出现流土管涌时,可按"上堵下排"的原则,上游以土枕或适当尺寸的土工膜软体排封堵进水口,下游盖大块无纺土工织物,压透水材料,严重时可建滤水围井;④当下游出现散浸时,一般可覆盖土工织物,压重导渗;⑤当洪水位过高、即将漫顶时,可以用土枕或土袋在堤坝顶筑子埝,大风时,上游同时挂防冲软体排。

4.2.2　用于漫顶坝岸防护

河道整治控导(护滩)工程洪水期漫顶后损坏严重,洪水到来之前对漫顶坝岸进行防护,可保持坝岸的基本完好,建议用土工布进行防护。

(原载于《人民黄河》2000 年第 1 期)

Analysis on Applied Results of Cord-Reinforced Sacked Concrete Mattress Technique in Shandong Section of the Yellow River

1　Introduction

The cord-reinforced concrete mattress is a newly developed technique that makes use of geotechnical synthetic materials to protect banks and foundations. That is to pump flow concrete or sand grouting into double-layer high strength sacks braided with synthetic fiber so as to form correlative individual sacked concrete blocks. The structure, being composed of filter geomembrane, concrete block, sackcloth, nylon cord. etc. features with good integrative and flexible nature, adaptable to riverbed variation due to scouring and well functioned in soil and riverbed protection. The sack acts as a formwork during concreting and concrete blocks as ballast, nylon cord bears tensile force and filter cloth protects soil.

This technique was adopted at the training works of Laojuntang at Dongming County of Heze, Beidu at Gaoqing County of Zibo City, Shibahu and Dongba at the estuary of the Yellow River in 1999, at Kenliqing 4 of the estuary in 2000, and at the training works for downstream extension of Juancheng Camp in 2002, with a total area of more than 64 000 m^2. The works locations and basic situations are shown in Table 1.

The engineering design strictly has met the specification for geotechnical synthetic materials, and in compliance with of the reality of works. The main design indices see Table 2.

One gradation and Class $150^{\#}$ concrete is mixed with $425^{\#}$ Ordinary Portland Cement. Typical cross section see Fig. 1.

To verify the effectiveness of such a revetment and its design rationality, the construction of dam built in 1999 was summarized and observed.

2　Construction

2.1　Major Construction Equipment

The concrete is produced in the process of feeding materials by a loader, automatic batching, mixing and transporting to a pumping type concrete system. The major equipment to be employed include one 800 type automatic feeder, one 500 type forced mixer. one 300 type concrete transfer pump, one 150 kW generator, one high pressure water pump, five submersible pumps, one 2-inch loader and one water truck for curing.

Table 1　Basic situation of the revetment works using cord-reinforced sacked concrete mattress

	Works	Seat of city or county bureau	Dam type	Location at works	Anticipated current regime	The year of building
28#、29#	Laojuntang Training Works	Dongming County Bureau	Spur	The last 2 spurs	Main current	1999
7#、8#	Beidu Training Works	Gaoqing County Bureau	Bank revetment	Middle part	Side current	1998
15#~20#	Shibahu Training Works	Kenli County Bureau	Spur	Rear part	Main current	1999
+4#	Dongba Training Works	Lijin County Bureau	Bank revetment	Middle part	Side current	1999
11#	Qing 4 Training Works	Kenli County Bureau	Bank revetment	Rear part	Side current	2000
56#~61#	Camp extension works	Juancheng County Bureau	Spur	Rear part	Side current	2002

Table 2　Main design indices statistics

Works	Length of sacked concrete at front cuspidal point incl. anchoring(m)	Area (m²)	Filling material	Sacked concrete block thickness (cm)	Sack and filter material
28#、29# Laojuntang	20	6 770	Concrete	30	
7#、8# Beidu	18	4 729	Concrete	25	
15#~20# Shibahu	17	13 000	Concrete	30	Woven polypropylene fiber of high strength
+4# Dongba	17	7 900	Concrete	30	
11# Qing 4	14	16 800	Concrete	25	
56#~61# Camp Extension	20	14 400	Concrete	30	
Total		63 599			

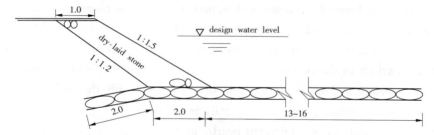

Fig. 1　Typical section of sacked concrete mattress(unit:m)

2.2　Construction Condition Analysis

Sacked concreting is usually performed in the follwing procedures: leveling of the foundation on which sacked concrete will be placed, laying filter geomembrane, spreading sacks, and injecting concrete into the sacks, of which the last one is the most important program. Concrete slurry is pumped into sacks through several inlets with each filling 4 m^2. When injecting concrete, a grout hose is inserted into an inlet that shall be tied up upon its completion. While pumping concrete, the sacks are being treaded on for increase of flowability so as to make them full of concrete and to educe water quickly. Obviously, construction in dry land is relatively easy and guaranteed in quality. In the case of flow velocity in a river is less than 1.0 m/s and water depth is below 1.5 m, underwater construction can achieve expected results, but in the case of water depth over 1.5 m, placement of sacks, connection between inlets, tying up of inlets, concreting quality inspection have to be conducted under the help of divers.

Of the 4 sacked-concrete mattress revetment works constructed by our bureau, most of them were underwater built at the maximum water depth of 3~4 m, bringing about difficulties to construction. The water depth during construction of those 4 works is listed in Table 3.

Table 3　Flow conditions at 4 works during construction period

Works	Construction period	Water depth(m)	Velocity(m/s)	Discharge(m^3/s)
28[#]、29[#] Laojuntang	June 22~28	0~2.5	0.4~1.0	300~500
7[#]、8[#] Beidu	May 8~May 16	0.5~3.5	0.2~0.9	52~150
15[#]~20[#] Shibahu	May 24~Jun. 12	1.5~4.5	0.5~1.6	55~295
+4[#] Dongba	May 27~June 1	0~2.0	0.2~0.6	4.94~295

2.3　Construcion

2.3.1　Construction in Dry Land

Some parts of upstream wet side and downstream dry side of Laojuntang No. 28 and 29 spurs, No. 7 and 8 bank revetment of Beidu and bank revetment of Dongba + No. 4 were constructed in arid land. First of all, locate as designed and mark the placement location. Secondly, level the placement area and clear away the varia. Thirdly, place the sewed filter geomembrane as designed in a certain overlapping width for two units smoothly free of fold. Fourthly, place the sackcloth to the designed size in a certain overlapping width of each unit with neat sackcloth surface and uniform tightness degree. Fifthly, fill the sacks with concrete, which is the most important procedure. generally as follows:

(1)Erect the construction equipment nearby to avoid longer pipes. After erection, inject clear water by a high-pressure pump to wet the bunker, the distribution valve and piping, then pump cement slurry 1. 5 m^3 in the ratio of 1:2 and repeat twice.

(2)The concrete is injected from far to near, from bottom to top, and in the horizontal direcion from left to the middle and to the right uniformly. Each grout inlet shall be tied up after injecting.

(3)During injecting, attention shall be paid to observe the fluid state and peaceability of concrete. The inappropriate occurrence found shall be reported.

(4)Staffs shall be arranged specially to check whether grout is leaked from the pipe connectors.

(5)Inject as continuously as possible and water the finished sacks for curing. Based on the construction condition in the dry land, 1 500~2 000 m^3 can be injected in 24 hours by each shift.

2.3.2　Underwater Construction

All the 4 works during underwater construction encountered the situation of the water depth being more than 1. 5 m, especially in Shibahu Works, for which the original design of Nos. 13~20 spurs was to adopt sacked concrete mattress revetment. Because the discharge of river channel is large, the average velocity of the corss section is 0. 5~1. 6 m/s, the works faces the main current with the water depth 1.5~2.5 m and the maximum depth of 3.5~4.5 m in front of the spurs. furthermore, the great changes in discharge, scouring and deposition bring about the difficulty for construction, Nos. 13 and 14 spurs were changed to traditional dame. The discharge during the construction period at shibahu is listed in Table 4.

Table 4　Yellow River discharge at Shibahu dring sack concrete construction

Date	May 24	May 25	May 26	May 27	May 28	May 29	May 31	June 1	June 2	June 3
Discharge (m^3/s)	0	0	0	128	97.3	34.3	19.2	4.94	242	95.1
Date	June 3	June 4	June 5	June 6	June 7	June 8	June 9	June 10	June 11	June 12
Discharge (m^3/s)	75	47.5	39.6	74.7	295	237	200	112	31.6	17.4

The procedures of both underground and dry land construction are generally identical, but the attention shall be paid to the following points. ①Position by piling. Driving piles at the outer edge of sacked concrete mattress according to their design width for setting out the location of a work. ②When water depth is less than 1.5 m, filter geomembranes and sacks can be directly laid out, but when it is greater than 1.5 m, that has to be performed with the aid of log-rafts of boats. The filter geomembranes and sacks are fixed on the positioning piles to ensure them plain spreading and better overlapping. ③When pumping concrete, in the case of water deeper than 1.5 m, divers shall be assigned to coordinate construction. They shall examine the laying regime of filter geomembranes and sacks, make sure grout hoses being inside inlets, check injecting results and tying up of the inlets after its completion and so on.

For underwater construcion, if flow velocity exceeds 1 m/s and water is deeper than 3.0 m, piling and laying out of filter geomembranes and sacks are quite difficult, the construction progress would be slow and work quality is hard to be guaranteed, so with escalation of water depth, concreting efficiency would be dropped down. Because of the heavy sediment-laden water and big scouring and siltation variation of the Yellow River, there is no way to fill sacks by a concrete pump when relatively thick soil overlying the sacks. At the time of Shibahu Works construction. 1 000 m^2 sacks had been placed and they were covered by 20 cm thick of sediment, 50 cm at most, within 6 hours after water rising. That had to be abandoned at a loss of over RMB 60 000 yuan.

3　Operation Monitoring and Benefit Analysis

3.1　Operation Monitoring

To understand the operation conditions of the sacked concrete mattress and ascertain the adaptability of this new structure to riverbed change, after the completion of 4 works. We timely worked out a monitoring method. It specifies that specially assigned persons shall carry out daily observation on each works, make cross section measurement both before and after floods, plot the cross section drawings that show the results surveyed, which shall be compared with the completion drawings to find out there exist such phenomena as sliding, slumping, mattress edge lifting, etc.

Since its completion in 1999, no large flow has occurred, and only hundreds of cubic meters of discharge, even tens of cubic meters in most of the time; and the exception is the large flow resulted from water and sediment regulation in the flood periods of 1999 and 2002. The maximum discharge was 1 940 m^3/s at Lijin Station in 1999, over 1 000 m^3/s in 13 days. Over 1 000 m^3/s was observed in 13 days in July of 2002, max. 2 480 m^3/s. The three works including Nos. 26 and 27 spurs at Laojuntang of Dongming and one at Beidu of Zibo did not face side current, and Dongba faced side current. The observation has not found slipping or lifting of concrete mattress, slightly getting down, but still quite stable with no occurrence of emergencies.

The spurs of Shibabu with concrete mattress were top scoured to different extents during several medium floods. Concrete mattress was set down(see Fig. 2)by a maximum settlement of 4.4 m and the revetment was good. No emergency has occurred since completion of the spurs. With nearly the same side current, concrete mattress is much better than conventional revetment. The following Table 5 shows the materials used for emergency events at Dongba training works during water and sediment regulation.

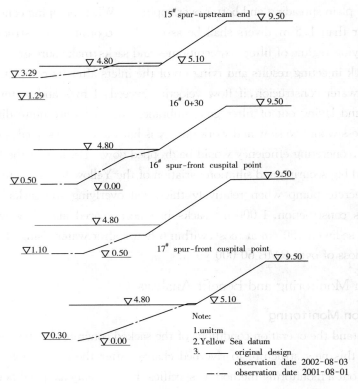

Fig. 2

3.2 Benefit analysis

Even if approach fill was carried out, the conventional willow and stone structure requires riprap in many years to gradually become stable. During the flood season, a lot of foot stones broke off, and sometimes riprap is not done in time, easily leading to slumping and collapsing, and the recovery requires a great deal of man power, material and cost. With reference to"Study of Spur Structure and Construction Technology", which is a part of YRCC's "Eighth Five-Year"national key scientific and technologic program. On the basis of unit price of 1994, for the 100 m long conventional dam, approach fill costs 316 800 yuan, and recovery cost is as high as 475 200 yuan, estimated on ordinary materials, 7 900 yuan per meter length. Sacked concrete mattress dam costs 760 600 yuan, and no recovery is needed, 7 600 yuan per meter. Similar proportions are with other four locations in Shandong Province.

Table 5 **Summaries of materials for emergency recovery at Dongba training works during**
water and sediment regulation

No.	Chainge no.	Measure	Material		Man-day			Total cost (yuan)	Spur	Current
			Stone (m³)	Lead wire (kg)	Sub-total	Technician	Labor			
1	+4		0	0	0	0	0	0	sacked concrete mattress	side
2	+7	riprap	110	0	24	13	11	16 277		
3	+8	riprap	139	0	31	17	14	20 578		
4	+9	riprap	104	0	22	12	10	15 380		
5	+10	riprap	190	0	42	23	19	28 123		
			543		119	65	54	80 358		

Bottom revetment by concrete mattress adopts new material, new technology, mechanic construction, saving manpower and material. The times of recovery are reduced and ordinary maintenance cost is less. Although primary cost of the concrete mattress method is greater, the long-term cost is slightly lower. Its social and economic benefit is observed.

4　Advantages and Problems of Concrete Mattress

Sacked concrete mattress has been used for bank revetment and spurs. By analysis, sacked mattress technology is more advanced and applicable than willow-stone spurs:

(1)Flexibility and intactness. Be adaptable to the riverbed being apt to erosion. Be deformed to scoured pits, effectively prevent the soil of the lower part from being scoured, but the upper part is able to resist erosion. Passive actions against emergency are reduced. Conventional spurs are quickly settled when encountering scouring of large current, which needs to be strengthened by multiple times of riprap.

(2)Convenient construction, high mechanization, particularly suitable to construcion in shallow water, guaranteed construction time.

(3)Be intact wich nice appearance, easy maintenance and low cost.

(4)Compared with willow-stone spurs, willow material is greatly reduced, being beneficiary to ecological environment.

But completed spurs have not been tested through large floods. In the meantime, the following shortcomings are observed:

（1）Difficult construction in deep water. Water depth is over 1.5 m and construction is diffcult. A diver shall join the work. Progress is slow and cost is high.

（2）One-time cost is high. Willow-stone is made of local material, and familiar to workers. But footstones are hard to be adequately located, and need to be placed after scour. Sacked concrete mattress leaves a length for the anti-scour pit. But one-time cost is high.

As analyzed above, sacked concrete mattress is especially suitable to the delta area with high cost of rock.

河 道 工 程

堤防工程老化失修考核指标体系研究

水利作为基础产业,是国民经济的命脉。但由于受自然和人为等因素的影响,部分工程老化失修严重,有的已不能正常发挥工程的整体效益。因此,弄清工程老化因素的相互关系,建立水利工程老化指标体系及技术标准,已十分必要。

1 堤防工程老化失修的定义及特点

1.1 堤防工程老化失修的定义

堤防工程在运行过程中,受自然力(风蚀、干旱、雨冲、风浪淘刷等)和人为作用,工程材料逐渐变质或抗洪强度降低(或减弱)的现象,称为老化。而由于缺乏正常的维修养护,致使工程设计断面或强度得不到恢复的,称为失修。

堤防工程的老化与失修,既有区别,又有联系。其中老化是一种必然现象,这是由组成堤防材料的可变性、易变性决定的。老化的积累,会加重工程的失修,工程失修又促进工程的进一步老化。老化、失修都会使工程的使用寿命减少。

1.2 堤防工程老化的特点

堤防工程老化是一个客观的、具体的、连续渐进的过程,例如,土颗粒的风化就是这样。大堤加高帮宽时的红土包边盖顶层,随着时间的增长,土颗粒逐渐风化,加之表面植物秸体的腐烂,在堤坡会形成一个掺杂腐殖土的松土层。厚度达 0.3~0.4 m。这些局部的变化给整体抗洪强度带来了一定的影响,因为风化层在堤防挡水时透水性增大。再如1987 年 9 月 21 日,济南市历城区河务局临黄大堤后张庄堤段(桩号 38 + 685~38 + 753.5)发生临河滑坡,长 68.5 m。滑裂面位于堤肩以下 1.5~2.0 m 处,一般向下滑裂错动 20~30 cm,最严重处滑裂错动 60 cm,堤坡下部有明显突起,滑裂体厚 1.0~1.65 m,严重削弱了堤身断面。据调查,该堤段筑堤时用的是含水量较高的粘土,失水干缩后形成相互贯通的裂缝、孔隙。雨水沿裂缝及孔隙进入堤身,造成堤身土体含水量、孔隙水压力增大,土体抗剪强度衰弱,堤坡失稳,发生滑坡。

堤防工程老化表面与内部有着必然的联系。堤防工程表面可见裂缝、陷坑等缺陷较多,反映出堤防内部存在隐患的情况。在开挖处理这类隐患时发现,有的隐患是由表面向堤身内部发展,而有的是内部形成后,逐渐由表面表现出来。例如 1987 年 8~10 月,济南市河务局曾对槐荫区河务局牛角峪段堤防二处裂缝开挖检查,采用槽形开挖,槽长 3 m,宽 2 m,深度至裂缝消失为止。1#、2# 槽的桩号分别为 3 + 184、2 + 154,位置都在临河堤

肩处,垂直堤身布设。从开挖的情况看,1#槽堤顶表面裂缝甚微(肉眼可见),堤顶下
0.3 m深开始发现裂缝,缝向不规则,缝宽2～10 cm不等,且裂缝密度较大,沿深度方向
呈楔形发展,在1.3 m左右深处逐渐变窄,开挖两天后槽两侧裂缝风干变宽。2#槽堤顶
处为1条明显的呈向临河滑动式弧形裂缝,堤顶缝宽3～5 cm,挖至0.3 m深度出现第2
条顺堤裂缝,至1 m深处出现第3条裂缝,第2、3条裂缝上口宽2～8 cm,3条裂缝均沿深
度方向呈楔形,至2 m深处趋于消失。

2　堤防工程老化考核指标

　　根据堤防工程老化的定义,能检验堤防工程强度的方面较多,如工程完整、堤身密实
度、抗渗稳定、抗滑稳定以及抗风吹、雨淋、水流冲刷等。但在实际工作中,应抓住几个主
导和决定作用的方面,并根据工程原设计标准,建立考核指标。

2.1　抗洪强度

2.1.1　干容重减小率

$$\rho = \frac{\rho_{施} - \rho_{实}}{\rho_{施}} \times 100\%$$

式中,ρ为干容重减小率;$\rho_{施}$为施工时实测干容重或设计干容重值;$\rho_{实}$为考核断面实测
干容重的平均值。

　　考核测验时,可在临、背河堤坡各挖一个探坑,在垂直堤坡距离0.3、0.5、0.7 m处各
取一个土样测验。

2.1.2　堤防隐患比

　　裂缝、陷坑、獾狐洞穴是堤防工程的重要缺陷,必须认真对待。

$$C = \frac{\sum l_i}{L} \qquad N = \frac{\sum l_j}{L}$$

式中,C为堤段存有裂缝隐患比,m/m;N为陷坑和獾狐洞穴隐患比,个/km;$\sum l_i$为裂
缝的总长度;$\sum l_j$陷坑和獾狐洞穴个数;L为考核堤段的长度。

　　隐患以检查可见者为主,必要时辅助电测。

2.2　防护工程覆盖率

2.2.1　生物覆盖率

　　护坡草皮覆盖率:

$$f = \frac{F_0 - F_1}{F_0} \times 100\%$$

式中,f为堤防工程护坡草皮覆盖率;F_0为堤防工程应植草皮面积;F_1为草皮退化、老化
面积,指无草或生长为杂草(年生年衰、生长期短、防护工程效果差)的面积。

　　防浪林树株完好率:

$$e = \frac{E_0 - E_1}{E_0} \times 100\%$$

式中,e为防浪林树株完好率;E_0为应植防浪林数量;E_1为防浪林缺少或损坏数,按设计

行株距缺少或损坏后长不起来的数量。

2.2.2　石护坡完好率

$$t = \left(\frac{T_A - T_O}{T_A} \times 0.6 + \frac{T_A - T_e}{T_A} \times 0.4 \right) \times 100\%$$

式中，t 为石护坡完好率；T_A 为考核段石护坡面积；T_O 为石护坡塌陷面积；T_e 为石护坡石料缺损破碎、脱缝面积。

3　堤防工程失修考核指标

　　堤防工程失修，主要表现在设计断面受损后得不到及时恢复，排水设施等不配套或损坏以及附属设施不能按标准设置或修做等。

3.1　堤防残缺，水沟浪窝等土体流失率

$$A = \frac{\sum A_i}{A_0} \times 100\%$$

式中，A 为土体流失率；$\sum A_i$ 为考核堤段残缺土方、水沟浪窝流失土方及堤防设计标准断面与实际断面相差土方之和；A_0 为考核堤段按设计标准断面所计算的体积。

3.2　堤防排水沟欠缺率

$$B = \frac{\sum l_o - \sum l_i}{\sum l_o} \times 100\%$$

式中，B 为堤防排水沟欠缺率；$\sum l_i$ 为考核堤段实际完好亦即在设计降雨强度内能很好担负排水任务排水沟的总长度；$\sum l_o$ 为按设计标准应配置排水沟长度之和。

3.3　主要附属设施完好率

　　堤防管理附属设施中的护堤屋、公里桩、百米桩，断面桩、界桩等对工程管理作用较大，应建立指标进行考核。完好率是指实际完好的个数与按有关规定要求设置总数的比值。

$$D_n = \frac{1}{n} \times \sum_{i=1}^{n} \frac{D_i}{D_{io}} \times 100\%$$

式中，D_n 为主要设施完好率；D_i 为 i 类设施实际完好(指考核时，设施的外形基本完整，无严重损坏或残缺，仍保持原有功能)的个数；D_{io} 为按规定应设置的 i 类附属设施的总个数；n 为附属设施的类别数。

（原载于《人民黄河》1993 年第 4 期）

位山穿黄探洞应急加固工程大堤安全
监测仪器安装埋设、观测及分析❶

1　概况

南水北调东线穿黄勘探试验洞位于山东省东阿和东平两县境内的黄河位山险工段，沿位山与解山之间的马鞍型山梁轴线穿过黄河河床底部。

开展穿黄探洞应急加固工程大堤监测的目的是了解隧洞灌浆阶段大堤渗流状况以及正常情况下大堤的位移变化规律，及时掌握大堤的工作状态，确保位山险工段大堤的安全运行。设计的监测项目，有黄河大堤渗压、地下水位、垂直位移、水平位移、黄河水位等。在大堤上布置 3 个监测断面，其中洞轴线正上方 1 个、两侧距洞轴线 31 m 的位置各 1 个，包括测斜管 7 个、位移计 7 个、测压管 19 个。

大堤安全监测工程于 2000 年 1 月 14 日正式开工，3 月 22 日竣工并投入使用。本文主要介绍大堤监测项目的安装埋设、观测，并对部分观测资料进行初步整理分析。

2　钻孔

位山穿黄探洞应急加固大堤安全监测仪器安装埋设工程，首先进行仪器安装孔的施工。钻孔包括测压管孔、位移计孔及测斜孔 3 种，下面简述一下测斜孔和位移计孔施工情况。

测斜孔开孔 $\phi150$ mm、终孔 $\phi130$ mm，位移计孔开孔 $\phi108$ mm、终孔 $\phi76$ mm，二者孔深均接近 50 m。施工难度相对较大。施工初期，为防止大堤的土料被冲刷和避免塌孔，于是将孔口套管下至基岩。因岩土过渡部位钻孔不返水，塌孔比较严重，为此采取了钻灌结合的措施，即遇到不返水情况灌入水泥浆，待其凝固之后继续下钻。这种措施钻进速度慢、造价高。钻完 2 个位移计孔之后，开始改进钻孔方法，采用加长钻孔套管的技术措施。其中，位移计孔 $\phi108$ mm 的长套管下至破碎带以下，套管以下改钻 $\phi91$ mm 的孔；测斜孔套管直径 $\phi150$ mm，长度 18~28 m，下至破碎带以下，套管以下改钻 $\phi130$ mm 的孔。这种方法，施工进度快且成本低。

3　仪器安装和埋设

监测仪器施工安装，一般包括仪器检验、安装和埋设 3 个环节。为保证观测成果的质量，真实反映工程的实际工作状态，首先对本工程所采用的电测水位移计(WL-100)、位移计(DWG-40)和测斜仪(CX-03B)等仪器设备按有关规范要求进行了检验。

3.1　测压管

(1)将优质镀锌钢管加工成测压管。要求花管段钻孔布置均匀。并清除钻孔周围的

❶ 朱化光等同志参加了该项目的观测分析。

毛刺,确保花孔光滑通畅。测压管花管段外裹 1～2 层麻布,缠上铁丝网,同时花管底部孔口用铁丝网和麻布封口,并用铁丝绑牢。

(2)将测压孔岩心和沉淀物捞净并冲洗干净后,在孔底垫 25 m 厚的干净砂,对于超钻的孔垫砂至测压管管底高程,之后将测压管缓慢送入孔内,并用接头逐段连接。测压管下到孔底后,首先在管周围回填干净砂,其中岩孔回填粗砂、土孔回填细砂;待回填砂高出花管 1 m 以上时,在土孔回填 1 m 深膨胀土泥球,然后用水泥和土的混合浓浆灌至孔口,其中岩孔直接回填水泥砂浆至孔口。安装结束后,对测压管的灵敏度进行检测。

3.2　位移计

(1)在地面先对位移计进行试安装,剔除丝扣质量较差的测杆及护管。

(2)装配好位移计测杆,每两个锚头之间安装一对橡胶隔离体,间隔 0.5 m 设一个固定卡,并用胶带缠紧,以免传递杆自由摆动,影响观测精度。

(3)在往孔内递送位移计测杆时需注意不能弯度太大,到孔底以后再提起 50 cm,用夹具将测杆固定在孔口,然后开始往孔内灌 0.5:1 的水泥浆,待浆液到孔口以后继续灌 10 min 左右,以保证灌浆质量。在水泥浆凝固之前将套管拔出,终凝之后灌泥浆或水泥与土的混合浆至孔口。

(4)位移计测杆安装 3～4 d 之后,安装测头连接管,并用砂浆固定连接管。待砂浆凝固之后。安装测头和传感器,同时调整传感器位置处于量程最佳部位。

3.3　测斜管

(1)测斜管安装之前,首先检查测斜管管体是否平直、端口是否平齐、导槽是否光滑平直,并将管口毛刺及导槽内残留的塑料碴、毛刺去掉,保证导槽光滑顺畅。

(2)将测斜管一端的接头用螺丝固定牢固,并用防水胶带密封。

(3)打捞每个测斜孔岩心,测量孔深达到设计要求后,开始安装测斜管。首先,安装带有底座并密封好的测斜管。将测斜管下入孔内,待上部接头接近孔口时,将上一节测斜管沿外导槽插入孔内测斜管接头内,用 4 个自攻螺丝固定,并用防水胶带密封好,然后下入孔内,再连接下一节测斜管并重复上述步骤。待测斜管接触到孔底,保证测斜管管口高出套管口 30 m 以上,将多余段截去。

(4)测斜管安装之后,开始下灌浆管准备灌浆。灌浆采用 0.5:1 水泥浆,并掺部分细砂。在水泥浆凝固之前将套管拔出,终凝之后灌泥浆或水泥与土的混合浆至孔口。

4　观测

观测也称为观测数据的采集,采用观测设备获取工程运行状态的信息。观测过程中,要按设计要求的方法和频次进行,以保证观测数据的真实性和连续性。

4.1　观测频次

渗压、位移及地下水位监测项目的设备安装后立即观测 1 次,安装 10 d 内每 2 d 观测 1 次。之后,位移观测改为每周 1 次。若观测数值没有明显变化可 2 周观测 1 次。渗压观测每 2～3 d 观测 1 次,发现异常及时复测。黄河水位每日观测 1 次。渗压观测须与黄河水位观测同步。探洞灌浆阶段,需加强观测。

4.2　质量控制

现场观测数据必须保证质量,如果观测数据失实则分析成果没有实用价值。因此,必须加强现场观测时质量控制,尽量保证观测资料的准确可靠。

电测水位计观测之前,应将测头擦净,每次观测的 3 个数据相互之间差值不超过 2 cm,否则应将水位计取出,擦干净重新观测。

位移计观测之前,要检查电缆接头是否清洁,如果沾有脏物和水珠应清除干净以后再测,二次仪表读数不稳应及时检查、维修。每次读数前,均进行检查。发现异常数据及时进行复测。

测斜仪观测前后,应检查测头是否擦拭干净。测头导轮是否有松动、深度标记是否移动、相邻的观测数据是否有大的跳动,如果有大的跳动及时复测。正反两次观测值和绝对值应不大于 10,否则应检查观测是否有误。如果观测是正确的。应调整测斜仪二次仪表零偏。二次仪表观测数值不稳定,应及时送厂家修理。

5　观测资料初步分析

本工程渗压监测项目首先于 2000 年 2 月 14 日开始观测,至 3 月 22 日全部项目均投入正常观测。其中,黄河水位监测项目从 2 月 15 日开始观测,已积累了一定的观测数据。通过对已有的观测数据进行计算和分析,现将主要结果归纳如下。

5.1　渗压、地下水位及黄河水位

(1)黄河水位变化比较频繁,变幅在 40.01～41.78 m,而且黄河水位日变化比较大。一般日变幅均为几十厘米。2 月份水位较高,3 月份较低,3 月底又开始有所回升,但 4 月份有一次水位下降过程,到 4 月 12 日达到最低水位 40.01 m。

(2)靠近河岸最近的测压管水位最高,后面的各测点水位相对较低。大堤背水面的 6 个渗压管水位基本相同。

(3)大堤上渗压及地下水观测点的水位均与黄河水位变化有明显的相关性,而下游侧监测断面与黄河水位相关性更密切。大堤后的监测点和地下水位变化稍滞后于黄河水位变化。

(4)渗压和地下水位过程线变化规律较好。当洞内灌浆和涌水时,过程线没有发生突变;在做洞内涌水和灌浆的同期观测时,未发现测压管水位产生波动,说明与洞内涌水、灌浆相关性不明显。

5.2　位移

(1)位移过程线仅有小的波动,可能是降雨后安装坑回填土沉降所致,而且数量比较小,最大 0.90 mm。灌浆对大堤垂直位移没有明显影响。

(2)测斜管位移与深度关系曲线比较光滑,波动不大,没有突变发生,说明大堤基岩及岩土结合面均未发生滑动。

6　结语

(1)对类似于黄河大堤基岩较破碎且富含地下水地区,采用加长套管的方法钻位移计孔比较成功。

（2）大堤垂直位移和水平位移比较小,主要是自然沉降和降雨所产生,与洞内施工没有明显的相关性。

（3）大堤渗压主要受黄河水位影响,与洞内涌水、灌浆相关性不明显。

（4）洞内施工灌浆和涌水未引起大堤的抬动和塌陷。

（原载于《海河水利》2002 年第 2 期）

济南市引黄供水工程输水线路研究

　　为解决济南市日趋紧张的供水问题,济南市引黄供水工程经批准立项,供水规模为每日 60 万 t,投资人民币 10 亿元左右。规划供水方案是:由平阴田山引黄一级站提水,依次利用黄河长平滩区的天然洼地(包括平阴县城西洼、栾湾洼、贵平洼,长清县孝里洼、归德洼)沉沙后,通过输水明渠送至许寺洼水库。能否正确地选择输水线路,直接关系到工程造价和供水成本的高低,也关系到供水保证率和水质等问题。从工程的可行性研究阶段到初步设计阶段,先后形成了西线、中线和东线方案(见图 1),并对 3 种方案进行了研究和比选。

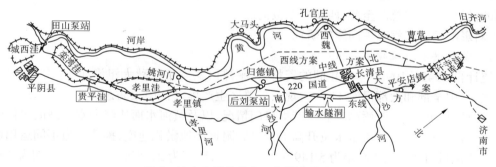

图 1　济南市引黄供水工程输水线路示意图

1　供水工程区域概况

　　济南市引黄供水工程的调水、输水区域位于济南市西南部的长平黄河滩地内,南至田山扬水站,北至许寺洼,西部为黄河,东南部为丘陵地带,山丘延绵起伏,高出滩地地面几十至一百多米,形成了一道阻挡黄河漫滩洪水的天然屏障。该段黄河河道宽 5～10 km,滩地面积 291.35 km^2。国道 220 线出济南后,沿黄河滩地边沿穿行于山坳、山口之间。此段滩区在 1958 年大水后,大部分地区相继修筑了生产堤。由于生产堤的阻拦,一般洪水不进滩,较大洪水漫滩后,在进水口附近淤积较多,内滩落淤较少,从而形成了滩区约 1/2 000 的横比降。滩地依山傍岭,又受行洪和落淤的影响,微地貌复杂,串沟、沙岗、洼地相间,被山丘和高地隔断为十多个洼地。从田山开始自上而下为平阴城西洼、栾湾洼、

贵平洼,长清孝里洼、归德洼等,洼地地面一般低于滩地地面 2～4 m,低于滩唇地面 3.5～
5 m,多生长芦苇等杂草,大部为季节性水塘、沼泽地。此段滩区是黄河下游的主要滞洪
区之一,设防水位时蓄水量可达 10 亿 m³ 左右,对减轻济南以下的窄河段防洪、防凌压
力,有举足轻重的作用。

2　输水线路方案的形成和演变

2.1　西线方案

　　线路全部布置在黄河长平滩区内,明渠输水,全长 52 km。其中上游段 19.5 km 位于
近期沉沙区范围,走向沿尚存渠槽轮廓的济平干渠;中下游段 32.5 km 为新选渠线,穿行
于滩区中部,至水库前由泵站提水入库。整个线路离黄河较近,平均为 1.9 km,离县城、
乡镇 220 国道较远。输水渠将滩地分割为两部分,加之拟设计渠堤较高,济平干渠段平均
堤高 2.0 m,中下游段平均堤高 1.2 m,将会严重影响黄河滩地蓄洪滞洪,黄河河道主管部
门对此提出异议,要求线路尽量改走 220 国道以东,沿山脚布置,以免影响滩区蓄洪滞洪,
并按规定限制渠堤高度不应高于当地滩面 0.5 m。

2.2　中线方案

　　为加强黄河河道管理,并有利于引黄供水工程的顺利实施,由河道主管部门派员会同
设计单位一道现场选择了中线方案。该方案栾湾洼以上线路仍走济平干渠,进入贵平洼、
孝里洼后,渠线沿东部山岭脚布置。以下线路尽量向 220 国道靠拢。整个线路较西线方
案东移 1～2.7 km,靠近县城和乡镇,距长清西城关仅 300 m。中线方案得到了黄河主管
部门的批复,原则同意。至此,西线方案被淘汰。

2.3　对影响输水工程有关问题的研究

2.3.1　黄河洪水漫滩频率分析

　　统计自 1949～1992 年 44 年间的资料,长平滩区共发生伏秋大汛漫滩 13 次,凌汛漫
滩 2 次,其中全部和大部漫滩 11 次。现长平滩区生产堤已按中央防总要求破除 50% ,根
据长平滩区地形特点,滩唇高程和生产堤口门情况,以及黄河水面比降和水文站的水位流
量关系,考虑黄河今后同流量水位升高值及滩唇附近滩地淤积速度,推算渠道不同运用期
大河漫滩流量,1994～2000 年为 5 149～6 740 m³/s,频率为 21.5%～44% ,重现期为 3 年
左右;2000～2005 年为 4 000 m³/s,频率为 33%～63% ,重现期为 2 年左右;2005～2020
年为 3 500～4 000 m³/s,频率为 46%～84% ,重现期为 1～2 年。考虑小浪底水库建成后
的运用方式,推算艾山至泺口河段平槽流量平均在 4 000 m³/s,漫滩重现期为 1～2 年。

2.3.2　黄河洪水漫滩对输水渠的影响分析

　　调查历史洪水漫滩过程,结合滩区现在的实际情况,分析本河段滩区的行洪特点是:
洪水进滩位置取决于生产堤口门的破除位置,洪水漫滩开始呈漫溢形式,流速较大。随着
进滩水量的增多和滩区水深的增加,流速将逐渐变小。考虑各段渠道离黄河的远近和黄
河滩区的地面比降情况,预估漫滩洪水对输水明渠的毁坏将有三种形式:一是水流冲刷毁
坏,在洪水开始进滩初期,由于滩内纵横比降都较大,洪水漫流流速大,水流顶冲渠堤或局
部顺渠行洪都能使渠堤发生坍塌等险情,有的滩地较窄,渠道离黄河较近,大河边溜及滩
地走溜也将毁坏渠道;二是风浪淘刷;三是漫溢毁堤。漫滩洪水进入渠道后,将会造成渠

道的淤积。

漫滩洪水落淤厚度,主要受水流含沙量的影响,并与其成正比。调查主要洪水漫滩年份,分析输水渠所处河段实测河道大断面资料,每次漫滩滩地平均淤积厚度为 0.07 m。预测以后每遇洪水漫滩输水渠淤积厚度为 0.07 m。

2.3.3　输水线路上重点污染源分析

输水渠经过的滩区内有孝里河、南大沙河、北大沙河和玉符河,与输水渠交叉后,汇入黄河。北大沙河是长清县城区纳污河,年纳入酿酒、造纸、化工、建材等行业的工业废水 344.7 万 t,城区污水 40.3 万 t,其中砷、氯化物、挥发酚、高锰酸钾等有毒物 10 119.6 t,污染严重。由于北大沙河为季节性河道,且入黄河处河底上翘,致使河槽内长期滞留大量工业和城区污水,夏日臭气冲天,鱼虾灭迹,不仅自身受到严重污染,并渗漏污染了两岸浅层地下水。入黄河口门以上 7 km 河段两岸,浅层地下水遭受污染范围为 500～2 000 m,垂向污染深度达 40 m。分析输水渠可能遭污染的方式:一是渗流污染,二是当黄河洪水漫滩时,将污物带入渠道。另外县城护城河长期蓄存污水,如遇东部山区暴雨洪水,也会外溢扩散。

2.4　东线方案

中线方案地处滩区,根据上述分析,黄河洪水漫滩直接影响明渠输水,降低供水保证率;渠线靠近重点污染源,存在着水质污染威胁。对输水线路下段,能否再向山脚高地靠近,尽量避开漫滩洪水的影响,重又进行了探索和研究。经现场反复查勘测量认为,将中线方案线路进行调整是可能的。即上段沉沙区范围内的渠道仍走滩区,同中线方案;下段自远期运用的沉沙池以下,输水渠靠山脚平坦高地布置。为避免输水渠深挖方。将入库泵站向上游移 25 km 至后刘,提前抬高水位,即"高水走高线",渠道半挖半填,输水自流入水库。采用这种布置方案,输水明渠与北大沙河的交叉地点,由长清县城以西变为长清县城以东,避开了长清县城排污源。该段输水线路已靠近黄河设防水位水边线,不受漫滩洪水的影响。输水渠尾部与水库连接段,重又进入滩区,为避免高填方影响滩地行洪,改为地下压力暗涵。这样即形成了东线方案。

3　输水线路的比选

3.1　渠道设计断面的对比

在中线和东线输水线路初步勘定后,按照同样的输水标准,对两条渠线进行了纵横断面测量和地勘工作,并进行了初步设计。

中线自与东线分岔点至许寺洼入库泵站,渠道长 25.1 km,全部为土渠,其中半挖半填渠道占 62%,全挖方渠道占 38%,施工难度较小。在南大沙河两侧 4 km 范围内,渠底平均挖深 5.5 m,最大挖深 7.0 m。东线自分岔点至水库围坝,输水线路长 27.3 km,比中线长 2.2 km。其中明渠长 23.3 km,暗涵长 4 km。明渠中土渠长 21.3 km,石渠长 2.0 km(含穿岭隧洞 1 座)。半挖半填渠道占 65.6%,全填方渠道占 4.9%,全挖方渠道占 28.8%,渠道最大挖深 6.0 m。

3.2　渠道建筑物对比

中线方案跨越南、北大沙河处分别设箱形倒虹吸,穿越公路、生产路设桥梁,分水口处设分水闸、节制闸,入库处设提水泵站及泄水闸,共有各类建筑物 53 座,建筑物种类少,渠线与道路及其他行业地下敷设物交叉少。东线方案二级泵站位于中、东线分岔点以下 2.2 km 处,跨越南、北大沙河处设箱形倒虹吸及泄水闸,穿越公路、生产路设桥梁或穿路倒虹吸,分水口处设分水闸、节制闸,过苏庄岭为穿岭无压隧洞,接近调蓄水库渠段,设 4 km 长压力暗涵入库,共有各类建筑物 87 座。

3.3　供水可靠性分析

引黄供水工程只有许寺洼水库进行水量调节,经兴利调节计算表明,水库于每年汛前即 6 月底前蓄满,在此之后如引水发生中断,水库可保证城市供水 50 天。若黄河漫滩发生在 7、8 月份,中线方案供水可靠性受影响不大。但调查 1949 年以来长平滩区 15 次漫滩,发生在 9、10 月份的漫滩有 7 次,占 47%。在黄河汛期,受含沙量的限制,有时水库只放水不进水,当黄河漫滩发生在水库低水位时,中线方案供水可靠性会大受影响。而东线方案,因后刘泵站以下 25 km 渠道输水不受黄河漫滩洪水影响,上段渠道已尽可能地向山脚靠近,隔开的滩区面积仅占输水区域滩区滞洪面积的 4.1%,对黄河蓄滞洪水影响较小,能够采取工程防护措施提高供水可靠性。

3.4　水质污染可能性对比

中线方案渠道靠近长清县城重点污染源。当县城东部山丘地区发生大的暴雨洪水,洪水会裹卷护城河污水漫入渠道。黄河漫滩后,洪水与北大沙河污水混合,浊水入渠,供水水质将受污染。另外,中线方案沿线村庄比较稠密,距输水渠 200 m 范围内,村庄数量较东线方案多 9 个,人畜粪便和生活垃圾污染水质的可能性增加。因此,东线方案避开了污染源,水质保证程度提高。

3.5　其他因素对比

东线方案在满足城市供水前提下,可兼顾农业用水,改善、扩大灌溉面积 0.27 万 hm²,工程永久性占地比中线方案少近 27 hm²,有利于城乡经济一体化发展,也有利于调动工程实施地方的群众修建、管护输水工程的积极性。

东线方案有利于山东省西水东调线路的安排。山东省西水东调工程,拟利用东平湖水库,在不影响其防洪功能的前提下,蓄大汶河水和黄河水,通过长平滩区,过济南市向淄博、潍坊、烟台等城市供水,输水方式为明渠自流,必经过长清县城以西,大致与济南引黄供水线路中线方案相同,此处村庄密集,村庄之间卡口多,供输水明渠布置的余地小。济南市引黄供水工程线路,如选择东线方案,则使山东省西水东调工程在长清县城附近选择线路的余地变大,民房拆迁少,工程造价低。

3.6　概算结果对比

对于两个线路方案,按初步设计图纸计算工程量,在统一定额、工资标准、材料价格、取费标准的基础上,编制初步设计概算。前已述及,东线方案避开了重点污染源,若中线方案通过北大沙河和长清县城附近重点污染源时,采取工程措施确保水质不受污染,中线方案与东线方案的工程投资基本相等。若中线方案通过北大沙河重点污染源时,处理方式与可行性研究阶段相同,即只修倒虹吸过北大沙河,没有其他防污染的措施,中线方案工程总投资为 43 698 万元,东线方案工程总投资为 46 852 万元,两方案相差 3 154 万元。

4　结论

济南市引黄供水工程明渠输水线路,在研究清楚了各方面的问题,多方案认真比选的情况下,又认真听取了有关各方意见和专家咨询意见,为使工程安全运用、可靠,确保水质,扩大灌溉面积,促进城乡一体化发展,确定选用东线方案。

（原载于《人民黄河》1995 年第 1 期）

利用黄河泥沙制作备防石的研究❶

1　项目提出的依据

经过近 20 年的努力和深入研究,人们对黄河泥沙的特性有了更加深刻而全面的认识,研究成功了由黄河泥沙制成的彩陶、蒸养砖、免蒸免烧砖、烧结砖、墙地砖、空心砖、多孔砖等系列装饰和建材产品,取得了丰富的综合利用黄河泥沙的经验,在促进治河治沙、保护环境、保护生态的同时,也为国家提供了大量基础建筑材料,取得了良好的效果。黄河泥沙系列建材产品节地、节能,属于新型建材,但作为量大面广的建筑材料,其产品附加值低,在市场竞争中没有很大优势,从某种程度上影响了人们用沙治沙的积极性,在实际的黄河泥沙综合利用工作中很难达到理想的预期效果。因此,开发高附加值的黄河泥沙产品,赋予黄河泥沙产品以新的性能并加以应用,已成为人们的研究热点。

黄河泥沙备防石项目内容是以黄河泥沙为主要原料,经一定工艺过程,生产出供黄河堤防抛根和护坡用的人工备防石以代替天然石材。这样一方面可降低防汛抢险成本,另一方面可保护山体,限制滥采山石,保护自然环境和生态环境。

用黄河泥沙制作备防石,具有可观的经济效益、资源效益、环境效益、生态效益和社会效益,尤其是其产品附加值较高,市场竞争力较强,可以调动人们自愿有序用沙、治沙的积极性,将黄河泥沙综合利用工作逐渐纳入市场经济轨道,变被动治沙为主动治沙,从而更有效地治理黄河。

2　原料及其成分、性能分析

2.1　原料及其特征

主要原料为黄河泥沙,取自黄河淤区、河道或滩地;硅酸盐类(陶瓷)原料为介休土,用于调整配方和产品的性能,如塑性结合性、产品强度、耐磨性及耐冲刷性等;高铝类、熔剂类原料为大同土、焦宝石、长石等,可加入少量以调整产品性能。

黄河泥沙原料共 9 种,编号为 1~9,取样位置见表 1。9 种试样具有较强的代表性,

---

❶　张金生等同志参加了该项试验研究。

其中1~3号泥沙取自淤背区,是本次研究的重点。

表1　黄河泥沙原料取土位置

编　号	取样位置
1	济南历城浮桥东侧淤区管道出水口处
2	济南历城浮桥东侧淤区中部
3	济南历城浮桥东侧淤区排水口处(淤区前缘)
4	济南泺口险工34坝处河边嫩滩
5	泺口险工34坝距河边20 m处高滩
6	济南刘七沟河边嫩滩
7	济南刘七沟距河边80 m沙地
8	济南刘七沟滩地(距水边500 m)
9	济南刘七沟滩地(距水边1 000 m)

2.2　原料化学成分

原料化学成分分析见表2。从表2可以看出,黄河泥沙主要成分为SiO_2、Al_2O_3等,是典型的硅酸盐类原料,可以用来生产人工石料等硅酸盐制品。黄河泥沙主要矿物为柯绿泥石、长石、石英、黄铁矿、云母等,其中云母为片状,当量直径在0.177~0.250 mm之间,含量在0.5%~1.0%之间。

表2　原料的化学成分(%)

试　样	SiO_2	Al_2O_3	CaO	MgO	Fe_2O_3	TiO_2	K_2O+Na_2O	烧失量
1号黄河沙	71.040	11.410	1.980	0.630				3.08
2号黄河沙	69.230	10.680	5.480	2.240	3.410			5.42
3号黄河沙	65.255	12.649	7.347	1.496	0.708	0.643		6.89
4号黄河沙	72.197	11.014	6.145	1.365	0.612	0.529		6.89
5号黄河沙	63.610	15.270	6.740	2.150	3.860			7.80
6号黄河沙	66.772	7.459	7.552	1.280	0.822	0.638		6.87
7号黄河沙	65.340	12.170	6.160	1.230	3.780			7.23
8号黄河沙	50.790	14.680	8.940	3.000	6.740			11.84
9号黄河沙	45.840	6.660	9.960	3.360	16.510		4.64	12.83
介休土	41.902	41.259	1.869	1.444	0.415	3.483		12.23

2.3　黄河泥沙的工艺性能

黄河泥沙的粒度分析见表3。由表3可见,黄河泥沙粒度分布呈不连续状态,主流粒径分布范围窄,因而塑性、结合性及成型性能欠佳,需要加入介休土等调整其成型性能。

黄河泥沙的塑性指标见表4。由表4可见,黄河泥沙大部分为低塑性原料,尤其是作为重点研究对象的淤背区黄河泥沙,其塑性更低,但各试样均有一定塑性,这为其应用提供了一定基础条件。

表3　不同尺寸下黄河泥沙原料的粒度分析(%)

泥沙编号	0.450~0.900 mm	0.280~0.450 mm	0.200~0.280 mm	0.145~0.200 mm	0.125~0.145 mm	0.107~0.125 mm	0.098~0.107 mm	0.088~0.098 mm	0.076~0.088 mm	0.061~0.076 mm	0.048~0.061 mm	<0.048 mm
1	0.12	0.07	0.05	81.75	0	0.02	0.01	0	8.70	0.30	4.20	4.67
2	0.01	0.03	0.03	74.10	0	0.01	0.01	0.01	7.20	0	10.40	8.20
3	0.03	0.03	0.06	8.26	0.02	0	0.02	0.28	22.32	1.49	33.06	34.40
4	0	0.09	0.06	8.26	0.02	0	0.02	0.08	22.52	1.49	33.06	34.40
5	0	0	0.01	11.86	0.02	0.01	0.01	0	38.78	0.01	26.12	23.09
6	0.30	0.15	0.02	0.29	0	0	0	0.01	5.66	0.47	21.54	71.18
7	0.06	0.05	0.03	45.70	0	0.01	0.01	0.01	19.30	0.40	14.36	9.99
8	0.30	0.07	0.27	0.70	0.03	0.03	0.01	0.02	1.09	0.68	10.78	85.91
9	0.45	0.27	0.10	1.47	0.01	0	0.01	0	0.13	0.05	3.22	3.58

表4　黄河泥沙的塑性指标

试样编号	液限(%)	塑限(%)	塑性指数
1	28.8	25.8	3.0
2	31.7	25.7	6.0
3	30.4	21.3	9.1
4	30.6	22.9	7.4
5	30.8	26.0	4.8
6	32.7	22.9	9.8
7	30.8	23.1	7.7
8	34.4	22.3	12.1
9	38.9	23.5	15.4

3　试验过程

3.1　研究方案与技术路线

研究方案:在大量调查研究的基础上,对所选择原料进行系统的性能分析,通过专门的成型技术和烧成技术制备备防石,并对其性能、结构进行表征分析,探讨将黄河泥沙制作成备防石的机理及将其用于抛根抢险的可行性,并将所制得的产品与天然的青石石料进行各项性能指标的综合比较,最后总结出科学的利用黄河泥沙制作备防石的理论和合理的生产制备工艺。

技术路线:调研→取样→原料成分及性能分析→配方设计→成型性能研究→干燥性能研究→烧成性能研究→产品性能测试→微观结构表征→与天然石料比较性能→人工备防石增强机理研究→制备理论和制备工艺研究→产品性能调整→资料整理→推广应用。

3.2　配方配比

配方配比主要考虑4点原则:①尽量利用急需处理的黄河泥沙,如淤背区泥沙等;②充分考虑配合料的性能要求和产品的性能要求;③考虑产品生产、制作的成本;④制备工艺尽量简洁。

3.3　成型试验研究

成型是获得良好产品的重要基础。分别采用手工成型、模具成型、压塑成型、半干压成型等方法,对制成的备防石的成型性能进行了广泛研究,最终确定半干压成型效果最佳。根据各个配方的性能、坯料含水率等因素,调整成型压力、加载速度和保压时间,避免夹层等缺陷,确保制得均匀致密的坯体。由该方法制成的坯体致密度大,原料含水量小,易于压实且有较高的生坯强度,材料形状规整、易于控制,并且压制的产品便于后续干燥和烧成工序的操作。

3.4　干燥性能研究

由于制品在干燥过程中易开裂,因此手工成型、模具成型及压塑成型3种成型方法应采取分步干燥、缓慢干燥等措施;半干压成型含水率较低(5%～8%),可适当加快干燥速度,但要注意干燥充分并防止坯体回潮,烧成前坯体干燥水分以控制在0.5%～1.0%为宜。

3.5　烧成性能研究

烧成是产品制作的关键。在950～1 250 ℃进行烧成,结合烧成产品的性能跟踪测试,确定了最佳的烧成温度范围。烧成时,应注意各烧成阶段升温速度和保温时间的控制,以确保产品质量。

3.6　产品性能检测和微观结构表征

试验过程中随时对半成品、成品的各项性能进行跟踪检测,以不断调整配方和工艺,按优选的配方配比和工艺参数,对制得的产品进行系统性能检测,主要测试指标有吸水率、干容重、湿容重、抗压强度、冻融特性、耐酸碱性及硬度等。

将试样进行切割、磨削、抛光、腐蚀等处理后,进行金相显微镜检测和扫描电子显微镜(SEM)微观结构表征,从组织形态和微观结构方面探讨其性能增强机理(微观结构决定宏观性能),为研究科学的制备理论和制备工艺提供可靠依据。

4　试验结果及分析

4.1　试验结果

典型试制产品的性能见表5。

表5　人工备防石的性能

制品编号	吸水率(%)	干容重(g/cm³)	湿容重(g/cm³)	抗压强度(MPa)	莫氏硬度	耐酸碱性	冻融性
1	4.22	1.787	1.862	80	7-8	AA级	合格
2	2.65	2.056	2.118	85	7-8	AA级	合格
3	5.48	1.840	1.995	82	7-8	AA级	合格
4	11.28	1.872	2.083	84	7-8	AA级	合格

4.2　结果分析

人工备防石所用原料与粘土砖(或黄河泥沙砖)基本相同,但成型用半干压法,较之砖瓦生产的塑性挤出法,其成型压力要大得多,因而坯体比较致密,各项性能良好(见表5)。

从开始烧结到晶粒长大,其间经历的温度范围约为80℃。由产品显微结构和烧成性能的分析可以看出,黄河泥沙人工备防石产品的烧成范围还是比较大的,这为生产控制提供了便利条件。烧成时,以烧结达到致密化、晶粒细小均匀、晶粒间结合良好、坯体达到最大致密度为最佳烧成温度,这时制品性能最好;若进一步提高温度,虽不至于使产品性能马上恶化,但却会增加燃料消耗,因此从节能和制品性能两方面考虑,应控制在最佳烧成温度。

4.3　人工备防石与天然青石石料的比较

用于黄河抛根抢险的备防石一般为青石(石灰岩),其性能指标见表6。

表6　青石(石灰岩)的性能

容重	强度(kg/cm^2)			吸水率	膨胀系数	平均韧性	平均磨耗率	耐用年限
(kg/m^3)	抗压	抗折	抗剪	(%)	($10^{-6}/℃$)	(cm)	(%)	(年)
1 000~2 600	220~1 400	18~200	70~140	2~6	6.75~6.77	7	8	20~40

对照表6与表5可以看出,人工备防石容重指标在青石容重指标范围内,特别是湿容重在青石容重的上限范围内(优质青石);1~3号制品吸水率指标在青石的范围内,4号制品吸水率较大,不过吸水率对青石来讲不是硬性指标;强度指标位于青石指标的上限;硬度指标优于青石;耐酸碱性指标优于青石(青石耐碱不耐酸)。因此,用黄河泥沙烧结的人工备防石的综合性能优于天然青石料。

4.4　成本分析

人工备防石的生产工艺与黄河泥沙烧结砖类似,故其生产成本的估算可参照烧结砖的成本。黄河泥沙烧结砖(240 mm×120 mm×60 mm)每块生产成本为0.10~0.13元,按606块/m^3计,则每立方米黄河泥沙烧结砖生产成本为60~78元。因人工备防石密度大于烧结砖,烧结温度也要相应提高,故考虑10%的生产成本上浮,则人工备防石生产成本为66~86元/m^3。

目前用于抛根抢险的天然青石备防石价格较高,运距较远的为120~130元/m^3,而且随着国家对自然山体保护政策的贯彻,青石货源越来越受到限制,价格还会上升。

从以上分析可知,利用黄河泥沙制造人工备防石,每立方米至少可节约30元。若全用黄河泥沙制备的人工备防石代替天然青石,经济效益将是非常显著的。

5　结论

(1)黄河泥沙烧结人工备防石已经试制成功,各项指标符合要求,综合性能优于天然青石备防石。

(2)每立方米黄河泥沙人工备防石生产成本较青石备防石低30元左右,故该项技术在经济上是完全可行的。尤其是利用黄河泥沙生产具有较高附加值的产品,可使被动治沙变为主动治沙,有可能带动黄河泥沙产业,成为黄河流域新的经济增长点。

(3)以人工备防石代替天然青石,不仅可拓展防汛石材的料源,而且可避免开采山体对自然环境和生态环境的破坏。

(4)用黄河泥沙制作备防石,以沙治沙,对于黄河和黄河泥沙的治理具有重要意义。以泥沙的综合利用"养"治理、"带"治理、"促"治理,是黄河和黄河泥沙治理观念的新变革。

(5)由于时间较短,因此该项研究还有待深入。希望有关部门积极扶助支持,以使之不断完善并尽快推广应用。

(原载于《人民黄河》2005 年第 3 期)

黄　河　河　口

加大河口治理力度
促进黄河三角洲经济的发展

　　黄河三角洲以其丰富的自然资源,优越的地理区位,良好的气候条件为世界所瞩目,展现了广阔的发展前景。黄河河口流路的稳定与否,不仅事关这一地区的发展,也是胜利油田稳产高产的根本前提和黄河三角洲全面开放开发的可靠保证,而且对于山东省乃至黄河流域和全国经济社会的发展都将产生重大而深远的影响,因此,加大对黄河河口的治理力度,是三角洲人民的共同愿望,是区域经济发展的紧迫要求,是时代赋予我们的神圣使命。

1　把黄河河口纳入国家统一管理

　　(1)黄河三角洲经济发展需要把黄河河口纳入国家统一管理。过去黄河河口地区荒无人烟,经济欠发达,入海流路任其自然摆动改道。目前黄河三角洲已是我国重要的能源基地,不但油、气、卤水、土地资源丰富,而且地理位置优越,气候条件良好,已建成我国第二大油田。东营市的建立,又为加速黄河三角洲的开发、建设奠定了基础。1992 年山东省把黄河三角洲的开发列为全省两大跨世纪的工程之一,1993 年国务院批准三角洲上的中心城市——东营市为沿海开放经济区,更重要的是黄河三角洲开发被国家列入"十五"计划。加速河口治理,稳定河口入海流路是当务之急。而目前河口部分工程尚未达标,需要加高加固,由于投资渠道未理顺,缺乏经费,已建工程得不到应有的管理维护,工程一旦出现险情,很难保证安全。因此,将河口纳入国家统一管理,对确保河口的防洪安全和流路稳定,促进黄河三角洲的经济和社会发展具有十分重要的意义。

　　(2)黄河下游的长治久安也需要将黄河河口纳入国家统一管理。要实现"堤防不决口、河道不断流、污染不超标、河床不抬高"的治理目标,河口起着重要作用。黄河挟带大量泥沙进入河口,如河口畅通,则水沙顺利下泄;如河口阻塞,必然产生溯源淤积,导致黄河下游河床抬高。要确保河床不抬高,很重要的措施就是要搞好河口的治理与管理,实现河道畅通。因此,将河口纳入国家统一管理,加大河口治理力度,实现"河口畅、下游顺、全局稳",对整个黄河下游的长治久安具有极其重要的作用。

　　(3)将黄河河口纳入国家统一管理有法可依。《中华人民共和国防洪法》第二十一条规定:"河道、湖泊管理实行按水系统一管理和分级管理相结合的原则,加强防护,确保畅通。"《中华人民共和国河道管理条例》第五条规定:国家对河道实行按水系统一管理和分级管理相结合的原则,长江、黄河、淮河、海河、珠江、松花江、辽河等大江大河,由国家授权的江河流域管理机构实施管理。这就为黄河河口纳入国家统一管理提供了法律依据。

（4）统一管理河口的内容。为稳定黄河入海流路，确保工程的安全运用，保障河口地区经济和社会的发展，统一管理河口的主要内容有：一是将河口治理新建工程列入国家基本建设计划，由国家统一投资建设；二是统一管理各类河道工程，包括各类堤防、险工、控导工程、引黄涵闸等，以及与河道工程有关的附属设施，搞好日常维修养护和防汛抢险；三是三角洲管理，根据有关法律法规和上级批复的文件精神，黄河三角洲的开发与建设，要考虑黄河的行洪要求，不得占用已规划的黄河入海的备用流路；四是搞好水沙资源的调度和利用，河口地区的经济发展应考虑黄河可供水量的限制，留足河口地区的生态用水和必要的冲沙用水。

2　运用多种工程手段，加大河口的治理力度

泥沙是黄河下游难治的症结所在，而黄河河口的淤积延伸是造成黄河下游不断淤积抬高的基本原因之一。河口淤积延伸或摆动改道，使河道增长或缩短，从而使河口以上河道发生相应的调整变化，只要河口延伸在一定限度内，溯源淤积向上游的影响范围就有限。因此，要运用多种工程手段加强河口的综合治理，减少河道淤积，保持河口河段有足够的排洪能力，保持一个较大的堆沙海域，或使泥沙向深海输移，尽可能延缓河口延伸速率，减轻溯源淤积的影响，除继续按规划建设堤防、险工和控导工程外，还要搞好挖河疏浚、在河口地区建设小水河槽、修建导流堤等工程。

（1）挖河疏浚从河口开始。在河口，河水与海水混合，在河流动力与海洋动力的相互作用下，口门附近形成一个巨大的拦门沙体，像一道拦河潜坝横亘在口门附近，对河道泄水排沙十分不利。尤其在凌汛时期，流水经常卡塞河口，造成率先封河，冰水漫滩，直接威胁着河口地区的安全。同时，河口拦门沙的隆起，相当于侵蚀基准面的局部抬升，被阻水流自然自寻低洼捷径入海，造成出汊摆动，然后在新口门附近塑造新的拦门沙，如此周而复始的循环，促进海岸线外移，导致河道比降变缓，孕育着又一次较大的改道变迁。因此，为了河口地区的长治久安，并减少河口以上河道的淤积，须在河口进行挖河疏浚，挖河首先应从拦门沙开始，自下而上进行。

（2）适应水沙条件，建设小水河槽。小浪底水库的运用，改善了出库水沙过程，调控花园口断面流量或小于 800 m³/s，或大于 2 600 m³/s，800～2 600 m³/s 流量基本不出现。小浪底水库已从 1999 年 10 月开始运用，统计 1999～2001 年利津站流量小于 300 m³/s 的年均天数为 306.3 d，占 84%。利津以下 106 km 河道范围，建有 9 座涵闸，12 处滩区扬水站，设计引提水能力达 352.8 m³/s，工农业及生活引用水后，到达河口地区的流量会更少。长时间的小水流量，在 500 m 宽的河床中流动，其结果一是河槽变得相对宽浅，流速减缓，输沙能力下降，淤积主槽的速度进一步增大；二是主流摆动，嫩滩和滩地容易被冲塌，河槽展宽，引起行洪断面萎缩。因此，针对来水量小的趋势，必须改造现河槽的断面形态，将现河槽改造成为二级河槽，即小水河槽和中水河槽。为适应变化的情况，小水河槽设计流量200～300 m³/s，使其具有更为优越的输水、输沙性能，有效减少河槽淤积，避免下游河道向不利方向发展，保证黄河下游有一个稳定、窄深的行洪输沙通道。

（3）建设导流堤工程。尾闾河床均是新淤土地，地势低洼，滩槽高程小，滩唇束水能力

差,小流量极易出槽漫滩,并在滩唇上冲刷出许多河沟,出现多股分流的局面,导致河道淤积,这就是黄河分流必淤、多股不能长期并存的原因。另外,潮水经常上滩,受涨潮流和落潮流的往复作用,冲刷出许多垂向河道的潮沟,有的潮沟与河沟相接,为尾闾河道出汊摆动提供了先决条件。修建导流堤可以起到如下作用:一是束水攻沙,降低河槽;二是截支强干,避免河道摆动;三是保持河道单一顺直,提高水流挟沙能力;四是增强了河道的稳定性。

3　开展河口综合治理研究

基本河口出现的一系列新情况、新问题,尽早开展河口综合治理研究,提出科学合理的河口治理方案,显得尤为重要。

(1)建设河口物理模型试验基地。国内外大江大河的河口治理大多通过河口物理模型试验来实现,通过模型试验,揭示河口内在的规律,提供综合治理开发方案。在东营市建设河口物理模型,市政府承诺,无偿划拨模型建设用地,给予一切免税优惠政策。河口物理模型建在东营,在观测、研究、应用诸方面具有许多优势条件:一是原型测量、现场勘察方便,可将现场观测数据直接遥传到试验室;二是理论与实际结合密切,可将试验参数、成果直接指导生产;三是用户方便,不但为黄河治理服务,而且有利于三角洲开发和油田生产。从国内外大江大河已建河口模型看,也都建在其河口三角洲的中心城市,如珠江口模型建在广州,莱茵河口模型建在荷兰鹿特丹等。

(2)加强河口科学研究。治理河口是一项大的社会系统工程,虽然有了一个良好的基础和开端,但要适应黄河三角洲大规模开发建设的要求,实现长期稳定入海流路的目标,科学研究和河口原型观测还相对滞后。存在着投资不足,观测项目少,系列短,资料不系统,河口没有水文站等问题。远远不能满足生产实践的需要。还有许多未知的课题要探索,许多拦路的难关要攻破,许多空白的领域要开拓,必须增加科学研究和观测经费,加大河口的观测研究力度。需多部门密切配合,联合攻关,紧紧依靠科技力量,多学科并举,研究河口的综合治理措施,付诸于实践,指导实践。

(原载于《山东经济战略研究》2002 年第 11 期)

加快黄河河口治理之我见

大河之治,终于河口,黄河河口流路的稳定,不仅事关黄河的长治久安,也是胜利油田稳产高产的根本前提和黄河三角洲全面开放及开发的可靠保证,而且对于山东省乃至黄河流域和全国经济社会的发展都将产生重大而深远的影响。因此加大对黄河河口的治理力度,是三角洲人民的共同愿望,是区域经济发展的紧迫要求,作者谨就这一问题谈一点想法和建议。

1 黄河河口应纳入国家统一管理

(1)黄河三角洲经济发展需要把黄河河口纳入国家统一管理。目前黄河三角洲已是我国重要的能源基地,不但油、气、卤水、土地资源丰富,而且地理位置优越,气候条件良好,已建成我国第二大油田。东营市的建立,又为加速黄河三角洲的开发、建设奠定了基础。1992年山东省把黄河三角洲的开发列为全省两大跨世纪的工程之一,1993年国务院批准三角洲上的中心城市——东营市为沿海开放经济区,更重要的是黄河三角洲开发被国家列入"十五"计划。因此,加速河口治理,稳定河口入海流路是当务之急。而目前河口部分工程尚未达标,需要加高加固,另外,由于投资渠道不顺,缺乏经费,已建工程得不到应有的管理维护,工程一旦出现险情,很难保证安全。因此,将河口纳入国家统一管理,对确保河口的防洪安全和流路稳定、促进黄河三角洲的经济和社会发展具有十分重要的意义。

(2)黄河下游的长治久安也需要将黄河河口纳入国家统一管理。黄河挟带大量泥沙进入河口,如河口畅通,则水沙顺利下泄;如河口阻塞,必然产生溯源淤积,导致黄河下游河床抬高。要确保河床不抬高,很重要的措施就是要搞好河口的治理与管理,实现河道畅通。因此,将河口纳入国家统一管理,加大河口治理力度,实现"河口畅,下游顺,全局稳定",对整个黄河下游的长治久安具有极其重要的意义。

(3)将黄河河口纳入国家统一管理有法可依。《中华人民共和国防洪法》第二十一条规定:"河道、湖泊管理实行按水系统一管理和分级管理相结合的原则,加强防护,确保畅通。"《中华人民共和国河道管理条例》第五条规定:"国家对河道实行按水系统一管理和分级管理相结合的原则;长江、黄河、淮河、海河、珠江、松花江、辽河等大江大河,由国家授权的江河流域管理机构实施管理。"这就为黄河河口纳入国家统一管理提供了法律依据。

(4)统一管理河口的内容。为稳定黄河入海流路,确保工程的安全运用,保障河口地区经济和社会的发展,统一管理河口的主要内容可包括:一是将河口治理新建工程列入国家基本建设计划,由国家统一投资建设;二是统一管理各类河道工程,包括各类堤防、险工、控导工程、引黄涵闸以及与河道工程有关的附属设施,搞好日常维修养护和防汛抢险;三是三角洲管理,根据有关法律法规和上级批复的文件精神,黄河三角洲的开发与建设,要考虑黄河的行洪要求,不得占用已规划的黄河入海的备用流路;四是搞好水沙资源的调度和利用,河口地区的经济发展应考虑黄河可供水量的限制,留足河口地区的生态用水和必要的冲沙用水。

2 运用多种工程手段,加大河口的治理力度

泥沙是黄河下游难治的症结所在,因此要运用多种工程手段加强河口的综合治理,减少河道淤积,保持河口河段有足够的排洪能力,保持一个较大的堆沙海域,或使泥沙向深海输移,尽可能延缓河口延伸速率,减轻溯源淤积的影响,除继续按规划建设堤防、险工和控导工程外,还要搞好挖河疏浚、在河口地区建设小水河槽,修建导流堤等工程。

(1)挖河疏浚从河口开始。在河口,拦门沙对河道泄水排沙十分不利。尤其在凌汛时期,流水经常卡塞河口,造成率先封河,冰水漫滩,直接威胁着河口地区的安全。同时,河

口拦门沙的隆起,相当于侵蚀基准面的局部抬升,被阻水流自然自寻低洼捷径入海,造成出汊摆动,然后在新口门附近塑造新的拦门沙,如此周而复始的循环,促进海岸线外移,导致河道比降变缓,孕育着又一次较大的改道变迁。因此,为了河口地区的长治久安,并减少河口以上河道的淤积,须在河口进行挖河疏浚。挖河首先应从拦门沙开始,自下而上进行。

(2)适应水沙条件,建设小水河槽。小浪底水库已从 1999 年 10 月开始运用,据统计,1999～2001 年利津站流量小于 300 m^3/s 的年均天数为 306.3 d,占 84%。利津以下 106 km 河道范围,建有 9 座涵闸,12 处滩区扬水站,设计引提水能力达 352.8 m^3/s,工农业及生活引用水后,到达河口地区的流量会更小。长时间的小水流量,在 500 m 宽的河床中流动,其结果,一是河槽变得相对宽浅,流速减缓,输沙能力下降,淤积主槽的速度进一步增大;二是主流摆动,嫩滩和滩地容易被冲塌,河槽展宽,引起行洪断面萎缩。因此,针对来水量小的趋势,必须改造现河槽的断面形态,将现河槽改造成为二级河槽,即小水河槽和中水河槽。为适应变化的情况,小水河槽设计流量 200～300 m^3/s,使其具有更为优越的输水、输沙性能,有效减少河槽淤积,避免下游河道向不利方向发展,保证黄河下游有一个稳定、窄深的行洪输沙通道。

(3)建设导流堤工程。尾闾河床均是新淤土地,地势低洼,滩槽高程小,滩唇束水能力差,小流量极易出槽漫滩,并在滩唇上冲刷出许多河沟,出现多股分流的局面,导致河道淤积,这就是黄河分流必淤、多股不能长期并存的原因。另外,潮水经常上滩,受涨潮流和落潮流的往复作用,冲刷出许多垂向河道的潮沟,有的潮沟与河沟相接,为尾闾河道出汊摆动提供了先决条件。修建导流堤可以起到如下作用,一是束水攻沙,降低河槽;二是截支强干,避免河道摆动;三是保持河道单一顺直,提高水流挟沙能力;四是增强了河道的稳定性。

3 开展河口综合治理研究

基于河口出现的一系列新情况新问题,应尽早开展河口综合治理研究,提高科学合理的河口治理方案,显得尤为重要。

(1)建设河口物理模型试验基地。国内外大江大河的河口治理大多通过河口物理模型试验来实现,通过模型试验,揭示河口内在的规律,提供综合治理开发方案。从国内外大江大河已建河口模型看,大都建在其河口三角洲的中心城市,如珠江口模型建在广州,莱茵河口模型建在荷兰鹿特丹等。

(2)加强河口科学研究。治理河口是一项大的社会系统工程,虽然有了一个良好的基础和开端,但是适应黄河三角洲大规模开发建设的要求,实现长期稳定入海流路的目标,科学研究和河口原型观测还相对滞后。还有许多拦路的难关要攻破,还有许多空白的领域要开拓,必须增加科学研究和观测经费,加大河口的观测研究力度。这需要多部门密切配合,联合攻关,紧紧依靠科技力量,多学科并举,研究河口的综合治理措施,付诸于实践,指导实践。

建设清水沟和刁口河两条流路轮换使用工程
保持黄河河口长治久安●

　　大河之治,终于河口,黄河河口流路的稳定与否对于保持黄河河口的长治久安具有十分重要的意义,因为这个问题不仅直接影响着河口地区的防洪防凌安全,而且严重制约着三角洲地区社会经济的发展。因此,研究稳定黄河河口入海流路的方略,一直是政府和科技界关注的热点之一。鉴于黄河河口独特的水沙特征和海域动力条件以及频繁改道的特点,不少专家提出了稳定现有的流路,预留备用流路的想法。有专家认为今后的黄河河口流路应以清水沟流路为主,刁口河流路为辅;也有专家认为应以清水沟流路为主,其他流路为辅。国家在黄河治理规划报告中明确指出,把刁口河当做备用流路和高位分洪河道(见图1)。

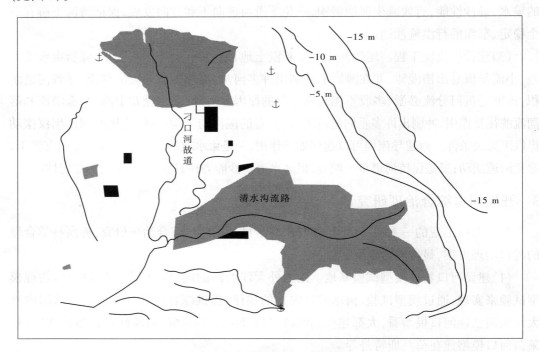

图1　黄河河口今后流路安排

　　本文在综合分析了20世纪50年代以来河口来水来沙条件、海域动力条件、河口演变规律、海岸冲淤变化规律的基础上,提出了清水沟和刁口河两条流路轮换使用工程的新思路。即在现代三角洲的摆动顶点——西河口(渔洼附近)建设控制工程,整治1976年的刁口河故道,使现行清水沟流路与刁口河流路互为分洪河道和交替行水流路,使得目前流

　　● 刘曙光教授参加了该项目研究。

路长期使用,保持黄河河口长治久安。主要理由有以下几点:①两条流路轮换使用可以利用渤海湾和莱洲湾两个海域输沙,降低河床相对侵蚀基准面,减缓西河口以上河道淤积,减轻防洪压力,从而达到流路长期使用的目的;②两条流路轮换使用,可以使两口门海域不断得到淡水和泥沙的补充,保持海岸线冲淤平衡,保持三角洲可持续发展;③可以有力地保护三角洲的生态环境;④有利于河道治理和疏浚。

1　两条流路轮换使用,可以降低河床相对侵蚀基准面,减缓西河口以上河道淤积,减轻防洪压力,从而达到流路长期使用的目的

黄河河口的淤积延伸及其影响是黄河河口的主要问题,它与流域的来水来沙、海域的海洋动力紧密相关。由于黄河的巨量泥沙,使得河口侵蚀基准面不断淤积抬高,导致下游河道溯源淤积,抬高河床,对防洪不利。溯源淤积影响着整个黄河下游的长治久安。

清水沟和刁口河两条流路轮换使用的优势之一在于充分利用渤海湾和莱洲湾两个海域输沙。

根据研究,目前的黄河河口存在着 M_2 分潮点和口门沙嘴强潮流区(见图2),这是河流输沙的海洋动力区,因此我们要设法利用这样的海洋动力,将口门外的泥沙输入大海,达到降低河床相对侵蚀基准面,减缓西河口以上河道淤积,减轻防洪压力,从而实现流路长期使用的目的。

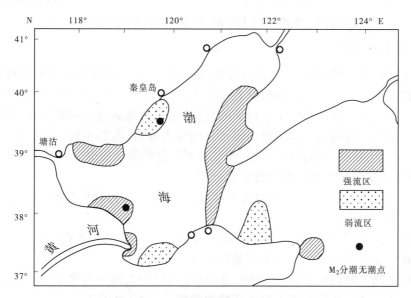

图2　渤海强、弱潮流区示意图

现象之一:在行河段,河口岸段发生淤积,而在不行河岸段发生蚀退。

1976~1996 年清水沟流路入海,黄河三角洲共淤进 556.97 km^2,年均造陆面积为 27.85 km^2。

1976~2000 年,刁口河流路停止行河,岸线蚀退情况为:0 m 线 1976~2000 年后退 10.5 km,平均每年 437 m;2 m 线 1976~1999 年后退 7.89 km,平均每年 343 m;5 m 线

1976～1999 年后退 4.18 km,平均每年 182 m;10 m 线 1976～1999 年后退 1.239 km,平均每年 54 m;15 m 线基本处于稳定状态。前期无工程防护,后期有了工程防护。

现象之二:行河段的行河初期淤积速度较大,以后逐渐变小,而不行河流路河口的岸线处于蚀退状态。

清水沟流路:1976～1986 年年均造陆面积达 37.65 km², 而 1992～1996 年年均造陆面积仅 13 km²。1996 年 6 月～1996 年 10 月三角洲造陆面积达 21.89 km²,而 1997 年 10 月～1998 年 10 月造陆面积仅 10.98 km²。

刁口河流路:0 m 线 1976～2000 年后退 10.5 km,平均每年 437 m。

现象之三:近 50 年黄河河口实施的三次流路人工改道实践证明,除遇大水年,改道点以上局部河段当年有溯源性冲刷外,其后则表现出连续几年汛期都是淤积,或是一般的沿程冲淤的特征。

究其原因:一是黄河河口外具有 M₂ 无潮点强流区和沙嘴最前沿潮流区——河口外海动力区(外因)。二是行河段随着泥沙淤积在河床,河口侵蚀基准面抬高;不行河的岸线,海岸侵蚀,基准面降低(内因)。

利用渤海湾和莱州湾两个海域输沙,降低河床相对侵蚀基准面,减缓西河口以上河道淤积,减轻防洪压力,从而达到流路长期使用,保持黄河口长治久安的目的,这是我们提出建设清水沟和刁口河两条流路轮换使用工程的理由之一。

2　两条流路轮换使用,可使两口门海域不断得到淡水和泥沙的补充,保持海岸线冲淤平衡,促进三角洲可持续发展

黄河三角洲的演变受到海洋动力的影响,更重要的是受流域来水来沙条件的影响。黄河的突出特点是水少沙多,水沙异源,在时空分布上极不均匀。20 世纪 90 年代以来,黄河河口的来水来沙条件已经发生了很大的变化,河口治理的规划和措施都必须认真考虑水沙变化的特点。对黄河入海流量和输沙量的深入分析,有助于进一步认识黄河河口演变、三角洲发育的规律,对河口的治理、开发和利用提供科学依据。

2.1　黄河逐年流量和输沙量的趋势性变化分析

研究的资料系列采用 1950～2000 年利津站实测资料,研究趋势性变化分析的方法采用肯德尔秩相关检验。

流量的肯德尔秩相关检验:对 1950～2000 年年平均流量和逐月平均流量进行趋势分析,认为 1950～2000 年各实测序列中流量有显著的下降趋势。

流量的线性趋势回归检验认为 1950～2000 年流量的大部分月平均序列及年平均序列存在线性趋势。从线性拟合图上可以清楚地看到这一点(见图 3)。

输沙率的肯德尔秩相关检验。对 1950～2000 年的年平均输沙率和逐月平均输沙率进行趋势分析认为,1950～2000 年各实测序列中输沙率有显著的下降趋势,输沙率的线性趋势回归检验存在显著的下降趋势(见图 4)。

2.2　流量和输沙量变化的阶段性分析

所有水文变量的变化有两种基本的形式:连续性的渐变和不连续的跳跃。不连续变化现象的特点是突发性,所以人们称不连续的现象为"突变",即跳跃变化,它反映了水文

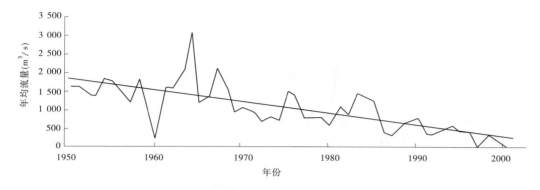

图 3　利津站年平均流量线性拟合

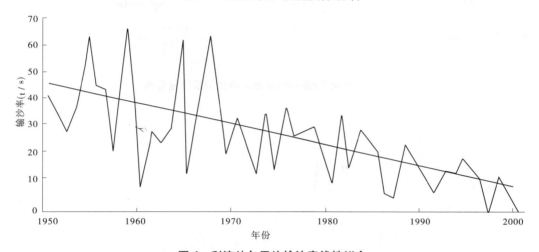

图 4　利津站年平均输沙率线性拟合

现象变化的阶段性。

　　用 A. F. S. Lee、S. M. Heghinian 分析法和有序聚类分析法两种跳跃分析方法对年平均流量序列进行计算,求出跳跃点。两种方法求出的结果都同时表示在 1968 年和 1985 年处出现极值,因此将1968 年和1985年作为跳跃点是可信的。

　　以 1968 年和 1985 年为界,可将 1950～2000 年年平均流量序列分为 3 个阶段(见图 5):1950～1968 年年平均流量的变幅大,且出现连续的丰水年,平均流量为 1 591 m^3/s;1969～1985 年年平均流量减少为 1 037 m^3/s;1987～2000 年继续下降,减少到 456 m^3/s。

　　以 1968 年和 1985 年为界,可将 1950～2000 年年平均输沙率序列分为 3 个阶段(见图 6): 1950～1968 年年平均输沙率为 39.44 t/s;1969～1985 年年平均输沙率减少为 26.32 t/s;1987～2000 年年平均输沙率继续下降,减少到 11.82 t/s。

2.3　流量和输沙量的周期性分析

　　由于流量资料只有 50 年,所以只用最大熵谱法分析 1950～1998 年平均流量序列。计算得到的年平均流量的最大熵谱分析如图 7 所示,峰值出现在 22、16、9 等处,可以认为年平均流量具有 22、16、9 年的周期。

　　计算得到的年平均输沙量的最大熵谱分析如图 8 所示。峰值出现在 8、12、15、23 等

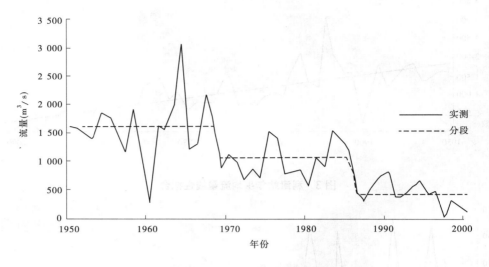

图 5　利津站 1950～2000 年年平均流量阶段分析

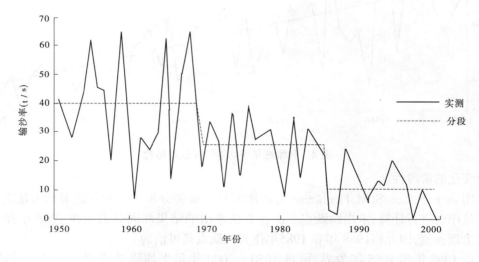

图 6　利津站 1950～2000 年年平均输沙率阶段分析

处,可以认为年平均输沙量具有8、12、15、23年的周期。

　　由上述分析可见,利津站近 50 年入海水量变化呈减少趋势且受人类活动的影响显著。1968 年、1986 年刘家峡、龙羊峡水库分别建成并投入运用,20 世纪 90 年代下游过量引水使黄河断流,这些都对河口的来水来沙产生了重大的影响。

2.4　黄河三角洲海岸线冲淤平衡临界值问题

　　采用的资料有:黄河利津站 1950～1998 年实测的水文、泥沙资料;1976 年、1986 年、1992 年、1996～1998 年黄河三角洲陆地卫星遥感照片;1976 年、1986 年、1992 年、1996 年实测的 1∶10 万黄河河口滨海区水深图;1996～1998 年实测的 1∶2.5 万黄河河口水深图;1996～1998 年实测的 1∶2.5 万黄河河口河道地形图等。

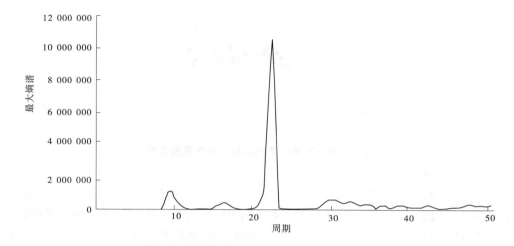

图7　利津站年平均流量最大熵谱图

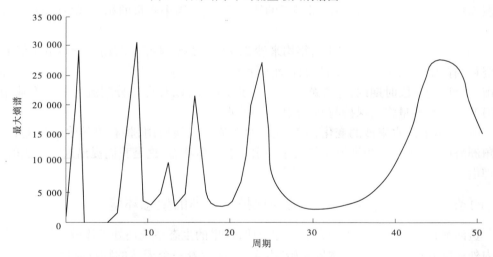

图8　利津站年平均输沙率最大熵谱分析

　　研究的范围是以渔洼为顶点的现代黄河三角洲的全部地域及滩涂,采用一般高潮线作为黄河三角洲海岸线进行对比。

　　主要以近20年来黄河水文、泥沙、滨外海域水深等的实测资料及卫星遥感照片为依据,从整体上衡量黄河三角洲的冲淤,即局部地区冲、淤抵消后的总量。研究黄河三角洲1976～1998年的演变情况、黄河三角洲面积的变化与流域来水来沙的关系。结合前人关于黄河三角洲的研究结果,探讨黄河三角洲趋于整体动态平衡的来沙量临界值。

2.4.1　黄河三角洲造陆面积与来水来沙的关系

　　黄河河口是弱海相径流作用为主的河口,三角洲形成的规模及向海延伸速率主要决定于来水来沙的大小,它是三角洲形成的物质基础。从图9可以看出,三角洲造陆面积与来水来沙成正相关关系。

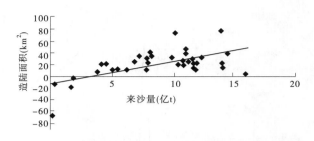

图9　黄河三角洲造陆面积与来沙量的关系

2.4.2　黄河三角洲处于整体冲淤平衡状态的条件

通过分析黄河三角洲造陆面积的变化趋势可以看出,黄河三角洲造陆面积与来水来沙的数量有一定的关系,当年来沙量为2.45亿t时,三角洲整体趋于动态冲淤平衡状态。来沙量2.45亿t只是一个平均数值。当来水量增加时,沉积物将被输送到海域,同样数量的来沙量可能会引起三角洲侵蚀;当径流量减小时,泥沙大量在河口淤积,从而促进了三角洲面积的增长。因此,在来沙量相近的情况下,又会因来水量的相对减少而使三角洲淤积。

20世纪90年代以来,利津站年均来沙3.9亿t,最近4年平均输沙量不足1亿t。根据资料,有27%～53%的沙量被海洋动力输入深海,剩余的沙量仅能维持海岸线的冲淤平衡。今后的一段时期内,随着黄河上中游水土保持,以及合理分配流域的工农业用水,黄河的来水来沙量将会保持与90年代相当的水平。

所以,考虑来水来沙的变化,适时使用两条流路轮换使用,将有限的水量分配到整个三角洲海岸上,那么三角洲海岸将处于冲淤动态平衡状态,这是我们提出这一想法的第二个理由。

3　两条流路轮换使用,可以有力地保护三角洲的生态环境

黄河河口是世界河口中最大的一片湿地,这里的生态系统还处于比较原始的状态,被国内外科学界视为珍贵的自然界原始"本底"。保持着一个天然的物种基因库,保护河口生态环境是当今社会的一项重要任务。河口生态环境与黄河河口的治理和管理是紧密联系在一起的,这主要体现在黄河淡水的补给和河流的输沙是河口湿地生态系统得以维持的基本前提,也是河口地区生物多样性的基本保证。当前,河口地区的生态系统已经表现得非常脆弱,急需加强保护。

近年来,黄河三角洲海岸线正从淤进蚀退并存以淤进为主向淤进与蚀退并存以蚀退为主转变。海岸的蚀退严重影响到滩涂生物的繁衍生息,破坏海区的生态平衡。同时黄河挟带入海的大量有机质锐减,使海洋生物失去饲料来源,许多珍稀的鱼、蟹和贝类种群趋于缩减,造成海洋生态环境退化。黄河尾闾水量的不足严重影响着黄河三角洲国家级自然生态保护区的保护和发展。使大片湿地处于干旱状态,北部保护区因海潮侵入作用使生物资源量下降。大量珍稀保护动物遭受灭顶之灾,而且已经和即将投入大量人力物力的荒滩绿化等生态环境工程也将因海水入侵而受到严重影响乃至被彻底破坏。因此,

如淡水水源供给问题长期得不到解决,这一地处中国东部沿海极其宝贵的湿地生态保护区将逐渐消亡。通过建设清水沟和刁口河两条流路轮换使用工程,使黄河保持维持河口生命的需水量和输沙量,可以有力地保护三角洲的生态环境。

4　两条流路轮换使用有利于河道治理和疏浚

当一条流路行水时,另一条流路可以在相对无水或静水条件下进行河道治理或疏浚,可大大改善施工条件,节省投资,同时又为再次行水打下基础。

我们相信建设清水沟和刁口河两条流路轮换使用工程,基本保持河道不延长、侵蚀基准面不抬高,再结合挖河疏浚主河槽,修建导流堤工程等,河口流路将会有一个较长时期的稳定局面。

河口模型建设与河口研究

1　河口治理开发及科学研究需要河口模型

黄河河口是黄河的重要组成部分,河口的演变对黄河下游河道的冲淤和排洪排沙有直接的影响,对河口进行综合治理,是谋求黄河下游"河床不抬高"的关键环节之一,必须予以高度重视。河口海岸是"地球系统"——岩石圈、水圈、气圈和生物圈中重要的一环,是相互作用最敏感、最活跃的地带,陆海相互作用研究成为当前全球变化研究中的前沿课题。黄河河口的治理速度已不能满足该地区社会经济发展的需要,进行黄河河口的综合治理势在必行。

然而,作为黄河河口综合治理的科技支撑,科研工作已远远落后于河口治理的要求。近年来进入河口的水沙条件发生了巨大变化,河口的演变特性也随之出现了新的特点,原来的一些认识已不能满足指导河口治理的需求。例如:海动力的输沙能力及滨海区域泥沙输移规律,上游来水来沙变化对河口演变的影响,口门蚀退或淤进对下游河道冲淤调整的影响,河口地区生态环境变化与来水来沙条件之间的关系,河口河段泥沙处理措施,清水沟流路行河的合理年限及流路改道的最佳时机,以及河口河段综合治理措施等,都还缺乏较为深入、系统的研究。究其原因主要是研究手段不完善,理论与实践的结合缺乏必要的中试环节,一些治理方案缺少有力验证,研究成果难以转化为实践所用。

黄河河口的演变及环境极为复杂,如径流与海洋的水动力多属弱相耦合但来沙量却相当高;径流输移的泥沙细而具有浑水异重流与盐水楔并存现象;潮流弱但沿岸往复流特征十分突出;海岸发育受径流来沙量影响大且延伸、蚀退迅速;三角洲开阔而流路滩岸抗冲性却很弱等。这些特殊的自然地理环境条件,使得黄河河口冲淤演变较其他江河的河口具有特殊的规律性,加上黄河河口观测资料既少又不系统,河口数学模型还很不成熟,对上述诸多现象还难以模拟,因此开展前述有关河口问题的研究,必须借助于模型试验的手段,只有通过实体模型试验并结合实测资料分析、数学模型计算等综合方法才可望得到更为有效地解决。

2　河口治理开发存在的问题

河口治理开发虽然取得了巨大成效,但还存在不少问题。一是防洪工程不完善,存在薄弱环节,中常洪水成灾威胁仍然存在;二是河床淤积严重,河道输水输沙能力降低,漫滩流量明显减小;三是滩地横比降增大,易形成滚河或顺堤行洪,且二级悬河之势已经形成;四是水资源供需矛盾突出,来水量越来越少,生态环境用水明显不足;五是河口治理研究工作滞后,原有的认识和研究成果已不能满足黄河河口治理的需求;六是河口治理速度缓慢,不适应黄河河口地区社会经济发展需要。自20世纪80年代末以来,随着黄河流域气候条件的变化和人类活动的加剧,黄河河口的来水来沙条件发生了巨大变化,并由此使黄河河口的演变出现了诸多新问题,如岸线蚀退加剧、河床萎缩严重、生态环境恶化等。

3　河口模型建设及重点研究的方向

黄河河口是一个弱潮、多沙、摆动频繁的堆积性河口,河口的不断淤积延伸是造成黄河下游河道比降进一步变缓,产生溯源淤积的主要原因之一,同时也影响下游河道的泄洪排沙。因此,按照"降低河床基面高程,有利于河道行洪排沙入海"的原则,解决黄河河口泥沙堆积,减缓乃至遏制河口外延,并在此基础上相对稳定现行流路,是河口治理的关键,它不仅是实现黄河下游长治久安的要求,也是河口地区经济可持续发展的需要。综观目前河口三角洲的经济发展态势,水资源问题、生态环境安全问题等已成为其重大制约因素,但就黄河河口自身的治理开发而言,当前和未来较长时期内需要解决的主要矛盾和关键问题如下:

(1)清水沟流路演变规律研究。模拟分析清水沟流路不同阶段的发育过程及条件,重点研究淤滩成槽阶段,冲刷扩展分阶段和淤积延伸阶段的规律,找出各阶段流路形成及变化的内在机理,这是研究和制订河口治理方案的基础和前提。模拟不同水沙条件和不同边界条件下清水沟流路的沿程冲刷分布、形态调整、行洪排沙能力变化、造陆速度以及拦门沙演变特征等,找出河口淤积延伸对水沙及其边界之间的响应关系。

(2)河口外海洋动力的输沙作用。主要研究不同来水来沙条件下泥沙扩散影响的范围(包括对东营港和广利港的影响)及河口海岸淤进与蚀退的定量关系;不同水沙条件、边界条件和海洋动力条件下海洋动力的输沙能力,找出刁口河和清水沟河口海岸冲淤动态平衡的临界水沙因子。考虑在充分发挥海洋动力输沙能力的情况下,由于海洋动力输送不及而沉积在河口河段的泥沙,需采取什么措施和途径进行处理。

(3)清水沟流路治理对策和行河年限研究。主要包括两个方面的研究内容:其一是研究流路治理措施的作用及效果,重点研究截支强干和修建导流堤、河口段河道整治(工程的布局方案、河道整治参数和工程平面结构形势等)、挖河固堤、疏浚拦门沙问题、引海水冲沙降河、纳潮冲淤、在河口修建水沙控制工程措施等;其二是在上述工作的基础上,提出优选的治理措施及其综合治理方案,并依据海洋动力的输沙能力,根据给定的来水来沙条件,通过物理模型预测清水沟流路的合理利用年限及未来的发展趋势。

(4)黄河河口综合治理及规划方案研究。主要内容是:在清水沟流路使用至西河口设防流量 10 000 m³/s 的水位达到 12 m(大沽)后,刁口河流路及海域的使用问题及可行性研究,河道整治方案适应性验证以及通过河口泥沙综合处理、减缓和遏制三角洲岸线淤积延伸的综合治理方案研究等。

(5)黄河河口淤积延伸对下游河道冲淤影响研究。与河道模型相配合,研究河口淤积延伸、改造出汊对黄河下游河道冲淤演变的影响,包括影响机理和影响范围等。

(6)清水沟流路与刁口河流路轮换使用的可行性研究。利津站近 10 年的平均来沙量为 3.9 亿 t,据研究三角洲海岸线冲淤平均的临界来沙量为 2.45 亿 t,利用清水沟和刁口河两条流路的海洋动力输沙后,剩余沙量补充海岸蚀退,即可保持海岸冲淤平衡及维持生态环境,需研究两条流路轮换使用的可行性和轮换使用每条流路的最佳行河间隔年限等。

(原载于《山东机械》总第 154 期)

Research and Model Constructing
of the Yellow River Estuary

1　Need of Harnessing, Developing and Scientific Research of the Estuary

The estuary is important composing of the Yellow River. The evolvement of estuary directly influences flood and sediment transport in the Lower Yellow River. The comprehensive governing of the estuary is one of the pivotal parts to realize the aim, "the river bed dose not rise", so we must pay much attention about it. Estuary seashore is the important part the "Global System" composed with geosphere, hydrosphere, airshpere and biosphere, and it's the most sensitive and active belt of interaction. And now days the research of land and sea interaction has become a fashion task of the global change researches. But our harnessing of the Estuary can't catch up with the social economic development. So we have no other choice but take up comprehensive control of the Estuary.

Meanwhile, as the technical foundation, the scientific research has gotten far behind the request of the estuary control. In the past several years, the condition of water and sand inflow has changed a lot, it indicates some new points about the estuary evolvement, some old attitudes towards the estuary can't fit in with the requirement the estuary governing. We have no in-depth and systemic study in many fields, such as the sand transfer capacity of the ocean power, the sand transfer regulation in the coastal area, the impact on the estuary evolvement of the upstream following with the water and sand inflow changing, the influence of adjustment in the downstream on the eroding and silting of the outlet, relationship between biological environment change and water and sand inflow condition of the estuary, measures of dealing with the sand and sediment of the estuary, the reasonable service age of the present Qingshuigou river path and optimal opportunity to change the old river path, and measures to comprehensively govern of Hekou section of the Yellow River. There are many reasons, things like, without perfect research methods, lack of inter-experiment between the theory and practive and powerful validation of controlling projects, and difficult to transfer the research achievement into production.

The evolvement and environment of the Yellow River estuary are quiet complicated, for example, the hydrodynamic coupling between flow-up and ocean is a low correlation one, meanwhile the sand inflow is quiet large, the sand transferred with the flow is very thin. besides, it appears both muddy water and saltwater wedge at the same time. It has the very typical feature of along-shore resersing current whereas weak tide. The growth of the seashore is much affected by the sand inflow, meanwhile, the speed of extendability and erode is very fast, the delta is very wide however the bank and bottomland of the flow has weak anti-scour ability. All this special natural geography and environment conditions make the Yellow River estuary evolvement appears a lot of special regulations compared with the other river, in addition, it is lack of whole and systemic observation data about the estuary, and the mathematic model now is not very perfect to simulate all these phenomena above. So we have to use the model-experiment method in order to begin the research about the Yellow River estuary, and effectively resolve all the problems above.

There have already been estuary models in several famous rivers such as the Yangtze River, Pearl River and Qiantang River, but no in the Yellow River. The task to govern the Yellow River is pretty complicated and has great relating with many kinds of things. Because of this, we have no other choice but to build a ontic model, so that we can display visually the different control and development schemes with the simulative experiment, and make the decision-making more scientific, quick and precise.

2　The Estuary Development Problems

There are still a lot of problems on the estuary development despite many marked achievements. First, the flood-control engineering is not quite perfect, it's possible to meet the median year flood disaster. Second, the sediment of the riverbed becomes even serious, the capability of water and sand transfer in the river road and the bankfull water discharge declines very much. Third, it is pretty possible that the flood rolls in the river or trains the dike because of the increasing lateral gradient, and now the second-hang river is indicating day by day. Forth, the gap between the supply and need of the water resources is getting more severe, and there is no enough water for the need of the entironment. Fifth, the estuary research work gets far behind the request of the governing task. Sixth, the estuary controlling speed is so slow that it can't keep pace with the social economic development in the Yellow River estuary area. The water and sand inflow has changed a lot following with the changeful climate and increasing human activities since 1980s, therefore many new situation and problems about the estuary evolvement appeared, things like increasing bank eroding, serious riverbed atrophy, and entironment worsening.

2.1 Requirement to Cognize the Basic Regulation of the Yellow River

We have made great achievements since the people managed the Yellow River, and created the great magic of safety during the flood season of summer and autumn floods in more than half one century. All these achievements guaranteed the safety of people's lives and property, improved the development of the society and the economy, and changed the environment better. We have accumulated some basic data and research achievements through observation and analyze during governing, harnessing and managing the Yellow River estuary. But the condition of the Estuary is pretty complicated with so many features such as ocean power, sand, rive, tide, etc. In recent years, there came many new problems including sharper conflict about water resources need and supply, more serious river bed atrophy, flood flowing capacity declining, severe second-hang river, and entironment worsening. All these gave more difficulties to control and harness the estuary. It is quiet not enough only to analyze and research the prototype observation data.

Through the promotion of the ontic model, we can simulate the prototype Yellow River estuary and do some experiments to research the relationship including all the features about the estuary, and separate the features so as to recruit the experiment data, find the inner regulation of the prototype Yellow River estuary.

2.2 Management and Scientific Decision-making Request

Scientific management and decision-making are the most important things. And they need a verified achievement or designed plan by advanced and credible methods. In the past days, we governed the estuary by guiding theories and practical experiences without verification, so that sometimes we couldn't get the ideal controlling result. For example, some sections after renovation still couldn't control the flood flow effectively, the river road adjustment couldn't accomplish. Multi-aim management and decision-making come more and more popular following the Hekou section social economy development and conflict among flood prevention, water supply and environment protection. Many engineering harnessing plan can't meet the request of the estuary management and decision-making.

With the ontic model, we can practice the design harnessing scheme time after time following our request, observe, analyze and estimate the scheme, then we can optimize the location of the engineering and adjust the running-condition, supply a harnessing scheme directly verified by simulation experiment for the prototype estuary harnessing, manage and make decision scientifically.

2.3 Request of Flood Forecast

The decision-making about flood prevention must have good ageing. The safety of the Yellow River is very important to the whole society, especially in the estuary area, there are many factors endangering the safety of the people's lives and property who live in the bank area, the production of the oilfield, even the safety of the dikes, such as the river bed rising following the sediment increasing, severe second-hang river, possibility of flood fulfilling the bank, happening transverse river, inclined river or even rolling river.

We can preview and forecast the possible flood happening in the future using the given boundary condition if we have an ontic model. For example, we can play some preparatory experiments according to different grades flood flow, observe and realize the situation of the flood running, water leverl, river path, bank submerging and critical engineering, every year before the flood season, so as to give some suggestion to make the preparatory flood prevention scheme, supply useful methods for the rescue of the people in the bank area, prepare enough flood prevention materials at the critical points to guarantee the safety of flood prevention and lives and possessions of the people.

2.4　The Request of Knowing Thing Well and Whole

We still have quiet a lot of things to know about the observation because of the imperfect management system about the estuary and poor technical and economical condition. So we are blocked to know basic evolvement regulation well. But the construction of the ontic model could help us know the evolvement of the estuary well and whole.

2.5　Request of the"Digital Yellow River"and the Yellow River Harnessing Plan

The digital Yellow river is the simulative contrast of the prototype Yellow River, according to it, we can simulate, analyze and study all kinds of the harnessing plans with the methods such as strong systemic software and mathematic model and so on. In order to construct the mathematic model, we must own enough, whole and statistic observation data. Meanwhie, the present data are too limited and couldn't meet the request of the time and space, affect the precision and utilization and hold the development and advancement of the mathematic model at a certain extend. The construction of the ontic model can supply us some physical parameters for the construction of the digital Yellow River. According to the research of the ontic model's elements, we can get some basic theories for the construction of the mathematic model and advancement of the control equation. So that we can make the digital Yellow River construction advanced and completed gradually. At the same time, being the inter-experiment of the harnessing plan, the ontic model can help us not only improve the simulative technique of the mathematic model but also optimize the Yellow River harnessing plan.

In one word, to realize the great targets of harnessing, development and management of the estuary in the new century, we have to face an urgent task to construct an ontic model engineering with a rational system, opening and effective operation and completed experiment equipments.

3　Direction of the Estuary Construction and Important Research

The yellow Rover estuary is a sedimentary estuary with weak tides, a lot of sand and changeful channel. The sediment extending is one of the important reasons to make the downstream gradient declined and deposit toward the source, meanwhile it affects the capability of flood releasing and sand flushing in the lower river channel. Hence, according to the regulation of "decreasing the basic level altitude doing good to release flood and flush sand into the sea", the key point to harness the estuary is to solve the problems such as sand and silt depositing, holding the estuary extending and making the current river path relative stable. All above are the requirement not only for the long-term security in the lower Yellow River but also the sustainable development of economy. With the economy development in the estuary delta, water resources and environment safety has become the essential block, But for the Yellow River estuary harnessing and developing, there are some main contractions and essential problems that we have to face and solve at present and even in a long period, they are following ones.

3.1　Environment Regulation Research of the Qingshuigou River Path

To simulate and analyze the growth process and condition in different stages is the foundation and precondition to study and make estuary harnessing schemes. We should pay much attention to the stages such as changing the bank into slot by deposition, scouring and depositing extending, and study the inner regulation of the growth and variation of the river path in every stage. Under different water and sand conditions and boundary, we can simulate the distribution situation of scouring and depositing along the river, state adjustment, change of flood releasing and sand flushing, land-creating velocity and sand barrier evolvement characteristics, etc, then find out the relative relative relationship among them.

3.2　Sand Transferring Effect of the Ocean Power in the Estuary

The main research points are following, sand and silt affecting range in both Dongying Port and Guangli Port, the quantitative relationship between the deposition and erosion of the seashore according to different water and sand inflow, the sand transfer capability according to different conditions including water and sand, boundary, and ocean power, the critical water and sand factor of the scouring and depositing homeostasis in Diaokouhe River and Qingshuigou estuary seashore. We have to decide to what we should do to deal with the rest sand and silt depositing in the estuary section except for the maximum part is transferred in the sea by the ocean power.

3.3　Harnessing Measures and Service Age of the Present Qingshuigou River Path

There are two main sides to research, one is to research the action and effect of the river path harnessing methods, stressed on cutting branches to enhance the mainstream, training dyke construction, river regulation engineerings (including distribution scheme, river regulation parameters, plane construction structure, etc), dredging river reinforcing dikes, sand barrier dredging, delivering sea water to flush sand and decrease the river bed level, transferring tide to flush sediment, water and sand harnessing engineering constructing, etc. The second is to put forward the optimized controlling measures and comprehensive harnessing scheme with physical model according to the basic research above, and forecast the reasonable service age of the Qingshuigou river path besides the developing trend in the future according to the sand transferring capability of the ocean power, and the given condition of water and sand inflow.

3.4　Comprehensive Harnessing and Programming Research of the Yellow River Estuary

In the current Qingshuigou path, the main study content when the water level reaches 12 meters(Dagu)while the designed flood-protection flow up to 10 000 m^3/s is the utilization of Diaokouhe river path and sea area and feasibility study, adjustability verifying of the regulation scheme, and comprehensive harnessing scheme by dealing with the sand in the estuary, slowering and holding the sand depositing and extending in the delta shore line.

3.5　Study of Estuary Depositing and Exiending Effect on the Scour and Deposition in the Lower Yellow River

With the river channel model completed, we should research the estuary deposition extending, channel changing effect on the scouring and depositing evolvement in the downstream Yellow River, including effect course and range, etc.

3.6　Feasibility Research About Using Qingshuigou Path and Diaokouhe Path in Turn

In the recent 10 years, the annual mean sand inflow reaches 390 million tons, by research, we know the annual mean of critical scouring and deposition balance sand inflow is 245 million tons. Part of the rest sand can be transferred in the deep sea by the ocean power, the other can be used to make up the seashore erosion. We should study the feasibility of the two channels to use in turn, and find out the optimized age between the two service periods of each river channel.

黄河口崔家河湾演变对入海流路的影响

1　河口现行流路现状概述

黄河河口由于大量的泥沙堆积,致使入海流路不断淤积、延伸、摆动、改道。按历史实际行河年限计算,约 10 年改道一次。

现行河口流路是 1976 年 5 月经人工在西河口改道后形成的,使黄河由刁口河改走清水沟入海。从清水沟行河的 18 年间,西河口以下河道,已由改道初期的 27 km,延长至 65 km。20 世纪 80 年代以来,对河口段河道进行了治理,已先后修建 6 处控导工程,长 13 532 m,坝垛护岸 109 个(段),控导工程总长度占整治河段长度的 65.4%,见表 1;另有导流堤 31.7 km,顺河护滩路 40.5 km。经过整治,河道由改道初期的水流宽浅散乱,主流变迁不定的游荡特性(见图 1),转化为河势趋于稳定、河槽窄深单一、滩槽高差相对增大、微弯、规顺的弯曲河段特性(见图 2)。

表 1　苇改闸至清 3 河段河道整治工程情况

工程名称	主槽宽（m）	弯顶距（km）	工程长度（m）	坝垛护岸数（段.个）	修建年份	护砌长（m）	备注
苇改闸	500	3.2	1 700	15	1986	1 615	
西河口	600	3.1	2 390	12	1988	2 011	包括原有护岸工程长 950 m
护林	600	3.9	1 550	23	1977	1 112	
八连	600	3	2 062	20	1989	1 711	
十八公里	550	4.5	5 650	37	1978		
清 3	600		180	2	1993		
合计			13 532	109			

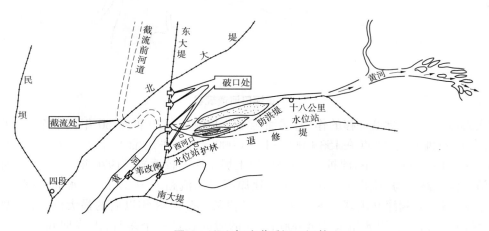

图 1　1976 年改道后河口河势

2　崔家河湾的演变情况

崔家河湾位于渔洼以下、西河口以上河段,属于弯曲型河段与河口河段的连接段,弯曲型河段尾部的中古店控导工程(工程下首滩桩号为 148＋835)至苇改闸工程上首(滩桩号为 161＋800)约 13 km,至今缺少有效的工程控制,河道处于自由演变状态。

2.1　演变过程

中古店至西河口(扬水船护岸工程)之间的河道整治,始于 20 世纪 60 年代末期。为改善河口地区土地盐碱、农作物生长不良的条件,1969 年 9 月在右岸滩桩 150＋400 附近,修建十八户放淤闸。为有利于放淤闸的引水引沙,1971 年在上游左岸滩桩 146＋700～148＋835 之间,新修了 6 个石垛,并加固整修了原有的 4 个石垛,即中古店控导工程,长 1 555m。此工程分为上下两段,中间有 600 m 的空当,在平面布置上为平顺型,控溜作用不强,小水河势上提,中水河势下延,在工程上下首滩岸仍有缓慢坍塌。随着时间的推移,中古店工程与滩岸线相比就显得比较突出,大河在中、小水流量时,工程一般着

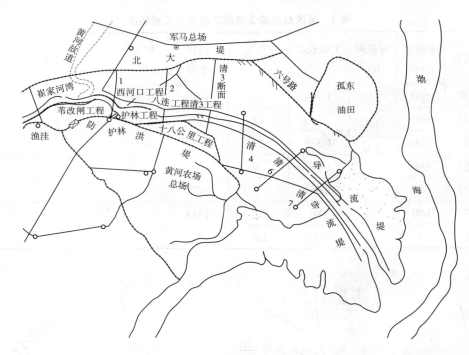

图 2　黄河口河道现状

边溜或大边溜,起到御溜外移的作用,送溜至十八户滩岸。20 世纪 60 年代末至 70 年代中期,十八户滩岸着溜点在 153＋000～155＋000 上下,并送溜至下弯左岸崔家滩桩 158＋000～159＋000 上下,滩桩 158＋000 以上坍岸速度较缓慢。1976 年 5 月底,黄河口改走清水沟流路入海,流程全长仅 27 km,比原刁口河流路缩短 37 km。水面比降加大,且当年水量较丰,利津站出现了 8 020 m³/s 的洪峰,是 1958 年以后的最大洪峰,峰型较胖,持续时间长,日平均流量大于 4 000 m³/s 的时间长达一个多月,洪峰期间含沙量较小,因此造成河口段河道大量冲刷,同流量水位下降 1 m 多。1977～1979 年,正逢小水大沙或小水中沙年,河口河道淤积,但 1980 年小水小沙及以后几年里,连续出现中水小沙、大水中沙或汛期中水持续时间长,致使河床冲刷,河道向窄深弯曲发展。在这段时期,本河段河势发生了一系列大的变化,滩岸坍塌,弯道顶点逐渐下移。据 1976～1985 年实际观测资料,十八户滩岸累计坍塌宽 335 m。20 世纪 80 年代以来坍塌加剧,有的断面年坍塌宽 100 m。崔家滩岸自 1981 年开始,有的断面年坍塌宽 300 多 m,截至 1985 年汛后,崔家滩岸湾顶下移至滩桩 159＋500～160＋500 处,与 20 世纪 70 年代中期相比,湾顶下移约 2 km,滩桩 159＋000 处累计坍塌宽达 1 345 m。由于崔家河湾坐弯挑溜,导致苇改闸下(滩桩 161＋500～163＋500 处)滩岸坐弯后退,弯顶下移,累计坍塌 300 多 m,仅 1985 年汛期即塌滩宽 120 m。滩桩 162＋000～163＋000 处,滩面较低,横比降大,大水时有可能漫滩走溜。西河口扬水船(站)护岸受上弯影响,河势逐年下延,自 1982 年以来弯顶下移 200 余 m,造成西河口扬水船(站)引水困难,护林险工河势出现下延趋势,八连滩岸坍塌后退,十八公里工程处,河势上提至十四公里处。为控制该河段河势向有利方向发展,1986 年修建苇改闸控导工程,1988 年修建西河口下弯工程,1989 年修建八连控导工程。至此,苇改闸至十八公里工程河势初步得到控制。为遏制十八户河湾坍岸,维持西宋扬水站的安全,1991 年汛后在十八户河湾滩桩 154 + 000 上下,修建 6 个坝垛。

2.2　崔家河湾的现状

崔家河湾至今未修建工程,随着水流的冲刷,河湾顶点不断下移,崔家滩岸在不同滩桩处累计塌宽曲线见图 3。坍宽最大处(160 滩桩)塌岸宽度发展过程见图 4。现滩桩 161 + 000 以上不再坍塌,滩桩 161 + 000 ～ 162 + 000 处坍塌减缓,163 + 000 处坍塌最严重,1993 年年坍宽 1 005 m。河湾顶点的下移,导致下湾苇改闸工程于 1993 年 9 月 12 日全部脱河,工程前淤滩宽度 200～1 200 m,主流顶冲苇改闸工程下首右岸滩桩 164 + 300 处,仅 9 月份即坍宽 300 多 m,对岸西河口扬水船护岸前淤滩宽 100～300 m,扬水船提水困难,现河势示意图见图 5。

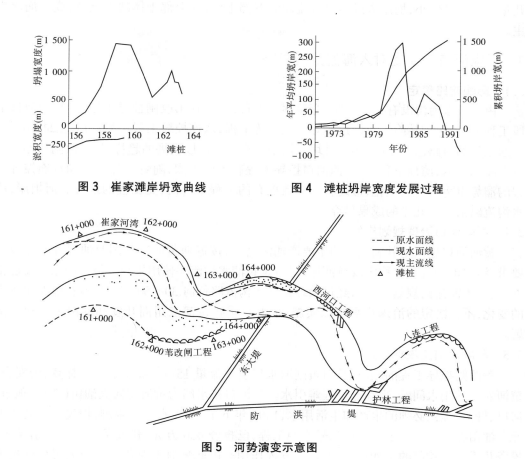

图 3　崔家滩岸坍宽曲线　　　　　　图 4　滩桩坍岸宽度发展过程

图 5　河势演变示意图

2.3　崔家河湾的坍岸特点

滩岸的坍塌演变与滩岸的边界条件、大河流量的大小以及人工干预诸因素有关。

(1)滩岸线的变化和流量的涨落有密切关系。这是因为不同流量有不同的流路,流量越小,曲率越大,小水时水流归槽,流路弯曲。随着流量的增加,凸岸滩嘴过水量相应增加,滩尖发生冲刷,主流外移下延。

(2)滩岸变化引起的主槽摆动是以渐变到突变形式出现的。引起崔家滩岸变化的因素是水流冲刷和滩岸无抗冲节点,持续时间长,河槽通过渐变的积累而出现主槽大幅摆动。

(3)坍岸重点随水流的能动量大小而变化。小水时,水流能动量小,坍岸以河湾顶点和顶点以上滩岸为主,河湾渐成较深弯道;大水时,能动量强,坍岸以河湾顶点及顶点以下滩岸为主,速度加快,湾顶下移。

(4)河势变化在向下游传播的过程中,如遇到人工干预的节点,将会使下游河势变化减弱或消失。

(5)水流坐弯,引起下游对岸河势上提;水流刷尖,引起下游对岸河势下移。

(6)十八户及崔家河湾滩岸土质,上部多为砂壤土,厚约 1 m,下部有红粘土分布,近几年大河流量偏小,坍岸方式多以水流冲淘下部土体,使上部土体缺少支持,成块崩落为主。

3 崔家河湾的演变对入海流路的影响

3.1 影响流路稳定

由于崔家河湾没有工程控制,弯顶逐年下移,已导致苇改闸控导工程脱河,西河口上段工程前淤滩,护林险工及八连控导工程溜势上提,八连控导工程一号垛以上 240 m 处,连通工程的道路已于 1994 年 2 月坍入河中。今后此河段发展的趋势,如苇改闸控导工程以下滩嘴塌退,湾顶下移,整个西河口控导工程有可能脱溜,随着护林险工和八连控导工程的溜势也将有重大变化,最终将会导致现有的工程不管河,无工程的地方靠河坍岸,清水沟流路治理十几年的成果尽弃。

3.2 影响河口治理规划实施

黄河河口地区是胜利油田的主要产油区之一,按近期黄河三角洲及油田开发建设的要求,河口治理首先是稳定现行河道,尽量延长清水沟流路使用年限。最近国家计委已批准“黄河入海流路规划报告”,经过治理使清水沟流路行河 30～50 年。如现行流路出现大的变化,不但既定的治理规划难以实施,也严重干扰黄河三角洲开发和油田生产建设部署。

3.3 影响当前工农业生产

苇改闸控导工程的“五·七”引黄闸取水口引水流量 15 m³/s,关系到建林乡、新安乡、黄河农场的用水问题,现在已经很难引水。西河口扬水船为黄河北四大油田(孤岛、孤东、河口、桩西)提供必须的生产和生活用水,1993 年下半年,提水十分困难,损失已达几千万元。油田在西河口规划实施的二号水源工程,已投资 430 万元,建成了罗家屋子引黄闸,投资几千万元建起的沉沙池,不能正常发挥作用。由此将对工农业生产及人民生活造成较大损失。

3.4 影响河口地区防洪防凌

河口河道进行有效的治理后,泄洪排凌通畅,防洪防凌压力缓解,工农业生产和人民生活的安全将有了保障,各种基础设施能够正常运行,其经济效益显著。反之,如果河口河道形势恶化,防洪防凌威胁加剧,不但影响工农业生产,而且还不利于河口地区改革开放、经济建设和社会稳定。

4　几点意见

（1）要稳定苇改闸、西河口两控导工程的流路，当务之急是修做崔家控导工程。依据崔家河湾上下河段河势演变过程及发展趋势，在左岸滩桩 160＋000 上下应修控导工程，工程平面布置的治导线，采用复合圆弧法为好，使其上平、下缓、中间陡，便于工程迎溜、控溜和送溜，将溜送至苇改闸控导工程的中上部，恢复以前的有利河势，控制崔家河湾。并充分做好防汛抢险准备工作。

（2）在崔家修做控导工程的同时，应上下游、左右岸统筹考虑，完善十八户控导工程。沿现有坝垛的下部滩沿接长工程，新修坝垛应向水中进占 0～80 m，使十八户控导工程能够保持稳定送溜至崔家控导工程的中上部，让崔家河湾的河势适当上提，以利于崔家控导工程更好地发挥作用和便于防守抢险。十八户河湾与崔家河湾互相配合，同时修建适量工程，可以收到事半功倍的效果。

（3）完善和改造苇改闸以下控导工程。对流势变化大，有可能给防洪、防凌工作带来不利影响或可能抄工程后路的坍塌段，如八连控导工程上首，也要适时修建工程，促进河势朝好的方向发展。

（4）黄河口河道淤积、延伸、摆动、改道的演变规律不会改变，但是有无人工干预，适应规律加以治理，河口状况将大不一样。因此，要加强观测研究，总结经验，做好工作，稳定清水沟流路 30 年的目标一定能实现。

（原载于《山东水利科技》1995 年第 1 期）

黄河三角洲冲淤平衡的来沙量临界值分析

黄河以其巨量的泥沙著称于世，黄河三角洲又最敏感地反映了流域的环境变化。自 20 世纪 70 年代以来黄河入海水沙量大幅度减少，甚至出现严重的断流现象，黄河三角洲延伸造陆速度明显减慢，表现在原行河流路海岸带上出现严重的蚀退。因此，研究黄河三角洲的延伸造陆的变化趋势，寻求三角洲整体动态平衡的水沙临界值，不仅对黄河三角洲的规划治理、国土整治以及油气资源的勘探和开发具有十分重要的现实意义。而且能为世界提供丰沙大河三角洲趋于整体动态平衡的研究实例。

1　资料与研究方法

本项研究采用的资料有：黄河利津站 1950～1998 年实测的水文、泥沙资料；1976 年、1986 年、1992 年、1996～1998 年黄河三角洲陆地卫星遥感照片；1976 年、1986 年、1992 年、1996 年实测的 1∶10 万黄河口滨海区水深图，1996～1998 年实测的 1∶2.5 万黄河口水深图；1996～1998 年实测的 1∶2.5 万黄河口河道地形图等。

　　研究的范围是以渔洼为顶点的现代黄河三角洲的全部地域及滩涂。采用一般高潮线作为黄河三角洲海岸线进行对比。

　　本文以近 20 年来黄河水文、泥沙、滨外海域水深等的实测资料及卫星遥感照片为依据,从整体上衡量黄河三角洲的冲淤,即局部地区冲、淤抵消后的总量。研究黄河三角洲 1976～1998 年的演变情况、黄河三角洲面积的变化与流域来水来沙的关系。结合前人关于黄河三角洲的研究结果,探讨了黄河三角洲趋于整体动态平衡的来沙量临界值,为黄河三角洲的可持续发展提供科学依据。

2　研究结果与讨论

2.1　黄河三角洲造陆面积呈减少趋势

　　通过对 1976 年、1986 年、1992 年、1996 年卫星遥感照片以及黄河口滨海区水深图的分析,可以看出,20 年来黄河三角洲总的趋势是不断向海延伸,但近年来三角洲造陆速率呈逐步减小的趋势(见表 1),由表 1 可以看出:

表 1　黄河三角洲 1855～1998 年淤进、蚀退情况

时段 (年-月)	淤进 (km²)	蚀退 (km²)	净淤进 (km²)	年净淤进 (km²)	蚀退/淤进	输沙量 (亿 t)	年均输沙量 (亿 t)	径流量 (亿 m³)	年均径流量 (亿 m³)	来沙系数 (kg·s/m⁶)
1855-06～1953-07	2 340.00	830.00	1 510.00	23.60	0.35	704.00	11.00	32 896	514	0.013 1
1953-07～1963-12	286.00	42.00	244.0	24.40	0.15	118.67	11.87	4 720	472	0.016 8
1964-01～1976-05	500.00	166.00	344.00	27.83	0.33	133.96	11.16	5 028	419	0.020 0
1976-06～1986-06	436.13	59.65	376.48	37.60	0.14	82.62	8.26	3 350	335	0.023 2
1986-06～1992-09	280.50	151.89	128.62	21.44	0.54	27.40	4.57	1 115	186	0.043 7
1992-09～1996-06	200.23	148.36	51.87	13.00	0.74	21.82	5.46	748	187	0.049 2
1996-06～1996-10	23.95	2.07	21.89	21.89	0.09	4.18	4.18	129	129	0.026 9
1996-10～1997-10	0.72	11.16	− 10.44	− 10.44	15.50	0.31	0.31	39	39	0.064 8
1997-10～1998-10	13.54	2.56	10.98	10.98	0.19	3.75	3.75	101	101	0.116 1

　　(1)1976～1996 年三角洲呈淤进状态,但平均年净淤进面积呈逐渐减少的趋势。20 年黄河三角洲共淤进 556.97 km²,年均造陆面积为 27.85 km²,其中 1976～1986 年均造陆面积达 37.65 km²,而 1992～1996 年均造陆面积仅 13 km²。

　　1996 年 6 月黄河从清 8 汊河流路入海,至 1998 年 10 月,三角洲同样呈现出整体向海淤进,但造陆速率有减小的趋势。1996 年 6 月～1996 年 10 月三角洲造陆面积达 21.89 km²,而 1997 年 10 月～1998 年 10 月造陆面积仅 10.98 km²。

　　(2)1976～1996 年三角洲在快速淤进的同时伴随着强烈的蚀退,蚀退面积与淤进面积之比逐渐增大。1976～1986 年蚀退与淤进比为 0.14。1992～1996 年则上升到 0.74。

　　1996 年 6 月～1998 年 10 月短短 2 年,三角洲同样表现出以上特征。1996 年 6 月～

1996 年 10 月蚀退与淤进比为 0.09,而 1997 年 10 月～1998 年 10 月则上升到 0.19。

2.2　黄河三角洲造陆面积与来水来沙的关系

黄河河口是弱海相径流作用为主的河口,三角洲形成的规模及向海延伸速率主要决定于来水来沙的大小,它是三角洲形成的物质基础(见表 1)。从表 1 可以看出:

(1)三角洲造陆面积与来水来沙呈正相关关系。1976～1996 年黄河来水来沙量逐渐减少,造陆速率也相应递减。1976～1986 年年均来沙量、径流量分别为 8.26 亿 t 和 335 亿 m^3,1992～1996 年分别减少至 5.46 亿 t 和 187 亿 m^3。相应的年造陆面积从 37.6 km^2 减少到 13 km^2。1996 年 10 月～1997 年 10 月来水来沙大幅度减少,来沙量和来水量仅为 0.31 亿 t 和 38.82 亿 m^3。三角洲急剧蚀退,蚀退面积达 10.44 km^2。

根据以上卫星遥感图及三角洲滨海水深图得到的三角洲造陆面积数据及收集整理前人就历史时期 1855～1954 年以及 1953～1976 年的结果,点绘了黄河三角洲年均造陆面积与年均输沙量的变化图(见图 1)。由图 1 可以看出,三角洲造陆面积与年输沙量之间有较好的正相关关系。

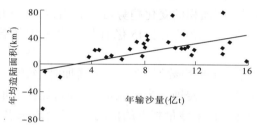

图 1　黄河三角洲年均造陆面积与年输沙量的关系

(2)黄河三角洲的造陆速率不仅与来水来沙的数量有关,而且与来沙系数有关。由表 1 可以看出,1976～1996 年进入河口的输沙量递减十分明显,三角洲造陆速度呈递减趋势。但来沙系数反而增大,1976～1986 年来沙系数为 0.023 2 kg·s/m^6,而 1992～1996 年则增加到 0.049 2 kg·s/m^6,增大趋势非常明显。

根据 1976～1998 年的计算结果,并参考前人所做过 1855～1976 年的资料。点绘了黄河三角洲造陆面积与来沙系数的关系图(见图 2)。由图 2 可见,尽管时期不同,河流来水来沙条件及海岸动力条件各异,但三角洲造陆面积与来沙系数之间却表现出同一规律。即三角洲造陆面积与来沙系数呈负相关关系。来沙系数越大,三角洲造陆面积就越小,甚至发生蚀退;来沙系越小,三角洲造陆面积就越大。

从 1996～1998 年短时间变化来看,三角洲造陆面积也表现出以上特点:三角洲造陆速度递减,而蚀退与淤进比及来沙系数增加。1996 年 6 月～1996 年 10 月三角洲造陆面积、蚀退与淤进比分别为 21.89 km^2 和 0.09,而 1997 年 10 月～1998 年 10 月分别为 10.98 km^2 和 0.19。1996 年 6 月～1996 年 10 月来沙系为 0.026 9 kg·s/m^6,而 1997 年 10 月～1998 年 10 月来沙系数为 0.116 1 kg·s/m^6。

从历史时期看,三角洲同样具有这样的特点。三角洲总的变化趋势是向海推进,伴随着蚀退。蚀退与淤进比和来沙系数都呈增加的趋势。例如。1953～1963年蚀退与淤进比为0.15,而1963～1976年则增加到0.33。1953～1963 年来沙系数为0.016 8 kg·s/m^6,

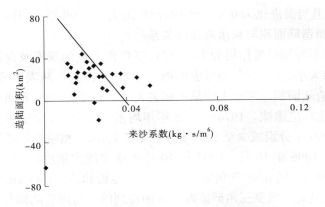

图 2　黄河三角洲造陆面积与来沙系数的关系

1964～1976 年则增加到 0.02 kg·s/m^6。

2.3　黄河三角洲处于整体冲淤平衡状态的条件

通过分析黄河三角洲造陆面积的变化趋势可以看出,黄河三角洲造陆面积与来水来沙的数量有一定的关系,当年来沙量为2.45亿t时,三角洲整体趋于动态冲淤平衡状态(见图1)。

来沙量2.45亿t只是一个平均数值,当来水量增加时,沉积物将被输送到海域,同样数量的来沙量可能会引起三角洲侵蚀。当径流量减小时,泥沙大量在河口淤积,从而促进了三角洲面积的增长。因此,在来沙量相近的情况下,又会因来水量的相对减少而使三角洲淤积。

(原载于《人民黄河》2001 年第 3 期)

黄河三角洲整体冲淤平衡及其地质意义❶

全球变暖、海平面上升及人类活动对三角洲生态环境引起了一系列的后果,其中最直接和最敏感的反映就是海岸侵蚀和三角洲面积减少。黄河三角洲地区人口稠密、经济发达,因此三角洲海岸侵蚀及环境变化已引起世界各国政府和科学家的瞩目及重视,IPCC历次对气候变化影响的评估都把黄河三角洲作为一个重要问题。因此,研究和预测三角洲环境变化及其对气候变化的响应已成为全世界关心的热点问题。

黄河以其巨量的泥沙著称于世,黄河三角洲又最敏感地反映了流域的环境变化。自20世纪70年代以来,黄河入海水沙量大幅度减少,甚至出现严重的断流现象,导致尾闾河道和河口严重淤积,给河口的防洪带来严重的威胁;黄河三角洲延伸造陆速度明显减慢,表现在海岸带上出现严重的蚀退,增加了油田变浅海开采为陆上开采的难度。据预测

---

❶　刘曙光、李从先教授等参加了该项目研究。

今后的若干年入海水沙量还会进一步减少,这将给黄河三角洲的生态环境以及工农业生产带来严峻的挑战:黄河三角洲今后总体变化的趋势如何? 黄河三角洲海岸线会不会由现在的整体淤进大于蚀退变为以蚀退为主? 在什么样的来水来沙条件下三角洲趋于整体动态平衡状态? 因此,研究黄河三角洲延伸造陆的变化趋势、寻求三角洲整体动态平衡的水沙临界值以及预测其变化趋势,不仅对黄河三角洲的规划治理、国土整治以及油气资源的勘探和开发具有十分重要的现实意义,而且能为世界提供丰沙大河三角洲趋于整体动态平衡的研究实例。

1　研究资料与方法

本项研究采用了以下资料:黄河利津站 1950～1998 年实测的水文、泥沙资料;1976 年、1986 年、1992 年、1996～1998 年黄河三角洲陆地卫星遥感照片;1976 年、1986 年、1992 年、1996 年实测的 1:10 万黄河口滨海区水深图,1996～1998 年实测的 1:2.5 万黄河口水深图;1996～1998 年实测的 1:2.5 万黄河口河道地形图等。

研究的范围在 37°30′～38°20′N、118°15′～119°50′E 之间,即以渔洼为顶点的现代黄河三角洲的全部地域及滩涂。高潮线经过统一换算后作为黄河三角洲海岸线进行不同年份的对比。

2　结果与讨论

2.1　海岸线整体向海推进

运用 1976 年、1986 年、1992 年、1996～1998 年卫星遥感照片以及黄河口滨海区水深图的高潮线来对比分析黄河三角洲海岸线的整体变化情况,其中 1976 年、1986 年、1992 年、1996 年 6 月海岸线采用黄委会济南水文总站、黄委会山东水文水资源局以及黄委会河口水文水资源局实测的 1:10 万黄河口滨海区水深图,1996 年 10 月、1997 年、1998 年 10 月海岸线采用黄委会河口水文水资源局、黄河口治理研究所实测的 1:2.5 万黄河口水深图。通过这几条高潮线对比可以看出,1976 年以来黄河三角洲海岸线总的趋势是不断向海延伸,在整体淤进的同时伴随着蚀退。三角洲高潮线以上的陆地面积采用数字测量学的方法在计算机上进行计算。三角洲海岸线淤进和蚀退面积见表 1。

表 1　黄河三角洲 1976 年 6 月～1998 年 10 月淤进、蚀退情况

时段 (年-月)	淤进 (km²)	蚀退 (km²)	净淤进 (km²)	年净淤进 (km²)	蚀退/ 淤进	输沙量 (亿 t)	年均输 沙量 (亿 t)	径流量 (亿 m³)	年均径 流量 (亿 m³)	来沙系数 (kg·s/m⁶)
1976-06～1986-06	436.13	59.65	376.48	37.60	0.14	82.62	8.26	3 350.30	335.00	0.023 2
1986-06～1992-09	280.50	151.89	128.61	21.44	0.54	27.40	4.57	1 114.69	185.78	0.043 7
1992-09～1996-06	200.23	148.36	51.87	13.00	0.74	21.82	5.46	748.01	187.00	0.049 2
1996-06～1996-10	23.95	2.07	21.89	21.89	0.09	4.18	4.18	128.50	128.70	0.026 9
1996-10～1997-10	0.72	11.16	−10.44	−10.44	15.50	0.31	0.31	38.818	38.818	0.064 8
1997-10～1998-10	13.54	2.56	10.98	10.98	0.19	3.75	3.75	101.05	101.05	0.116 1

由表1可以看出，1976～1996年6月，黄河三角洲海岸线整体向海推进，三角洲总共淤进 916.86 km²，蚀退 359.9 km²，净淤进 556.96 km²。图1表示 1976～1986 年三角洲海岸线变化情况。

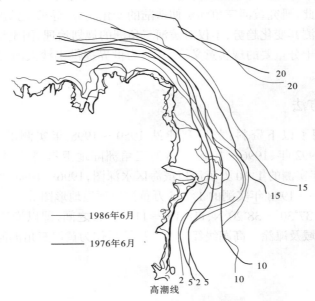

图 1　1976～1986 年黄河三角洲海岸线及近海海域等深线

1996 年 5～7 月在清 8 断面以上 950 m 处实施了黄河入海口门调整工程，在河左岸与清水沟流路夹角约 29°30′方向开挖了汊河。1996 年 6 月～1998 年 10 月黄河从新口门行河，三角洲总共淤进38.21 km²，蚀退 15.79 km²，净淤进 22.42 km²。虽然 1997 年黄河流域发生异常气候事件，黄河流量减少，断流达 226 d，但 3 年来三角洲仍然是整体向海淤进的。年均造陆面积 7.5 km²，有明显的减小趋势，但毕竟是淤进的（见表1）。

2.2　造陆面积减少

通过以上黄河三角洲海岸线的变化对比以及 1976 年、1986 年、1992 年、1996～1998 年滨海区实测水深图，发现黄河三角洲造陆速率呈逐步减小的趋势（见表1）。从表1可以看出：

（1）1976～1996 年的 20 年中，三角洲呈淤进状态，但平均年净淤进面积有逐步减少的趋势，年均造陆面积为 27.85 km²，其中 1976～1986 年年均造陆面积达 37.65 km²，而 1992～1996 年年均造陆面积仅 13 km²。

1996 年 6 月黄河从清 8 汊河流路入海，至 1998 年 10 月历经 3 个洪水期，三角洲同样呈现出整体向海淤进，但造陆速率有减小的趋势。1996 年 6～10 月三角洲造陆面积达 21.89 km²，而 1997 年 10 月～1998 年 10 月造陆面积达 10.98 km²。

（2）1976～1996 年，三角洲在快速淤进的同时伴随着强烈的蚀退，蚀退面积与淤进面积之比逐渐增大，即三角洲造陆面积呈逐渐减小的趋势。1976～1986 年蚀退与淤进比为 0.14，1992～1996 年则增大到 0.74。

1996 年 6 月～1998 年 10 月的短短 2 年，三角洲同样表现出以上特征。1996 年 6～

10月蚀退与淤进比为0.09,而1997年10月至1998年10月则增大到0.19。

2.3 造陆面积与来水来沙的关系以及处于整体平衡状态的条件

黄河河口是以弱海相径流作用为主的河口,海洋动力作用相对稳定,三角洲形成的规模及向海延伸速率主要决定于来水来沙的多少,河流泥沙是三角洲形成的物质基础。从表1可以看出:

(1)三角洲造陆面积与来水来沙呈正相关关系。1976～1996年黄河来水来沙量逐渐减少,造陆速率也相应递减。1976～1986年年均来沙量、径流量分别为8.26亿t和335亿m^3,1992～1996年分别减少至5.46亿t和187亿m^3。相应的年造陆面积从37.6 km^2减少到13 km^2。1996年10月～1997年10月来水来沙大幅度减少,来沙量和来水量仅为0.31亿t和38.82亿m^3,三角洲急剧蚀退,三角洲总体蚀退面积达10.44 km^2。

根据以上卫星遥感图和三角洲滨海水深图得到的三角洲造陆面积数据及收集整理前人就历史时期1855～1954年以及1953～1976年的研究结果(见表2),点绘了黄河三角洲年均造陆面积与年均输沙量的变化图(见图2)。可以看出,三角洲造陆面积与年输沙量之间有较好的正相关关系。

表2 黄河三角洲1855～1976年5月淤进、蚀退情况

时段 (年-月)	淤进 (km^2)	蚀退 (km^2)	净淤进 (km^2)	年净 淤进 (km^2)	蚀退/ 淤进	输沙量 (亿 t)	年均输 沙量 (亿 t)	径流量 (亿 m^3)	年均 径流量 (亿 m^3)	来沙系数 (kg·s/m^6)
1855-06～1953-07	2 340	830	1 510	23.60	0.35	704.00	11.00	32 896	514	0.013 1
1953-07～1963-12	286	42	244	24.40	0.15	118.67	11.87	4 720	472	0.016 8
1964-01～1976-05	500	166	344	27.83	0.33	133.96	11.16	5 028	419	0.020 0

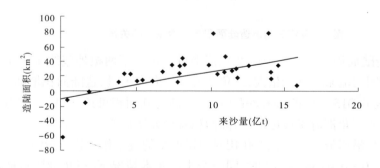

图2 黄河三角洲造陆面积与来沙量的关系

通过分析黄河三角洲造陆面积的变化趋势,可以看出,黄河三角洲造陆面积与来水来沙的数量有一定的关系(见图2),相关关系为$y=3.400\ 8x-8.318\ 9$,,相关系数为0.604(式中y为造陆面积,x为来沙量)。当造陆面积等于零时来沙量为2.45亿t,即来沙量小于此值时,黄河三角洲河口陆地将会侵蚀后退。当来沙量为2.45亿t时,三角洲的海岸侵蚀、淤积状况将基本平衡,即黄河三角洲将不再向海延伸,三角洲整体冲淤趋于动态平衡状态。

由于我们所得到的资料有限且没有考虑海洋因素的影响,得到的结论只是初步的。我们得到的只是三角洲冲淤平衡的临界值,至于三角洲何时达到平衡,目前还不能确定,因为三角洲的淤进与蚀退不仅取决于自然因素,还取决于人类活动的影响。

随着黄河上、中游大型水库的修建特别是小浪底水库的运行,上游水土保持的作用逐渐增强以及工农业生产对水资源需求量的加大,流入黄河口的水沙量将进一步减少,三角洲将走向消亡,这一天何时到来,很大程度上受人类活动的影响。

来沙量 2.45 亿 t 只是一个平均数值,当来水量增加时,沉积物将被输送到海域。同样数量的来沙量可能会引起三角洲侵蚀。当径流量减少时,泥沙大量在河口淤积,从而促进了三角洲的增长,因此在来沙量相近的情况下,又会因来水量的相对减少而使三角洲淤积。

(2)黄河三角洲的造陆速率不仅与来水来沙的数量有关,而且与水、沙的搭配——来沙系数(年均含沙量与年均流量之比)有关。由表 1 可以看出,1976～1996 年进入河口的输沙量递减十分明显,三角洲造陆面积呈递减趋势,但来沙系数反而增大。1976～1986 年来沙系数为 0.023 2 $kg \cdot s/m^6$,而 1992～1996 年则增加到 0.049 2 $kg \cdot s/m^6$,增大趋势非常明显。

根据 1976～1998 年的计算结果并参考了前人所做过的 1855～1976 年的资料,点绘了黄河三角洲造陆面积与来沙系数的关系图(见图 3)。

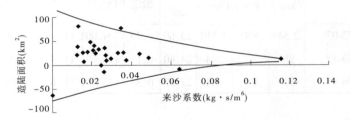

图 3　黄河三角洲造陆面积与来沙系数的关系

黄河三角洲造陆面积与来沙系数的变化范围可以用上下两根外包线来限定。横坐标与上包线之间表明河流来水来沙量大,三角洲海岸线向海推进、造陆面积增加。由图 3 可见,当来沙系数为 0.015～0.05 $kg \cdot s/m^6$ 时,三角洲造陆面积可达 20 km^2 左右。横坐标与下包线之间表明三角洲海岸线蚀退、造陆面积减少或增长缓慢,其原因可能是河流来水来沙量少,而风浪、沿岸流以及海流的作用对海岸产生的侵蚀作用相对较强。从图 3 可以看出,来沙系数为 0～0.07 $kg \cdot s/m^6$ 时,同一个来沙系数情况下,三角洲既可能淤进又可能蚀退。在这种情况下,径流的大小起着重要的作用。流量大,能将巨量泥沙输送入海。在流量较大而含沙量较小时,三角洲有可能蚀退。

在图 3 中来沙系数为 0.07～0.12 $kg \cdot s/m^6$ 时,黄河三角洲面积变化最有可能出现临界状态。在这样的来沙系数下;三角洲面积增长的速度很小,同时可能出现少量的三角洲蚀退。这就意味着含沙量与流量的比值趋向临界值,此时,三角洲的淤进和蚀退将趋于动态平衡。大体上可以看出当来沙系数为 0.12 $kg \cdot s/m^6$ 时,三角洲整体面积处于动态平衡状态。

从 1996～1998 年的短时间变化来看,三角洲造陆面积也表现出以上的特点,三角洲造陆面积递减、而蚀退与淤进比及来沙系数增加。1996 年 6～10 月三角洲造陆面积、蚀退与淤进比分别为 21.49 亿 m³ 和 0.09,而 1997 年 10 月～1998 年 10 月分别为 10.89 亿 m³ 和 0.19。1996 年 6～10 月来沙系数为 0.026 9 kg·s/m⁶,而 1997 年 10 月～1998 年 10 月来沙系数为 0.116 1 kg·s/m⁶。

从历史时期看,三角洲同样具有这样的特点。三角洲总的趋势是向海推进,并伴随着蚀退。蚀退与淤进比和来沙系数都呈增加的趋势。例如,1953～1963 年蚀退与淤进比为0.15,而 1963～1976 年则增加到 0.33。1953～1963 年来沙系数为 0.016 8 kg·s/m⁶,1964～1976 年则增加到 0.02 kg·s/m⁶。

2.4　三角洲冲淤平衡的地质意义

黄河三角洲海岸线延伸的状况决定着黄河下游冲积性河段的淤升幅度。黄河三角洲一旦达到冲淤平衡,这将对河口地区的工农业生产,特别是对胜利油田以及防洪产生很大的影响,必须引起高度的重视。

3　结论

对 1976～1998 年的黄河海岸线对比分析表明,黄河三角洲整体上处于向海淤进的趋势,但造陆面积呈逐渐减少的趋势。三角洲造陆面积不仅与流域来水来沙量有关,而且与水沙的搭配有关。造陆面积与来沙量呈正相关关系。当来沙量为 2.45 亿 t 时,三角洲达到整体平衡。

(原载于《海洋地质与第四纪地质》2001 年第 4 期)

影响黄河河口来水来沙量的因素分析

随着人类活动的加剧,黄河入海水量急剧减少,甚至出现了频繁断流等现象,给河口地区的生态环境带来了负面影响。本文在运用随机水文学的方法对利津站水沙量进行分析的基础上,着重对影响河口水沙变化的降水量、水库蓄水和沿程引水引沙量进行了分析。

1　利津站径流量变化趋势分析

通过对利津站 1950～2000 年实测资料进行分析,可以看出,1950 年以来黄河进入河口地区的水量、沙量均呈明显减少的趋势,见图 1。

用 A.F.S.Lee、S.M.Heghinian 分析法和有序聚类分析法两种跳跃分析方法对年平均流量序列进行计算,两种方法求出的结果均在 1968 年、1985 年处出现了极值,即流量在 1968 年和 1985 年开始呈阶段性下降趋势。以 1968 年和 1985 年为界,可将 1950～2000 年年平均流量序列分为 3 个阶段,见图 2。

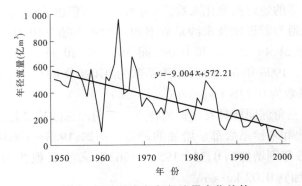

图 1　利津站多年年径流量变化趋势

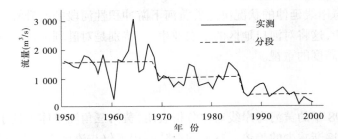

图 2　利津站 1950～2000 年平均流量阶段分析

2　降水量变化的影响

降水是影响入海径流量的最直接因素。相关文献给出了兰州以上和花园口以上两个区段年降水量模比系数 K_i（即某年年降水量与多年年平均降水量之比）在 1950～1997 年的逐年变化情况,见图3。由图 3可以看出,两个区段年降水量模比系数的变化基本同步,说明黄河上、中、下游年降水量的逐年变化趋势基本上是一致的。

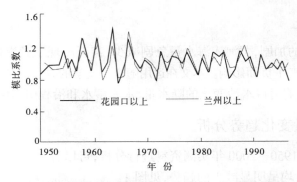

图 3　黄河流域两区段年降水量模比系数变化过程

从黄河流域各分区不同年代降水量的统计情况可以看出:黄河花园口以上多年(1950～1999 年)平均降水量为449.0 mm;其中汛期(6～9 月)为 313.3 mm,占年降水量的69.8%。1990～1999 年降水量较多年平均偏少 7.7%,其中汛期偏少8.6%。年降水量减少最显著的是龙门—三门峡和三门峡—花园口两个区间,1990～1999年两区间降水量较多年平均分别偏少13.5%和10.1%,其中汛期分别偏少14.5%和12.6%。

3　干流水库蓄水的影响

黄河干流对入海水沙量影响较大的水库有三门峡、刘家峡和龙羊峡3座。将1950～2000年系列划分为1950～1960年、1961～1968年、1969～1985年和1986～2000年4个时段,各时段水库运用前后利津站径流量、输沙量的变化情况见表1。

表1　水库运用前后利津站径流量与输沙量的变化情况

时段（年）	径流量（亿m³）					输沙量（亿t）				
	均值	距平（%）	最大值（年份）	最小值（年份）	最大值/最小值	均值	距平（%）	最大值（年份）	最小值（年份）	最大值/最小值
1950～1960	445.12	31.63	596.7(1958)	91.47(1960)	6.52	12.22	43.93	21.0(1958)	2.43(1960)	8.64
1961～1968	579.04	71.23	973.1(1964)	381.20(1965)	2.55	12.58	48.17	20.9(1967)	4.34(1965)	4.82
1969～1985	347.44	2.74	491.0(1983)	189.00(1980)	2.60	8.92	5.06	12.6(1975)	3.08(1989)	4.09
1986～2000	134.93	-60.10	264.3(1990)	18.61(1997)	14.20	3.68	-56.70	8.1(1988)	0.16(1997)	50.63
1950～2000	338.16		973.1(1964)	18.61(1997)	52.29	8.49		21.0(1958)	0.16(1997)	131.25

由表1可知:1950～1960年为天然状态,与多年均值相比,利津站径流量偏丰幅度较小;1961～1968年,三门峡水库投入运行,而刘家峡水库尚未投入运行,利津站径流量偏丰幅度较大;1969～1985年,龙羊峡水库投入运行前,径流量减少,但减小幅度很小;1986～2000年,龙羊峡水库投入运行,径流量减少幅度大大增加。可见,对入海水量影响程度最大的水库是龙羊峡水库。

4　沿程引水引沙的影响

随着黄河流域及其供水地区人口的增长、经济的发展和人民生活水平的提高,对水资源的需求和开发利用程度越来越高。沿黄引水除灌溉用水量增加外,工业及城市生活用水也大量增加,见表2。

由表2可以看出,从20世纪70年代以来,利津以上年平均引黄用水超过230亿m³,较50年代的135亿m³增加了近1倍。而且随着时间的推移,沿河的用水增长速度明显加快。所以,沿黄引水量的增加是入海水量减少的最主要影响因素。

引沙量主要受引水量和来沙量的影响。20世纪70年代利津以上引沙量增加到2.7亿t;80年代,由于黄河的来沙偏少,因此尽管引水量增大到274.3亿m³,比70年代增加了39.4亿m³,引沙量却比70年代小,为1.9亿t。黄河流域的引沙量中,黄河下游占了绝大部分,如 80 年代全流域年平均引沙量为 1.9 亿 t,下游引沙量为 1.2 亿 t,占全流域引沙量的 63.2%;中游地区引沙量 0.4 亿 t,占全流域引沙量的 21.0%;上游引沙量仅 0.3 亿 t,占全流域引沙量的 15.8%。

表 2　20 世纪后叶黄河各河段引黄用水量及引沙量

项　目	河　段	50 年代	60 年代	70 年代	80 年代	90 年代
引水 (亿 m³)	河口镇以上	79.1	99.2	102.3	121.4	123.7
	河口镇—三门峡	20.9	31.0	44.0	40.0	32.4
	三门峡—利津	34.9	29.8	87.7	112.9	96.8
	利津以上	134.9	160.0	234.0	274.3	252.9
引沙 (亿 t)	河口镇以上	0.6	0.3	0.3	0.3	
	河口镇—三门峡	0.2	0.4	0.6	0.4	
	三门峡—利津	0.9	0.7	1.8	1.2	
	利津以上	1.7	1.4	2.7	1.9	

5　结论

综上分析,黄河入海水沙量骤减的原因主要有三个:一是近 20 年来天然径流较 20 世纪 50、60 年代偏枯;二是上游干流大型水库蓄水的影响;三是沿黄引水引沙量的增加。例如,20 世纪 50 年代年均入海水量为 481 亿 m³,80 年代为 280 亿 m³,减少了 201 亿 m³。其间,沿黄引水量由年均 134.9 亿 m³ 增加到 274.3 亿 m³,增加了 139.4 亿 m³,约占入海水量减少值的 69%。由此可以得到这样的概念:20 世纪 80 年代较 50 年代入海水沙量之所以减少,沿黄引水的增长为主要因素,因其造成的入海水沙减少量占总量的 69%,天然来水偏枯和上游水库调蓄影响为次要因素,约占 31%。

(原载于《人民黄河》2004 年第 9 期)

Analysis on the Statistic Characteristics of Runoff Time Series in the Yellow River Mouth Area

1　Introduction

The Yellow River is famous for its large amount of sediment. Since the 1990s, the frequent zero flow has badly affected the industry and agriculture in the river mouth, and it also endangers the ecological environment in the river mouth delta. The main cause is that the runoff has changed greatly during these years. Therefore the study of runoff is important to the evolution and ecological environment of the Yellow River mouth area, and it can supply the evolution example for rivers with plentiful sediment. Many studies have been done about the runoff of the Yellow River, but there remain a lot of problems to be studied further with the broadening of human activities in recent years. This paper uses stochastic model of time series to analysis the measured runoff at the Lijin Hydrological Station during 1950~2000.

2 Analysis of Time Series

The total amount of measured runoff of at Lijin Hydrological Station during 1950~2000 (totally 51 years) is 1 724.35 billion m³. $C_v = 0.565\ 9$, $C_s = 0.694\ 1 = 1.23 C_v$.

Linear decomposition model and multiplication model are usually used to describe time series, and linear decomposition model is often applied. This paper uses linear decomposition model to analysis the runoff time series at Lijin Hydrological Station:

$$Q_t = T_t + J_t + P_t + S_t \tag{1}$$

where Q_t is yearly runoff; T_t is trend component; J_t is jump component; P_t is period component; S_t is statistic component; t is the index, represents year t.

3 Hydrological Analysis

3.1 Trend Analysis

Trend analysis mainly studies the increase or decrease of the time series, there are many methods such as Kendall correlation inspection, regression inspection of linear trend, slide average inspection ect. Kendall correlation inspection and linear trend regression inspection are applied in this paper.

3.1.1 Kendall Correlation Inspection of Runoff

The basic points of Kendall correlation inspection is: about the runoff time series $Q_i, \cdots, Q_N$, first the numbers(P) of $Q_i < Q_j$ ($Q_i, Q_j, i < j$) must be specified. The subset(i, j) is ($i = 1, j = 2, 3, \cdots, N$), ($i = 2, j = 3, 4, \cdots, N$), ($i = N - 1, j = N$). If the series has not a trend, $P = N(N-1)/4$. If P approach to $N(N-1)/2$, there is a increasing trend. If P approach to zero, there is a decreasing trend.

Kendall statistic:

$$\tau = \frac{4P}{N(N-1)} - 1 \tag{2}$$

standard variable:

$$M = \tau \cdot \sqrt{\frac{9N(N-1)}{2(2N+5)}} \tag{3}$$

If N increases, M quickly converges to standard normal distribution. If the original assumption is that the time series has not a trend, double inspection is applied. After the significant level α is given, if $|M| < |M|_{\alpha/2}$, original assumption is accepted, that is to say the trend is not significant; otherwise it is rejected.

The trend analysis results of yearly and monthly runoff of Yellow River are showed in Table 1. The significant level is given as 0.05, checking the statistical table: $M_{0.05/2} = 1.96$. We can see that during 1950~2000 not only yearly average series but also monthly average series, the original assumptions are both rejected. Because P approach to zero, the series has a decreasing trend, that is, in the 1950~2000 measured series, runoff has a significant decreasing trend.

Table 1　Kendall Correlation of Runoff Series at Lijin Hydrological Station

Runoff Series	Month	Data(N)	P	$N(N-1)/4$	$N(N-1)/2$	M
1950~2000	1	51	514	637.5	1 275	−2.006
	2	51	404	637.5	1 275	−3.793
	3	51	345	637.5	1 275	−4.752
	4	51	300	637.5	1 275	−5.482
	5	51	336	637.5	1 275	−4.900
	6	51	370	637.5	1 275	−4.345
	7	51	353	637.5	1 275	−4.622
	8	51	371	637.5	1 275	−4.329
	9	51	400	637.5	1 275	−3.858
	10	51	392	637.5	1 275	−3.988
	11	51	312	637.5	1 275	−5.288
	12	51	432	637.5	1 275	−3.338
	Yearly	51	274	637.5	1 275	−5.905

3.1.2　Linear Trend Regression Inspection

If the runoff series at Lijin Hydrological Station has a linear trend, we can use the linear regression model to inspect. The model is:

$$Q(t) = a + bt + \varepsilon(t) \tag{4}$$

We can calculate the parameter a、b according to the method of regression analysis:

$$\hat{b} = \frac{\sum_{i=1}^{n}(t_i - \bar{t})(Q_i - \overline{Q})}{\sum_{i=1}^{n}(t_i - \bar{t})^2} \tag{5}$$

$$\hat{a} = \overline{Q} - \hat{b}\bar{t}$$

the estimated value of square deviation of $\hat{b}$ is:

$$S^2(\hat{b}) = S^2 / \sum_{i=1}^{n}(t_i - \bar{t})^2 \tag{6}$$

where:

$$S^2 = \frac{\sum_{i=1}^{n}(Q_i - \overline{Q})^2 - \sum_{i=1}^{n}(t_i - \overline{t})^2}{n - 2}$$

$$\overline{Q} = \frac{1}{n}\sum_{i=1}^{n}Q_i ,$$

$$\overline{t} = \sum_{i=1}^{n}t_i \tag{7}$$

Under the assumption that there is not a linear trend, when $b = 0$, the statistic is: $T = \hat{b}/S(\hat{b})$ obey the t distribution with a free degree of $(n-2)$. The significant level α is given, if $|T| > T_{\alpha/2}$, the original assumption is rejected, that is the regression is significant; otherwise the original assumption is accepted, the linear trend is not significant.

The linear trend regression inspection results of runoff are showed in Table. 2. When $N = 51$, $t_{0.05/2} = 2.012$, $t_{0.01/2} = 2.684$. As we can see, among the data during $1950\sim2000$, every series can not pass the inspection of significant level 0.05 and 0.01 except January. So we can conclude that the majority of the monthly runoff series have a linear trend, as well as yearly runoff series. We can see this trend clearly in Fig. 1.

Table 2　Linear Trend Regression Inspection of Runoff Series at Lijin Hydrological Station

	Month	Constant a (billion m³)	b	Statistic T
1950~2000	1	1.561 8	-0.129	-2.482
	2	1.543 4	-0.205	-3.872
	3	2.872 3	-0.485	-4.997
	4	3.257 2	-0.638	-6.946
	5	3.107 8	-0.603	-5.127
	6	2.764 0	-0.523	-4.235
	7	6.778 5	-1.122	-5.374
	8	10.139 2	-1.529	-5.194
	9	8.978 7	-1.278	-3.931
	10	8.408 5	-1.308	-4.007
	11	5.249 7	-0.854	-5.154
	12	2.559 9	-0.330	-3.551
	Yearly	57.221 1	-9.004	-6.852

Analysis method of A. F. S Lee, S. M. Heghinian: about the series Q_t ($t = 1, 2, \cdots, n$), its condition probability distribution function is $f(\tau/x_1, x_2, \cdots, x_n)$, if it satisfies the demand:

$$f(\tau/x_1, x_2, \cdots, x_n) = \max\{f(\tau/x_1, x_2, \cdots, x_n)\} \tag{8}$$

τ_0 is the most possible jump point.

Analysis method of order classification: assume that the possible jump point is τ, if it sat

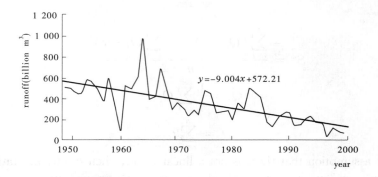

Fig. 1　Linear Fitting Curve of Runoff at Lijin Hydrological Station

isfies the demand:

$$S_n(\tau) = \min\{S_n(\tau)\} \tag{9}$$

τ_0 is the most possible jump point.

In the first analysis, the maximum f is at 1968 and 1985, whereas in the second analysis, the minimum S is at 1968 and 1985, the same as the first method. So it is reasonable to take 1968 and 1985 as jump points. We can divide the runoff series to three phases(Fig. 2): the average runoff of 1950~1968 is 50. 15 billion m^3, the average runoff of 1969~1985 is 32. 69 billion m^3, the average runoff of 1986~2000 is 14. 38 billion m^3.

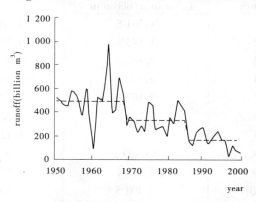

Fig. 2　Jump Analysis of Runoff at Lijin Hydrological Station

4　Variation of Runoff Within a Year

Table 3 shows the average monthly runoff at Lijin hydrological Station:

Table 3　Average monthly runoff at Lijin Hydrological Station

Month	1	2	3	4	5	6	7	8	9	10	11	12
Runoff (billion m^3)	1.225	1.010	1.612	1.598	1.540	1.405	3.860	6.165	5.656	5.007	3.028	1.702
Percentage (%)	3.57	3.23	4.70	4.82	4.49	4.23	11.26	17.97	17.04	14.60	9.12	4.96

We can see from Table 3 that the distribution of runoff within a year is not equilibrium, and it has a seasonal variation. The maximum average runoff occurs in August, 1.797 billion m^3, and the minimum average runoff occurs in February, 0.323 billion m^3, and the ratio of the two is 5.56. The maximum of three months(August, September, October)accounts for 46.09% of the runoff of the whole year. The runoff of high water(July, August, September, October)accounts for 63.55%, while the runoff of low water accounts for 36.45%.

5　Conclusion

Many achievements about the runoff time series have been gained, but we lack some systemic cases, especially such rivers with plentiful sediment as the Yellow River. The Yellow River has been greatly affected by human activities, and the unusual variation of runoff and sediment brings great influence to the ecological environment. Using some effective method, this paper has a comprehensive analysis of the runoff time series at Lijin Hydrological Station. The results can offer references for river mouth regulation, preventing shore erosion and marine erosion.

6　Acknowledgments

This work was sponsored by the National Science and Technology key Task Project of the Ministry of Science and Technology of China(Grant No. 2001-BA611B-02-05) and the Shanghai Key Subject Program.

黄河口人工改汊对河口流路的
影响及治理对策

1996年春夏,在黄河口清8断面附近实施了以淤海造陆采油为主要目的的人工改汊工程,将老河道入海口东南方向调整为沿东略偏北方向,入海口门向东调整约50°,缩短河道入海流程16 km。"96·8"洪水期间河口地区同流量水位与前几年相比有明显下降,大大减轻了河口地区的防洪压力,产生了显著的社会效益和经济效益。河口流路人工出汊工程对河口治理等也具有较大影响,进一步总结经验教训,探讨急需采取的治理措施,以利河道的发展,对稳定延长清水沟入海流路是十分必要的。

1　清8人工改汊缘由及改汊工程布局

河口地区是胜利油田的主要采油区,勘探表明位于渤海湾黄河尾闾清水沟流路规划口门摆动区地下石油储量丰富,预测储量可达2.5亿t。仅清10、清11断面东北5~10 km的垦东12油区储量达3 760万t。该油区为顺河道方向狭长的一字形区块,长12 km,宽1.7 km,面积20.7 km²,开发前景良好。但这片油区地处浅海或潮间带,水深

0～9 m,开发作业难度大,投资高,困扰和阻碍了油田的发展。若能对黄河尾闾河道人工调整入海口方向,利用丰富的黄河水沙资源填海造陆,将垦东12油区变海上开采为陆地开采,将大大降低生产成本。1996年春,山东黄河河务局组织技术人员进行了可行性论证认为:①只要黄河入海口门调整布置得当,出汊点选择合适,不会影响入海流路规划中安排的北汊1行水路线和入海泥沙分布。②出汊点以下的原河道通过合理保护,经若干年淤出垦东12油区后,仍可继续行河,不会影响清水沟流路行河30年的总体规划,而且符合国家计委关于对《黄河入海流路规划》批复的意见。③既能支援胜利油田解决海上开发的难题,节省投资,为油田开发和国民经济发展服务,又能缩短河道入海流程,缓解河口地区防洪压力,减少漫滩几率,保护滩区油井和群众生产,是一项具有多种功效的工程。④根据油田的要求,造陆面积不小于80 km²,淤积高程平均为+1.0 m,淤填体积约需泥沙20亿m³。经分析计算,若遇黄河枯水枯沙系列需12年左右淤完;若遇较丰水沙系列只需5～6年,届时可将出汊河道再改回老河道。经报黄委会批准后,设计出汊位置选在清8断面以上950 m处,引河轴线方位角为81°30′,与原河道夹角为29°,并于1996年5月20日～7月18日组织施工。共开挖引河长5 000 m,引河底宽150 m,边坡1:3,挖深1.6 m;修筑拦河截流、导流堤9 100 m,高3.3～4 m,顶宽6～7 m,边坡临河1:2,背河1:2～1:3;简易控导流势的导流坝垛7个,长700 m,共完成投资831万元,改汊工程示意图见图1。

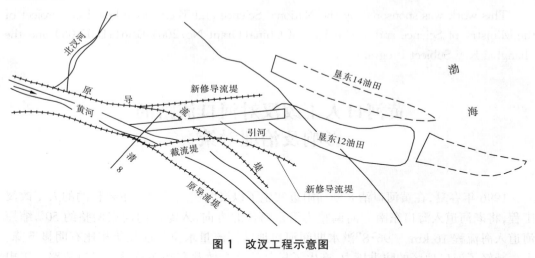

图1　改汊工程示意图

2　黄河口河道改汊后的使用及对河口流路的影响

2.1　1996年来水来沙情况

1996年利津站自2月14日开始断流,至7月17日恢复过流,共计断流7次,累计136 d。利津站共来水153.3亿m³,来沙4.33亿t,分别为多年平均值的40%和45%;年均流量仅491 m³/s,为多年平均值的42%,相对水沙较少;7～10月汛期来水128.7亿m³,来沙4.2亿t,分别占多年平均的54.3%和51.3%,平均含沙量为32.7 kg/m³;8月

21 日出现年最大洪峰为 4 100 m³/s,最高水位 14.70 m(大沽,下同),与 1976 年 8 000 m³/s 水位相同。

2.2　改汊流路的运行情况

清 8 改汊工程完工后,7 月 18 日洪水到达改汊处,由于引河开挖断面小,初期过流不畅,水位较高,水偎导流坝、截流堤。8 月 5 日大河流量 2 000 m³/s 左右,导流坝因水流顶冲,坝头开始下蛰,以后随着流量不断增大,导流坝大部漫水而逐步被冲毁;当水位与截流堤顶平时,上游坡开始坍塌,下游渗水。随后在下游加修后戗、在坝顶修子埝。8 月 20 日 20 时,丁字路口洪峰流量达 3 860 m³/s,水位 5.86 m,截流堤漫顶被冲垮,同时引河也发生强烈的冲刷,不断拓宽刷深,发展较快。由于改汊后的新流路比老河道缩短 16 km,2 000 m³/s 以上流量持续时间达 21 d,加之含沙量较低,水流造床作用明显,引河冲刷较理想。老河道截流堤被冲垮后,来水 2 000 m³/s 以上流量时,70% 水量走新改汊河,30% 水量走老河道,当来水 2 000 m³/s 以下时,老河道自然断流,水流全部走新改汊河,水流居中,溜势平稳,汊河行水情况良好。

由于原河道主流在右岸,导流坝、截流堤又均被冲毁,改汊口处形成"S"弯,引河左岸淤出约 10 万 m² 的新滩,以下河槽基本顺直。目前引河横断面上窄下宽,上段 3 km 长河道宽度由原来的 150 m 拓宽至 250～300 m,水深 3.5 m 左右,下段 3～5 km 处河道宽约 350 m,以下渐增至 500 m,入海口门呈漫流状态。

2.3　河道溯源冲刷情况

从"96·8"洪水洪峰的表现来看,利津至王庄窄河段,水位较高,超过 1996 年同流量设计水位 0.25 m 左右;西河口以下河段水位逐渐降低。洪峰水位与同流量设计水位对照见表 1,洪峰前后水面比降变化见表 2。

表 1　各站洪峰水位与同流量设计水位对照

项目	利津	王庄	一号坝	西河口	丁字路
洪峰水位 H_1(m)	14.70	13.95	12.07	10.16	5.86
设计水位 H_2(m)	14.49	13.66	11.95	10.07	6.55
H_1～H_2(m)	0.21	0.29	0.12	0.09	-0.69

表 2　洪峰前后水面比降变化

时间(月-日)	利津—西河口(46.8 km)	西河口—丁字路(32.4 km)
08-01	0.94‰	1.15‰
08-07	0.96‰	1.05‰
08-21	1.01‰	1.27‰
09-12	1.00‰	1.02‰

从表中可看出西河口以下河道溯源冲刷明显。根据汛前汛后统测资料及河口观测资料分析,1996 年 5～9 月,利津—西河口主槽平均冲刷 0.35 m,冲刷量达 830 万 m³;西河口—清 7 断面行水主槽平均冲刷 0.75 m,冲刷量达 1 440 万 m³;清 7—引河 3 km 处主槽

平均冲刷深 1.10 m,冲刷量 73 万 m³。根据冲刷值的趋势来看,溯源冲刷的范围尚未超过西河口,丁字路断面河床年均冲刷深在 0.9 m 左右。由于溯源冲刷主槽过流能力大大加强,4 000 m³/s 未漫滩,改变了以前 3 000 m³/s 即漫滩的被动局面。

2.4 新口门淤积概况

经过一个汛期的运用,新口门发生了较大的变化。口门淤积延伸明显,清 7 以下河长已由行水前的 14.5 km 延长至 20.0 km,口门附近零米等深线外移 5.5 km,与 1995 年相比,零米等深线以上共造陆 18.0 km²,根据口门附近海域地形测量资料分析,零米线以下泥沙淤积范围较大,向深海方向影响至 14 m 等深线,西北方向淤积影响约 7 km,东南方向淤积影响 20 余 km,面积约 300 km²,虽然入海口门方向为东北,但泥沙淤积主要在东南海域一直影响到原入海口门。泥沙淤积分布情况是,口门前至 10 m 等深线坡度较陡,约 1/250,10～14 m 等深线坡度渐缓,其中 8～10 m 等深线间淤积范围约 30 km²,其余淤积范围较小。

2.5 对局部河段的有利影响

清 8 改汊缩短了流程,增大了比降,产生了溯源冲刷,河道得到了改善。西河口至清 7 河段河势基本稳定,河道形态由汛初的“V”型、“W”型演变为“U”型,河道断面泄洪能力大大加强。已由原来 3 000 m³/s 漫滩,增至 4 000 m³/s 不漫滩,防洪压力得到缓解。

2.6 不利因素分析

清 8 改汊后对河道及防洪等诸多方面有利,但也有不利河道发展的因素,一是清 7 以上控导工程尚不完善,个别河段河势变化较大,一些规划的节点工程未能适时修做,造成部分工程脱流,河势向不利方向发展。二是改汊口由于导、截流工程被冲毁,形成“S”弯,进入引河的水流不畅,不利于汛期排洪泄沙和凌汛期排凌,极易卡冰形成冰坝,成为隐患。三是新河道正处在发育造床阶段,河槽宽度不足,尚不能满足泄洪需要,平滩过流能力仅有 2 000 m³/s,超过这一流量,部分水流将走老河道,势必造成老河道的淤积。

3 治理对策探讨

清 8 改汊工程对局部河道有一定影响,淤海造陆效果明显,但也出现了一些新的问题,如河势没有得到有效控制,引河过流能力不足,淤积分布尚未达到预期的目的等。因设计新河道将行河 5～6 年甚至更长的时间,必须针对存在的问题,加强人工干预,采取可行的治理措施,不使尾闾河道任其自然发展,影响黄河入海流路整体规划的实施。

3.1 完善改汊点以上的工程

加快实施国家计委已批复的一期治理工程规划,根据 1996 年洪水河势变化,应尽快修建十八户控导工程,下延崔家控导工程,完善苇改闸、八连等工程,使改汊口以上河道形成较完善、系统的工程体系,控导中水河槽、稳定溜势,避免因清 8 以上河势变化,引起新流路河势的较大变化。

3.2 修复加固改汊工程

根据目前河势的变化,必须改善改汊口处“S”弯不利河势,并尽量避免老河道行洪淤积。需要修做的主要工程有:湾道控导工程,恢复原截流堤工程,老河道南岸导流堤加固,引河新修左右导流堤的加修加固等。鉴于改汊口处特别的地理位置,抢护条件差,料物运进困难等,借鉴原工程的教训,工程修做标准应高一些,尺寸断面适当加大。在调查研究的基础上,尽可能多采用新材料、新结构,争取于 1997 年汛前全面完成修复加固工程。

3.3　拓宽引河宽度,扩大过流能力

目前新河道正处于发育阶段,还将发生较大的变化,需要因势利导,使之向有利的方面发展,尽快形成中水河槽,对较窄的而又短时难以冲开的河段应及时开挖拓宽,使引河宽度达到 300 m 以上,平滩流量达到 3 000 m³/s 左右,与老河道良好衔接,避免束水和较大河势的摆动。

3.4　结合"百船计划",加强口门疏浚治理

清 8 改汊的主要目的是填海造陆。针对垦东 12 油区狭长的特点,结合百船挖沙计划,加强口门的疏浚,适时调整入海口门的方位,合理淤填待淤海域。防止泥沙侵占未来北汊 1 流路沉沙海域,尽快完成淤填任务,同时可限制新口门拦门沙的发育,保证水流的通畅入海。

3.5　加强基本观测和科研

强化河口的治理,延长行河年限是历史发展的需要,是长期而艰巨的任务,意义重大。加强基本观测是逐步摸索河口演变发展规律,进而制定有效地治理措施的基础工作。因此,清 8 改汊后应进行全面系统的观测,包括海洋动力等对河口的影响、对泥沙的搬运作用等,组织多学科、多门类的专家进行联合攻关研究,提高河口治理水平。

4　结语

清 8 改汊尽管存在一些问题,但其成效是显著的,河势得到改善,防洪压力有所缓解,取得显著的社会经济效益。由于溯源冲刷的作用,同流量水位下降,东营市 2.13 万 hm² 滩区农作物无一被淹;西河口以下尚未漫滩,免灾经济效益达 2.4 亿元以上,若将来淤出陆地,陆地采油比海上采油节省投资 40 亿元以上。同时开阔了我们的思路,开辟了延长流路的途径。给我们提出了行河如何更好地为经济建设服务的课题等。

(原载于《山东水利科技》1997 年第 3 期)

黄河入海流路改走北汊 1 时机分析研究❶

国家计委批准的黄河入海流路规划为控制西河口水位不超过 12.00 m(大沽高程,以下同),现行河道从 1987 年算起行河 7～10 年,然后沿清 7 断面附近的北汊河向东北方向分汊即为北汊 1 流路,2008 年后在北汊 1 流路的基础上再向北分汊为北汊 2 流路,总计使清水沟流路行河 30 年以上。从目前来看,清 7 断面以下现行流路的行河年限比原规划的要长,推算 1997 年 10 000 m³/s 西河口水位为 11.12 m,距 12.00 m 还差 0.88 m,尚有

---

❶　孟祥文等同志参加了该项分析研究。

富裕。1996年清8断面处人工改汊(以下称清8改汊)虽有利于延长行河年限,但若遇不利水沙条件,设防水位会很快达到12.00 m。因此,应早做准备,科学地掌握改走北汊1的时机,做好必要的准备工作以争取防洪和治理黄河口的主动。

1　现行流路的演变发展及北汊河基本情况

1.1　现行流路的演变发展

现行清水沟流路于1976年5月人工截流改道成河,经过自然漫流、淤滩成槽的演变过程,到1981年基本形成比较顺直稳定的单一河道,河床断面形态逐渐向窄深方向发展,水流集中、河槽通畅。1985年以后,黄河进入枯水年系列,利津站水沙量比多年平均值分别偏少47%和52%,口门淤积严重,河道由溯源冲刷转变为溯源淤积,河道增长、河床普遍抬高,口门逐渐南偏。1988年后采取了"截支强干、束水导流、疏浚破门、定向入海"等综合治理措施,起了一定的作用。但进入20世纪90年代,黄河来水进一步减少,再加上投入不足,整治工程不完善,一些治理措施无法实施等,使河槽淤积萎缩严重,西河口3 000 m³/s水位1994年比1985年升高1.82 m,平滩流量已由80年代初的6 000 m³/s锐减至2 600 m³/s,漫滩机遇增多。滩地横比降加大,清1至清7断面河唇高出堤根1.2～2.4 m,横比降达4%～10%,大洪水时易造成顺堤行洪甚至发生滚河等,防洪形势日趋严重。1996年汛前进行了以淤海造陆采油为主要目的的清8人工改汊,经过"96·8"洪水考验,达到了预期的目的,与前几年相比,同流量水位明显下降,局部改善了河口地区的防洪形势,取得了显著的社会经济效益。

截至1996年清8改汊前清水沟流路已行河20年,河道延长28 km,是历来行河年限最长的一条流路。分析原因主要是来水来沙偏枯,并进行了有效的河道整治和河口疏浚治理,以及有一个良好的海域容沙条件等。

1.2　清7断面附近北汊河情况

清7断面附近的北汊河是1986年6月胜利油田为淤海造陆采油,在清7断面左岸以下约500 m处,沿东北方向(与现河道夹角约90°)开挖的一条宽约100 m的引河,长2.3 km,下接一潮水沟,共长5 km,比当时原河道短约9 km,引河比降1/2 200,于年底凌汛期放水,但分流不足黄河流量的10%,1987年6月份又加深拓宽,分流逐渐增大,河道顺直,水流湍急,至9月5日实测北汊河流量已占黄河流量的48%,因怕流势摆动影响孤东油田的安全,1987年10月8～16日,将北汊河堵复。由于北汊河的影响,分汊点以下主河道淤积严重、汊道交织、沙滩较多、宽浅散乱,再加上未进行较系统的河道整治等,故在1987年12月1日清7断面以下7 km处发生插冰封河,并形成严重冰塞,卡凌壅水,3日黄河流量1 160 m³/s,水位暴涨2.6 m,4日北汊河截堵的土坝溃决,冰水从北汊河下泄,至1988年2月27日,实测北汊河过流已占黄河流量的94%,6月24日又将北汊河堵复至今。目前北汊河宽约110 m,河道弯曲,长约8 km。北汊河上游河段床面较低,滩槽高差0.8～1.0 m,平滩流量下的主槽过水面积约150 m²;下游段河槽宽浅。

2　稳定入海流路,科学掌握改汊时机

2.1　工农业发展要求流路稳定、行河年限延长

黄河三角洲石油、矿盐储量丰富,特别是胜利油田已发展成为我国第二大油田,原油年产量约 3 000 万 t。黄河三角洲的中心东营市,工农业迅猛发展,1993 年工农业总产值达 150 亿元。随着国务院把东营市列为沿海经济开放区,把黄河三角洲资源开发和环境保护列入《中国 21 世纪议程优先项目计划》,黄河三角洲将逐步建成为我国一个新的石油化工和农、牧、渔业基地。而这一宏伟目标,需要黄河入海流路相对稳定、安全及黄河水沙资源的支持。河口流路直接保护范围内的原油产量为胜利油田的一半,据油田勘探表明,仅清水沟流路入海口附近地下石油储量即达 3 706 万 t。油田的建设和生产,已投入了大量的资金,更要求黄河入海流路稳定,以保护和利于油田开采。

2.2　清 7 断面以下继续行河的可能性分析

从目前来看,推迟改汊时机是完全有可能的。

(1)1996 年汛前的清 8 改汊初步成功,不仅为浅海的垦东油田变陆上开采创造了条件,也局部改善了河口地区的防洪形势,同流量水位明显下降,对当前河口防洪较为有利。据计算,淤成垦东油田需 4～7 年。

(2)推算 1997 年西河口 10 000 m^3/s 水位为 11.12 m,距设计防洪水位尚富裕0.88 m。另外,海域条件良好,海洋动力明显强,最大潮流速已达 1.8～2.2 m/s,对增加入海沙量,减缓河道延伸率有重要作用。根据来水来沙和海域容沙情况计算分析,待垦东12 油田淤完后,原河道通过保护,仍可继续行河。

(3)1996 年 2 月国家计委对黄河入海流路治理一期工程项目作了批复,随着资金的到位,以及"百船计划"的实施,治理力度的加强,工程不断完善,河道减淤效果会更加明显。

2.3　科学掌握改汊时机是河口治理的战略措施

充分发挥现行河道的行河潜力有利于东营市和油田的发展,同时也是可能的。避免过早改走北汊 1、科学掌握改汊时机也是河口治理的一项重要战略措施。当西河口10 000 m^3/s 流量相应水位达到或接近 12.0 m 时,掌握时机实施人工改汊,才能最大限度地通过改道缩短河长,产生溯源冲刷来降低西河口的防洪水位,达到延长清水沟北汊 1 流路行河年限的目的。但是由于河口治理影响因素多、情况复杂,水沙条件及河道演变均难预测,若遇不利水沙条件,西河口可能很快达到 12.0 m,甚至超过 12.0 m,造成被动或不应有的损失。如 1992 年河门向南,一年河长延伸达 4.3 km,是 1979～1991 年平均延伸长度的 3.3 倍。因河道淤积延伸,坡降减小,溯源淤积加快,洪水位急剧抬高,凌汛 700m^3/s 流量发生漫滩,从而增加了河口及以上地区防洪负担。因此,把握改汊时机,及时采取必要的工程措施,适时进行改汊具有重要意义。

3　改走北汊 1 时机分析

根据行河年限计算,清 8 改汊及原河道还可行河十几年,但预估年限难以反映未来河口变化,改走北汊 1 的具体年份目前也难以准确确定,但确定时机应遵循和考虑以下原则

及问题：

（1）按照入海流路规划，近期控制西河口水位不超过 12.0 m，确保防洪安全。1992 年 10 月国家计委批复同意的《黄河入海流路规划报告》中明确的"相对稳定清水沟流路方案"，是在控制下泄流量 10 000 m³/s，西河口防洪水位不超过 12.0 m 的条件下，摆动顶点暂时下移至清 7 断面附近……预计清水沟流路可行河 30 年"，是今后改走北汊 1 应遵循的基本原则。1993 年又根据该规划报告制定了《黄河入海流路治理一期工程项目建议书》，国家计委于 1996 年 2 月批复同意。按此批复，西河口以下应尽快完善南北防洪堤等加固工程，保证改走北汊 1 前西河口水位不超过 12.0 m 时的防洪防凌安全。

（2）避免过早或意外改走北汊 1。北汊河比降大、流程短，目前河长比清 8 改汊后河长还短 8.6 km，比清 8 改汊前河道短 22.6 km，而且容沙海域大，海洋动力强，是现清水沟流路行河条件最好也是唯一的一条备用流路，因此把握好改汊时机就显得更加重要，但清 7 断面附近平均河底高程比北汊河底高，滩面悬差 0.5～0.7 m，有一定的横比降。而导流堤（包括原北汊河截流堤）为土质结构，抗御洪水的能力差，达不到"溢而不垮"的要求，存在黄河自行提前改走北汊河的可能，届时将打乱规划布局，造成被动。因此，必须加固该段导流堤（包括原北汊河截流坝），使之结构坚固，堤顶高程按流量 4 000 m³/s 相应水位控制，当超过 4 000 m³/s 时达到"溢而不垮"的要求，尽可能减少自行改汊的几率。

（3）继续总结河口治理经验，尽量延长清 7 以下河道行河年限。把近十几年来行之有效的"截支强干、工程导流、疏浚破门"等综合治理措施与"百船计划"相结合，完善节点工程，保持河道的稳定、顺直、通畅；强化河口治理，科学地利用海洋动力强的特点输沙入海，如适时调整入海口门的方位，使入海口门的方向更有利于借助海洋动力排沙入海等，延缓河道的延伸率。

（4）在不影响规划总的行河年限的前提下，兼顾油田的发展和滩区油田的开采。目前黄河滩地内油区众多，已开发的有孤南 24、垦东 6、红柳、新滩等油田，投资 7.5 亿元，年产原油 45 万 t，清 8 改汊即将淤出垦东 12、垦东 14 等油田，具有年产 300 万 t 以上的能力，也将在改走北汊 1 前开采。这些油田已经采取封闭式开采，应保护其防洪安全，今后再开采的油田必须采取开放式，所有采油设施及交通通讯等均应在不影响行洪条件下进行设置。以避免造成不必要的损失。

根据以上原则，同时还应注意做好来水来沙的预报，加强河势与海洋动力观测、预报和科学技术研究工作，进一步掌握河口演变规律，科学地确定改走北汊 1 的时机。

（原载于《人民黄河》1998 年第 2 期）

第二章　黄河挖河固堤的分析研究❶

1　综述

　　黄河泥沙未得到有效控制,河道淤积严重。近十几年来,进入下游的中小洪水机遇增多,受自然和人为因素的影响,河道淤积加重,且主要淤积在主槽内,致使主河槽萎缩,河道排洪能力下降,漫滩机遇增大,平滩流量由 20 世纪 80 年代以前的 6 000～8 000 m^3/s 减小到 3 000 m^3/s 左右,下游河道"二级悬河"日益加剧,见图 1～图 3。即使中常洪水也有发生横河、斜河、滚河的可能,防洪威胁及抢险与群众迁安救护安置等任务加重,防洪形势十分严峻。1996 年 8 月的第一次洪水花园口站洪峰流量仅 7 600 m^3/s,洪峰水位表现异常高,除高村、艾山、利津站以外,都是自 1855 年黄河从铜瓦厢决口改走现行河道以来(扣除花园口扒口南泛 9 年)出现的最高水位。黄河下游普遍漫滩,洪水传播时间拉长,从花园口到利津传播时间长达 369 h,约为以往正常漫滩洪水传播时间的 2 倍多。为同级洪水的 4 倍。给滩区人民群众的生命财产造成了很大威胁,使滩区农业生产遭到很大损失。特别是河南原阳、封丘、开封一线的两岸高滩大部分上了水,原阳大堤偎水 9.2 km,开封大堤偎水 17.8 km。"96·8"洪水,高村站最大洪峰流量 6 200 m^3/s,水位 63.87 m。当高村站流量为 2 300 m^3/s 时,东明滩区即漫水。山东共有 25 个县(市、区)102 个乡(镇)的黄河滩区不同程度进水,漫滩面积 7.6 万 km^2,淹没耕地 6.8 万 hm^2,倒塌房屋 92 107 间,共涉及 1 491 个自然村 89.07 万人。

　　黄河下游的断流,也加重了河道淤积。进入 20 世纪 70 年代以来,随着社会经济的飞速发展和气候的变化,在 1972～1998 年的 27 年间,黄河下游利津站有 21 年发生断流。其中 1991～1998 年连续断流,而且断流历时、长度、频次均呈增长的趋势。自 1990 年以后断流时间已由过去的春季向冬、夏季扩展,断流长度也由 20 世纪 80 年代的 180 km 增长到 90 年代的平均 460 km,1997 年断流上延到河南境内的开封柳园口,距河口 700 km,当年断流 13 次 226 d,而且主汛期断流竟达 76 d。1998 年开始断流发生在 1 月 1 日,都为历史所罕见。黄河下游频繁发生的长时间断流,不仅给下游地区用水和生态环境带来严重的影响,也加重了主槽的淤积,特别是山东窄河道,河槽萎缩日益严重,这对防洪十分不利。

　　堤身隐患较多,仍然存在溃决可能。黄河下游为地上悬河,洪水全凭两岸大堤约束。人民治黄以来,半个多世纪伏秋大汛没有决过口,洪水全部约束在两岸大堤之内下泄,使大量泥沙淤积在河道内,河床抬升速度相应加快。就同流量的相应水位而言,高村、孙口、艾山、泺口、利津五站 3 000 m^3/s 流量的相应水位 1996 年较 1958 年抬高了 2.38～3.68

---

❶　该章成文于 1999 年 3 月。

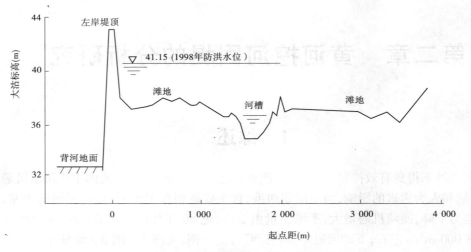

图 1　黄河下游河道齐河娄集断面

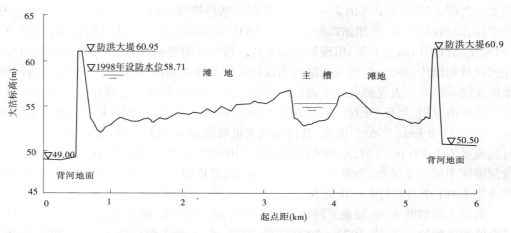

图 2　黄河下游河道鄄城大王庄断面示意图

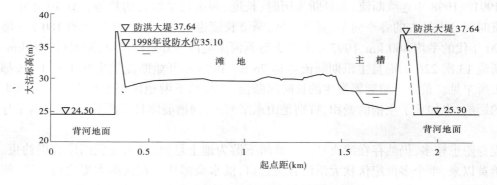

图 3　黄河下游河道济南泺口断面示意图

m,较 1976 年抬高了 1.15~1.92 m,较 1982 年抬高了 0.65~1.65 m(见表1)。为了适应河床的不断抬升和不降低设防能力,人民治黄以来对大堤进行了 3 次加高培厚,现状堤身一般高 9 m 左右,最高为 14.5 m。大堤越加越高,越高越险。随着河床的不断抬升,临背河高差也逐年增大,目前下游河道滩面一般高出背河地面 3～5 m,部分地段近 10 m。堤身的加高,临背河高差的增大,设防水位下堤身出现渗水、管涌险情的可能性也就越来越大,出现决口的可能性也越大。作为防洪屏障的黄河两岸千里临黄大堤,存在着许多险点、隐患。

表 1　山东黄河各站典型年份 3 000 m³/s 流量相应水位比较　　　　（单位:m）

水文站	1958 年	1976 年	1982 年	1996 年	1996～1958 年	1996～1976 年	1996～1982 年
高村	60.82	61.35	62.55	63.20	2.38	1.85	0.65
孙口	45.44	46.88	47.26	48.80	3.36	1.92	1.54
艾山	38.33	39.95	40.36	41.45	3.12	1.50	1.09
泺口	27.52	29.30	29.94	31.20	3.68	1.90	1.26
利津	11.08	13.10	12.60	14.25	3.17	1.15	1.65

黄河的突出特点是水流含沙量大,在今后相当长的时间内黄河仍然是一条多泥沙的河流,随着上中游农业用水的增多,下游的来水量会减少,单靠水流输送大量泥沙入海将更加困难。主河槽严重淤积的局面持续存在,下游防洪形势进一步恶化。小浪底水库建成后,可以基本消除黄河下游堤防漫决的危险,同时利用其拦沙库容可拦蓄 100 亿 t 左右的泥沙,减少下游淤积 78 亿 t 左右。根据三门峡水库的运用经验,小浪底水库拦沙运用对下游河道的减淤作用,主要发生在河南段,艾山以下窄河段的减淤作用不明显。小浪底水库也无法解决堤防强度不足、大洪水时漫滩等问题。正如 1987 年国家计委在批复小浪底水利枢纽工程设计任务时指出的,小浪底工程上马“决不能放松下游堤防的维修加固,水利主管部门要把加强现有大堤不断提高防洪能力等问题放在重要位置,不可掉以轻心”,决不能认为“有了小浪底水库,黄河下游的防洪问题就彻底解决了”。治理黄河水害,不仅要有效地控制洪水,还要妥善地处理泥沙,解决泥沙问题是治理黄河的关键,也是黄河治理的症结所在。李鹏同志在 1995 年 5 月 11 日指出:“治理黄河,关键是三个环节:上中游水土保持,修建水库,下游疏浚河道和继续加固堤防。”在对于当前急需采取的措施时讲到:当前要抓紧河道疏浚,并把疏浚河道和建设堤防结合起来。为了贯彻落实李鹏同志“挖河疏浚、淤背固堤”和水利部“百船计划”的指示,黄河下游窄河段挖河固堤启动工程已经实施,于 1998 年 6 月上旬完成。

用疏浚挖泥的方法来改善航道,在国内外都有不少成功的先例,但多限于少沙河流或港口海域。对于水少沙多、河势复杂多变的黄河,如何进行挖河疏浚,采取何种方式、在何种时机能使挖河疏浚达到明显的防洪减淤效果等,这不仅在理论上,而且在实际上都还缺乏一定的认识。另外如何在兼顾社会、经济、环境、效益条件下处理挖河泥沙也是一个非常值得研究的问题。因此,在黄河下游实施挖河疏浚,有很多关键技术问题和理论问题亟待解决。研究挖河疏浚河道是黄河泥沙治理中理论性与实践性很强的重要课题。

2　国内外研究现状

2.1　国外研究现状

利用挖河疏浚进行航道治理在国外实施较多,具有不少的研究成果和成功的范例,挖沙技术也相对成熟。如美国的密西西比河的治理,为了打通拦门沙,西南水道的早期治理始于19世纪30年代。先是单纯用链式挖泥船开辟拦门沙航道,但一遇风暴即被淤平。实践证明如不加整治而单纯依靠疏浚甚难维护拦门沙水道。后采用双导堤,导堤间筑丁坝约束水流增加流速,结合适当疏浚取得所需水深,分汊口上游左岸用丁坝群导流,增加西南水道分流量以抵消口门约束影响;水道轴线向东偏转35°,以避开洪季盐淡水混合所造成的严重淤积。经采用上述工程措施,使河口拦门沙水道水深得以维持。对疏浚泥土的处理是根据各河段不同的水流条件和土质情况,利用疏浚泥土吹填到规划吹泥区域促淤成陆或建人工岛。亦可采取与整治建筑物结合,吹填成导堤以约束水流。

从荷兰注入北海的莱茵河口,从1850年开始治理,取得的经验教训有如下几点:①河流、河口的整治必须从全局着眼,统一规划,有计划有步骤地分期分阶段付诸实施。起初荷兰河道整治工程在相当长的时期里都是从局部地方的观点出发,缺乏全局考虑,因而总是达不到目的,后制定并执行了河道整治总计划,经过半个世纪的努力,大见成效。②河流、河口的治理必须采取整治工程与疏浚相结合的方法。19世纪60年代开挖鹿特丹新水道开始在长4.5 km的水道范围内只疏浚了宽50 m、深3 m的航槽,预想通过水流冲刷自然形成所期望的尺寸,并希望沉淤在河口的泥沙会被海上潮流带走,但未能达到预期效果。1881年之后,重新采取人工措施,一方面筑丁坝,一方面疏浚新水道与河口浅滩,整治工程与疏浚相结合,才将新水道建设成功,顺利通航。20世纪60年代末,荷兰湾新港口的扩建,除建设南北堤等工程外,更需借助疏浚维持较大水深。③新水道河口的改善措施与荷兰湾新港口的扩建工程,通过一系列水工模型试验获得极为重要的科学依据和资料,充分表明模型试验是进行河口治理工程规划设计不可缺少的重要手段,为使试验能正确地模拟天然河口真况,特别是对大船航行格外重要的真实流态,自从1966年起在莱茵河口模型中考虑了盐水异重流问题。

另外,法国的塞纳河口、美国的德拉瓦河口、加拿大的圣劳伦斯河口等所进行的治理,也多是采取河道整治与疏浚相结合的方法。20世纪60年代初,国外在河口拦门沙航道疏浚已取得了较大成功,吸扬式、耙吸式和绞吸式等类型的挖泥船已广泛使用。较多的都是采用水中抛泥,将细颗粒泥沙卸入水中,航道回淤成了一个突出的问题。对此,各国有关学者都先后开展了系统的研究,诸如英国的欧文(Owen. M. W)、法国的尼奥(Mimgnior. C)均取得了不少研究成果。但这些多属于含沙量较少的河流或河口海域,挖沙范围较小,且多限于航道治理。在来沙量很大、水量较小、河势变化剧烈的黄河上,不论在挖沙疏浚技术,还是在设备,都很难完全适用,也很难定量推断在黄河进行挖沙疏浚的防洪减淤效果。

2.2　拖淤疏浚的国内研究现状

2.2.1　黄河疏浚历史的发展

采用拖淤疏浚治理河流,在我国已有近千年的历史。相传大禹治水始,即一直把疏浚作为重要的治河措施而广为采用,在秦汉时期亦有利用疏浚措施增大河道泄洪的记载。宋朝神宗熙宁六年(1073年)四月,开始设置了专门的浚淤机构——疏浚黄河司,此后陆续出现了一系列的专用浚淤工具。先有侯选官员李公义献"铁龙爪扬泥车法疏浚河道",其法为:"用铁数斤为爪形,以绳系舟尾而沉至于水,篙工急擢,乘流相继而下,一再过,水已深数尺";后有宦官黄怀信另制成"浚川耙",其法"以巨木长八尺,齿长二尺,列于木下,如耙状,以石压之,两旁系大绳,两端碇大船,相距八十步,各用滑车绞之,来去挠荡泥沙,已又移船浚……"

至元正四年(1344年)后,礼部尚书泰不华建议疏导下游及海口,置"撩清夫"、"混江龙"、"铁扫帚",为保漕运,元之贾鲁到明之白昂等,曾屡在孙家渡、涡河口、赵皮寨等设浚夫和浚船浚淤,维持分流。

明嘉靖十四年(1535年),总理河道刘天和主张用"兜勺"、"方勺"、"杏叶勺"浚浅。同年,刘天和又博采众议,创"平底方舟长柄铁耙浚河"法,疏浚济宁至徐州运道之淤。自嘉靖中期至万历初年,又有总理河道朱裳置龙爪船爬荡海口,吴桂芳用"混江龙"于桃、伏、秋汛发水时在淤浅段拖淤。

清顺治九年(1652年),采用"铁嘴子吸泥"之法,"又有铁嘴,铸铁为勺,中贯以枢,双合无缝,柄用双竹,凡遇水淤,驾船捞取,以此探入水内夹取稀淤散置船仓运行最便"。清康熙年间,靳辅创"浚船铁犁"浚河,后在乾隆、嘉庆及道光年间均推行过拖淤,并创设翻泥车锁船逼溜等,出现了"长柄泥合"、"双齿锄"、"五齿耙"、"九齿耙"、"十二齿耙"、"空心锨"、"吸耙"、"铁耙"等专用浚淤工具。

清咸丰五年(1855年),河决铜瓦厢,走现河道。同治初年,山东下游及海口淤积日重,除沿用前人成法拖淤外,光绪十一二年间(1885年、1886年间),前抚臣陈士杰、张曜先后创平头圆船,挑挖清淤,"水落则登滩挑挖,水涨则乘船淘爬"。后又利用小火轮、长龙舢板拖淤。光绪十五年(1889年),山东巡抚张曜托外国人德威尼订购法国制"铁管挖泥船"2只,"嗣在利津太平湾及天津蛮子营试验,仅能吸水不能挖泥,逐复退还"。

2.2.2　对历史上黄河疏浚的综合评述

古代拖淤方式,一是行船拖淤;二是将船固定于疏浚河段,用绳系拖具,以滑车来回绞拖。在利用水力和人力浚淤时,则于淤前段设锁船坝逼溜和在淤浅段设船用人力器具挑挖淤积物。

历史上,对浚淤黄河措施可行,用之有效的事例不少,如宋朝王安石盛言用耙之功;明朝刘天和平底方舟浚淤的效果;清朝白钟山、国太、扬一魁、张井等在黄河漫口回河中及局部浅段使用"混江龙"、"铁扫帚"浚淤成功的事例;高晋、徐端、松筠等在清口等处使用"混江龙"浚淤的成功事例。但浚淤黄河的工具和方法经试用效果不显著,因而对此类工具在黄河浚淤中的作用持怀疑或否定态度的典型事例也不少。

综观历史上浚淤措施发挥作用,是有一定条件的。一是要有较好的水流条件配合,"混江龙"等类拖具浚淤的功用,在于把河底的积淤搅起,或把水中的泥沙上下搅浑,乘水流输入下游,若水行不急,搅起的泥沙就会悬而复沉。因此,拖淤要有一定的水流动力条件,即流速和坡度要达到一定量值。二是在局部河段使用,如开直河、浚引河、堵决漫口浚故道,浚黄运交汇口及清口之淤有效,这些地方水流条件好,地段有限,以较多船只器具集中力量,疏通局部淤阻。

在黄河使用人工器具浚淤也存在着诸多问题:一是沙多,淤积时间集中,拖不胜拖,拖之有效,停则前工废之,黄河水沙大、来水来沙时间集中,一场洪水可于一段河道堆积千百万立方米,在河口,可使河口沙嘴延伸数千米,如此巨量来沙,单靠器具拖拽使之远输,力量自然单薄。二是河道流路散漫,演变迅速,变幻莫测,拖淤路线难以固定。三是沙粗,拖起的泥沙沉降快,长河段拖淤需多设浚船。四是拖淤时间问题,黄河水沙主要来自汛期,此时期拖淤最好,但这时期河道和口门的水流悍激,风浪较大,没有固定流路的情况下,船只易于搁浅,不仅拖淤困难,安全也难保障。在非汛期,水浅流缓,拖起的都是粗沙,易于沉降,拖不远。

综上所述,近千年来,作为治黄措施之一的黄河人工疏浚措施,历经数个朝代,时兴时废,在实施过程中,由于这些疏浚措施简单,动力不足,其作用极其有限,在解决局部短河段淤积并有一定的水力条件相配合的条件下才会有一定的效果。但由于受当时政治、经济和技术条件的限制,也不可能对黄河拖淤疏浚开展系统的、深入的试验研究。但是尽管如此,千百年来的黄河拖淤疏浚治理,仍为后人积累了丰富的成败经验,对条件优于从前、技术和装备都发展了的今天所开展的挖河疏浚仍具有一定的参考价值。

2.2.3　近期对黄河的疏浚治理

自 20 世纪 70 年代初期,在黄河下游开始采用简易吸泥船的方式进行以防洪保安全为目的的吸泥固堤淤背,通过多年实践,在山东、河南段均取得了一定的成功经验,但由于当时条件和经济能力所限,吸泥目的主要是固堤,没有研究吸沙抽泥对河道的影响和减淤作用等问题。因此对如何通过吸泥、挖沙改善河势,增大河道泄洪输沙能力,减少河道淤积等方面的研究,基本上属于空白状态。

20 世纪 80 年代初,为开展黄河河口治理,曾进行了挖沙疏浚、整治河口、稳定黄河入海流路的试验,包括挖除河道内河心滩,疏浚拖淤降低河床和打通拦门沙,修建导流堤,淤地技术及水沙资源的利用等,取得了较好的效果。

在黄河支流渭河河口拦门沙的治理中,20 世纪 60 年代初曾采用绞吸式挖泥船在河口段进行过挖沙疏浚,但由于技术、经济等原因,只进行了半年时间。1981 年又改用滚筒式挖泥船进行疏浚,也仅开展了几个月的时间。1986 年汛前,在汾河口以下河段,即潼关至禹门口河段,又试图用拖轮推进器冲刷方式拖泥,进行航道疏浚,但由于疏浚技术不完善,对游荡型河道疏浚问题认识不够,缺乏前期科学研究,虽然通过疏浚一时形成了所谓的航道,但很快全部淤死。总之,尽管在渭河上前后进行了 3 次挖沙疏浚,但均因一些关键技术问题没有解决,未达到挖沙疏浚的应有效果。

在"八五"国家重点科技攻关项目 85—926"黄河治理与水资源开发利用"研究中,对黄河下游艾山以下河道机淤抽沙淤背淤滩的减淤效果进行了分析,并提出了机淤抽沙对河道减淤量的计算方法。另外,还从理论上对该河段河道挖河疏浚工程断面的设计进行了初步研究,开展了对挖河疏浚的众多重大技术及理论问题的研究。

为改善黄河潼关高程近年来的淤积抬升状况,减轻因潼关高程抬升对黄河小北干流和渭河下游防洪造成的不利影响,充分发挥三门峡水库的综合效益,1996 年、1997 年在三门峡库区潼关河段开展了人工机械冲沙清淤试验,取得了一定的效果。但由于清淤规模小,作业河段有限,冲淤清淤机械不完善,以及试验时间短,有不少关键技术问题和科学问题未能深入研究。

因此,在黄河下游开展挖河疏浚工作,需对很多关键技术问题开展试验研究。

3　研究的依据

黄河下游持续淤积的原因是泥沙多,含沙量大,断面宽浅,比降不够大,且沿程减少,挟沙能力小,不足以输走来沙。黄河河槽断面宽浅,是来水来沙不均、小水持续时间长、河槽淤积严重的结果。黄河下游比降比一般大江大河大很多,但与其断面形态相配合,仍不足以输送全部来沙。挖河疏浚河道,主要表现为降低局部河床高程,从而引起断面水力要素及局部河床纵比降的改变,使河道纵向冲淤发生变化。

3.1　比降的变化

在局部河段按同一尺寸挖河后,概化挖河后水面线变化示意图见图 4,可释义为挖河后,因断面深度增加,引起挖河段以上河段的水位跌落,而且挖河深度越大,下跌将越明显。但由于挖河长度有限,加上挖河段下游河道的侵蚀基准点并未降低,挖河段下游河段的水位变化不会太大,从而也就使得挖河段的水面比降趋于调缓。而且挖河深度越大,其比降将会调整得相对越平缓,这种比降的调整机理,根据水力学理论的分析亦可得到说明。

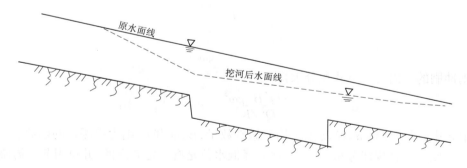

图 4　挖河后水面线变化示意图

在明渠恒定渐变流条件下,水位沿程变化的微分方程为:

$$-\frac{\mathrm{d}z}{\mathrm{d}L} = (\alpha + \xi)\frac{\mathrm{d}}{\mathrm{d}L}\left(\frac{v^2}{2g}\right) + \frac{\mathrm{d}h_f}{\mathrm{d}L} \tag{1}$$

式中,α、ξ 分别为动量修正系数和局部水头损失系数;v 为断面平均流速;z 为水位;L 为水流动距离;h_f 为水头损失。

$$\mathrm{d}h_f/\mathrm{d}L = Q^2/K^2 \tag{2}$$

式中,k 为流量模数。

对于天然冲积性平原河道,K 可写作:

$$K = B \frac{h^{5/3}}{n} \tag{3}$$

式中，n 为糙率；B 为河宽；h 为水深。

令$(\alpha + \xi) \approx 1$，将式(2)、式(3)代入式(1)，并根据水流连续方程，式(1)可写为：

$$- \frac{\mathrm{d}z}{\mathrm{d}L} = \frac{\mathrm{d}}{\mathrm{d}L}\left(\frac{Q^2}{2gB^2h^2}\right) + \frac{n^2Q^2}{B^2h^{10/3}} \tag{4}$$

若河宽沿程变化不大，同时不考虑引水影响，即流量沿程不变，则有：

$$- \frac{\mathrm{d}z}{\mathrm{d}L} = \frac{Q^2}{B^2}\left[\frac{1}{2g}\frac{\mathrm{d}}{\mathrm{d}L}\left(\frac{1}{h^2}\right) + n^2\left(\frac{1}{h^2}\right)^{5/3}\right] \tag{5}$$

$$- \mathrm{d}z/\mathrm{d}L = J = f(1/h^2) \tag{6}$$

式中，f 为某一函数。

可以看出，挖河段比降同水深的负二次方成正比，就是说随水深增加，比降会以较大的比率调平。降低水流动能和挟沙能力，在挖河段必然会发生淤积。

而在挖河段的最上端与临近河段的末端，由于河底高程不连续而发生跌水效应，水深减小，比降会以较大的比率变陡，继而引起上游河段的溯源冲刷，冲刷段水位会相应降低，水力学反映非棱柱形渠道中水深沿程变化规律的微分方程为：

$$\frac{\mathrm{d}h}{\mathrm{d}l} = \frac{i - \dfrac{Q^2}{K^2}\left(1 - \dfrac{\alpha C^2 R}{g\omega} \times \dfrac{\partial \omega}{\partial l}\right)}{1 - \dfrac{\alpha Q^2 B}{g\omega^3}} \tag{7}$$

对于挖河段可看做棱柱形渠道，$\omega = f(h)$　$\dfrac{\partial \omega}{\partial l} = 0$，从而式(7)可简化为：

$$\frac{\mathrm{d}h}{\mathrm{d}l} = \frac{i - \dfrac{Q^2}{K^2}}{1 - \dfrac{\alpha Q^2 B}{g\omega^3}} \tag{8}$$

则冲刷的距离可由下式积分求得：

$$\mathrm{d}s = \int \frac{1 - \alpha Q^2 B/g\omega^3}{i - Q^2/K^2} \times \mathrm{d}h = \int \varphi(h)\mathrm{d}h \tag{9}$$

上式中，近似地将 α、Q、g 和 i 均看做常数量，B、ω 和 K 则为水深h 的函数。

根据比降调整规律分析推知，挖河对降低水位是有一定效果的，并可引起上游临近河段的水位随之有所降低，而且在一定的水沙条件和历时下，能够保持一定的水位降落值，增加上游段的挟沙力，但同时挖河段的水面比降会大大被调平，从而减小水流动能，降低水流挟沙能力。

由分析推知，在制订开挖方案时，如果除增大过流断面面积、降低河槽高程外，还进一步增加挖河长度，对提高挖河段的水流输沙能力、减少淤积将是非常有效的。

3.2　疏浚、减淤变化

从挖河的目的来说，可以认为，挖河的减淤效果就是包括挖河段上下游一定范围的河段内，在一定时段内，较天然状态下，河道保持有较挖河前更大的泄洪能力。相当于减少了泥沙淤积量，包括净挖沙量和因水流挟沙力增大引起的溯源冲刷量。

3.2.1　减淤比

若已知挖河前后在相同水沙条件及河道工程边界条件下的河段冲淤量,则有挖河前后研究河段冲淤示意图5,其中 W_s 为挖河前段冲淤量;W_{su} 为挖河后的冲刷量(与挖河段相邻的前后河段的溯源冲刷和冲刷量);W'_{su} 为挖河后非挖河段的沿程淤积量;W_{sb} 为挖河段的回淤量;W_{sd} 为挖沙量。

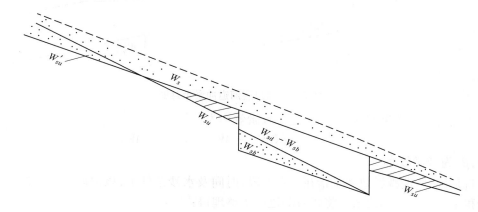

图5　挖河前后河段冲淤示意图

设挖沙减淤比为 β,则定义减淤比为:

$$\beta = (\Delta W_s - \Delta W'_s)/W_{sd} \tag{10}$$

式中,ΔW_s 为挖河前研究河段的冲淤量;$\Delta W'_s$ 为挖河后研究河段的泥沙增减量(包括因挖河后水流冲刷及挖河减少的河床泥沙量)。

由图5知

$$\Delta W_s = W_s \tag{11}$$

$$\Delta W'_s = W'_{su} + W_{sb} - W_{su} - W_{sd} \tag{12}$$

代入式(8)中,则有

$$\beta = (W_s - W'_{su} - W_{sb} + W_{su} + W_{sd})/W_{sd}$$

$$= [W_s + W_{sd} + (W_{su} - W_{sb} - W'_{su})]/W_{sd}$$

$$= 1 + [W_s + (W_{su} - W_{sb} - W'_{su})]/W_{sd} \tag{13}$$

实际上,式(13)中的 $(W_{su} - W_{sb} - W'_{su})$ 为挖河后因水流条件形成的研究河段冲淤量,设其为 W'_s,即

$$W'_s = W_{su} - (W_{sb} + W'_{su}) \tag{14}$$

式(13)可写成

$$\beta = 1 + (W_s + W'_s)/W_{sd} \tag{15}$$

在天然条件下,难以计算相同水沙条件下挖河前的河道冲淤量,因此不能直接应用式(15),可改用减淤效率了解挖河效果。

3.2.2　减淤效率

图6为挖河以后河道冲淤示意图,图中各项符号同图5。

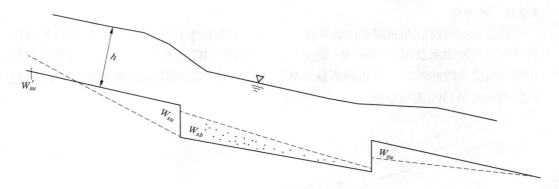

图 6 挖河以后河道冲淤示意图

由挖河减淤效果的涵义,则可定义减淤效率为:

$$\beta_s = [W_{su} + (W_{sd} - W_{sb} - W'_{su})]/W_{sd} \tag{16}$$

式中,β_s 为减淤效率。

就是说,所谓减淤效率是指在一定河段、时间及水沙条件下,该河段实际净减少的泥沙淤积量与挖河量的比值。将式(16)进一步整理得:

$$\beta_s = 1 + (W_{su} - W_{sb} - W'_{su})/W_{sd} \tag{17}$$

显见,β_s 的值可大于 1 或小于 1,当 $W_{su} > W_{sb} + W'_{su}$ 时,$\beta_s > 1$,说明包括挖沙量在内的河段总的减淤量大于挖沙量;当 $W_{su} < W_{sb} + W'_{su}$ 时,$\beta_s < 1$,说明河段总的淤积量大于减淤量;当 $W_{su} = W_{sb} + W'_{su}$ 时,$\beta_s = 1$,说明河段总的淤积量与冲刷量相等,或河段减少的泥沙淤积量就等于挖沙量。因此,减淤效率反映了分析河段的冲刷量与回淤量(包括非挖河段的淤积量)的对比程度,实际上反映了分析河段水流输沙能力的变化。

由图 6 和式(15)直观分析推知,挖河以后过水初期,挖河段与临近河段有一个回淤和溯源冲刷的调整时期,减淤效率是高的,这个调整时期将随挖河长度、挖沙量的多少而改变,一般说来,挖河段长、挖沙量大,这个调整期就长。但随着挖河段不断淤积,临近河段的冲刷逐渐减少至终止,减淤效率减小,水流输沙能力逐步降低,还会恢复到挖河前的同一水平。

3.3 回淤沿程分布特点

拟研究挖河段回淤沿程分布特点,根据河流泥沙动力学挟沙力的确切定义,及水流挟沙力公式建立的理论基础,对于浑水水流单位时间、单位流程的阻力损失为:

$$E_s = r(1 - S_v)QJ_s + r_s S_v QJ_s \tag{18}$$

式中,S_v 为体积比含沙量;r、r_s 分别为清水水流、泥沙的容重;J_s 为浑水比降;Q 为流量。

由此可知沿程能量损失率为:

$$\frac{dE_s}{dL} = rJ_s(1 - S_v)\frac{dQ}{dL} + rQ(1 - S_v)\frac{dJ_s}{dL} - rQJ_s\frac{dS_v}{dL} + r_sQJ_s\frac{dS_v}{dL} + r_sS_vJ_s\frac{dQ}{dL} + r_sS_vQ\frac{dJ_s}{dL}$$

$$= rQ\left[\frac{S_v(r_s - r) + r}{r}\frac{dJ_s}{dL} + \frac{J_sS_vQ^{-1}(r_s - r) + rJ_sQ^{-1}}{r}\frac{dQ}{dL} + J_s\frac{r_s - r}{r}\frac{dS_v}{dL}\right] \tag{19}$$

由于挖河段较短,没有引水流量沿程不变,即 $\frac{dQ}{dL} = 0$,S_v 为体积含沙量,

$S_v(r_s-r)/r$ 项值较小,舍去。根据最小能耗理论,则有:

$$J_s^{-1} \cdot \mathrm{d}J_s/\mathrm{d}L + (r_s-r)/r \cdot \mathrm{d}S_v/\mathrm{d}L = 0 \tag{20}$$

当上游河段发生溯源冲刷后,为保证较高的来沙量顺利输移,比降 J_s 向下就应有所增加,即 $\mathrm{d}J_s/\mathrm{d}L > 0$,为保证等式(20)成立,必有 $\mathrm{d}S_v/\mathrm{d}L < 0$,即含沙量沿程减小,或者说挖河段上端的淤积量较下游段的为多,因而挖河段的回淤是自上而下发展的。

3.4 断面形态的影响

艾山以下河段为弯曲型窄河道,沿河两岸多有险工坝头控制,在各险工处为窄深型主河槽,比较固定。相邻各险工之间为过渡段,各过渡段无明显窄深型主河槽,特别是近年来黄河来水量偏枯,加之沿黄引水增多致使黄河频频发生断流,河道发生严重淤积,河相关系趋于宽浅,原平滩流量为 5 000～6 000 m³/s,现下降为 2 500～3 000 m³/s,过渡段河槽一般宽 500～600 m,水流在过渡段流速变缓,挟沙能力降低,为了使过渡段主河槽的深度与相邻的上下游险工河段主河槽相适应,有利于整个主河槽排洪输沙,因此选择有关的过渡段进行挖河疏浚。

影响河道输沙排洪能力的因素是复杂的,各种因素的影响程度不同,但窄深河槽的输沙排洪能力是宽浅河槽的数倍,已被实测资料所证明。如赵文林主编的《黄河泥沙》记载了黄河下游 1977 年发生的 2 次高含沙洪水,表 2 为花园口在两次洪峰期间同流量下的断面形态变化,通过调整,宽深比减小最大近 30 倍,流速有很大增加。以两次洪水过程实测断面为基础,计算分析了断面形态调整对输沙能力的影响,结果见表 3。可以看出,随着断面形态趋于窄深,输沙能力在低含沙量时可以增大 3 倍,在高含沙量时可以增大 1.5 倍。(花园口站 $Q=5\,000$ m³/s,$J=1.95‰$,$d=0.143$ mm,水温 $=20\,℃$)

表 2　1977 年 7、8 月之间两次高含沙洪峰中花园口断面形态及流速的变化

项目		日期(月-日)					
		07-08	07-09	07-10	07-11	08-07	08-08
同流量情况	水面宽 B(m)	2 644	2 178	779	651	510	433
	平均水深 h(m)	0.86	1.01	2.57	2.90	3.50	4.00
	宽深比 B/h	3 070	2 156	3 030	224	146	108
实测流量(m³/s)		6 330	7 390	3 740	3 230	5 880	4 590
实测流速(m/s)		2.12	2.28	2.33	2.43	2.83	2.82

表 3　断面形态的变化对水流挟沙力的影响

日期(月-日)(1977 年)	河宽(m)		不同上站来沙含量(kg/m³)下水流输沙率(t/s)					
	主槽	滩地	0	100	200	350	500	600
07-08	536	2 110	105	104	173	490	1 049	1 509
07-09	798	1 382	96	95	190	637	1 197	1 662
07-10	779		190	174	343	919	1 870	2 492
07-11	651		260	205	410	1 074	2 018	2 799
08-07	510		380	265	479	1 294	2 350	3 173
08-08	423		430	296	563	1 429	2 650	3 594

4　挖河疏浚设计

　　为维持山东河段主河槽有一定的排洪能力和保证堤防的安全,有计划地开展挖河疏浚,同时结合加固堤防将是一项切实可行的战略措施。一方面,通过对主河槽的开挖,使主河槽加深加宽,以增大平滩流量,减少中小水漫滩造成的损失。另一方面,挖出的泥沙可堆放于大堤背河或填沟堵串,加固堤防,也可修筑村台,保证滩区群众安全,最终使下游达到长治久安。但由于该项工程规模浩大,需要有一个启动过程。

　　黄河尾闾于 1976 年 6 月改道清水沟流路入海以来,到 1996 年 6 月已整 20 年,清水沟流路河长由改道初期的 27 km 延伸到 65 km,共延伸 38 km,西河口设防水位也抬高了 1.12 m。为了利用黄河泥沙资源,淤填河口附近的浅海油田,变海上油田为陆上开采,减少成本,增加原油产量,也有利于黄河河口地区的防洪安全,经反复研究论证,于 1996 年 6 月在黄河尾闾清 8 断面进行了人工出汊,使入海河道改向东略偏北,改汊后流程比现行流路缩短约 14 km。1996 年 8 月河口黄河洪峰流量为 4 130 m³/s,此次洪水西河口以上河道普遍漫滩,但河口经此汊道入海没有漫滩,黄河口出现 3 000 m³/s 以上的流量达 10 d,使河槽产生了一定的溯源冲刷,溯源冲刷延伸至 6 断面,在 6 断面以下塑造了一个比较适宜的河槽形态和纵比降。

　　1998 年的挖河固堤启动工程选择朱家屋子至 6 断面(北岸大堤桩号为:临黄堤 353+950～355+000,北大堤 0+000～9+650;南岸大堤桩号:临黄堤 247+250～255+160,南防洪堤 0+000～3+750),河段长 11.0 km,开挖沙量 544.6 万 m³,该河段位于清 8 断面以下改道后溯源冲刷的上缘,通过挖沙使改道溯源冲刷加大,起到减淤作用。另外,在 6 断面以下发生回淤的河段,根据回淤情况,适当开挖疏通,开挖河段共计长 10 km,开挖土方 15.5 万 m³。开挖河段平面布置见图 7,通过开挖本河段,达到以下目的:

　　(1)对萎缩了的河槽进行开挖,使渔洼断面附近的河槽降低,河宽增加,增加主河槽的过水断面,提高利津至西河口河段的河槽排洪能力,有利于泄洪排沙入海。

　　(2)挖出来的泥沙对堤防进行加固,提高该段堤防的防洪能力。

　　(3)通过启动工程可以积累在山东河段挖沙减淤的经验,为今后大规模开展挖河固堤的工程建设创造条件。

　　挖沙河段的断面形式考虑以下因素:

　　(1)断面开挖尽量适合各种来水来沙条件,在中水流量下使之达到尽量不淤或少淤。

　　(2)开挖河段的断面过流及挟沙能力尽量与上、下游断面相适应,并应与整个河段的比降相适应。

　　(3)断面开挖还应与该河段的治理规划和即将实施的其他工程相结合,并考虑现有工程的影响。

　　主河槽挖出的泥沙分别堆放至两岸大堤背河侧,用做加固堤防。堆放区位置选择原则为:优先安排保护对象比较重要的堤段;同时对挖沙量要相对集中使用,使堆放区具有

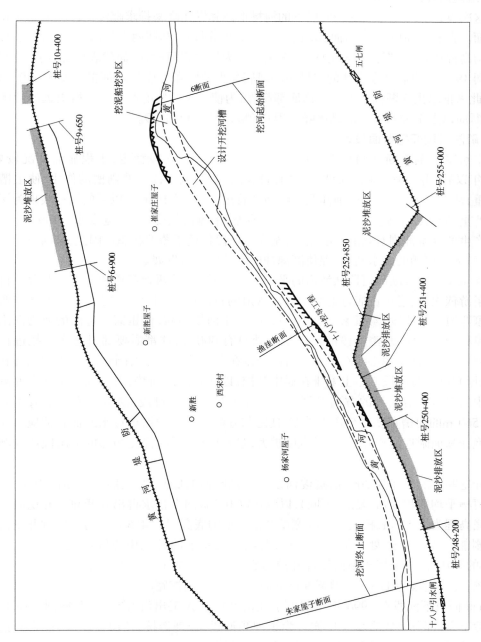

图7　黄河下游挖河固堤启动工程(朱家屋子至 6 断面)平面布置图

一定的高度和宽度,对巩固堤防、防御洪水可以起到一定的作用;尽量少占耕地、村庄,不打乱当地已有排灌系统;尽量安排距挖沙部位较近的堤段。

4.1 疏浚河段纵比降设计

这次设计考虑参考了 6 断面以下的河槽形态和纵比降来推求疏浚河段的纵比降和设计断面。在 6 断面以下,7 断面、清 1、清 2 皆是弯道断面,凸凹两岸的深度变化较大,与河槽平均高程相差大,不宜参入统计,清 3 至清 7 为较顺直河段,断面代表性好,清 3 至清 7 断面间 1996 年汛后至今实测的主槽平均河底高程的比降为 0.7‰,河槽宽度为 440～560 m,由此来推求出 6 断面的开挖断面底部高程,为使通过开挖能产生向上游更远的溯源冲刷,6 断面以上至朱家屋子的纵比降采用 0.9‰,详见图 8、图 9。

4.2 疏浚河段开挖断面设计

朱家屋子至 6 断面河段在 1986 年以前,河势一直比较稳定,工程靠溜情况较好。1986 年以后,由于来水来沙条件差,没有较大洪水,不能发挥淤滩刷槽的作用,使主槽淤积严重,从套绘的朱家屋子、渔洼及 6 断面图看出,该河段 1986 年以后的淤积表现为深槽淤积严重,同时发生贴边淤积,使过水断面萎缩,平滩流量变小,河宽变窄。1996 年汛期改汊产生的溯源冲刷对它的影响很小,至今该河段仍处于萎缩状态。因此,该河段要加深加宽,增加主河槽的过水断面,促使溯源冲刷继续向上游发展。

朱家屋子至 6 断面河段从河道的平面形态来看,涉及两处弯道和两处过渡段。自上游至下游依次为:①中古店弯道至十八户弯道的过渡段;②十八户弯道段;③十八户弯道至崔家弯道的过渡段;④崔家弯道段。目前,由于河槽萎缩,使崔家弯道段的河槽深泓线从凹岸移到了凸岸,疏浚河段的河宽最窄处只有 300 m,这都需要通过这次开挖进行解决。因此,这次开挖中心线在崔家弯道段安排在左岸(凹岸)开挖;十八户弯道段安排在右岸(凹岸)开挖;过渡段基本上安排在居中开挖,以达到理顺河势,向有利于黄河入海流路规划中的河道整治工程的方向发展。河槽宽度过窄的卡口段,则参考清 3 至清 7 河段 440～560 m 的河槽宽度进行适当扩宽,使之与 6 断面以下的河槽过水断面相适应。这样可使渔洼断面附近河槽降低,主槽宽度扩大,过水断面增加,促使相邻的上游段产生溯源冲刷。

开挖断面的底宽为 200 m,疏浚河段各开挖断面的底高程,按照清 7 断面 1996 年汛后主河槽平均高程 3 m(大沽,下同),以纵比降 0.7‰向上推求得出 6 断面的开挖后的平均槽底高程为 5.57 m,相应 200 m 宽度开挖主槽的底高程为 4.6 m。为了通过开挖使溯源冲刷能向上游更远处发展,6 断面向上至朱家屋子的开挖中心线纵比降变陡,取用 0.9‰的纵比降,朱家屋子断面设计开挖河底高程为 5.59 m。以开挖中轴线为中心向两侧开挖,开挖边坡为 1:3。主槽宽度过窄的卡口段,适当挖宽。

6 断面以下河段在 1996 年汛期由于在清 8 断面人工出汊,产生溯源冲刷。在 1996 年汛后至今,部分河段产生了回淤。为了理顺河道,合理衔接,按回淤情况,适当开挖疏通。开挖疏通河段为 6 断面至清 2 断面,从 6 断面开挖底高程 4.6 m 往下按 0.7‰比降推算各断面的开挖底高程。

6 断面至清 2 断面疏通河段长 14.5 km,开挖深度不足 0.5 m 的断面阻水作用很小,可以不进行开挖,开挖深度超过 0.5 m 的河段共计长 10 km,开挖平均宽度为 20 m。

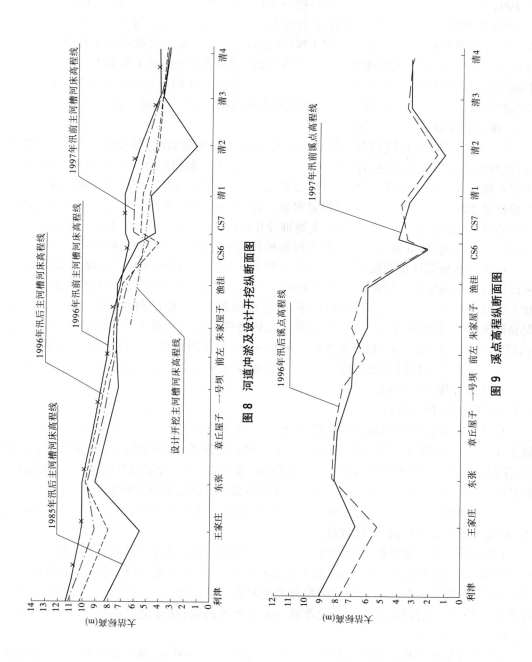

图 8 河道冲淤及设计开挖纵断面图

图 9 溪点高程纵断面图

从朱家屋子到 6 断面河段有崔家控导工程和十八户控导工程,这两处控导工程皆是黄河入海流路治理一期工程项目。崔家控导工程设计 24 道坝,工程长度 2 520 m,原计划在 1994 年兴建,1995 年完成。十八户控导工程设计 20 道坝,工程长度 2 000 m,原计划在 1996 年兴建,1997 年完成。但由于资金未能到位,当时崔家控导工程只修了 9 道坝,不能有效控制河势;十八户控导工程 1997 年还没有修建完成。这次挖河工程以扩大主槽过水能力为主,在中水流量使之达到不淤或少淤,但如果崔家控导工程和十八户控导工程不能与挖河工程同时修建,则难于改善河势,使河势向设计的治导线方向发展,遇到不利的水沙条件,河势会产生恶化,就不会达到疏浚主河槽,使之不淤或少淤的目的。

4.3 堆沙区工程设计

朱家屋子至 6 断面堤防是在原来的民埝上经多次加培而成,基础质量差,内部隐患多,堤身断面抗洪强度不足,且北岸大堤外有大片油田。根据堆沙区选择原则,在朱家屋子至 6 断面开挖河段安排三处堆沙区,总长度 10 km。南岸安排一处,总长度 6.8 km,在大堤桩号 248+200~255+000 堤段背河侧。北岸安排两处,堆沙区位于罗家屋子闸两侧大堤的背河,总长度 3.2 km,相应北大堤桩号 6+900~9+650 和 10+400~10+850。堆沙区位置详见图 7。6 断面至清 2 断面河段按开挖位置相应的堤段背河堆放。

堆沙区断面设计遵照挖河减淤、加固堤防的原则,结合该河段两岸大堤的实际情况,通过综合分析确定左右岸堆沙区宽为 100 m,堆沙体高程(含盖顶厚度)与原来的南大堤、北大堤的堤顶(即现大堤的后戗顶)相平,外边坡均为 1:3。船挖和泵挖泥沙的排放区需配套修筑围堤、格堤和排水沟。围堤顶宽 2 m,内边坡 1:2,外边坡 1:3,基础围堤高 2.5~3 m,后期围堤高 2~2.5 m。格堤每 200 m 布置一道。排水沟底宽 2 m,深 1.5 m,边坡 1:2。

为了堆沙区今后的开发和防止环境污染,堆沙区需要包边盖顶,包边垂直坡面厚度为 0.3 m,盖顶厚度为 0.5 m。

4.4 施工方法、时间设计

启动工程开挖深度内的沙质松散,约相当于疏浚土的Ⅱ类土。表层土多为轻粉质沙壤土,0.5 m 深度以下一般为沙土、轻沙壤土。根据水源条件,因地制宜,采取四种施工方法:①挖掘机挖土,自卸汽车运输;②简易式挖泥船开挖;③组合泵站开挖;④人工挖装卸,拖拉机运输。设计施工平面布置见图 10,这四种施工方法优缺点比较如下:

(1)挖掘机挖土,自卸汽车运输。优点是机动灵活,生产效率高;缺点是只能在旱地施工,对施工道路要求很高,单价较高。

(2)简易式挖泥船开挖。因为荷兰 IHC 海狸 1200 型绞吸式挖泥船要在 1998 年 5 月份才到货,6 月份才安装完成,而启动工程要求在 1998 年 6 月底完成。因此,不能采用海狸 1200 型绞吸式挖泥船。因此采用简易式挖泥船开挖,其优点是在工区内有适合作业水深条件下就可以进行作业,适宜开挖弯道存在明水的河段;缺点是设备投入高,生产效率低,不适合旱地开挖。

(3)组合泵站开挖。优点是排距远,最大排距可达 1 500 m,施工效率高;缺点是设备投资大,一次性设备投入高。

(4)人工挖装卸,拖拉机运输。优点是机动灵活,可以利用农村剩余劳动力;缺点是效率较低。

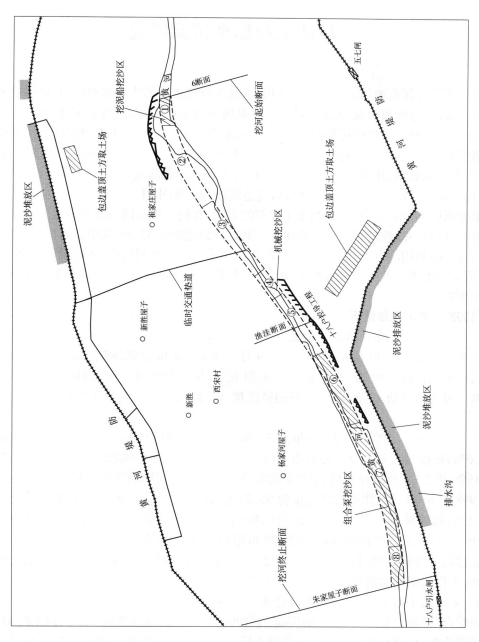

图 10　黄河下游挖河固堤工程启动工程施工平面布置图

　　启动工程计划于 1997 年 11 月 23 日开工至 1998 年 6 月 30 日完工。人工、机械开挖天数为 143 d,船挖天数 60 d。每天按 2 台班安排。

5　启动工程原型试验研究

　　为了研究挖河疏浚的减淤效果和作用,研究挖河疏浚对河势的影响作用,总结挖河疏浚施工经验,通过观测研究分析大规模挖沙对周围环境的影响,指导百船工程的顺利实施,为开展大规模挖沙提供可靠的科学依据,山东黄河河务局开展了挖河固堤启动工程原型观测项目,观测内容主要包括:河道断面观测、水文观测、床沙观测、河势变化观测、淤区观测、施工技术观测、环境影响和引水引沙资料收集等。观测范围为利津至清 6 断面(丁字路口,下同)河段,长 77.53 km。测站、河道断面布设见图 11。

　　水文测验断面的布设,尽量利用了原有的设置,在同一地点同一断面进行河道断面和水文观测,以便与以往资料对比分析研究。共布设河道断面 15 个,其中新增设十八户、五七闸两处。除利用现有利津、一号坝、西河口三个常年水位观测站外,还新设了朱家屋子、渔洼、清 6 三个水位站。为进行水文、泥沙观测,利用利津水文站,另布设朱家屋子和清 6 水文测验断面。

5.1　1998 年来水来沙情况

5.1.1　利津站 1998 年来水来沙情况

　　从表 4、表 5、表 6 可看出,1998 年 2~9 月利津站径流量为 96.85 亿 m³,占 20 世纪 90 年代同期平均径流量的 77.7%;输沙量 3.74 亿 t,占 20 世纪 90 年代同期平均输沙量的 85.6%。说明利津站 1998 年 2~9 月的径流量、输沙量偏小,径流量尤为显著,断流时间较长。

　　1998 年 2~5 月利津站的径流量为 3.580 亿 m³,占 20 世纪 90 年代同期平均径流量的 13.6%;输沙量为 0.019 2 亿 t,占 20 世纪 90 年代同期平均输沙量的 6.9%。说明利津站 1998 年 2~5 月的径流量、输沙量均较 20 世纪 90 年代同期平均值相比小得多。

　　1998 年 6~9 月利津站的径流量为 93.27 亿 m³,占 20 世纪 90 年代同期平均径流量的 94.9%;输沙量为 3.72 亿 t,占 20 世纪 90 年代同期平均输沙量的 91.0%。说明利津站 1998 年 6~9 月的径流量、输沙量较 20 世纪 90 年代同期平均值小。

　　通过以上分析说明,利津站 1998 年 2~5 月来水来沙特别小,6~9 月来水来沙较 20 世纪 90 年代同期平均值略小,年内分布不均匀。

5.1.2　朱家屋子站 1998 年来水来沙情况

　　为配合"挖河固堤启动工程"的实施,于 1998 年 4 月 23 日在朱家屋子断面下约 300 m 修筑了截流坝,直至 6 月 6 日挖河工程结束后破除。从表 4 可看出,1998 年 2~9 月朱家屋子站径流量为 90.78 亿 m³,输沙量为 3.57 亿 t。朱家屋子截流坝破除前,2~5 月径流量为 1.126 亿 m³,占 2~9 月径流量的 1.2%;截流坝破除后,6~9 月径流量为 89.66 亿 m³,占 2~9 月径流量的 98.8%。说明在 2~9 月内来水量在时间上分布不均匀。

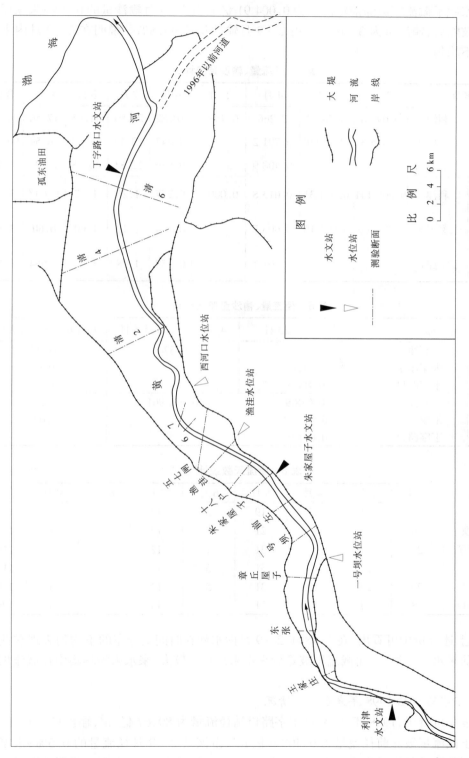

图 11 挖河固堤原型观测测站、河道断面布置图

朱家屋子截流坝破除前输沙量为 0.004 91 亿 t,占 2～9 月输沙量的 0.2%;朱家屋子截流坝破除后,输沙量为 3.56 亿 t,占 2～9 月输沙量的 99.8%。说明在 2～9 月内来沙量分布不均匀。

表 4　径流量、输沙量统计

名称		2 月	3 月	4 月	5 月	6 月	7 月	8 月	9 月	合计
径流量 (亿 m³)	利津	0.091 8	0.763 7	2.266	0.458 9	10.82	22.94	41.95	17.56	96.85
	朱家屋子	0.045 3	0.289 9	0.791 2		9.547	23.17	40.40	16.54	90.78
	丁字路口			0.408 9		9.639	22.81	40.78	16.03	89.67
输沙量 (亿 t)	利津	0.000 141	0.004 31	0.013 8	0.000 9	0.257	1.26	1.57	0.637	3.74
	朱家屋子	0.000 06	0.001 15	0.003 7		0.174	1.19	1.60	0.60	3.57
	丁字路口			0.001 1		0.157	1.28	1.60	0.654	3.69

表 5　径流量、输沙量阶段统计

名　称		1 月～4 月 23 日	4 月 23 日～6 月 5 日	6 月 6 日～9 月 3 日
径流量 (亿 m³)	利津	3.668	0.574	93.27
	朱家屋子	1.126		89.66
	丁字路口	0.408 9		89.26
输沙量 (亿 t)	利津	0.018 9	0.000 901	3.72
	朱家屋子	0.004 91		3.07
	丁字路口	0.001 06		

表 6　断流天数统计　　　　　　　　　　　　　　　(单位:d)

站名	2 月	3 月	4 月	5 月	6 月	7 月	8 月	9 月	合计
利津	26	24	12	19	3	13		6	103
一号坝	26	20	13	21	7	12		5	104
朱家屋子	26	21	14	31	1	12		5	110
渔洼	26	22	13	31	5	12		5	114
西河口	26	21	19	31	5	12		5	119
丁字路口	28	31	12	31	7	14		6	129

从上述分析中可看出,在 1998 年 2～9 月内水沙在时间上分布的不均匀表现在截流坝破除前来水来沙很小,而截流坝破除后来水来沙相对较大,来水来沙均集中在截流坝破除后。

5.1.3　丁字路口站 1998 年来水来沙情况

从表 4 可看出,1998 年 2～9 月丁字路口站径流量为 89.67 亿 m³,输沙量 3.69 亿 t。朱家屋子截流坝破除前径流量为 0.408 9 亿 m³,占该站 2～9 月径流量的 0.5%;朱家屋子截流坝破除后径流量为 89.26 亿 m³,占该站 2～9 月径流量的 99.5%,说明丁字路口水量在时间上分布不均匀,水量集中在朱家屋子破除坝后。

朱家屋子截流坝破除前输沙量为 0.001 06 亿 t,占该站 2～9 月输沙量的 0.01%;朱家屋子截流坝破除后输沙量为 3.69 亿 t,占该站 2～9 月输沙量的 99%。说明丁字路口站来沙在时间上分布不均匀,沙量几乎全部集中在截流坝破除后。

通过以上分析说明了丁字路口站 1998 年来水来沙在时空分布上不均匀,绝大部分水、沙集中在截流坝破除后。

5.2　水文要素的变化

5.2.1　水位变化

挖河工程结束后,朱家屋子截流坝于 6 月 6 日破除,利津站 6 月 6～19 日最高水位 12.61 m,相应流量 745 m³/s,随后流量增大到 1 100 m³/s,相应水位为 12.53 m。朱家屋子站最高水位为 8.75 m,相应流量 375 m³/s,随后流量增大至 955 m³/s,相应水位还是 8.75 m。从以上可以看出,挖沙固堤启动工程在朱家屋子站截流坝破除、挖沙河段恢复过流后,挖沙河段以上水位下降趋势比较明显。

因朱家屋子站仅有 1998 年流量资料,选取利津站和丁字路口站 1996 年和 1998 年汛前实测的水位—流量资料进行对比,可以看出,1998 年汛前两站同流量水位均成下降趋势,利津站相应于 900 m³/s 流量的水位,1996 年为 12.66 m,1998 年为 12.54 m 下降了 0.12 m;丁字路口站相应于 700 m³/s 的水位,1996 年为 4.56 m,1998 年为 4.11 m,下降了 0.45 m(该站受 1996 年清 8 改汊溯源冲刷和 1998 年挖河固堤启动工程两方面的影响)。可以看出,挖河结束并破除朱家屋子截流坝后,挖河河段及其上下游河段同流量水位均有不同程度的降低,并且越向下游同流量水位下降越明显。

1998 年黄河第一号洪峰于 7 月通过河口地区,根据"98·7"洪水水情分析,受 1996 年河口地区人工改汊及 1998 年河口挖沙共同影响,利津站水位表现较低,2 500 m³/s 水位和 3 000 m³/s 水位分别为 13.52 m、13.82 m,2 500 m³/s 水位与"96·8"洪水相比,偏低 0.30 m,3 000 m³/s 水位与"96·8"洪水相比,偏低 0.47 m。丁字路口站水位降低更加明显,2 500 m³/s 水位为 5.24 m,与"96·8"洪水相比偏低 0.60 m,见表 7～表 9。

表 7　利津(三)站历年同流量年平均水位　　　　　　　　(单位:m)

年份	1 000 m³/s	2 000 m³/s	3 000 m³/s
1990	11.91	12.65	13.11
1991	12.11	12.74	13.30
1992	12.38	13.00	13.40
1993	12.53	13.32	13.88
1994	12.65	13.29	14.01
1995	12.91	13.44	13.96
1996	12.74	13.46	14.13
1997	利津站 2 月 7 日开始断流,计 13 次 226 d,进入河口地区的水量很少		
1998	12.32	13.12	13.82

表 8　丁字路口站历年同流量下水位　　　　　　　　（单位：m）

年份	1 000 m³/s	2 000 m³/s	3 000 m³/s
1990			
1991	5.29	5.32	5.63
1992	5.48	5.62	5.73
1993	5.63	5.95	6.20
1994	5.43	5.74	6.14
1995	5.73	6.04	6.30
1996	4.86	5.72	6.10
1997			
1998	4.18	4.75	5.35

表 9　西河口水位站 1998 年同流量下水位对比　　　　　（单位：m）

时间（月-日）	1 000 m³/s	时间（月-日）	2 000 m³/s
07-14	7.67	07-19	8.45
07-26	7.53	07-23	8.39
08-06	7.52	08-20	8.30
08-14	7.47	08-21	8.22

　　表 10、表 11 是挖河河段及其上下游河段各站 1 000 m³/s 流量和 2 000 m³/s 流量水位变化表，从中可以看出：各站 1 000 m³/s 流量水位在挖河结束后一个月内均有不同程度的降低，其中降低程度最明显的为挖河河段内的渔洼水位站和挖河河段下游的西河口水位站，渔洼水位站降低 0.28 m，西河口水位站降低 0.44 m。虽然离挖河河段较远的利津和丁字路口站水位降低的幅度较小，但仍说明挖河工程降低同流量水位的作用能影响到该处。8 月份以后，由于挖河河段回淤的影响，挖河河段水位开始抬升，其上下游河段虽继续下降，但下降幅度已有较大减小。

表 10　1998 年河口河段 1 000 m³/s 水位变化比较　　　　　（单位：m）

月份	利津		一号坝		朱家屋子		渔洼		西河口		丁字路口	
	水位	差值	水位	差值	水位	差值	水位	差值	水位	差值	水位	差值
6	12.54	−0.09	9.78	0.01	8.81	−0.04	8.32	−0.28	8.04	−0.44	4.34	−0.01
7	12.45	−0.08	9.79	−0.04	8.77	−0.01	8.04	0.09	7.60	−0.10	4.33	0.06
8	12.37		9.75		8.76		8.13		7.50		4.39	
9	12.36	−0.01	9.91	0.16	8.88	0.12	8.16	0.03	7.61	0.11	4.34	−0.05

表 11 1998 年河口河段 2 000 m³/s 水位变化比较 (单位:m)

月份	利津		一号坝		朱家屋子		渔洼		西河口		丁字路口	
	水位	差值	水位	差值	水位	差值	水位	差值	水位	差值	水位	差值
6												
7	13.25		10.53		9.49		8.80		8.42		4.82	
		−0.21		−0.13		−0.03		−0.03		−0.07		0.07
8	13.04		10.40		9.46		8.77		8.35		4.89	
9	13.14	0.10	10.53	0.13	9.53	0.07	8.80	0.03	8.28	−0.07	4.84	−0.05

2 000 m³/s 流量水位的变化与 1 000 m³/s 流量水位的变化相类似,8 月份利津及其以下各站水位均较 7 月份有不同程度的降低,降低幅度最大的是利津站,降低了 0.21 m,降低的幅度上大下小。9 月份以后,同样由于挖河河段回淤的影响,水位开始抬升,但挖河河段以下由于发生冲刷,同流量水位继续降低。

以上分析看出,"挖河固堤启动工程"的实施,降低了挖河河段河床,并使上下游河段发生冲刷,起到了降低同流量水位的作用。水位变化的趋势是:挖河结束后,同流量水位降低,然后随着挖河河段的回淤而逐渐抬升或者减小水位降低幅度。

5.2.2 河底比降变化

利津以下河底比降变化如表 12 所示,其变化主要发生在朱家屋子截流坝破除前后。破坝前,利津至朱家屋子河段河底比降为 0.86‰,6 断面以下至清 6 河段为 1.22‰;朱家屋子截流坝破除后,利津至朱家屋子河段比降略有增大,增大 0.04‰,朱家屋子以下河段减缓,朱家屋子至 6 断面减缓最大,减缓幅度达 0.21‰,6 断面以下基本没有发生变化。

表 12 利津以下河底比降变化

时间(月-日)	河底比降(‰)			
	利津至朱家屋子	朱家屋子至 6 断面	6 断面至清 6	利津至清 6
05-11	0.86	0.71	1.22	0.98
06-19	0.90	0.50	1.23	0.97
07-30	0.86	0.51	1.22	0.96
08-20	0.86	0.90	1.08	0.95
09-23	0.83	0.60	1.19	0.94

进入 7 月份以后,随着黄河 1998 年第一号洪峰进入河口地区,河底比降受洪水及挖河启动工程实施的共同影响,河床纵剖面在进行平衡调整过程中逐渐降低。利津至朱家屋子河段由于挖河河段上游的冲刷,河底比降由 7 月 30 日的 0.86‰减小至 9 月 23 日的 0.83‰;朱家屋子至 6 断面河段,由于泥沙回淤,河底比降有所增大,由 7 月 30 日的 0.51‰增大至 9 月 23 日的 0.60‰;6 断面以下河段由 7 月 30 日的 1.22‰减小至 9 月 23 日的 1.19‰;整个测验河段利津至清 6 河段,河底比降由 7 月 30 日的 0.96‰减小至 9 月 23 日的 0.94‰。说明了挖沙河段上游冲刷较大、下游冲刷较小。河底比降的变化情况基

本与该河段的冲淤变化相对应,即河底比降的变化也反映出了该河段由于"挖河固堤启动工程"的实施,产生了挖沙河段回淤,而其上下游河段发生溯源和沿程冲刷的变化情况,但挖沙河段上游冲刷较大、下游冲刷较小。

5.3 河道冲淤变化

"挖河固堤启动工程"实施以来,为监测其作用效果,在挖河固堤工程开挖河段及其上下游河段15个河道断面共进行了10次河道断面测验,按挖河河段所处的位置,将整个测验河段划分为三个河段(即利津至朱家屋子、朱家屋子至6断面、6断面至清6断面)。同时结合测验时间又将其分为五个时段进行分析,其中6月4~20日为第一时段,6月20日~7月6日为第二时段,7月6~30日为第三时段,7月30日~8月22日为第四时段,8月22日~9月25日为第五时段。各个时段的冲淤情况见表13、表14。

表 13 利津至清 6 断面冲淤量及冲淤厚度统计

时段 (月-日)	利津至朱家屋子		朱家屋子至 6 断面		6 断面至清 6		利津至清 6	
	冲淤体积 (万 m³)	冲淤厚度 (m)	冲淤体积 (万 m³)	冲淤厚度 (m)	冲淤体积 (万 m³)	冲淤厚度 (m)	冲淤体积 (万 m³)	冲淤厚度 (m)
06-04~06-20	− 523	− 0.18	307	0.23	− 363	− 0.06	− 579	− 0.07
06-20~07-06	535	0.18	9.9	0.007	456	0.07	1 003	0.09
07-06~07-30	− 0.47	0	104	0.08	− 213	− 0.04	− 109	− 0.01
07-30~08-22	− 43.6	− 0.02	− 44.8	− 0.03	160	0.03	71.5	0.007
08-22~09-25	21.6	0.007	8.6	0.006	− 86.5	− 0.02	− 56.3	− 0.006
06-04~09-25	− 11	− 0.004	385	0.29	− 46	− 0.01	330.2	0.02

表 14 利津至清 6 断面冲淤深度变化　　　　　　　　　　(单位:m)

断面	时段(月-日)				
	06-04~06-20	06-04~07-06	06-04~07-30	06-04~08-20	06-04~09-25
利津	− 0.07	0.04	− 0.12	− 0.10	− 0.14
王家庄	− 1.29	− 1.31	− 0.36	− 0.57	− 0.26
东张	0	0.05	0.09	0.10	0
章丘屋子	− 0.04	0.06	0.07	0.04	0.04
一号坝	0.14	0.17	0.21	0.27	0.17
前左	− 0.05	− 0.08	− 0.01	0.03	0.02
朱家屋子	− 0.20	− 0.23	− 0.11	− 0.09	− 0.03
十八户	0.23	0.24	0.25	0.28	0.26
渔洼	0.19	0.20	0.30	0.36	0.29
五七闸	0.34	0.31	0.43	0.42	0.34
6 断面	0.03	0.16	0.11	− 0.30	0.09
7 断面	− 0.05	0.02	− 0.08	− 0.04	− 0.11
清 2	− 0.14	0.01	− 0.12	− 0.01	− 0.04
清 4	− 0.05	0	0.06	0.03	0.04
清 6	0.02	0.06	0.10	0.14	0.17

利用 5 月 11~19 日(朱家屋子截流坝破坝前,其中挖沙河段为 6 月 4 日测量)及 6 月 13~20 日(朱家屋子截流坝破坝后)两次大断面测验作为第一时段,通过实测资料比较,从中可以看出,利津至朱家屋子河段,除一号坝断面淤高 0.14 m 外,其余断面均为冲刷,该河段为冲刷河段,平均冲刷 0.18 m,累计冲刷体积为 523 万 m³。该河段的最大冲刷值发生在王家庄断面,平均冲刷 1.29 m,该断面位于河道弯顶处,右岸为一边滩,受水流泥沙变化影响较大,因此冲刷较大。从表 13 中明显可以看出,前左至朱家屋子河段冲刷幅度上小下大,有明显的溯源冲刷之势。该河段距朱家屋子截流坝及挖沙河段较近,截流坝破除后,由于下游河道侵蚀基面的降低及下泄水量的逐渐加大,产生该河段的溯源冲刷。

朱家屋子至 6 断面为本次开挖河段,该河段过水后产生明显淤积,平均淤积厚度为 0.23 m,并且淤积强度自上而下减小,具有沿程淤积性质,累计淤积量为 307 万 m³。6 断面以下河段为冲刷河段,6 断面至清 6 河段平均冲刷深度为 0.06 m,累计冲刷量为 363 万 m³。造成这种现象的主要原因是下泄泥沙大量沉积在该河段以上的开挖河段内,下泄水流含沙量降低,并且泥沙颗粒较细,造成开挖河段以下普遍冲刷。

总的看来,该河段除了挖河河段略有淤积外,其余河段均为冲刷,累计冲刷量为 578 万 m³。此阶段为河口段冲淤演变最为剧烈的阶段。通过对 6~9 月实测资料综合分析可以看出:"挖河固堤启动工程"结束后至 9 月 23 日,利津至朱家屋子河段累计冲刷 11 万 m³,冲刷厚度 0.004 m,冲刷强度为 0.3 万 m³/km;朱家屋子至 6 断面河段(开挖河段)淤积,共淤积 385 万 m³,淤积量小于开挖量,淤积厚度 0.29 m,淤积强度为 35.3 万 m³/km;6 断面至清 6 河段,除清 6 断面外其余断面普遍略有冲刷或不冲不淤,合计冲刷了 46 万 m³。整个测验河段累计淤积 328 万 m³。

从利津以下河道横断面比较图 12~图 15 还可以看出,挖沙河段及上下游断面在经历了回淤(冲刷)→微淤(微冲)→基本冲淤平衡后,河槽断面主槽仍保持一定的深度,保持一定的河道断面形态,这都说明"挖河固堤启动工程"实施后,有利于下游输水输沙。

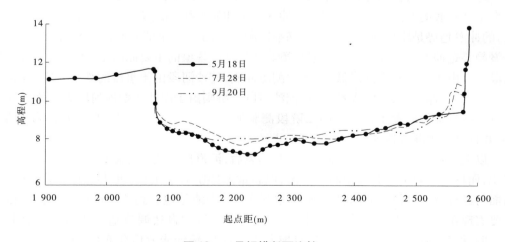

图 12　一号坝横断面比较

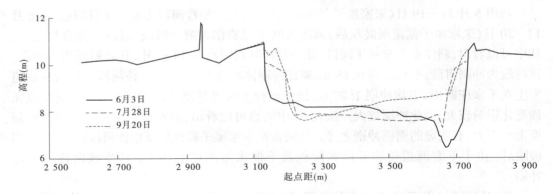

图 13　朱家屋子横断面比较

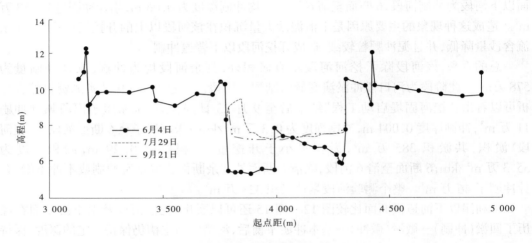

图 14　五七闸横断面比较

通过对实测资料的分析,还可以看出,利津至朱家屋子河段(挖河以上河段)从挖河结束至 9 月底的冲淤趋势是冲刷→微冲→基本冲淤平衡,朱家屋子至 6 断面河段(挖河河段)的冲淤趋势是剧烈回淤→微淤→基本冲淤平衡,6 断面至清 6 断面(挖河以下河段)的冲淤趋势是冲刷→微冲→基本冲淤平衡。产生这种现象的主要原因是:挖沙结束后,挖沙河段上游由于侵蚀基面的降低,而产生溯源冲刷,挖沙河段由于水流的跌水效应使该河段水深增加,流速减缓,泥沙大量落淤,挖沙河段下游则由于泥沙在挖沙河段大量落淤后,使水流含沙量降低而发生冲刷。第二阶段测验河段淤积严重的原因主要是该阶段水量较小,并且又发生断流造成的。

以上分析表明:“挖河固堤启动工程”结束后,河道冲淤变化的总趋势是挖沙河段普遍淤积,而挖沙河段上下游河段时冲时淤,但总量上冲刷大于淤积,可从挖河河道开挖前纵断面与经过近一个汛期后的纵断面比较(见图 16)中清楚地看到这一点;挖沙河段的淤积主要表现在挖河结束后的第一个月内,以后经过河道的自然调节基本达到了冲淤平衡。这说明“挖河固堤启动工程”的实施对加大河道输水、输沙能力具有重要作用。

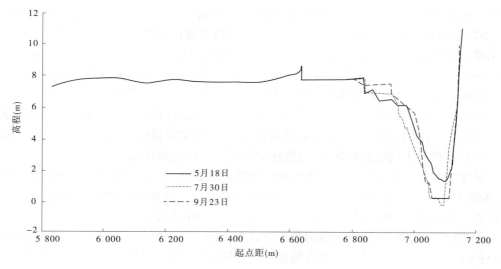

图 15　清 2 横断面比较

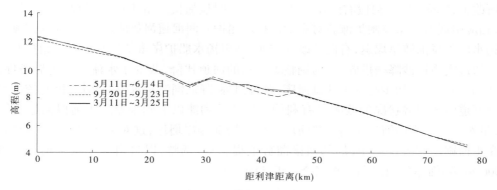

图 16　利津以下河道本底测验与汛后纵断面

5.4　河势变化

1997 年冬～1998 年实施的挖河固堤工程,朱家屋子至 6 断面从河道的平面形态来看,涉及两处弯道和两处过渡段。自上而下依次为:①中古店弯道至十八户弯道的过渡段;②十八户弯道段;③十八户弯道至崔家弯道的过渡段;④崔家弯道段。由于河槽萎缩,使崔家弯河段的河槽深泓线从凹岸移到了凸岸。这次开挖中心线在崔家弯道段安排在左岸(凹岸)开挖;十八户弯道段安排在右岸(凹岸)开挖;过渡段基本上安排在居中开挖,以达理顺河势,向有利于黄河入海流路规划中的河道整治工程的方向发展。虽然挖河设计时考虑了调整河势这一因素,但由于崔家控导上延工程(设计 24 道坝,1994 年完成 9 道坝)和十八户控导下延工程(设计 20 道坝,1996 年前只完成 6 道坝),未能与挖河同时修建,因此没有充分发挥挖河与整治工程共同改善河势的作用。挖河河段初始过流期来水较小时(大河流量 1 000 m³/s 以下),主溜基本沿新挖河槽行进,对挖河段上下河道未产生明显影响。随着河道来水增大(大河流量 1 000～3 000 m³/s 时)挖河河段主溜发生了变化,朱家屋子至十八户段主溜较设计挖河主槽外移,十八户护滩 3# ～6# 坝着边溜,十八户工程以下滩桩 157＋000～161＋000 主溜明显偏右,偏离了新挖主槽。由于挖河纵比降的调整,加之持续相对较大的来水,河槽冲刷较深,以致引起挖河段上下部分河道河势发生一定调整。变化较大的有王庄险工、宁海护滩溜势下延,纪冯险工溜势上提,造成滩桩 131＋000～134＋745 右滩岸坍塌宽 5～60 m,相应右岸 130＋500～132＋800 淤嫩沙嘴宽 30～100 m。挖河段东大堤附近 163＋500～164＋500 左滩岸坍塌宽 51～150 m,右岸 163＋400～164＋500 淤滩宽 70～100 m。1998 年挖河设计目的之一是通过挖河来改善十八户至崔家河段的河势,但从实际情况来看,小水时水流沿新挖河槽行走,当来水较大时,在工程控制措施不到位的情况下,河势还是恢复到挖河前的状况。

　　从挖河河段恢复过流后的多次查勘情况综合来看,由于受 1996 年河口地区人工改汊及 1998 年河口挖沙共同影响,特别是通过对淤积严重河段采取挖槽降河措施,人为调整了河道主槽比降,对河口河道河势产生了影响,初步分析如下:

　　实施挖河对西河口附近河段河势改善是有作用的。从挖河河段河势情况看,虽然十八户护滩以下河势较原设计挖河主槽相比变化较大(主要原因是缺乏同步实施整治工程措施,说明挖河应与整治相结合,才能得到较好的效果),但是崔家护滩工程靠溜情况还是有所改善,6 断面以下河段右滩岸今年坍塌发展明显加快。由于崔家工程控溜态势的改善,相应引起右岸苇改闸护滩斜对岸油田扬水船护岸间河道河势的调整,苇改闸护滩和油田扬水船护岸前滩岸塌退,有向苇改闸护滩、油田扬水船护岸重新恢复靠溜的趋势发展。

　　通过实施挖沙降槽措施,人为调整了不利的河道比降,改变了水流纵向边界条件,溯源冲刷上延明显,初步起到了冲刷河床、改善河势、降低同流量水位的作用,因此挖沙对河口段河道整体河势状况的改善是有利的。挖沙后利津以下到朱家屋子河段河道主槽刷深,虽然萎缩严重的河道主槽某些河段出现了局部滩岸坍塌,这对河势没有大的影响,因为在主槽刷深发展过程中,局部河段溜势上提、下延调整,以致引起小水主槽(3 000～4 000 m³/s)滩岸的坍塌和淤积完全是正常的。

6　物理模型试验研究

　　为了验证启动工程挖河规划方案在防洪减淤、降低水位方面的合理性,并进一步研究和探索较佳的挖河方案,根据《黄河下游挖沙疏浚淤背固堤启动工程可行性研究报告》和《黄河治理百船工程可行性研究报告》的规划意见,专门开展了黄河山东窄河段河道治理"百船工程"启动阶段的动床模型试验研究,模拟河段为利津至西河口,模型实际长度为利津至清 7 断面,模型长 105 m,主槽平均宽度 1～1.5 m,以利津作为模型进口条件的控制断面,尾门水位按西河口水位控制,模型的水平比尺为 500,垂直比尺 55,流速比尺 7.4,糙率比尺 0.65,沉速比尺 1.41,悬移质泥沙粒径比尺 1.0,床沙粒径比尺 2.5,启动流速比尺 7.13～7.7,扬动流速比尺 7.03～7.59,含沙量比尺 3.5,河床变形时间比尺 40;模型平均水深 1.8～10 cm,平均流速 0.108～0.4 m/s,主槽糙率 0.013～0.021 5,床沙中径 0.025～0.03 mm,悬移质泥沙中值粒径 0.017～0.02 m;考虑到挖沙是在汛前或汛后的小水期和断流期间进行的,因此选用了利津站"92·8"洪水过程,1992 年汛前实测地形为边界条件和利津站 1988 年 10～11 月的实测概化流量过程作为非汛期水沙条件,以 1998 年汛后实测断面作为初始地形,对模型进行了验证试验。试验的水沙条件及地形条件为:以 1997 年汛后地形作为河床初始边界条件,按启动工程确定的 200 m×2.5 m 方案开挖断面,施放 1995 年 10 月 9～28 日非汛期水沙过程(400 m³/s<Q<1 000 m³/s);在上述试验后的地形基础上,施放 1993 年汛期概化水沙过程。为对比分析挖河效果,试验共设计两大组次,即"不开挖组次"和"开挖组次",每个组次中又分别分两个水沙组次。试验测验的主要内容有:①开挖前的河势、水位、大断面尺寸;②挖通后在试验水沙条件下的沿程含沙量、水位、断面形态及尺寸等。

6.1 试验初步分析结果

6.1.1 水位

本河段挖河的目的之一是使渔洼断面附近的河槽降低,增加主河槽的过水断面,降低水位,提高利津至西河口河段的排洪能力。

6.1.1.1 水位升降特点

图 17～图 19 为各断面在非汛期试验水沙条件下开挖前后水位流量关系。可以看出,挖河后同流量下的水位自章丘屋子至西河口以上近 27 km 的范围内,较挖河前均有下降,各断面的下降幅度不同,而且规律亦有差异。挖河段的水位降幅与流量大小有关,随流量增加,水位降幅减小;在非挖河段水位降幅与流量大小关系不大,在 380～900 m³/s 的流量级范围内,水位下降值基本上为一常数,但距挖河终点朱家屋子断面越远,下降值越小,到东张断面,同流量下的水位与挖河前的已基本相同。从章丘屋子至前左,水位降幅为 0.07～0.55 m。

同样,点绘 1993 年汛期试验水沙条件下挖河前后各断面的水位流量关系(见图 20～图 22),显见,与非汛期的有所不同,无论是挖河段还是其上游非挖河段,对同一断面来说,其水位下降幅度与流量关系不大,基本为一常数。这主要是因为在大流量时,由于前期的回淤,水流已漫开挖槽沿,槽沿以上的河道边界与开挖前的相同,因此挖河前后的水位涨率(单位流量下的水位涨幅)也就基本一样。较挖河前,1993 年汛期水沙条件下,挖河段同流量的水位降幅为 0～0.29 m,上游未挖河段的降幅在 0.1～0.32 m 之间。

为分析水位降落的沿程变化规律,图 23～图 25 分别点绘了非汛期 $Q=600$ m³/s 流量下及汛期水沙条件下的断面水位降落值 Δz 与距挖河起始段面(CS6 断面)长度 L 的关系。可以看出,无论是非汛期还是汛期,水位降幅随 L 的增加具有相同的变化规律,即随 L 增加,水位降幅 Δz 增大,当 L 达到一定值时,水位降幅达到最大,但随后距离 L 越长,水位降幅则随之减少。对比图 19 和图 20,水位降落的断面由非汛期至汛期,逐渐上移,非汛期水位降落最大的是朱家屋子河段,为 0.7 m 左右;汛期水位降落最大的在章丘屋子至前左河段,为 0.3 m 左右。在汛期,挖河段的水位降落幅度较非汛期已有明显减小,即水位已抬升,如朱家屋子水位抬升了约 0.4 m,四段抬升了约 0.3 m。

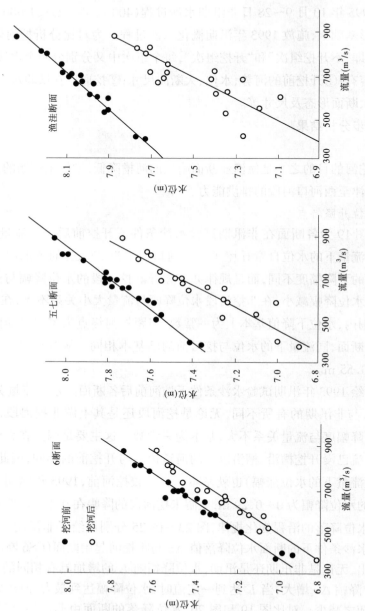

图 17　6 断面、五七断面、渔洼断面在非汛期条件下挖河前后水位流量关系

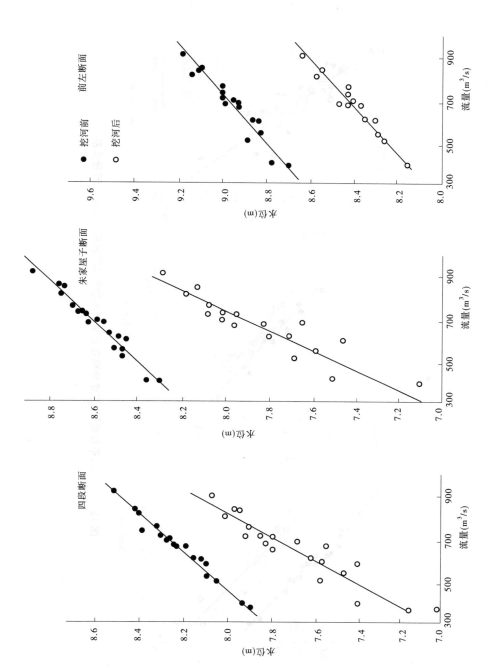

图 18　四段、朱家屋子、前左断面在非汛期水沙条件下挖河前后水位流量关系

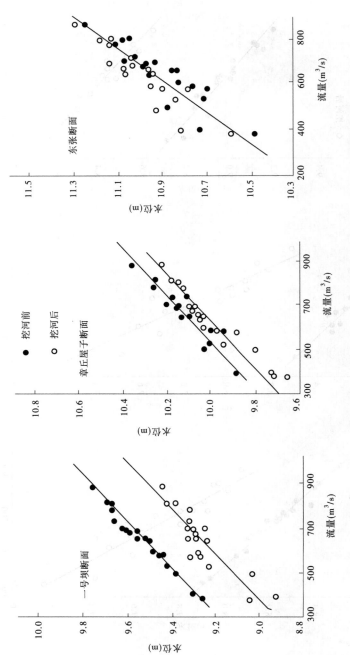

图 19　一号坝、章丘屋子、东张断面在非汛期水沙条件下挖河前后水位流量关系

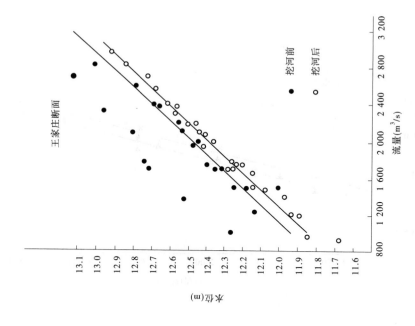

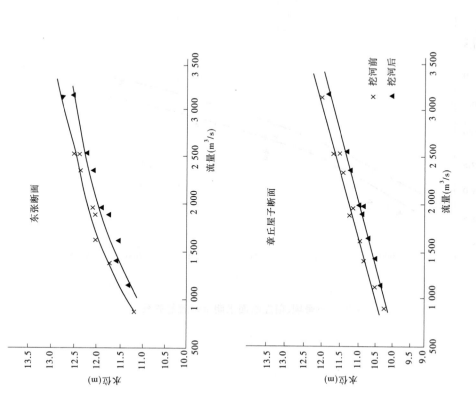

图 20　王家庄、东张、章丘屋子断面汛期水位流量关系

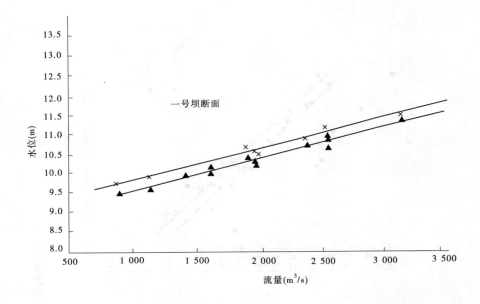

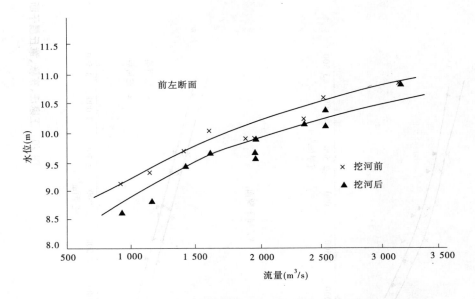

图 21　一号坝、前左断面汛期水位流量关系

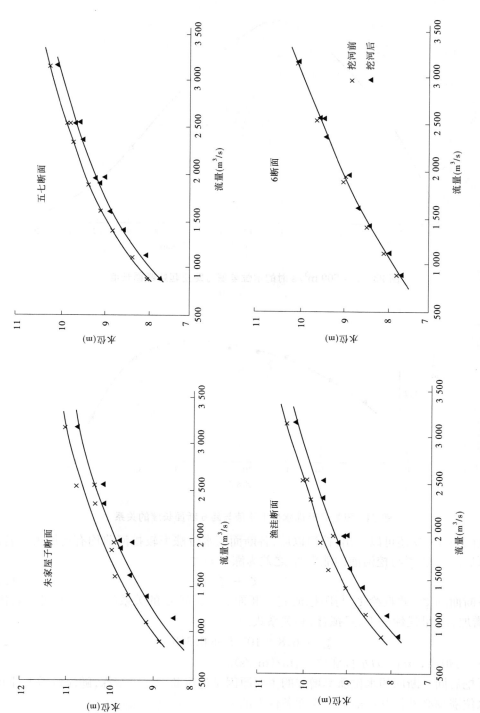

图 22　挖河段各断面汛期水位流量关系

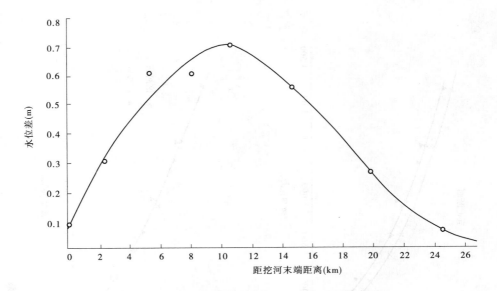

图 23　$Q = 600\ \mathrm{m}^3/\mathrm{s}$ 时的水位差值与距挖起始断面长度

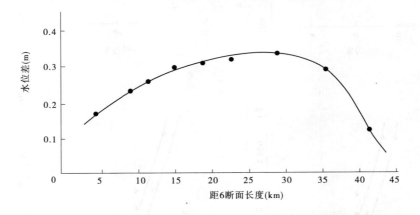

图 24　汛期各断面水位下降值与距 6 断面长度的关系

从图17、图 18还可以看出,挖河以后,各断面的水位涨率较挖河前均有所增大。若定义挖河后的涨率 ζ' 与挖河前的涨率 ζ_0 之差为涨率差 ζ_z,即

$$\zeta_z = \zeta' - \zeta_0 \tag{21}$$

统计各断面的 ζ_z,并点绘 ζ_z 与距挖河起始断面CS6 长度 L 的关系(见图 24),可以看出,随 L 增加,ζ_z 呈线性增大,经拟合,其关系式为:

$$\zeta_z = 6.8 \times 10^{-5} L + 0.368 \tag{22}$$

式中,L 为距离,m;ζ_z 为水位涨率差,m/(m³/s)。

开挖后同一断面的水位涨率增加的主要原因是过流断面变得窄深,随流量增大,同流量的水位涨幅必然较开挖前宽浅断面条件下的大。

6.1.1.2　比降变化的情况

图26、图 27分别为试验组次下开挖前后的水面线。可以看出,在过流初期,开挖断面

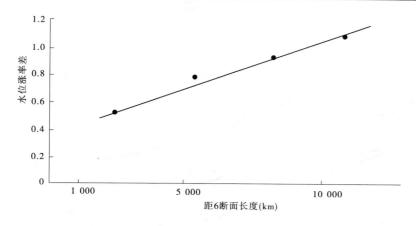

图 25　挖河后涨率差与距 6 断面长度的关系

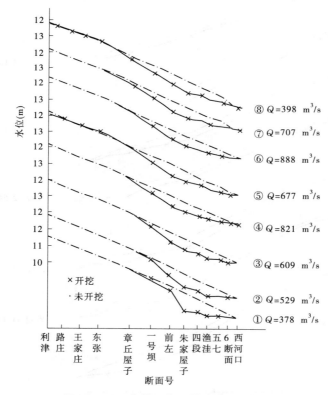

图 26　1995 年非汛期开挖前后同流量水面线

的水位明显降低,水面比降大大调平,由原来的 1.09‰降为 0.30‰左右,至汛期初始流量时恢复到 0.53‰,洪峰期为 0.60‰。自洪峰后,比降明显调陡,为 0.90‰。应说明的是,由于试验技术要求,西河口水位系按挖河前原型水位控制,因此该断面水位的升降不受挖河的影响。

　　挖河后,过流初期水面比降调平的主要原因是,因断面深度增加,引起挖河段以上河段的水位跌落,而且挖河深度越大,下跌越明显。但由于挖河长度有限,加上挖河段上游

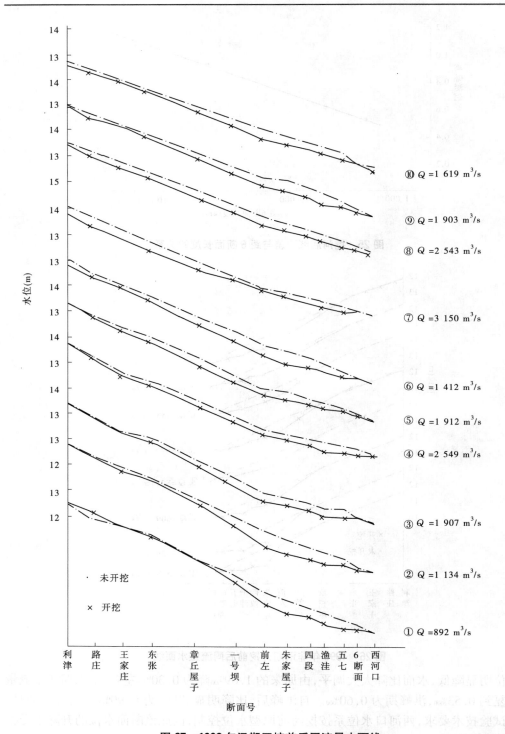

图 27　1993 年汛期开挖前后同流量水面线

河道的侵蚀基准点并未降低,挖河段下游河段的水位变化不会太大,从而也就使得挖河段的水面比降趋于调缓。而且挖河深度越大,其比降将会调整得相对越平缓。

6.1.2　河道冲淤变化

表 15 为非汛期、汛期试验水沙条件下,利津至西河口河段挖沙前的沿程冲淤量,全河段淤积总量为 410.22 万 m^3,其中非汛期淤积 27.04 万 m^3,汛期淤积 383.18 万 m^3。淤积主要集中在朱家屋子以上,约占全河段的 92.05%。在非汛期,前左以下河段发生冲刷,冲刷量约为 120.21 万 m^3。在汛期,除王家庄以上发生冲刷 81.84 万 m^3 外,王家庄以下河段全为淤积,淤积量为 465.02 万 m^3。

表 15　挖河前利津至西河口冲淤量

断面	断面间距 (km)	非汛期冲淤量 (万 m^3)	汛期冲淤量 (万 m^3)	累积冲淤量 (万 m^3)
利津				
王家庄	9.14	-16.88	-81.84	-98.72
CS11	1.6	8.08	16.64	-74.00
东张	4.38	26.06	80.37	32.43
章丘屋子	6.64	54.78	62.42	149.63
一号坝	5.73	63.32	63.60	276.55
前左	4.10	11.89	30.34	318.78
朱家屋子	3.76	-5.83	64.67	377.62
渔洼	5.58	-53.85	107.69	431.46
CS6	5.31	-60.53	39.29	410.22

表 16 为挖河以后,在试验水沙条件下利津至西河口河段的冲淤分布情况。挖河以前,河床冲淤分布发生较大变化。在非汛期,挖河段以上发生溯源冲刷,冲刷范围由朱家屋子至东张河段,长约 18.4 km,冲刷量 224.62 万 m^3。在汛期,第一个洪峰期,溯源冲刷河段转冲为淤,回淤至王家庄,淤积量 84.73 万 m^3,王家庄以上仍发生冲刷,其量为 53.42 万 m^3;在第二次洪水过后,冲刷向下游有所发展,基本至章丘屋子断面,冲刷量约 85.24 万 m^3。

由表 16 可见,不论是非汛期还是汛期,挖河段均是淤积的,即均处于回淤状态,总回淤量约为 358.52 万 m^3,其中非汛期回淤 120.69 万 m^3,汛期回淤 237.83 万 m^3,后者回淤量明显比前者的大,约为 2 倍。

6.2　减淤效果分析

从挖河的目的来说,可以认为,挖河的减淤效果就是包括挖河段上下游一定范围的河段内,在一定时段内,较天然状态下河道减少的泥沙淤积量,包括净挖沙量和因水流挟沙力增大引起的溯源冲刷量。由表 15、表 16 计算可知,挖河前利津至 CS6 的总淤积量为 410.22 万 m^3,挖河以后,则减少了 174.83 万 m^3,就是说,挖河以后淤积量减少约 40%。另外,就挖河段来说,挖河前淤积 32.6 万 m^3,挖河后回淤了 358.52 万 m^3,较挖河沙量 550 万 m^3 来说,还有 191.48 万 m^3 未淤回,所以,挖河段实际减少量为 224.08 万 m^3。将表 15、表 16 的有关数据代入式(13)可知:

$$\beta = 1 + \frac{410.22 - 235.39}{550} = 1.32$$

表 16 挖河后利津至西河口冲淤量

断面	断面间距 (km)	非汛期冲淤量 (万 m³)	汛期冲淤量 (万 m³)	累积冲淤量 (万 m³)
利津				
CS11	10.74	81.35	−107.28	−25.93
东张	4.38	27.38	7.22	8.67
章丘屋子	6.64	−1.99	−4.98	1.70
一号坝	5.73	−30.37	8.02	−20.65
前左	4.10	−95.12	28.70	−87.07
朱家屋子	2.66	−97.14	61.08	−123.13
四段	2.18	38.53	69.26	−15.34
渔洼	3.04	31.31	58.06	74.03
五七	2.86	28.31	72.65	174.99
CS6	2.45	22.54	37.86	235.39

这就是说,开挖 1 m³ 泥沙,约可使分析河段减少 1.32 m³ 泥沙。就挖沙河段而言,根据表 15、表 16 可求得其减淤比 β_d 为:

$$\beta_d = 1 + \frac{32.60 - 358.52}{550} = 0.4$$

这就是说,对于挖河段,挖 2.5 m³ 泥沙,可减淤 1 m³ 泥沙。根据挖河目的所确定的预期治理有效河段,由表 16 和式(15)可计算出利津至 CS6 河段在试验水沙条件下的减淤效率,见表 17。可以看出,挖河以后,在放水初期的非汛期减淤效率较高为 0.99,但至汛期,减淤效率逐渐减小,回淤量不断增大。在第二次洪水末,挖沙河段的回淤量已达 358.52 万 m³,和挖河前全河段的淤积量 410.22 万 m³ 基本接近,约为挖沙量 550 万 m³ 的 65%,其减淤效率在 0.8 左右。

表 17 利津至 CS6 断面挖沙减淤效率

试验水沙条件	溯源冲刷量 (万 m³)	挖沙河段回淤量 (万 m³)	非挖河段淤积量 (万 m³)	减淤效率 β_s
非汛期	224.62	120.69	108.73	0.99
第一次洪水	53.42	92.62	84.73	0.77
第二次洪水	85.24	145.21	46.69	0.80

6.3　河势情况

将未开挖时非汛期初始流量下的河势与开挖后汛末流量级下的河势套绘在一起,可以看出,两者主流线走势已基本接近,但两者河宽具有差异。尽管前者流量($Q = 579$ m³/s)小于后者($Q = 1\,619$ m³/s),但是,在挖河段两者河宽基本相同,在非挖河段后者的河宽却小于前者。由此也表明了挖河后横断面较挖河前变得较为窄深。

从挖河前后汛期末相同流量级的河势对比来看,随着挖河段的回淤发展,河势已趋于原状,河宽也与挖河前的基本接近。但崔家工程着溜面较前有所增加。同时,朱家屋子以上各工程的靠溜状况较前均有所改善,如中古店、东坝、王家庄等均可靠至大边溜。利津至王庄险工河段的河宽较前有所变窄。

综上所述,挖河以后,河势较前发生变化,挖河段主流基本按开挖线路行进,使工程着溜面扩大,控导作用有所加强。同时,上游段河势在一定范围内也有所调整。总体来说,工程的靠河情况较前有所改善。但随着回淤的发展,河势趋向原状发展,河面展宽,个别区段主流偏移开挖河槽线路。河势的这种调整是与横断面形态调整相对应的,随深泓区的调整而变化。

6.4　横断面形态的调整

横断面形态可以用宽深比 ξ 表示,即

$$\xi = \frac{B^{0.5}}{H} \tag{23}$$

式中,B 和 H 分别为断面平均宽度和平均水深。

ξ 越大,断面相对越宽浅,反之,则相对越窄深。根据研究,在平滩情况下,宽深比越小,过流能力相对越大,因此河道断面宽深比的调整也反映出了河道过流能力的变化。图 28、图 29 为不同断面挖河前后在同流量下的宽深比 ξ。由此可见,在试验初期及末期,挖河段开挖以后,同流量下的 ξ 较开挖前的均明显减小,尤其朱家屋子断面减小最多,约为 5 m$^{0.5}$/m 左右。但在汛期过后,宽深比又有所增大,如朱家屋子断面较开挖前 ξ 仅小 1 m$^{0.5}$/m 左右。总之,挖河以后,开挖河段断面进一步趋于窄深,经试验水沙系列后,仍较开挖前为小,但随回淤发展有所回升。

对于非开挖段,从一号坝断面来看,断面宽深比 ξ 基本没有变化,开挖前后的点据分布在同一曲线带上。统计一号坝断面、前左断面在平滩下的 $B^{0.5}/H$(见表 18),一号坝断面的 $B^{0.5}/H$ 仍基本未变,但距挖河段较近的前左断面的则有所减小,汛末较非汛期初减小 1 m$^{0.5}$/m 左右。这说明,挖河以后,对上游河段来说。仅在一定范围的河段内横断面才有调整,因溯源冲刷,断面较前变得相对窄深。

总之,通过挖河有利于河道横断面进一步趋于窄深方向的发展。

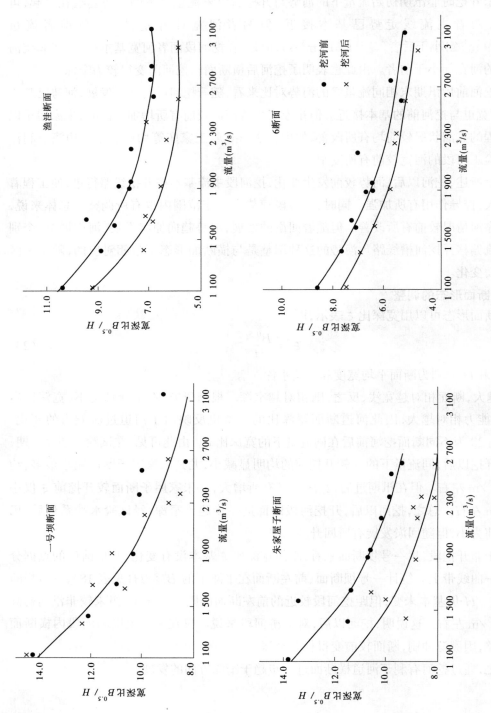

图 28　汛期断面宽深比 $B^{0.5}/H$ 与流量 Q 的关系

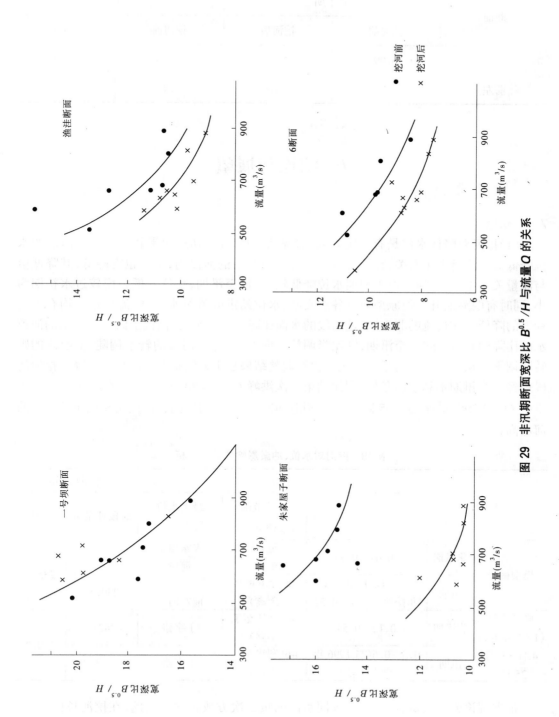

图 29　非汛期断面宽深比 $B^{0.5}/H$ 与流量 Q 的关系

表 18 非开挖段平滩下断面宽深比

断面	非汛期		汛期	
	挖河前	挖河后	挖河前	挖河后
一号坝	6.99	6.70	7.78	7.00
前左	8.23	5.89	8.44	7.03

7 结论与展望

7.1 结论

(1)挖河对降低水位是有一定效果的(见表 19),过水初期效果较明显。挖河段的水位降低值与流量大小有关,在挖河段上下游一定范围的河段内,水位也有降低,其降低值与流量关系不大,挖河段过水初期水位降低较大,但至汛期,水位降低幅度较过水初期为小,同时有明显回升。但原型观测各水文站、水位站洪峰流量水位,同流量水位均有不同程度的降低。在过流的非汛期,挖河段的水面比降大大调平,挖河段上游一定范围的河道水面比降则有所调陡。至汛期,则比降调整方向相反,即挖河段的转平调陡,上游段的则转陡调平。从水面比降的整个变化过程看调整结果趋于天然状态下的自然比降。挖河河段虽经一个汛期不利水沙条件(利津站第一次洪峰 $Q = 2\,480\ \mathrm{m^3/s}$, $S = 76\ \mathrm{kg/m^3}$;第二次洪峰 $Q = 3\,200\ \mathrm{m^3/s}$, $S = 65\ \mathrm{kg/m^3}$)的塑造和回淤,但其河底高程仍然明显低于开挖前的河底高程。

表 19 挖河对水位、冲淤影响的综合分析

项目		水位			冲淤量(万 m³)	
		降低值 (m)	影响范围 (km)	最大水位 降低地点	时段冲淤量	总计
模型试验	非汛期	0.07~0.7	27(至 6 断面距离)	朱家屋子河段	4.8	235.4
	汛期	挖河段 0~0.29; 非挖河段 0.1~0.32	45(至 6 断面距离)	章丘屋子至前左河段	230.59	
原型观测 (1998 年 6 月 4 日~9 月 25 日)	非汛期	0.12~0.54	46(利津至丁字路)	丁字路	424	330.2
	汛期	0.3~0.6(与 1996 年洪水比较)	46(利津至丁字路)	丁字路	-93.8	

根据理论分析及试验论证,比降同水深的负二次方成正比。因此,在挖河长度有限、沿程挖河深度基本相同的情况下,水面比降必然调平,水流动能减小,造成挖河段易于淤

积的不利局面。

(2)挖河后在一定时段内,有一定的减淤效果。减淤效果主要表现为挖河段以上的溯源冲刷,而挖河段一直处于淤积状态。但整个观测河段具有减缓河道淤积、加大河道输水输沙能力的作用。

(3)挖河以后,河势较前有所变化,挖河段主流基本按开挖线路进行。同时,上游段河势在一定范围内有所调整。总体来说,工程的靠河情况较前有所改善。但随着回淤的发展,个别区段主流偏移开挖河槽线路。在不增加工程控制的情况下,河势会逐渐恢复至未开挖前的状况。

(4)在挖河河段及其上游邻近河段的横断面形态较前变得相对窄深,同流量下的断面宽深比减小,但随着回淤发展,挖河段的断面宽深比逐渐转而增大。

由于时间及条件所限,本研究的结论仅仅是在特定的两种试验水沙条件及河床边界条件下的试验结果,以及 1998 年 6 月 4 日～9 月 25 日较短的原型观测情况的初步结果,由于黄河水沙条件、河床演变的复杂性,今后需要更多的水沙条件下进行方案的试验研究和原型观测,以选择效果更好的挖河方案,为进一步开展的黄河挖河固堤的生产实践提供科学依据。

7.2　展望

(1)如何尽可能减少挖河段的回淤量及回淤速率,是今后需要加大力度研究的问题。根据对实测资料、试验及理论分析,挖河断面大小、挖河深度及挖河长度、挖河比降对回淤都有一定影响。研究和探讨回淤量较小、淤积速度较慢、适合黄河不同来水来沙情况的挖河河槽的几何参数,是很有意义的。

(2)如何尽可能增加溯源冲刷长度和溯源冲刷量,这是提高挖河减淤效率的关键。测验和试验表明,挖河减淤效果主要表现为挖河段以上河段的溯源冲刷量,那么,挖河断面形状、大小及长度,挖河段比降等因素对溯源冲刷有何影响,需要继续进行研究。研究在挖沙量一定的条件下,如何使挖河断面面积与挖河长度达到一个最优组合,使平面布置、河槽形态与来水来沙条件相适应,力求使回淤量相对最少、溯源冲刷量相对最大。

(3)从挖河模型试验和原型观测河段河势情况分析比较看,过水初期主流基本按挖河线路行走,但随着回淤发展,主流线逐渐偏移挖河线路,经过一个汛期,河势基本恢复到原状。仅靠挖河达到改善河势的目的是难以达到的。挖河只是一种疏浚河道,稳定、改善河势的辅助手段。河势的调整改善还应以整治工程措施为主,下步挖河应与河道整治措施紧密配合,才会更有效地控制和改善河势,以提高挖河的效果。

(4)河道侵蚀基准面对河道的比降、排洪排沙能力影响极大,挖河措施与河口口门疏浚治理结合起来,有利于泥沙输送入海,效果会更好。挖河是从主槽纵向和横向改变水流边界条件,达到冲刷河床、降低水位、增大排洪排沙能力的一种治河措施。新挖主河槽边界条件的演变,特别是河道纵比降的调整,还受制于黄河口门诸多因素的影响,特别是口门延伸,拦门沙发育等引起侵蚀基准面的变化,将上延传递到挖河河段,直接影响挖河工程的作用和效果。因此,研究河口口门的疏浚治理与挖河的有机结合,显得十分重要。

第三章　工程管理

工程管理在水利基础产业中的地位^❶

　　1991 年,全国人大通过的《国民经济和社会发展十年规划和第八个五年计划纲要》中指出:"要把水利作为国民经济的基础产业,放在重要战略地位";中共中央十三届八中全会通过的《关于进一步加强农业和农村工作的决定》指出:"水利是农业的命脉,是国民经济和社会发展的基础产业。兴修水利是治国兴邦的百年大计"。党和国家的决策,进一步明确了水利在社会主义现代化建设中,在国民经济和社会发展中的重要作用。

　　工程管理工作在水利基础产业中处于什么位置,为巩固和发展水利基础产业应如何发挥作用,等等,这些问题需要我们从事工程管理工作的同志进行思考和探讨。

1　几个概念问题

1.1　基础产业及其特性

　　同类企业或事业单位的集合,称为产业。

　　为其他产业提供基本的生产资料、生产条件,并为全社会服务的产业为基础产业。

　　基础产业是国民经济的根基产业,在国民经济中具有战略地位,是不可替代的,它的发展影响着国民经济全局和长远的发展。其他产业对基础产业有很大的乃至绝对的依赖性,基础产业制约着其他产业的发展,也制约着社会生活的发展,是必须优先或超前发展的产业。如果基础产业滞后、薄弱,必然拖国民经济的后腿。基础产业的建设是长期的,也是艰巨的。

　　水利作为基础产业,它还具有自己的鲜明特征:

　　(1)水利管理的复杂性。水是在其流域内的河系中流动的。如何处理上下游、左右岸、地区与地区、部门与部门之间对水的不同需要关系,怎样处理水利与水害、丰水与枯水、供水与发电、当前与长远以及地表水与地下水、水质净化与污染等各方面的关系,是非常复杂的管理工作。在各个历史时期,不同的社会,不同的地域,都与政治有密切联系。通常都是由各级政府部门实行强有力的行政干预和推动,并对其负责。水利产业既受市场无形的支配,也受政治有形的支配。

　　(2)水利产业服务的多样性。水利具有除害兴利的综合性和服务的多样性,它包括防

---

　　❶　该文写于 1992 年 5 月。

洪、除涝、灌溉、供水、水力发电、航运、水产、防潮等。这种服务的多样性是面向全社会的，为每一个社会成员服务。因此，需要全面规划，统筹安排，兼顾各地区、各行业、各单位的需要，注重优化调度，发挥综合效益。

（3）资源的不确定性。水利产业的生产和再生过程，受自然因素制约，具有明显的不确定性。如年来水量的不同，直接制约和影响供水能力和经济效益；洪水的频率和洪峰、洪量的不同，直接影响到工程安全和社会安定。

（4）效益的不均衡性。以发电和供水为主的水利工程，经济效益比较明显，而以防洪除涝为主的水利工程，以往人们看社会属性多，看经济属性少，防洪社会效益显著，但工程本身没有多少经济效益，缺乏更新和技术改造资金，致使工程失修、老化，效益衰减。这就加剧了水利产业内部的不均衡性和经营管理的难度。

（5）水利产业功能的不同一性。首先是职能上的不同一性。水利是基础产业，又是基础设施；水利部门既是代表国家执行《水法》的水行政主管部门，又是为社会提供商品水和水电的产业部门。其次是收支上的不平衡性。水利在国民经济的大循环中收大于支，效益巨大，但在水利产业内部的小循环中却入不敷出，难以为继。再次是水利工程的投资、建设、管理、受益四者之间的不同一性。

1.2　工程管理和水利基础产业主体的关系

工程管理，就是运用技术措施以及经济、行政、法制等手段，对工程进行维修养护和保护，保证工程安全运用，充分发挥效益，以达到对水资源调节控制、开发利用，为国民经济、人民生活、生态环境、社会发展全面服务的目的。概括讲即安全、效益、综合经营。

为发展国民经济和提高人民生活提供产品或服务的手段为基础产业的主体。如水利工程及其运行管理系统是水利基础产业的主体。水利工程从规划设计到建成运用、发挥效益，都要经过规划设计、建设、管理运用三个阶段。规划设计的任务，是以工程建设项目为对象，论证项目兴建的迫切性与现实性，进一步明确工程任务和规模，落实各项工程措施和具体技术问题，拟定工程运行管理原则，为工程施工提供依据。工程建设阶段，是通过资金投入，建成水利基础设施，为社会提供产品或服务手段的形成阶段。管理运用阶段，承担着工程长期正常运行、发挥其应有作用的阶段，实现工程规划设计目标，并收到经济的、社会的、环境的效益。回顾山东黄河工程建设与管理运用的历史，充分证明管理运用阶段是实现水利基础产业目标和作用的重要阶段。自1946年人民治黄以来，对黄河进行了大规模的治理与开发，三次加高帮宽大堤和对险工加高改建，修建河道整治工程和引黄灌溉工程，为防洪保安全奠定了物质基础，形成了初具规模的防洪体系和供水体系。为维护工程完整，保持其抗洪强度，治黄工作者和沿黄广大人民群众，做了大量的管理工作。年年对工程进行定期或不定期维修养护，使工程处于良好的安全运行状态，从而保证了连续45年黄河伏秋大汛岁岁安澜，扭转了历史上黄河三年两决口的险恶局面，保护了黄河下游两岸人民生命财产的安全。引黄供水使沿黄两岸2 500多万亩农田得到灌溉，在连年大旱的情况下，夺得了大丰收。还为胜利油田、沿黄城镇及滨海地区的工业和生活用水提供了水源，并向南四湖、潍坊、青岛、淄博、天津远距离送水，创造了巨大的经济效益和社会效益。

2　更新观念、统一认识，发展水利基础产业

我国在国民经济和社会发展的十年规划、"八五"计划中，都强调了水利基础产业的地位，要求加强加快它的发展。但过去我们对此认识和思想准备不足，实际工作与产业地位的要求存有差距，表现为：一是重建设、轻管理。搞水利基建工程争项目、赶进度的积极性很高，但为工程投产以后的管理创造应有的条件考虑不够。工程建成后，管理条件差，维修经费严重缺乏，致使水利工程失修、老化，效益衰减加快。二是不讲究投入产出、核算经济效益。受益者对水利部门提出要求多，却很少或不愿承担经济责任，国家规定应收的费用不能如期按量收缴，工程管理部门经费无着或紧缺，严重影响正常管理工作的开展，甚至造成管理队伍不稳。三是缺乏商品经济观念和明确的产权意识，没有把水利固定资产（大堤、险工、控导工程等）作为基本的生产要素认真加以经营管理。如地方部门在黄河上架设以盈利为目的的浮桥，都是以投放多少舟桥、船只或其他建桥材料作为参入股，按比例分取利润，从未把车辆通过的黄河大堤、码头使用的河道工程（这些黄河的固定资产）作为浮桥营运的参入股。黄河管理部门有的也缺少产权意识，不去争取应得的收益，甚至连最基本的工程维修养护费也收不起来，对国家给予的政策没有用好用足。因此，我们要更新观念，统一以下认识：

（1）树立产业观念，增强产权意识。40多年来，黄河建设的投入以国家为主、集体和个人投劳为辅，取得了巨大的防洪减灾社会效益，但水利产业内部（黄河部门）经济效益很小。为改变这一状况，应使黄河已建的防洪工程，在为国民经济发展提供安全保障的同时，更多地参与社会经济服务活动。

（2）拓宽服务视野，加强服务功能。水利不仅是农业的命脉，同时对国民经济各部门的生产发展和人民生活都具有必需而不可替代的作用。山东省水资源紧缺状况制约着工农业生产发展和对外开放，更多和更有效地利用黄河水，是缓解这一矛盾的途径。同时引黄涵闸管理部门供水收取水费也解决了经费紧张的局面。引用黄河水处理泥沙需占用很多耕地，清淤量大，渠道两侧沙化，危害生态环境，处理不善还将淤塞排水河道。因此，可结合淤背固堤，向用水部门提供不含沙的黄河水，并提高相应的水费，使供水与用水部门双赢。

（3）搞好工程管理和综合经营。水利作为基础产业，必须讲究经济效益，提高自我良性运行能力。要认真贯彻执行国家的有关政策，把水费、堤防养护费、堤防维修管理费、河道采沙等费用收好收足。利用自身所拥有的人力和水、土资源以及水利季节性和随机性的特点，因地制宜，发挥优势，搞好工程管理和综合经营；增加收入，改善职工生活，做到以经营促管理，以管理促工程安全和效益。

（4）加强水政，搞好依法治水、依法管水。当前要大力宣传贯彻《水法》、《河道管理条例》以及《山东省黄河工程管理办法》等水法规，进一步提高广大职工的社会主义法律意识和民主意识，建立良好的水利法制秩序。同时，建立水法规、水管理和水利执法三个体系，加强水利法制建设，转变职能，切实履行水行政主管部门的职责，提高依法行政、依法管理和违法处置的能力。

（5）加强水利基础产业经济理论研究。几十年来，水利一直被认为是附属在农业领域

里"除害兴利"的一个行业,在产业划分中无水利独立产业地位。20世纪90年代伊始,把水利作为国民经济的基础产业,放在了重要的战略地位,人们头脑中还有许多与之不相适应的思想观念,有不少问题需要研究探讨。如水利工程经济、水利产业生产力和生产关系、工程管理在水利基础产业中的地位和巩固发展水利基础产业的作用,以及水利产业与整个国民经济各部门的关系等问题,都需要我们水利战线,特别是从事工程管理的干部职工,认真学习和研究,提高认识、统一思想、更新观念,促进水利基础产业的发展。

山东黄河堤坝的侵蚀因素与草皮防护

　　黄河下游堤坝工程,在水流、风、人类活动等外界环境因素作用下,易遭受侵蚀,不但损坏工程完整,而且降低工程的抗洪强度。对黄河堤坝侵蚀因素进行探索和研究,并采取相应的防护措施,是黄河工程管理工作的重要课题。

1　黄河堤坝的侵蚀因素

　　黄河下游堤坝土壤侵蚀大多发生在堤顶和斜坡表土层。据分析研究,工程表层土质不好和裸露面积较多,是工程易遭受侵蚀的内在因素;雨水冲击、地表径流以及风吹、冻融等是工程遭受侵蚀的外界因素。堤坝工程的侵蚀通常是多种因素共同作用的结果。

1.1　坡度

　　在内部因素不变的情况下,如果坡面越陡,雨水径流速度就越大;坡面越长,径流量就越大,从而土壤也就容易被侵蚀。

1.2　堤身土质

　　黄河大堤堤身多为沙壤土,外部用凝聚力较大的粘土包边盖顶,厚度一般为0.2~0.3 m。包边盖顶质量较好的堤段,防护工程草皮生长旺盛,表土裸露少,不易遭受侵蚀;反之,包边盖顶所用土质不纯,沙性较大,草皮长不起来,表土裸露面积大,就容易遭受侵蚀。随着时间的推移,由于日晒风化及植物根叶腐殖质增多,包边盖顶的粘土的性质也会发生变化,团粒间的凝聚力衰减,受侵蚀的可能性增大。

1.3　气候

　　山东黄河地处北温带,属季风性气候。黄河走向为西南—东北向,河口段比上游段寒冷。堤坝土壤在冬季冻胀,春季融化。当屡遭冻融后,极易引起重力侵蚀和土壤流失。大堤坡向不同,土壤侵蚀量也有差异。朝阳面冬季土壤结冰层薄,解冻早,草皮返青快,生长季节光照充足,长势旺盛,坡面覆盖严密,土壤侵蚀量少;相反,背阴面冬季土壤结冰层厚,春季解冻晚,草皮返青慢,生长季节光照不够充足,长势不如朝阳面,覆盖率低,春季风蚀、夏季降雨侵蚀均较严重。

1.4　降雨与植被

　　当雨水直接降落到表土时,雨滴的力量把表土搅乱,使土粒随径流而流失。草皮具有覆盖表土、缓冲水滴冲击、连结土壤团粒的功能。草皮覆盖率较高的坡面,具有很强的保水能力,起着涵养水源、控制地表径流、防止水土流失等重要作用。试验证明,在雨水打击受到阻遏的区域。其泥土流失量只有裸露地的 0.5%～1%。

1.5 风

黄河大堤高于周围地面,表土遭风蚀严重。特别在冬季,土壤含水量较低,加之草类已枯萎,在 3 m/s 的风速条件下,散离的表土全部被吹离。表土的运动方式,一是沿表面滑动,二是跳跃运动,三是浮游运动。若堤肩两侧各有 0.5～1.0 m 宽的草带,每年则可滞留约 10 cm 高或更多的表土,可见生物对土壤的防护作用。

2　山东黄河堤坝工程的草皮防护

多年来,在山东黄河堤防采用了以种植葛芭草为主的生物防护措施,固土防冲作用显著。由于不能适时更新复壮,原有草皮自然老化、退化,草皮覆盖率下降。据 1991 年春季调查,山东黄河各类防洪工程应植草皮面积为 4 825 万 m²,而实有面积为 3 449 万 m²,覆盖率仅为 71.5%。有的堤段高秆杂草丛生,生物防护作用减小。加之排水设施不完善,每年雨季出现水沟浪窝较多。据统计,山东黄河各类防洪工程年流失土方量一般为 20 万～30 万 m³,降雨集中的 1990 年达 50 万 m³,严重影响到工程的完整和抗洪能力,并增加了工程恢复维修费用。

有无草皮防护工程,其土方流失量差异很大。从实地调查和各单位提供情况看,凡草皮覆盖率较高且生长旺盛的堤段,很少出现水土流失,而一些无草皮覆盖或覆盖率低、草皮生长差的堤段,集中降雨时往往会有大量的土方流失。如 1990 年 7 月 6～10 日,济南地区降雨 100 多 mm,天桥区黄河河务局北岸大堤,在桩号 133+920～134+440 长 520 m 的堤段内,共流失土方 560 m³。其中临河堤坡葛芭草覆盖率为 80% 左右,出现水沟浪窝 18 条,流失土方 58 m³,占土方流失总量的 10%;而背河堤坡 1990 年春季整修后未能及时植草,自生杂草覆盖率约 30%,出现水沟浪窝 144 条,流失土方 502 m³,占流失土方总量的 90%。总之,堤坡生物覆盖率越低,雨毁面积就越大,遭受侵蚀的程度也就越严重。

1990 年,山东黄河河务局开展了"引种、选育防护工程优良草种的试验研究"工作,并与工程管理和推广种植相结合。几年来,针对黄河下游防洪工程对防护草种的基本要求,引种了马尼拉、本持尔、地毯草等 8 个外来草种进行栽培试验,选育了铁板芽草、羊胡子草等 4 个乡土草种,对绿色期长、护坡效果好的草进行了推广种植,共完成引种、选育优良草种试验与推广面积 43.11 万 m²;在对葛芭草进行不同方式更新复壮试验的基础上,推广更新复壮面积 627.8 万 m²,使山东黄河防洪工程草皮覆盖率提高到现在的 84%,有效地防护了工程,取得了较好的经济效益、生态效益和社会效益。如齐河县黄河河务局 1993 年与 1990 年降水量分别为 796.5 mm 和 886 mm,相差不大,而工程土方流失量分别为 0.96 万 m³ 和 2.23 万 m³。1993 年比 1990 年减少土方损失 1.27 万 m³,减少恢复土方费用近 10 万元。综合分析认为,其主要原因是该局于 1991 年和 1992 年共完成了面积约 123.3 万 m² 草皮更新复壮,增设草皮排水沟 1 628 条,使各类工程的草皮覆盖率大幅度提高,有效地发挥了生物防护工程的作用。

结合草皮防护工程,山东还建设了一批以草坪植被为主体、配置其他建筑物的黄河景点区,既绿化美化了工程,大大改变了工程面貌,又改善了环境,改善了气候,为当地城乡居民提供了游览休息的良好活动场所,深受沿黄人民的欢迎。

3　继续搞好草皮防护工作

综上所述,山东黄河堤坝的草皮防护工程对防止雨水冲沟、风浪淘刷、水土流失、维护工程完整、保持工程抗洪强度等发挥着重要作用,今后应进一步加强该项工作。

(1)继续搞好草皮的更新复壮工作。近期主要是在已达标的堤防、险工、涵闸虹吸工程进行,抓住春季、雨季的有利时机实施,巩固扩大成果。

(2)根据河段、气候、土壤、坡面等不同情况,因地制宜植草。在堤防坡面上,除对原有的葛芭草进行更新复壮外,还应大力推广种植铁板芽草、羊胡子草等;在堤肩上推广种植马尼拉草;在涵闸虹吸工程周围以及险工垛面,结合工程的绿化美化,宜种植地毯草、马尼拉草、铁板芽草等。

(3)对一些高秆杂草、芦苇次生树、低矮树丛生的工程段落,人工清除费工费时。且每年要反复清除才能满足防汛查水的需要,可试用药物灭草剂清除杂草和低矮树丛。

(4)草皮防护工程作用大、效果好、节省经费、简便易行,应大力提倡和推广。对工作做得好、推广种植优良草种面积大、成绩突出的单位和个人,应给予奖励,以促进此项工作的开展。

（原载于《人民黄河》1996年5期）

黄河堤防淤背区的管理及其开发利用❶

黄河堤防淤背区是为加固堤防工程,在堤身背河一侧50～100 m范围内,利用黄河水沙按设计高度放淤形成的,一般高出地面7～9 m,低于堤顶2～4 m。据1987统计,山东黄河已达到设计标准的淤背区长279 km,总面积39 158亩,其中已完成粘土包边盖顶的208.6 km,面积为24 518亩。黄河堤防淤背区是开展多种经营的土地资源,在保证其完整无损的前提下,充分进行开发利用,增加经济收入,是实现自我维持和自我发展,以堤养堤,增强工程管理能力的有效途径。本文就山东黄河堤防淤背区管理和开发利用的现状及其前景,提出一些初步的看法。

1　堤防淤背区自然概况

山东黄河堤防淤背区处在暖温带半干旱季风型气候区,多年平均气温在12～14 ℃之间,无霜期204 d,年平均降水量600 mm,年蒸发量为年降水量的2～3倍,日照时间年平均为2 500多h。一年内气象变化的规律是春旱、夏涝、秋又旱。主要灾害有干旱、干热风、霜冻、风沙等,对农作物和林木生长有较大的影响。

---

❶　该文写于1988年4月,刘大练同志参加了撰写。

淤背区的土质,据在济阳修防段采样分析(见表1),有机质含量平均为0.508%,全氮为0.043 6%,速效氮、磷、钾分别为20.50ppm、3.39ppm、128.5ppm,pH值平均为8.78,属低肥力(有机质肥量为0.4%~1.2%,全氮含量<0.05%)、强碱性(pH值8.5~9.5)土。

表1　土样分析

采样地点	采样土层深 (cm)	剖面编号	土样编号	化验项目					
				pH	全N (%)	速N (ppm)	速P (ppm)	速K (ppm)	有机质 (%)
小街泡桐林地	0~20	1	1	8.61	0.070 7	30.41	1.8	168	0.682 8
邢家渡22#防汛屋	0~34	1	2	8.35	0.008 8	12.98	3.2	66	0.569 0
大柳店26#防汛屋	0~25	1	3	8.85	0.023 6	17.77	0.9	89	0.660 0
大柳店32#防汛屋	0~25	1	4	8.72	0.038 3	18.11	6.7	84	0.432 4
大柳店32#防汛屋	26~50	2	5	8.70	0.020 5	15.03	4.0	106	0.364 2
沟阳吴家寨42#防汛屋	0~20	1	6	8.46	0.073 7	41.69	7.6	261	0.864 9
城关46#防汛屋	0~30	1	7	8.65	0.053 1	21.87	2.0	91	0.500 7
葛店66#防汛屋	0~18	1	8	8.70	0.053 1	27.34	7.6	264	0.637 3
葛店76#防汛屋	0~18	1	9	8.70	0.044 2	19.14	1.3	97	0.341 4
张辛88#防汛屋	19~34	2	10	9.0	0.017 7	8.20	1.8	89	0.113 8
小街100#防汛屋	0~20	1	11	3.0	0.038 3	23.24	2.7	140	0.409 7
小街106#防汛屋	0~37	1	12	9.07	0.032 4	10.25	1.1	87	0.523 5
平均				8.23	0.03	20.50	3.39	128.5	0.508 3

注:取样时间为1987年9月14~21日。

土壤的物理性质,据齐河修防段王庄,郓城修防段四龙村、孙口等三个淤背区取样试验的结果(见表2)看,淤背区的土壤属细沙、粉细沙和轻质沙壤土,少粘粒含量,渗透性较强,漏肥漏水。

表2　机淤沙性土物理性质

指标名称	单位	平均值	指标名称	单位	平均值
凝聚力	kg/cm²	0	D_{10}	mm	0.039
渗透系数	cm/s	$8.4×10^{-4}$	D_{50}	mm	0.081
天然孔隙比	—	0.844	D_{60}	mm	0.087
相对密度	%	0.576	不均匀系数	—	2.3

2　淤背区开发利用的若干问题

近年来,山东黄河管理单位根据"把水利工作的重点转移到管理上来"的精神,按照

"安全、效益、综合经营"三项基本任务的要求,在保证工程完整、安全的前提下,利用淤背区的土地资源,发展种植业,开发多种经营。以植树营林为主,发展多项种植,初步形成了林、粮、棉、瓜、果、菜多层次,多品种的种植格局,截至 1987 年底,共营造用材林 21 270亩,经济林 871 亩,各类农作物及经济作物 1 000 亩,总种植面积 23 117 亩,占淤背区总面积的 59%,其中:利用粘土包边盖顶的淤背区面积为 17 206.9 亩,占总淤背区面积的44%,初步发挥了淤背区的经济效益。

淤背区的开发利用,因地制宜、科学管理是非常重要的。如济阳修防段因地制宜地选择林种、树种,在水土条件较好的淤背区种植意大利 214 杨、健杨、欧美杨、泡桐等树,在淤背区的边坡上植耐旱的刺槐、臭椿、榆树等树种,加之科学管理,适时地浇水、施肥、除虫,取得了较好的效果。据济阳修防段几种林木生长情况的调查(见表 3),意大利 214 杨林每亩年平均蓄积量达 0.651 9 m³,平均胸径近 13 cm,树高 13.5 m。另据济阳段抽样调查,淤背区内种植的其他片林,每亩年蓄积量也约在 0.13 m³ 以上,扣除树苗和浇水费用外,每亩年收入可达 50 元,济阳全段淤背区林木年纯收入约计可达 10 万元。淤背区植树造林,既有经济效益,又为防汛抢险储备了料源,同时在防风固沙,改善沿黄生态环境方面还具有一定的作用。

表 3　济阳修防段几种林木的生长情况

地点	树种	林龄(年)	密度(株/亩)	平均树高(m)	平均胸径(cm)	每亩蓄积量(m³)	年平均蓄积量(m³)	土壤	浇水与施肥
葛店分段 72# 屋 沟阳分段吴家寨	八里庄杨	10.5	62	9.8	10.85	1.570 2	0.153 3	沙 中沙	浇水 2 次/年
葛店分段	毛白杨	11	83	7.9	8.2	1.388 9	0.126 3	粉沙均质土	浇水 2 次/年 1984 年施磷肥 一次 0.5 kg/株
小街分段 108# 屋	泡桐	7	19	8.06	17.5	1.929 3	0.275 6	中壤	浇水 1~2 次/年
葛店分段高楼	意大利214 杨	8	74	13.5	12.8	5.215 2	0.651 9	粘土夹层中壤	浇水 3 次/年
葛店分段高楼	白榆	4	41	5.87	7.1	0.575 3	0.148 3	粘土夹层中壤	浇水 3 次/年

为了总结淤背区造林的经验,分别对八里庄杨与刺槐或与白榆混交种植林和八里庄杨纯林进行了调查,调查的结果如表 3、表 4 所示。从表中看出,混交的 5 年生八里庄杨胸径和树高,都接近或超过 10~11 年生八里庄杨胸径和树高,都接近或超过 10~11 年生八里庄杨纯林;混交刺槐虽然长得不如杨树快,但长势较旺,已经和杨树形成复层林;混交白榆生长较差,5 年生平均胸径仅 4 cm,平均树高仅为 4.2 m,且存活率低,长势弱。实践证明:在同样条件下,刺槐与杨树混交,优于杨树与白榆混交;槐、杨混交能较大程度地减

少病虫害,促进林木生长 。

表 4　八里庄杨和刺槐或与白榆混交林生长情况

地点	林种	林龄（年）	平均树高（m）	平均胸径（cm）	密度（株/亩）	混交方式	土壤
济阳段城关分段	八里庄杨刺槐	5	8.68 5.38	9.6 5.4	20 20	行间混交	浅层中壤
济阳段城关分段	八里庄杨白榆	5	10.3 4.2	11.8 4.0	20 40	行间混交	浅层中壤

开发淤背区,除种植成材树种以外,济阳、惠民、利津等修防段,还试种了经济林。如济阳修防段自 1986 年以来,种果林 300 亩,共植果树 21 126 株,品种有梨、苹果、葡萄、山楂、桃、杏等。目前果树长势喜人,葡萄已经结果,今年可收获 1.5 万 kg。预计全部果树盛果期最高年产鲜果可达 25 万 kg 以上。另外,承包户还在果园里间作花生、大豆等低秆短秧作物,增加了承包户的近期收入,解决了"以短养长"的问题,有效地调动了管理积极性。

近几年,不少单位根据单一营林周期长、见效慢的情况,调整了种植结构,改单一营林为多项种植,因地制宜地种植农作物,主要作物有大豆、花生、棉花、蔬菜、瓜果等。也有种植药材的,经济效益比较显著。如东阿修防段采取由护堤员和沿黄村民承包的办法,在淤背区种植大豆、花生等作物,大豆一般每亩产 75～100 kg,花生每亩产 200 kg 左右。除去成本和上交管理单位的土地承包费,每人每年可收入 800 余元。东阿修防段牛店分段将牛店淤背区内的 190 亩地,分别包给 17 名护堤员,种植大豆和花生,年收入达 3.8 万元,其中一名护堤员种花生 20 亩,平均亩产 200 kg,年收入 2 000 余元。由于护堤员增加了收入,提高了积极性,吃住在堤的多了,经常养护工程的多了,管护工程的责任心强了,有力地促进了堤防管理工作。

山东黄河淤背区的管理及其开发利用取得了一定的成效。但在管理和利用上仍存在着一些问题:

(1)从前几年的实践看,有一部分淤背区利用得好,经济效益较高;但也有些淤背区在利用上缺乏科学分析,带有一定的盲目性和任务观点,加之经营管理粗放,承包责任制不完善,致使经济效益较低,往往是投入大于产出。尤其是那些尚未粘土包边盖顶的淤背区,植树成活率很低。有的单位重栽植轻管理,浇水、除虫不及时,林木生长慢,木材蓄积量低,经济效益差。有的因种植不适合淤背区生长的农作物或经济作物,结果收益甚微。

(2)淤背区种植结构还不够合理。主要是因为没有从实际出发,不能因地制宜地选择林种树种,栽植密度不合理,栽植方法不科学,结果使大面积八里庄杨、毛白杨纯片林后期长势减退,甚至梢枯叶黄,变成"小老树"。

(3)开发利用淤背区的办法还不够完善。有的淤背区不能很好地开发利用;有些淤背区的承包经营与护堤员管护堤防脱节,经营淤背区的不管护堤防,管护堤防的又得不到收益,不能有效地促进工程管理工作。

（4）部分淤背区生产条件较差，粘土压沙盖顶的厚度一般为 20 cm 左右，不能满足林木、农作物生长所需的立地条件。有些堤段缺少提水灌溉设施，干旱时浇不上水，影响林木和农作物的生长。

3　进一步开发利用淤背区的几点看法

（1）加强淤背区管理维护，保证工程的完整、坚固、安全。黄河堤防淤背区是防洪工程的重要组成部分，防洪作用是第一位的，应视同堤防工程一样，加强维修养护工作，经常保持其完整无损。一切开发利用活动要以保证工程完整与安全为前提，不能削弱或损害工程的抗洪能力。要制定具体的管理办法和合理的开发利用规划，杜绝乱占乱垦淤背区的现象。兴建水利工程和管理设施，应符合工程管理规定，要搞好淤背区的排水防冲设施和草皮防护工程，防止雨水的冲蚀。

（2）坚持以堤养堤的经营开发原则。当前首要的是通过开发利用淤背区，有效地解决护堤员的报酬问题，稳定护堤队伍，调动专管职工和群管人员的积极性，进一步管好工程。因此，开发利用淤背区要与管护堤防相结合，把淤背区的收益与管护堤防工程挂起钩来，防止两者脱节。淤背区的经济收益，可提取护堤基金，作为护堤员的生活补贴。淤背区收益与管护工作结合的具体形式可以根据各堤段的实际情况灵活多样，可以由护堤员承包现有的林木，收益按一定的比例分成；也可以由护堤员与其他村民联合承包淤背区；还可以在护堤段内划出一部分淤背区优先由护堤员承包，吸引集体和个人投资承包经营，入股分红经营也可。不论采取哪种形式，都以既能搞好开发利用，又能调动护堤员管理养护堤防工程的积极性为目的。

（3）加快粘土包边盖顶的进度，逐步改善淤背区的生产条件。山东黄河堤防淤背区，已淤够设计标准的，尚有一万多亩没有粘土包边盖顶，已包边盖顶的淤背区亦有一部分粘土层薄、土质差，虽能起到压沙的作用，但不能满足作物生长的要求。要加快粘土包边盖顶的进度，或根据种植的需要进行人工换土。在靠近险工的堤段，要逐步建设一批小型简易扬水站，搞好渠系配套，改善淤背区的水利条件。还要鼓励承包经营者积极施肥，或种植绿肥作物，增加地力。

稳定群众护堤队伍的几点意见❶

群众护堤队伍是搞好堤防、险工、护滩（控导）工程管理的基础。从多数单位的情况看，护堤员队伍基本是好的，很多护堤员在报酬较低，生活、吃水、照明比较困难，居住条件较差的情况下，仍能坚持护堤工作。近年来，随着农村各种形式责任制的贯彻执行及黄河堤防工程植树布局的调整，黄河堤防、护滩工程中的群众管护队伍不稳定状况表现突出，引起了各个方面的重视。惠民、菏泽、位山等河务（工程）局，在 1989 年下半年组织人员对

---

❶　该文写于 1991 年。

群众护堤队伍情况进行了调查；我们于 1990 年上半年对东营、淄博市河务局护堤队伍情况进行了调查。综合两次调查情况，提出稳定群众护堤员队伍的几点意见，仅供参考。

1　群众护堤队伍存在的问题

群众护堤队伍担负着日常对工程的管理养护工作，要求以堤为家，吃住在堤，视管好护好工程为己任。平时要保持堤顶平整，填垫水沟浪窝，看护好树木堤草、防汛石料、通讯线路、工程设施，制止破坏堤防的行为等，使堤防工程经常处于完整良好的状态。但护堤队伍中，存在着护堤员年龄偏大，老弱多病，难以适应工程管理工作的需要，部分单位护堤员年龄结构见表 1。

表 1　部分单位护堤员年龄结构

单位	护堤员人数（人）	60 岁以下		60 岁以上	
		人数	占总（%）	人数	占总（%）
菏泽地局	568	376	66.2	192	33.8
位山局*	370	214	57.8	156	42.2
惠民地局**	384	211	55	173	45
淄博市局	93	47	50.5	46	49.5

注：* 其中 70 岁以上的占 11.9%；最大的 83 岁。

　　** 其中 70 岁以上的占 12%；最大的 80 岁。

存在的问题主要表现在：一是护堤员不能吃住在堤。如位山局吃住在堤的护堤员只占 32.4%，菏泽地局原来吃住在堤的护堤员中，有 193 名已自动下堤，占总数的 34%，还有 146 名要求下堤或正准备下堤，占 25.7%。二是护堤员出勤不经常。护堤员平时不上堤，有突出任务或进行检查评比时，由护堤专管人员亲自到护堤员家中逐个叫请，甚至有的以个人关系相求，凭面子才能勉强上堤，搞一点突击性整理工作；还有的连叫几趟都不肯上堤，正常管理工作难以开展，堤上经常出现树木被盗，防汛屋、各种名牌标志和一些工程设施遭到破坏等案件；上堤放牧各种违章活动得不到及时制止。据菏泽地局的调查，1989 年防汛屋遭破坏的达 97 座，损失各种名牌标志 1 540 个，由于工程管理养护不及时，造成土方流失 5 万 m³，大量的工程管理工作只能靠组织民工和职工进行整修，日常维修养护管理工作受到一定影响。

2　护堤队伍不稳定的原因

据调查了解，护堤队伍不稳定的主要原因有以下几个方面：

（1）收入水平低。护堤员的收入来源主要是堤防收入和村队补贴。堤防收入又依靠树株更新，收获堤草及淤区种植。堤防植树布局调整以后，堤身树株清除，仅靠堤肩的行道林和柳荫地树株分成。按照国五村五的分成比例，护堤员只参加村五部分分成。护堤员所得比例不等，大部分为更新树株总数的 5%～20%，人年均收入 80～160 元。最少的只有 30 元，就是按 160 元计算，人均每天收入也只有 0.44 元，显然要求护堤员常年吃住在堤，坚守岗位是维持不住的。又因树株生长周期长，短期内不见效益以及村领导班子更换比较频繁等原因,护堤员按比例分成应得的报酬也常常不能兑现。据惠民地局调查,村给护堤员的报酬有以下几种形式:①给现金补助的117人,占护堤员总数的30%,补助金额60~150元。②多分给责任田的6人,占1.5%,一般多分田地1~3亩。③减免义务工的有102人,占26%,减免义务工数为10~40个工日。④村无任何报酬的有159人,占41%。位山局的护堤员中,村答应给报酬的212人,占护堤员总数的57.3%,实际能够兑现的103人,仅占27.8%。村里原答应给护堤员的报酬,有的已有数年没能兑现,严重挫伤了护堤员的积极性。

(2)堤防承包合同失去效力未作调整。1985年后,山东黄河河务局推行堤防承包责任制,由县局、村、护堤员三方共同签订合同书,大部分经过县公证部门公证或乡人民政府签证,承包期限5~15年,较好地调动了广大护堤人员的积极性。从1986年开始,黄河堤防调整植树布局,1990年全部完成清除大堤临背河堤坡树株的任务,原有大量小树被清除,失去了远期利益,靠堤防树木收入越来越少,原来签订的堤防承包合同也失去了效用,这给黄河业务部门工作带来了不少困难。

(3)受各种思想认识和生活条件的影响。一是对护堤员的思想教育不够,有一部分护堤员没把护堤当成应尽的光荣义务,缺乏政治责任感。由于经济收入少,县(区)河务局对护堤员缺少约束力,护堤员工作好坏不能直接与其经济利益挂钩。二是几级堤防管理委员会有不少形同虚设,很少开展工作,有问题也不能及时解决,有些地方实际上形成了"官办大堤"。三是护堤员的社会地位下降。过去当护堤员在生产队记同等劳力的工分,吃平均口粮是个"美差",当护堤员的都是在村里有威信的人,护堤护树说话灵;现在,由于生产体制改变,加上护堤收入低,吃住在堤的护堤员,大多是孤寡老人和五保户。四是护堤员在堤上吃水、照明、取暖都比较困难,生活条件长期得不到解决。五是有些堤段缺少防汛屋,有些防汛屋坏了长期得不到整修。如济南市局现有堤防191.03 km。应建防汛屋384座,而实有防汛屋303座,尚缺81座。在现有的303座防汛屋中,不少建筑面积不足,还有29座防汛屋是20世纪60年代建筑的,年久失修,墙蛰顶裂,梁檩腐朽断折,不具备居住条件。菏泽地局的防汛屋不具备居住条件的达60%。东平湖堤防缺少防汛屋172座,需要翻修的92座。这些因素都给护堤员吃住在堤造成一定的影响。

(4)社会秩序的影响。由于社会秩序混乱,护堤员远离村庄吃住在堤,白天、夜间时有发生坏人携凶器破门入室抢劫钱物、殴打护堤员案件的发生。特别是一些工作比较积极的护堤员,在护堤工作中因严格制止上堤割草放牧、破坏树木、雨后行车等违章行为,得罪了部分当地村民。他们便采取各种手段报复护堤员,故意破坏护堤员责任田里的农作物和树木,偷盗护堤员的鸡羊和其他财产,与护堤员吵架甚至殴打护堤员。如菏泽地局仅1988、1989两年就发生不安全事件74起,伤6人,直接经济损失达3万多元。

(5)堤防管理包干经费低。山东黄河河务局堤防管理经费实行设防堤段200元/km。不设防堤段100元/km。这部分包干费用,多数单位将40%～50%用于对护堤员的评比奖励,均摊到护堤员每人每月只有三四元钱,根本没有吸引力。另外,将20%用于平时正常维修用的铁锨、扫帚、夯子、剪刀、雨鞋、草帽等小型用具的购置;20%～25%用于各种铭牌标志和拦路杆的维修更换;20%左右用于堤顶和堤身的维修养护及正常的维护工程秩序和贯彻宣传水利法规的费用。使用堤防包干经费的方面较多,而数量又较少。

3 稳定护堤队伍的几点意见

3.1 健全护堤管委会，调整充实护堤队伍

沿黄各地要认真落实《山东省黄河工程管理办法》的规定，重新整顿县、乡堤防管理委员会，健全沿黄村堤防管理领导小组，调整充实护堤队伍。更换老弱病不适应堤管工作的护堤员。对于从事护堤工作20年以上的护堤员，在调整安置中，确有生活困难的，国家应从堤防树株更新中给予适当资助，体现国家对他们的关怀。

3.2 合理解决护堤员的报酬

沿黄各地及黄河河务局，可根据实际情况用不同方法加以解决。保持一个护堤员每月的各项收入平均维持在50～60元。具体办法有以下几种：①村队给以生活补贴。可以推行管护堤防用工抵顶义务工的办法，也可以减少或免除提留、税金或水费。有耕种土地能力的，也可多分给一些责任田。再是护堤员享受与村干部、乡村医生、烈军属相近或一样的补贴。②堤防收入。根据堤防树株已大量减少，护堤员收入下降这一新情况，适当松动一下堤防树株分成比例，我们认为树株收益分成比例，应改成国二村八，或由县河务局根据各堤段树株多少灵活确定，主要是多给护堤员一部分。再是充分利用黄河的水土资源优势，改善水土条件，组织护堤员发展种植、养殖，大搞多种经营，也可让护堤员承做堤防小型维修养护工程。堤防工程有投资的零星项目，少量的岁修土方等。优先以承包的形式安排护堤员去做，既完成岁修任务，又使护堤员的收入有所增加。③修防部门给护堤员补贴。应根据堤防工作条件护堤员所做日常管护工作的多少、表现及出勤情况等，由县河务局确定补贴的形式及数额的多少。一般补贴应不大于护堤员总收入的1/3。并逐步解决护堤员的照明、生活吃水、冬季取暖及必要劳动保护等问题。

3.3 增加岁修经费

近年来随着物价不断上涨，原实行的堤防养护费包干标准已远远满足不了当前工程管理的需要。建议适当提高堤防养护费标准，有淤背区的临黄堤防养护费每年600～700元/km。其中200元用于淤背区管护；无淤背区的临黄堤（包括北金堤、展宽堤、东平湖围坝、河口堤）养护费每年700元/km；大清河堤防养护费每年600元/km；不设防的管理堤段养护费每年400元/km。

3.4 加快工程配套，完善堤防设施

大堤加培土方完成以后，大量配套工程和附属设施没有完成，据1990年初统计，还缺少防汛屋400余座。按照黄委会"黄河下游工程管理考核标准"的要求，设防堤段还缺少排水沟4 497条，给工程管理工作增加了难度和工作量。这些附属工程的新建、更新改造和补充以及备防土牛，应列入基建计划，尽早完成。

3.5 加强护堤员的政治思想教育

加强对护堤员的政治思想教育，使其树立为黄河尽义务、做贡献的思想。必须采取有效措施，配合沿黄各级政府大力宣传沿黄人民热爱黄河、保卫黄河的优良传统，宣传《水法》《河道管理条例》，使沿黄地区人人都懂得管理保护好黄河工程、做好黄河防汛工作，是沿黄人民应尽的"光荣义务"。黄河业务部门对护堤员实行一定生活补助的同时，各乡、村也应该配套相应的资金，制定切实可行的管理办法，根据不同季节和管理任务，对护堤

员的出勤和完成实际工作量等,进行检查评比,做到奖惩分明,将这部分资金用好。

护堤员队伍分布线长面广,各地、县、乡、村情况不同,对他们管理的办法也不相同。如何稳定护堤员队伍,今后还要不断探索,总结经验,取长补短,力争把这一工作做得更好。

(原载于《人民黄河》1992 年第 3 期)

对绿化、美化黄河工程的探讨

1　问题的提出

山东黄河的工程管理工作,认真贯彻了以防洪安全为中心,巩固提高工程强度为重点,"加强经营管理,讲究经济效益"的水利工作方针,开展了以创达标工程为龙头的全面工程管理工作,加强了工程管理正规化、规范化建设,使工程管理水平不断提高,截至 1990 年底山东黄河河务局已有 250 处工程管理达标。以县河务局为单位,堤防工程全部达标的有 9 个,险工全部达标的有 7 个;控导(护滩)工程全部达标的有 5 个,有 1/3 的县河务局管理的工程即将全部达标。在新的形势面前,工程管理怎样升级、上台阶是很值得探讨的问题。我们认为,进一步搞好工程的绿化、美化是工程管理上台阶的一项重要内容。

2　绿化黄河的意义、现状

绿化一般是指植树、植草,历来是以造林绿化(植树成林)和造园绿化(植树、栽花、种草)为主。黄河的绿化,是指植树成林、植草防护工程。而美化,是在绿化的基础上,栽植以观赏树、观赏花草为主体的植物,兴建部分景点建筑物,并使周围的风光景点,兴建的建筑物与植物之间协调一致,给人以美感、舒适感。

2.1　绿化、美化黄河工程的意义

黄河弯弯曲曲,有雄伟的大堤、险工坝岸、悠久的古渡、闻名中外的铁路及公路大桥、宽阔的淤背区,是进行绿化、美化的优势,做好这一工作有着现实意义。

(1)绿化、美化黄河对社会、对黄河都有益。植树造林、绿化祖国是建设社会主义,造福子孙后代的伟大事业,是治理山河、维护和改善生态环境的一项重大战略措施,绿化黄河是绿化祖国的一部分。绿化黄河的树木不但有着防风固沙、改善生态环境的社会效益,而且对涵养水分、争取雨后对堤防的养护时机,防止大风对堤防、险工表土的剥蚀都有着重大的作用,并能为防汛抢险提供料物,为稳定群众护堤队伍提供物质基础。草皮能防护黄河工程,保持水土、减少雨后水沟浪窝的出现,收获的堤草创造一定的经济效益,为堤防工程自我维持、自我发展创造条件。

(2)绿化、美化黄河,可以使人们受到热爱黄河、热爱祖国的教育。黄河是一条伟大的母亲河,也是世界闻名的巨川,无论是远来的,还是近往的,几乎每个人都对她羡慕向往,只要有机会,人们都愿到黄河岸边,去饱览黄河的风彩,增长智慧和力量。向往黄河的热

和能蕴藏在每个人的心中,俗话说"不到黄河不死心",尤其在人的年轻时代更是如此。绿化、美化好黄河,就更能展现黄河的雄姿,弘扬黄河精神,使来到黄河岸边的人,不但看到人民治黄40多年来取得的伟大成绩,而且留下美好的印象,潜移默化地受到热爱黄河、热爱祖国的教育,这也是社会主义精神文明建设的一部分。

(3)改善干部职工生活、工作环境。对我们常年战斗、吃住在黄河岸边的干部职工来说,改善那种"出门站坝头,蹲下坐石头,抬头望天空,低头看浊流"的环境,建设一个美好的生活、工作场所,大家都在自己建设的优美环境里工作、愉快地生活,不但对身体健康有益,而且能开阔心怀、陶冶情操,激励斗志、树立信心,增强热爱本职工作的自豪感,获得心身健康双丰收。

2.2 绿化、美化黄河工程的现状

绿化、美化黄河是工程管理的一项重要组成部分。各单位按照黄河下游工程管理考核标准,一是对护堤地等部位缺苗断带进行补植及改造淤背区的生产条件,栽植用材林和经济林;二是植草防护工程,加快了对退化、老化草皮的更新改造速度,引进优良草种进行试种;三是集中绿化、美化一处工程,这是近几年在绿化、美化黄河中出现的新趋势,使绿化、美化黄河工作迈进了一步。如济阳县河务局在险工、堤防等工程管理基本达标以后,对如何使工程管理上台阶进行新的探索,他们在保持工程完整、确保工程强度的前提下,对绿化、美化工程提出了更高的要求和标准,实施后取得了较好的效果。1989年他们结合葛店闸的改建,大胆尝试对工程的装饰和美化,为使建成的工程别具特色,他们将启闭机房以往的混凝土预制檐板结构改为古典式的琉璃瓦挑檐,将窗门也改为公园、花园内多见的六棱形,颜色及结构都向人们展现着古香古色。从外表看,启闭机房的金黄色琉璃瓦,配以淡蓝色的墙面、天蓝色的围杆、白色的机架桥,显得清新美观。在涵闸两侧坝面上修建的古亭、花池、花墙,以及栽植的冬青、垂柳、雪松、花卉、地毯似的草皮,再加上向两边延伸的大堤及其茂盛的白杨、柳树,使得整个渠首工程,不是花园,胜似花园。再看滔滔的黄河水,在险工坝岸的护卫下滚滚东去。这美丽的画面,这新兴的景点,引来了不少观光者,济阳县政府已将葛店闸渠首工程列为本县十大景点之一。

济阳县河务局的大柳店险工,相距大柳店河务段较近,是职工散步乘凉的场所,坝岸埽面、坦石、根石等各分部工程管理得都较好,是1988年率先达到工程管理标准的工程。为进一步绿化、美化好大柳店险工,济阳县河务局进行了有计划的工作,先将抢险备防石整齐地排在靠大堤一边,在坝面的中部整理出一条连通大堤的道路,既可满足抢险运输料的需要,又可通向坝头观览黄河,路两边植有垂柳、梧桐等树进行绿化,建造的两座望河亭与花池相映成趣,坝面上植的地毯草剪理得整整齐齐,使险工美化得既漂亮又不失黄河工程的特色。

济阳县河务局绿化、美化多处工程取得的成功,激励了其他单位在这方面工作的积极性。齐河县河务局绿化、美化南坦险工的工程已经完成,济南市河务局已编制了以泺口为重点工程段的绿化、美化规划,以待实施。并计划在1991年对杨庄险工进行美化。

3 绿化、美化黄河工程之我见

总结山东黄河的绿化、美化工作,还存在着以下不足:一是部分单位重视植树造林,轻视植草绿化,对草皮防护工程、保持水土的作用认识不够。植草、草皮更新改造的措施、投资等不落实,缺少对工程草皮的管理维护,以致工程草皮退化、老化严重,防护工程的作用不断减小。二是树草栽植不能因地制宜,缺乏科学的分析研究,以致树草品种不适宜当地生长条件,栽植后存活率不高。三是美化的工程,人造景物的布设、型式、色彩重复出现,缺少创新;景点建筑物的建设,对防洪工程远期加高改建,近期防洪抢险道路、料物堆放场地考虑不够,为使绿化、美化黄河工程健康发展,经得起时间和未来实践的考验,提出以下意见:

(1)黄河工程绿化,应继续贯彻执行"黄河下游工程管理考核标准"和有关规定,以植树植草为主,在堤防植树布局调整以后,应把护堤地等部位的植树,缺苗断带的补植抓紧抓好,对铁路、公路大桥桥头两侧和庭院四旁绿化,险工长坝基两侧,护滩(控导)工程管护用地范围内,都要有计划地植好树,淤背区边坡根据立地条件栽植适宜生长的树种、条料等。补植草皮和退化、老化草皮的更新改造工作,各单位应作为工程管理的一项重要工作来抓,在调查本单位现有防护工程草皮现状的基础上,制定出规划和年度实施计划,加大措施,调动黄河干部职工、护堤员和沿黄群众的积极性,力争在3年内完成草皮复壮和更新改造的任务。每个单位都要搞一处选育优良草种或引种优良草种试验点,以点带面,全面发展。

(2)美化黄河工程,应有具体的规划和设计,美化工程建设因受气候、土质等自然环境的影响,在不同的地区,对美化工程建设有着不同的要求,所以制定一个科学的规划,是保证工程建设质量的基础,规划的好坏直接关系到美化工程建设的成效。美化工程的规划设计要考虑黄河工程的组景利用以及原有绿化树木、草皮的利用。根据本地区气候、土壤特点,合理地选择那些抗逆性强、耐干旱的树种草种,做到适地适树、适地适草。也要按一些美化树种的生物学特性以及在不同生育发展过程中对土壤、水分等条件的要求,有计划地换土。美化工程的设计完成以后,可根据实施能力,据情分期实施。坚持规划的连续性和稳定性。

(3)美化一处工程,应在工程完成近期规划加培标准、工程整修和经常性管理都比较好的情况下进行,并考虑今后工程加培的需要以及防汛抢险运输料物、作业场地等要求。规划美化的工程应选择那些靠近职工住地,场面较宽阔,便于布置美化景点的工程。兴建的建筑物应以简单轻型为主。

(4)美化工程各种构造物的形状和色彩,应该和该地的自然界情况相协调,能恰到好处地与该地的天然景色相融洽。栽植的植物,应当是草类、野生花卉,乔灌木按高、中、低立体配置,以树群、树丛或孤立树的形式,使之疏密相间,错落有致,并考虑到这些植物一年四季的林相、色相变化,综合地实施美化。再者,为了避免人工气太浓,原则上应尽量让植物从种子生长起来,当然也包括埋杆、埋根、插枝的办法。在有的情况下,也可采用移栽幼苗、幼树的办法。

(原载于《山东黄河科技》1991年第3期)

穿堤管线、民用浮桥的技术管理

　　山东黄河穿堤管线已达 200 多条(处),搭建民用浮桥多时近 10 座,我们按照《中华人民共和国水法》、《中华人民共和国河道管理条例》、《山东省黄河工程管理办法》以及黄河水利委员会颁发的"黄河下游穿堤管线审批及管理暂行规定"等法规、文件,进行了严格审批和技术管理,维护了黄河河道及各类防洪工程的完整和安全运用,现将技术管理中的有关事项加以总结,以利于今后工作中借鉴。

1　穿堤管线

　　根据《中华人民共和国河道管理条例》,关于修建各类跨河、穿河、穿堤管道和缆线等建筑物及设施,"建设单位必须按照河道管理权限,将工程建设方案报送河道主管机关审查同意后,方可按照基本建设程序履行审批手续。"现就管线跨越、爬越大堤以及设计施工几个问题分述如下。

1.1　跨越大堤的管线

　　所有新建、改建的穿堤管线工程,原则上均应架空跨越堤防。其标准是:

　　(1)跨越大堤的油管、水管、气管、通讯电缆的管(线)底高程,以工程修建处前 3 年设防水位的平均值为起算点,按黄河淤积 30 年后的堤顶高程加行车净空确定:

$$管底高程 = 设防水位平均值 + 30a + 设计堤防超高 + 行车净空$$

式中,a 为洪水位年平均升高率;行车净空采用 5 m。

　　(2)动力电线:由于高压输电线具有较强的静电场,很容易造成危险,所以必须考虑输电线路与通讯线路安全距离等。动力电线穿堤高程的计算是以现堤顶为起算点,按黄河淤积 30 年后的堤顶高程,加通讯线路的电杆净高,再加通讯与动力电线间的安全距离确定:

$$电线高程 = 现堤顶高程 + 30a + h + L$$

式中,h 为通讯线路电杆净高,取 6.5 m;L 为输电线路与通讯线路间的安全距离,为 4～8 m,当输电线路与通讯线路垂直相交时,安全距离取较小值,当两者方向上下平行时,取较大值。

　　过河动力电线的高度并应满足船只安全通航的要求。

　　(3)跨越管线的起跨点位置,应考虑河道淤积 30 年后相应加高堤防,从堤脚算起临河50 m,背河 100 m 外,有淤临、淤背、帮戗工程的,应从淤临、淤背、帮戗工程的坡脚算起。如起跨点处需加基墩的,则基墩临堤侧缘应建在 30 年后大堤脚临河 50 m,背河 100 m 之外。严禁在堤身或护堤地内架设电杆或修建永久性建筑物。

1.2　爬越大堤的管线

　　穿堤管线必须爬越大堤时,需进行充分论证,审批从严掌握。管底高程以工程修建处的前 3 年设防水位的平均值为起算点,采用黄河 30 年后的堤顶高程。即:管底高程 = 设

防水位平均值 $+30a+$ 设计堤防超高。对于输油管道,由于油温较高,管壁周围 50 cm 厚左右的范围内,土质干燥,有明显的失水现象,靠近管壁 20～30 cm 厚的土层尤甚。粘粒含量较高的粘土,受油温影响干缩严重,形成了坚硬龟裂的块状,块状间土体结构松散,密实度极差;粘粒含量较低的粘土和壤土,高温影响后易碎裂散化。这些情况都是堤防工程的隐患,严重影响堤防工程的防洪安全。所以,输油管管底设计高程应再提高 0.5 m。对于管顶以上覆盖土要求不得小于 1.0 m,管线处堤顶,以管为中心向两边平均修做总长不小于 20 m 的平台,两端以 1:50 的纵坡与原堤顶连接。

1.3　穿堤管线爬越大堤部分必须由黄河主管部门设计施工

穿堤管线爬越大堤工程是黄河堤防的一个部分,必须符合黄河工程的各项设计要求,它也必涉及到黄河工程的近期标准及穿堤管线使用期限内的工程规划标准,以及黄河工程管理对设计施工的要求,这些只有黄河部门最清楚。"千里堤防,溃于蚁穴",黄河堤防的每一个部位设计施工的好坏,都关系到黄河防洪安全,关系到千百万人民生命财产安全。因此,水利部及黄河水利委员会曾多次强调:凡是黄河防洪工程的组成部分,都要由黄河管理部门设计和施工,确保工程的质量和防洪安全。过去,因穿堤管线施工质量不好,而削弱黄河大堤强度的事例不少,教训是深刻的。如济南铁路局供水管理段在黄河北展宽堤(桩号 29 + 205 处)埋设一直径 0.25 m 的铸铁供水管道一条,位于堤顶以下 0.7 m,1990 年汛前工程普查时发现,顺水管在背河堤坡中下部已出现一个大陷坑,顺堤坡长 15 m,宽 3 m,深约 2.5 m,严重削弱了大堤防洪断面,分析原因主要是水管接头漏水所致。再如华东输油管理局在齐河临黄大堤豆腐窝(101 + 700)处的一条输油管道,1976 年 4 月修建,钢管直径 72 cm。1984 年 7 月下旬,在输油管壁周围出现一较大浪窝式穿透通道,当时正值雨季,降雨强度较大,管线处堤顶排水不畅,大量积水沿管道覆土薄弱部位渗入堤身,沿管壁形成集中渗流,把管道周围管土结合部位土粒带出,沿管道形成浪窝式穿透通道。此浪窝的进口在临河堤肩处,尺寸约为 8 m× 1.5 m,出口在背河堤坡上,尺寸约为 0.5 m×0.5 m,距淤背区面高 1.5 m,见图 1。流失土方约 250 m³。分析产生浪窝的原因,一是建设管道处堤防排水设施不完善,降雨后堤顶大量积水;二是输油管道周围土壤受油管长期散热影响,土力学指标下降,密实度差,渗透力强;三是输油管道建设施工质量不好,管壁周围没有进行必要的处理。出现浪窝后,经与输油管道管理部门协商,管道管理部门投资,沿油管人工开挖处理,管下部分用人字碛夯实后泅水,管上部分逐层夯实回填,然后进行红土包边盖顶。共开挖土方 750 m³,回填 1 000 m³,竣工后进行了压力灌浆。

2　民用浮桥

根据《中华人民共和国水法》、《中华人民共和国河道管理条例》及水利部《黄河下游浮桥建设管理办法》,"建设单位必须于开工前两个月将浮桥建设方案一式五份报送当地黄河河道主管机关,经审查同意后,方可按照有关规定履行建设审批手续"。浮桥跨河位置都要有地(市)、县(区)河务局与建设单位有关人员进行现场查勘,浮桥建设和运用不得束窄河道,不得影响水文测验和河道观测,不得影响黄河工程管理。浮桥两岸不得设立永久性建筑物,不挑溜,不改变原来河势溜向。主航道部位的浮桥桥体应便于拆装,以满足通

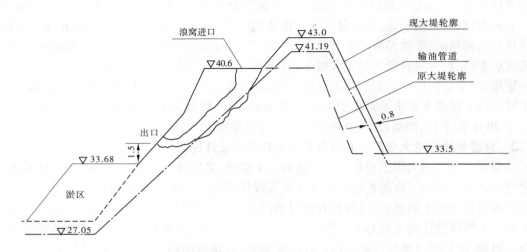

图 1　豆腐窝输油管道出现浪窝示意图　（单位:m）

航的要求,当抢险运送料物、水文测验、河道查勘船只通行时,浮桥使用管理单位在船只到桥位 30 分钟前拆除主航道桥体,拆除宽度满足船只安全通过。浮桥的建设必须符合防洪防凌的要求,伏秋大汛与凌汛期不准架设浮桥,原有浮桥应予以拆除。

通浮桥道路上下大堤坡道,必须另行填筑,严禁挖堤平铺,坡道的坡度不能过陡,以免过往车辆冲坡危及大堤安全,且坡道应进行硬化,确保大堤断面的完整。过往车辆确需经过一段堤防的,也应对堤顶硬化,最好用混凝土或沥青路面。硬化时,不得降低堤顶高度,加铺堤顶路面要留有一定超高,一般应超高 0.3 m,若堤防未达到设计标准,必须按设计断面尺寸先做够标准,然后才能铺设路面。并在顺堤方向安设三排钢管(内径不小于 6 cm)压力灌浆孔,孔距 3 m,排距 1.5 m,插于老堤顶下 0.3 m,并做好封口,以利灌浆加固堤防。

3　管理使用中的几项规定

(1)对于按照审批程序和有关办法批准实施修建的各种管线和民用浮桥,都应该服从河道主管部门的统一管理,服从防洪大局及河道治理的需要。一旦需要,应无条件地拆除或者搬迁,一切费用由建设管理单位承担。凡占用河道管理部门所属护堤地、淤背区、堤身、堤坡的建筑物和设施,都应按规定向河道管理部门缴纳工程维修养护费、占地费等项费用。

(2)建设方案批准后,建设单位应将施工方案报当地黄河河道主管机关,经批准后方可施工。施工期间严禁破坏河道工程及附属设施,不得动用防汛料物,接受当地河道主管机关的监督指导。河道主管部门对不具备开工条件或不符合批准要求以及有损于防洪工程安全的工程,应立即提出处理意见,直至责令停工。工程竣工验收,必须有河道主管部门参加,验收合格后方可启用。

(3)穿堤管线建成后,特别是爬越大堤的管线,管理使用单位每年汛前会同河道主管部门的工程技术人员,对管线进行安全鉴定,写出鉴定意见,由管线使用单位、河道主管部门分别存档,对出现的影响工程安全的因素应予以排除,其费用应由管线管理使用单位负担。

(原载于《山东黄河科技》1992 年第 1 期)

开发利用淤背区　　发展黄河水利经济

黄河淤背区是主要的防洪工程——堤防的组成部分,同时又是可以开发利用的工程土地资源。利用黄河淤背区,搞好种植、养殖、加工业,是发展黄河水利经济的一个重要方面,也是脱贫致富、稳定职工队伍的一条出路。总结前段初步开发利用淤背区的经验,对今后开发利用淤背区是非常必要的。

1　淤背区开发利用的简要回顾

黄河下游两岸堤防是保证防洪安全的屏障,随着黄河河床逐年淤积抬高,堤防强度不足,存在着大量的险点险段。为强化堤防,自 20 世纪 70 年代初,山东黄河河务局创造了用自制简易吸泥船抽吸河床泥沙输送至大堤背河侧加固堤防的办法。险工堤段淤宽 100 m,平工堤段淤宽 50 m,淤筑顶面高程为高出堤防背河坡浸润线出逸点 1 m,淤背体一般高 6~8 m。经机淤加固的堤段防洪效果很好,并被国家列入黄河下游防洪基建工程项目。至 1995 年底,山东黄河计淤筑土方 3.13 亿 m^3,加固堤防长 460 多 km。淤筑高度达标准的淤区顶面积达 2 647 hm^2 其中:用粘土包边盖顶厚度 0.3 m 以上的 733 hm^2,厚 0.05~0.25 m 的 1 113 hm^2,尚未包边盖顶的 800 hm^2。

20 年来,对淤背区土地资源经历了从管理到初步开发利用的过程。20 世纪 70 年代至 80 年代中期,主要是保持淤背区工程完整,封沙造林、植树绿化,为黄河防汛抢险提供料物。由于淤背区土质贫瘠、保水性差,种植的树木大都成了“小老树”,经济效益很低。20 世纪 80 年代中后期,根据“安全、效益、综合经营”三项基本任务的要求。在保证工程完整、安全的前提下,利用淤背区土地发展多项种植。至 1987 年底,山东黄河淤背区营造用材林 1 418 hm^2,种植经济林 58 hm^2,种植各类农作物及经济作物近 67 hm^2。从 20 世纪 80 年代末,不断调整种植结构,初步形成了林、粮、棉、瓜、果、菜和经济作物多层次、多品种种植体系,形成养殖业和加工业相继发展的局面。到 1995 年底,除还保留部分用材林外,已开发种植果园 152 hm^2,主要农作物 637 hm^2,蔬菜等 102 hm^2。1995 年,山东黄河淤背区收获粮食 1 148 t,蔬菜 945 t,水果 502 t,籽棉 64 t;养牛 250 头,羊 1 032 只,猪 1 591 头,鸡 29 882 只;实现产值 770 多万元,对改善职工生活,增加职工收入,稳定治黄队伍起了重要作用。

在淤背区的开发利用中,也出现了一批管理好、效益好的典型。如滨州市局大道王河务段,利用靠近滨州市的优势,职工种植小组承包院内简易大棚 11 个,种植香瓜 0.37 hm^2,一季收获香瓜 6 000.5 kg,平均 1 hm^2 产 16 365 kg,1 kg 售价 4.32 元,总产值

25 922.16元,扣除成本 15 699.75 元,实现 1 hm² 平均利润 27 879.3 元。博兴县局职工承包王旺庄险工淤区种植西瓜,畦背种植玉米,西瓜收获后种大白菜,1 hm² 收西瓜 30 000 kg,产值 15 000 元;玉米 3 000 kg,产值 4 200 元;白菜 4 500 kg,产值 9 000 元;每年 1 hm² 产值 28 200 元,扣除成本 19 200 元后,获利 9 000 元。1995 年初,齐河豆腐窝河务段新建一处淀粉加工厂,为了就地解决原料,由 4 名职工承包 4 hm² 淤背区种植地瓜,收获鲜地瓜 15 万 kg,1 kg 鲜地瓜 0.5 元,产值 75 000 元,扣除工资等成本 31 920 元,1 hm² 利润10 770 元。再如槐荫区局北店子河务段,在淤背区种植水稻连续 5 年获得较高的收成,1993 年每公顷收获水稻 6 652.5 kg;1995 年虽受黄河断流的影响,仍获得了 5 550 kg 的好收成,1 hm² 产值:①大米 5 550 kg×70 %×3.7 元/kg = 14 374.5 元;②稻糠 5 550 kg×30 %×0.7 元/kg = 1 165.5 元;③稻草 5 550 kg×0.3 元/kg = 1 665 元,共计 17 205 元,扣除工资等成本费 4 080 元,1 hm² 利润 13 125 元。该段的管理方式是集体耕地、浇水,从段长到职工共 25 人,每人 0.187 hm² 土地,负责种植、田间管理和收获。但不得耽误个人的本职工作,收获后 1 hm² 上交 2 250 kg 水稻,其余归己,充分调动了职工在淤背区种植的积极性。

2　淤背区开发利用存在的问题

山东黄河淤背区的开发利用,取得了很大成绩,但还存在着以下问题。

2.1　开发利用方式落后,经济效益不高

在种植的农作物中,粮食作物以小麦、大豆、玉米、水稻、地瓜等为主;经济作物以果林、棉花、花生、蔬菜为主,另有部分桑园和中药材。土地利用率低,复种指数仅为 140 %;比全省平均数低 22 个百分点。1 hm² 平均产值 9 105 元,利润 4 935 元,低于当地农村的种植水平。

2.2　土质差,亟须改良

由于淤背区基本土体为细沙、粉沙,用粘土盖顶厚 10～30 cm,土地贫瘠,保水保肥能力差,耕作层内全氮、速效氮、速效磷、速效钾等仅为一般稳定农田的 1/3～1/2。田地表面活土层不能构成具有水库、肥库和气库的作用,不能保证农作物稳产高产。例如,高产水稻田要求有松软肥厚的耕作层 20～25 cm。不松不紧较为发育的犁底层 6～8 cm。通气爽直节理明显的心土层 30～40 cm,计 56～73 cm。几种主要作物要求的一般土壤厚度为:棉花 0.4～0.5 m,蔬菜 0.3～0.4 m,小麦 0.6 m,并能利用 1 m 土层内的水分。显然,目前淤背区的盖顶厚度满足不了一般农作物对土壤的基本要求,亟须改良土壤。

2.3　水利配套率低

山东黄河淤背区属东亚暖温带季风气候。其主要灾害为春旱、夏涝、晚秋又旱,有无灌溉对作物的生长影响较大。淤背区几种主要作物有无灌溉效益对比分析见表1。可以看出,有灌溉的农作物利润一般是无灌溉农作物利润的 2 倍以上。山东黄河淤背区已建小型简易扬水站 53 座,提水能力 16 236 m³/h,机井 47 眼,灌溉面积 495 hm²,只占初步开发利用淤背区面积的 56 %。

2.4　现有农业科技水平低

黄河职工对农业新技术、新成果如地膜覆盖、模式化栽培、秸秆综合利用、测土配方施

肥、节水灌溉、农作物病虫害防治等科学技术知识掌握少,不能在淤背区开发中很好地应用,作物良种化程度和新技术覆盖面低。

表 1　作物有无灌溉效益对比分析

项目	大豆		玉米		棉花	
	无灌溉	有灌溉	无灌溉	有灌溉	无灌溉	有灌溉
平均 1 hm² 产量(kg)	1 174.95	1 743.75	2 700	4 200.0	1 495.5	2 149.5
平均 1 hm² 产值(元)	2 995.50	4 222.50	5 400	6 874.5	10 264.5	14 449.5
平均 1 hm² 成本(元)	1 590.00	1 477.50	3 960	2 685.0	5 835.0	5 460.0
平均 1 hm² 利润(元)	1 405.50	2 745.00	1 710	4 189.5	4 429.5	8 989.5

2.5　农机具不配套

淤背区开发已配备小型农用拖拉机 50 台,犁 18 套,耙 36 套,播种机 17 台,收割机 14 台,脱粒机 17 台等,分属于 8 个地(市)河务局的近 40 个县(区)河务局、闸管所,配套程度低于全省农业机械化平均水平,导致农业生产力落后,土地产出效益低。

2.6　管理经营方式不规范

淤背区的经营种植方式主要有 4 种:一是由单位组织职工统一种植,收获归单位,此种方式一般单产效益低。二是职工个人承包,交足单位规定的承包费后,收入归己。三是集体承包种植,收获交足单位提留,剩余集体分成,此种承包方式单产效益较高,有利于壮大集体经济。四是租给附近村民种植或企事业单位无碍防洪工程运用的开发,这也是一种可行的办法,但有的租金太低,造成了经济效益流失。上述几种方式没有形成规模种植和高效农业,基本上属粗放管理。

2.7　养殖业、农副产品加工业滞后

当前养殖业存在的主要问题是起点低,基础差,大量的秸秆和堤坡草场利用不起来,自然资源没能得到充分发挥。已有的禽畜养殖多是传统饲养方式,科技含量低。农产品加工只有几处简易的小工厂,进行初级加工转化,产品质量和档次低。

3　对淤背区开发利用的再探讨

3.1　开发利用目的认识要深化

开发利用黄河淤背区,一是进一步维护和保持防洪工程的完整和强度,有效地防止侵蚀破坏而发生水土流失,改善周围的生态环境。二是发展种植、养殖和农副产品加工业等,增加粮、菜、肉、蛋、果的社会有效供给量,丰足职工的菜篮子、米袋子,弥补事业经费的不足,稳定治黄职工队伍,有利于修、防、管等各项工作的正常进行和提高。

3.2　指导思想要明确

坚持以经济效益为中心,以土壤改良、水利配套为基础,以科技示范,促进种、养、加产业的平衡发展为主体。坚持长期效益与近期效益相结合,工程措施与生物措施相结合,开发利用土地与保护工程相结合。在综合利用上,坚持种植业和畜牧业相结合的生产方式,推进农业向种、养、加产业综合发展;在农业经营上,以科技为先导,以市场为导向,大力利用先进技术科学种田,以求达到高产、高效、高质的目的。

3.3　加强土壤改良和水利建设的力度

从防洪工程管护和农业开发种植的要求,都应该加大投资力度。淤背区土壤改良,应充分利用黄河水沙资源,在汛期利用吸泥船、座机等设备抽吸大河悬移质泥沙,进行放淤改土;在基建工程投资中尽量争取多安排盖顶土方,盖顶厚度至少为 0.5 m。采取减少水肥渗漏、适宜保墒的工程措施和技术,并多施有机肥等措施培肥地力。水利建设以取黄河水为主,辅助打井取地下水灌溉,积极引进和推广使用节水灌溉技术。

3.4　科学技术是农业经济发展的动力

(1)强化农业科技意识。建立农业科技推广机构和服务生产机构,促进农业科技成果的推广转化,将农业科技成果的推广应用变为人们的自觉行动。

(2)加快人才培训。采取多种形式加快人才培养、培训。一要配备农牧院校大、中专毕业生,壮大科技队伍。二是按专业对口原则,采取请进来、送出去的办法,对现有从事开发的技术人员培训。三要按产业的发展所需培训管理人员,逐步满足开发需要。

(3)推广农牧业生产良种化。要加强与农牧科研院所、良种站的联系,大力引进推广优良品种,发挥优良品种抗病虫害、高产的优势,提高开发效益。

(4)建立农业技术示范区。建立一定规模的高科技综合试验区,配备必要的仪器设备,开展良种、作物轮作、套种、立体农业开发研究、新技术引进,作为淤背区开发的科技示范区,以此辐射带动山东整个淤背区开发,达到科技与生产相结合,科技与经济一体化。

3.5　效益是中心

要坚持以市场为导向,以经济效益为中心,因地制宜。突出自己的特色,发展名、优、特品种。逐步将效益低的片林还田,增加高产粮食作物、经济作物和药材、蔬菜种植。同时,以淤背区农产品为原料,大力发展反刍类食草型、成本低效益高的禽畜。

3.6　科学管理是保证

培养选拔一批懂技术会管理的优秀人才,充实到各级管理部门,具体负责和从事淤背区的开发利用。坚持河务段为基础进行单独经济核算和集体承包种植形式为主,组建专业队伍,配备相应的农机具等设备。合理制定承包办法,有利于调动职工积极性,有利于集体经济的积累和壮大,使黄河水利经济滚动发展。

(原载于《水土保持研究》1998 年第 5 期)

堤防工程雨毁浅析

近几年来,山东省沿黄部分地区曾遭遇数次暴雨袭击,降雨历时短、强度大,有时伴有大风,使黄河堤防、险工、控导(护滩)工程遭到了严重毁坏。据统计,山东黄河河务局全局各类防洪工程每年的土方流失量一般为 20 万～30 万 m^3,1990 年达到 50 万 m^3,严重地影响了工程的完整和抗洪能力。因此,研究和分析工程雨毁的原因以便采取相应的对策,对确保黄河下游的防洪安全具有重要的意义。

1 雨毁工程情况

1987年8月26日晚到27日晨,济南市及德州沿黄地区遭遇特大暴雨(即济南"8·26"暴雨)。济南市平均降雨量291 mm,暴雨中心最大降雨量341 mm,是1962年以来降雨量最大的一次。这次暴雨使济南、德州两市(地)的防洪工程遭到了严重破坏。据济南市河务局统计,暴雨中出现水沟浪窝872条,工程土方流失39 431 m³;险工、控导(护滩)工程有36段坝岸局部坍塌,冲塌石方1 200 m³;大堤出现一条长300 m,缝宽1～3 cm的裂缝;蛰陷、裂缝、揭顶、漏雨的防汛屋44座、守险房19间、仓库222间,倒塌院墙72 m,郑济通讯干线电杆被风刮断13根,倒128根,冲塌备防石1 280 m³。德州地区河务局的工程出现水沟浪窝2 137条,土方流失22 560 m³。

1989年7月17～19日,济南、德州、菏泽等市(地)普降大到暴雨。据调查,上述三市(地)的堤防、险工、控导(护滩)工程均遭到了不同程度的毁坏,各类防洪工程出现多处水沟浪窝,土方流失12万 m³(见表1)。其中菏泽局范围水沟浪窝土方流失4.29万 m³,有56条排水沟被冲毁;德州局范围水沟浪窝土方流失6.51万 m³,有163段坝岸遭到破坏;济南局范围水沟浪窝土方流失1.10万 m³,北店子险工23#坝掉膛子长10 m、深2.5 m、宽2 m。牛角峪堤段新加固的前戗出现3条裂缝计长150 m、深1～2 m、宽3～20 cm,并伴有陷坑。为了比较各类防洪工程水沟浪窝的分布情况,将雨毁工程严重的齐河、济阳两个县局的情况列于表2。从表2可看出:堤防上出现的水沟浪窝条数较多,而流失土方占总量的6.5%～28.7%;险工、护滩工程出现的水沟浪窝流失土方占总量的1.5%～10.5%;淤区出现的水沟浪窝条数最少,流失的土方最多,占总量的60.8%～92.0%。每处浪窝平均流失土方200～300 m³,最多达4 000多 m³。

表1　部分市、地局防洪工程土方流失情况(1989年7月)

单位	平均降雨量（mm）	最大1小时降雨量（mm）	水沟浪窝流失土方(m³)				需投资（万元）
			堤防	险工控导	淤区	合计	
菏泽局	130以上	70	12 151	24 463	6 285	42 899	20.4
济南局	127	35	4 351	1 933	4 700	10 984	6.5
德州局	181.7		16 490	5 933	42 702	65 125	20.3
小计			32 992	32 329	53 687	119 008	47.2

表2　齐河、济阳县局防洪工程土方流失情况(1989年7月)

工程类别	齐河局				济阳局			
	水沟浪窝（条）	流失土方（m³）	每条浪窝平均土方（m³）	流失土方占合计（%）	水沟浪窝（条）	流失土方（m³）	每条浪窝平均土方（m³）	流失土方占合计（%）
堤防	1 556	15 841	10.18	28.7	72	649	9.01	6.5
险工、控导	448	5 781	12.90	10.5	30	152	5.07	1.5
淤区	160	33 502	209.39	60.8	29	9 200	317.24	92.0
合计	2 164	55 124	25.47		131	10 001	76.34	

1990 年 6 月中旬至 7 月中旬,山东省连续降几场大雨,各类防洪工程都遭受了暴风袭击,全局防洪工程水沟浪窝流失土方 17.54 万 m^3(见表 3)。

表 3　1990 年 6~7 月山东黄河防洪工程土方流失统计

单位	雨情			水沟浪窝			
	主要降雨日期(月-日)	平均降雨量(mm)	最大 1 h 降雨量(mm)	条数	流失土方(m^3)	最大浪窝体积(m^3)	平均每条浪窝流失土方(m^3)
菏泽局	06-27~06-28	66	34.3	6 271	27 438	625	4.4
聊城局	07-08~07-09		21	671	5 906		8.8
位山局	06-18	100		5 355	11 002	90	2.1
济南局	07-06~07-10	>100		5 140	71 000		13.8
淄博局	07-06~07-13	195.6		1 472	8 377	336	5.7
德州局	07-06~07-10	>100		957	19 400	300	20.3
惠民局	07-06~07-13	246.3	87(0.5 h)	7 022	21 539	655	3.1
东营局	07-06~07-15	250		4 255	10 718	300	2.5
合计	06-18~07-15			31 143	175 380		5.6

2　工程雨毁的原因

黄河防洪工程雨毁严重的原因,除暴雨因素外,工程的配套程度、施工、管理等方面也存在一定问题,主要有以下几个方面。

2.1　堤防、坝岸工程缺少排水设施

据调查统计,全局各类堤防上共有排水沟 4 500 条,仅占设计要求的 1/3 左右。由于堤防缺少排水沟,堤肩两侧筑有小堰的堤段,雨水在堤顶聚集,一旦冲决小堰,往往出现大的水沟浪窝。无堤肩小堰的堤段,雨水分散顺堤坡冲刷成较多数量的水沟。坝岸工程缺少排水沟,往往在沿子石后或距沿子石 2~3 m 处水流渗入坝基,渗流形成孔道从坦石流出,出现坝基蛰陷、坦石坍塌。如 1990 年 7 月 6 日,历城区王窑堤段降雨 175 mm,赵庄险工 36# 坝在沿子石后出现了长 9 m、宽 3 m、深达 1.5 m 的浪窝;39# 坝背水面后尾,距沿子石 2.5 m 处出现一陷坑,直径 1 m,深 2 m,坦石距沿子石顶 2 m 处,出现了 3 m^2 左右的塌陷区。此二段坝均无排水沟。

有排水沟的堤段或坝岸,如布设位置不当,也不能很好地发挥作用。历城局赵庄险工 59# 坝,设在迎水面坦石与土坝基连接处的排水沟在 1990 年 7 月 6 日暴雨中被冲毁,坝脚出现一个深 4 m、宽 3 m 的冲坑。经现场查勘,此排水沟修在土胎上,沟底只有一层石头,因沟窄溢水淘刷土胎,排水沟蛰陷毁坏;王窑险工 34# 坝与 33# 护岸相连,34# 坝迎水面后尾设一排水沟,33# 护岸约有长 116 m、宽 10 m 的埽面向 34# 坝倾斜,汇水流不到排水沟,即沿坦石坡排泄,造成 33# 护岸与 34# 坝连接处长 10 m、高 4 m 的坦石坍塌。

2.2　草皮退化老化严重,不能有效地防护工程

经调查,草皮覆盖率较高的堤段和坝岸,出现水沟浪窝较少;草皮覆盖率较低的堤段和坝岸、辅道以及破堤小路等出现的水沟浪窝较多。如济南市天桥局北岸堤防,从桩号 133＋920～134＋440 是一平工堤段,长 520 m,在 1990 年 7 月 6 日降雨中共流失土方 560 m³。其中临河堤坡草皮覆盖率在 80％ 左右,生长的主要草种是多年生的葛芭草,出现水沟浪窝 18 条,流失土方 58 m³,占流失土方总量的 10％;背河于 1990 年春天整修了堤坡,没能及时植草,自生部分杂草的覆盖率约 30％;出现水沟浪窝 144 条,土方流失 502m³,占流失土方总量的 90％。

2.3　施工质量不好

堤防和坝岸工程新老土体结合不好,雨水浸灌,出现裂缝陷坑,虚土过厚,碾压不实,接头处理不好,经雨水冲刷形成大的水沟浪窝,坝岸坦石后土坝基,土胎夯实质量差或土质选择不当等都会形成浪窝。如泺口险工 10～12# 坝,因坝高坡陡、根石不足,1985 年 11 月造成滑坡塌陷,滑坡面呈 1:0.3～1:1.0 陡坡。由于滑坡面距大堤较近,改建时土坡没按标准进一步缓坡,造成新老土体结合不好,雨水在原滑塌面处浸入,出现裂缝、陷坑,长 25 m,缝宽 10～20 cm,距沿子石外沿 1.5～2.0 m。再如北展堤大吴铁路挡水闸石护坡,雨水顺砌石缝浸入,石护坡下土壤被淘刷,在 1990 年 7 月大雨中护坡坍塌约 60 m²,塌深 2 m。现场分析认为,塌坡的原因主要为石护坡后填土多为沙性土,砌石时的石渣垫层又薄,勾缝脱落(尤其是马道处),进水冲刷所致。

2.4　淤区未按规定包边盖顶

淤区土质多为沙土,大雨期间极易流失,出现大的水沟浪窝,淤区顶面不平整,不按要求修做格埝,致使大面积雨水汇于低洼处,渗漏形成孔道使淤区边埝坍塌。

2.5　水沟浪窝没有及时填垫

降雨时,管护人员应冒雨巡查坝岸堤防,疏通排水出路。发现水沟浪窝,及时在进水口周围修筑土埝,拦截水流,免使浪窝扩大。如不及时圈垫,小浪窝会发展成大浪窝,大浪窝周围又出现小浪窝,造成恶性循环,越演越烈。

除上述原因外,还有树坑空隙或树根腐烂,雨水乘虚而入,造成一些空洞;堤身和土坝基有动物洞穴,也易形成大的水沟浪窝。

3　防护措施

雨毁破坏了工程的完整,严重降低了堤防的抗洪强度,应引起足够的重视。首先应严格执行黄河下游修堤工程、险工坝岸加高改建、放淤固堤工程等的施工规定,切实加强工程管理,将工程管理纳入依法管理轨道。当前,应重点抓好以下几点防护措施:

(1)修建排水沟。排水沟的布设应根据堤身土质和有无挡水小堰而定,一般相距 50～100 m 为宜。排水沟的尺寸按集水面积设计,一般底宽 0.6～1.0 m、深 0.3 m 左右。为节省投资,在土质较好的堤段,堤坡可修草皮排水沟;险工、控导(护滩)工程的坝垛护岸,应在坦石上修砌石排水沟。防洪工程上现有的排水沟应及时进行维修养护。

(2)搞好植草防护。目前山东黄河河务局各类防洪工程上种植的葛芭草多年未更新,已退化老化严重,覆盖率降低。因此,对葛芭草进行复壮管理或引进新的草种,实属当务之急。

（3）保证施工质量。堤身、淤区顶坡以及埽面应按规定进行整平，包边盖顶，以减少大雨时水沟浪窝的发生。

（4）冒雨巡查。大雨期间，要积极组织力量巡查堤防，顺水排水，圈垫水沟浪窝，减小雨毁工程损失。

（原载于《人民黄河》1991 年第 3 期）

山东黄河堤防裂缝的统计与分析

近 3 年来，山东黄河堤防多处发生裂缝，这种险象已引起各级修防部门的关注。现就裂缝统计情况及原因分析分述如下。

1 山东黄河堤防裂缝的状况

1986 年汛前，山东黄河菏泽、济南、东营、聊城四修防处和位山工程局，分别检查了所辖堤段的堤身裂缝。1987 年和 1988 年，山东全河包括德州、惠民两修防处在内的 7 个处（局），连续进行了汛前堤防裂缝大检查。通过检查，共计发现裂缝 41 处，其中纵向裂缝 33 处，横向裂缝 8 处（见表 1）。纵向裂缝发生的部位，多在临、背河堤肩及其以下的堤坡或戗顶上，出现在堤顶的是少数（见表 2）。

表 1　1986～1988 年汛前堤防裂缝统计

堤防名称	1986 年		1987 年		1988 年	
	裂缝数（条）	长度（m）	裂缝数（条）	长度（m）	裂缝数（条）	长度（m）
临黄堤（包括北展堤）	1	150	8	3 950	19	4 476.5
北金堤			1	150	5	265
东平湖堤	1	38.5	4	64	2	38
合计	2	188.5	13	4 164	26	4 779.5

表 2　纵向裂缝部位

堤防名称	裂缝部位								
	小计	背河			堤顶	临河			柳荫地
		堤肩	堤坡	戗顶		堤肩	堤坡	戗顶	
临黄堤	22	1	6	3	1	3	7	1	
北金堤	6				1		4		1
东平湖堤	5	4			1				

堤身裂缝多数是断断续续，时有孔洞，有时表面被草皮掩盖或被薄土覆盖。例如

1988 年的汛前工程检查,郓城修防段大堤桩号 309＋970～310＋070 处,初见背河堤坡有一小洞,细察发现一处纵向弧形裂缝,长 100 m,宽 5～10 cm,最大缝宽 13 cm。裂缝最高点距堤顶垂高只有 0.8 m,一般距堤顶垂高为 2.5 m 左右,高出淤背区地面 2～3 m。绝大部分的缝口被草皮覆盖,断断续续。后经追踪开挖,裂缝长竟达 1 050 m(大堤桩号 309＋510～310＋560),最大缝深达 3.7 m。又如梁山段堤身裂缝位于大堤桩号 318＋900～319＋800 间的背河戗顶上,断续长达 900 m。从表面看,草皮下面为一条 5～10 cm 深的小沟,掀掉草皮即呈现出较深而且连续的裂缝,宽 5～10 cm,最宽处 15 cm,可探深度 1.5～3.5 m,最深达 4 m。此缝基本为直线型,距堤顶 3～5 m,高出淤区面 1 m 左右。此外发现距此长缝 1～3 m 处还有一些缝段,走向与长缝平行。

有的裂缝,外部看起来像是陷坑,开挖之后,裂缝才呈现出来。例如 1987 年汛前,在东平湖围堤 61＋995 处,临湖石护坡纵向排水沟以上 0.5 m 处,发现有一直径约 0.3 m、深 1.5 m 的竖井,井口被丛密的小榆树掩盖,且周围有 3 个小洞,经开挖见土皮 0.3 m 下有一条横向裂缝伸向堤背,缝宽 2 cm,竖井下部直径扩展到 0.7 m。1988 年汛前,又在东平湖围堤 62＋710 处发现临湖堤肩有一陷坑,直径 0.3 m,深 2 m。5 月 17 日进行挖填处理时,当挖至 1.5 m 深处时,出现一条裂缝,伴随水平孔洞延伸到堤坡,最大缝宽 25 cm。

在已检查出的 41 处裂缝中,缝宽 5 cm 以下的 19 处,占裂缝总数的 46.3%;5～10 cm 的有 17 处,占裂缝总数的 41.5%;10 cm 以上的 5 处,占 12.2%。可探深度一般在 1.5～3 m,最深达 4 m。

上述裂缝的存大,是非常危险的,尤其是贯穿大堤的横缝,一遇洪水假堤,极易形成漏洞,甚至可能造成更为严重的险情。

2 裂缝发生原因的初步分析

我们调查了裂缝发生堤段的复堤过程、地基和淤背的情况,初步分析大堤发生裂缝主要有如下原因:

(1)山东黄河堤防大多坐落在旧堤上,基础下有过去堵口时留下的柳秸料层,年久腐烂;也有残留的战沟、地窖、防空洞等;有些老堤内部,土质疏松,质量不好;有的堤段背河有老潭坑,常年积水。淤背固堤中,淤区浸水时间长,加之淤沙加载,导致大堤基础或堤身局部发生不均匀沉陷。以上种种,均可造成大堤裂缝。如郓城段大堤,原是民堰,土质疏松,堤背地势低洼,雨季积水严重。在公里桩号 310＋050 处,有抗日战争时期开挖的战沟,长 30 m,宽 6 m,深 1.5 m。此处裂缝在平面上沿战沟向堤顶发展,呈弧形。再如梁山大堤,是 20 世纪 50 年代在民堰基础上加培而成,第二次大复堤时,原堤顶退为后戗,背河有潭坑,常年积水。淤背加载后,使大堤发生不均匀沉陷,导致堤身裂缝。

(2)由于大堤加培中,新老结合部及两工段接头处处理不好,筑堤土为粘土,或有冻土块,含水量控制不当,碾压不实,帮宽加高部分堤身沉陷大等原因,也可引起堤身发生裂缝。如北展宽区的堤防,1988 年汛前发现 10＋595、25＋760 以及 26＋320 处,均有横贯堤身的弯曲裂缝,并伴有许多处孔洞,表面缝宽 2 cm,洞径 0.3～0.35 m,经查对均是施工时两工段接头处理质量不好造成的。另外,在桩号 10＋595 处临时一侧的堤坡还发现一个洞口,洞径 0.3 m,离堤顶垂高 3.2 m,后开挖至堤肩处,成为两个相距 1.3 m 的水平洞,一个洞径 0.4 m,另一个洞径 0.5 m,此也为两工段接头处理不好所致。

(3)临河滩地由于大水漫滩,滩区普遍淤有一定厚度的胶泥,加培大堤时,部分堤身坐落于此,并用湿胶泥块帮宽加高临河堤身,无法碾压,干缩后形成孔隙,加之堤身下部沉陷不均,促成大堤裂缝。如槐荫修防段牛角峪堤(5＋600～5＋750),1988 年汛前在临河戗顶以下 3 m 处,发现一条纵向裂缝,长 15 m,宽 3～5 cm,深 0.5～1.0 m。此河段 1982 年大水漫滩落淤,1983 年于临河一侧帮宽加高大堤时,取用滩地新淤土料,连续几年的干缩和不均匀沉陷造成堤身裂缝,虽经压力灌浆处理,但局部仍有裂缝出现。

(原载于《人民黄河》1989 年第 2 期)

獾狐对堤身的危害与捕捉獾狐的方法[1]

獾、狐是黄河下游堤坝上有害的动物,其洞穴是堤防的严重隐患。为充分认识獾、狐对堤坝的危害,探索獾、狐的生活习性及活动规律,采取有效的办法捕捉獾、狐并处理其洞穴,山东黄河河务局 1988 年在东明临黄堤、梁山东平湖堤及阳谷北金堤,安排专人进行捕捉獾、狐和处理洞穴的技术研究,并有了一些初步的认识。

1 獾狐洞穴分布特点

山东黄河堤防,近几年獾、狐活动比较猖獗,每年都发现有新的洞穴,并捕捉到较多的獾、狐,见表 1。

表 1　捕捉害堤獾、狐统计

年份	发现洞穴(个)	捕獾狐数(只)	年份	发现洞穴(个)	捕獾狐数(只)
1983		85	1986		93
1984		70	1987	112	75
1985	226	103	1988	100	68

初步分析獾狐洞穴(狐不会掏洞,多占居獾洞,故狐常袭居獾穴)在堤坝上分布有以下特点:

(1)獾狐洞相对集中在一定的堤段。如东明修防段近 4 年累计发现獾狐洞 83 处,223 个洞口,集中在滚河防护工程 15#～34# 坝堤段,多在坝基或备防石底下以及大堤背坡上。又如阳谷修防段所辖堤段内,獾狐洞则集中在张秋险工至陶城铺险工(北金堤 110＋000～临黄堤 3＋000),仅 1987 年汛前工程普查就发现獾狐洞 85 个(临河 30 个,背河 55 个)。洞口最大直径 0.5 m,小的也有 0.25 m。

[1]　吴金山等同志参加了该项工作。

（2）獾狐洞附近地形、植被情况比较杂乱。有的堤坡树丛、杂草茂密,进不去人;有的堤坡不规整,有废土牛、旧房台等;不少堤段地形、植被情况复杂,临堤有苇子地或苗圃;有的坝岸常年不靠水,备防石较乱,缺乏日常管理,杂草、杂树丛生。

（3）在同一堤段上重复为害。如阳谷、东明、梁山等修防段,都发现同一堤段或相近堤段连续几年出现多处獾狐洞。

2　堤防獾狐洞穴危害性

为进一步了解獾狐洞结构,阳谷黄河修防段于1988年6月1~3日,在北金堤解剖了两处獾洞。其中大堤桩号为1+200一处,临河堤坡有两个洞口,在堤肩以下垂高6m处,周围杂树杂草较多,开挖结果如图1所示。此獾洞总长20.8m,从1#洞进洞后分东西两支,东支洞伸至1.5m后慢转伸向堤顶方向,此处洞顶距堤坡表层0.8m。再延伸1.3m后,洞径扩大为0.6m,内有磨光的土块,经分析此为住所。又延伸1.7m后复分两支,其中短支长0.8m,洞径0.5m,内有粪

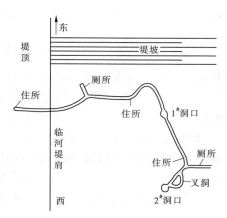

图1　北金堤(1+200处)獾洞平面图

便,较潮湿,为便溺之处;长支延至5.4m后进入堤身中部,洞径扩大为0.6m,洞顶在堤顶以下1.3m,内有零星杂草,为住所。西支洞向西延伸3m,洞径扩大为0.6m,洞壁较光滑,为住所,再延伸与2#洞口相通。2#洞口顺堤坡偏东而下,0.8m后向西分叉,叉支呈弧形与主洞相通,长1.5m,主洞下延2.3m后,向东与1#洞口相通,再向下2.5m结束,内部较潮湿,为便溺之所。

在东平湖围堤上还开挖了多处獾狐洞,其中两处分别见图2、图3。

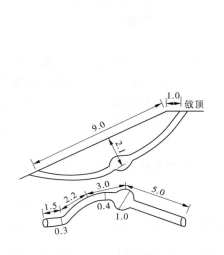

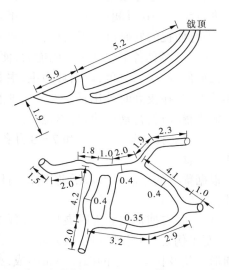

图2　东平湖围堤(38+130处)獾洞图　（单位:m）**图3　东平湖围堤(38+140处)獾洞图**　（单位:m）

从上述解剖的情况看,獾狐洞穴结构复杂,一般都有 2 个以上洞口,洞穴分成上下几层,垂直伸入堤内几米至十几米,洞穴累计长度达几十米,洞径一般 0.3～0.4 m,个别洞径达 0.6～0.7 m。獾狐洞穴,危害堤身严重。如东明修防段 1984 年处理的庄寨堤段(桩号 213＋310)一处獾狐洞,共有 4 个洞口,内部分层,纵横交错,从背河堤坡向临河延伸近 12 m,削弱大堤断面近 50%。1988 年又在 209＋950 堤段处理了一处獾洞,亦有 4 个洞口,分别位于堤顶下 3～6 m,最大洞径 0.45 m,严重破坏了堤身,削弱了工程强度。

3　獾狐生活习性及捕捉獾狐的方法

獾体长 50 cm 左右,尾长 10 cm 左右,头长、耳短,身体肥胖,皮下脂肪较厚。毛呈灰色,胸、腹、四肢呈黑色。腿较短,前蹄宽、短,爪长;后蹄窄、长,爪短,形似小孩脚丫,俗称"人脚獾"。獾善掘洞,每小时可掘洞 1.5 m 左右。挖洞时,前爪挖、后蹄刨、屁股推。獾视力一般,但听觉、嗅觉却极灵敏;它凭着灵敏的听、嗅觉,猎取食物,辨别敌情。

獾是食肉性动物,食性较杂。通过剖腹和分析粪便得知,獾的主要食物为老鼠、蛇、青蛙和其他昆虫。在动物食源不充足的情况下,也食瓜果农作物、草根等。獾是游击性觅食,一般不储存食物,喜欢吃鲜食,死掉的动物一般不吃,因而捕獾时不能以死烂动物为诱饵。

獾喜欢夜间活动,一般情况下"月升獾出,月落獾宿"。獾奔跑速度不快,在平地上,人快跑就可追上。从爪印看,獾走动时,脚尖着地重,后跟着地轻,喜欢走熟路,行动路线弯弯曲曲。獾会游泳,从梁山东平湖围堤上的獾洞看,獾经常游过京杭运河走运河西堤寻找食物,返回时带运河黑泥入洞,将洞口磨得又黑又亮。

獾一般都有几处洞穴,以一处为主,每处洞穴都有几个洞口,单个洞口的洞一般不住獾。上年立冬至下年惊蛰间是獾的冬眠期,冬眠时,它们封住洞口,缩居洞内,不吃不喝。惊蛰后开始行动,这时其身体虚弱,行动迟缓,为尽快恢复体力,獾活动较频繁,夜晚觅食,白天在麦地、苇地等较隐蔽的地方藏身,一连几天不回窝,直到麦后住窝才较固定。

獾每年 9～10 月间进行交配,第二年 4～5 月产仔,每产 1～4 只,母獾产仔后,觅食频繁,是进行捕捉的好时机。当幼獾长到两个月左右,它们就能够离开洞穴出外活动,到了秋天,幼獾已经具备了独立生活的能力,便分家另居,堤坝上将出现新的洞穴。

狐形似狗,多为黄色,以肉食为主,主要吃鸡、老鼠、青蛙、刺猬、昆虫等。狐生性多疑,胆小怕人,多在夜静时外出活动觅食。狐体内能够散发出一种气味,用来御敌及麻醉猎物。狐比獾狡猾,行动迅速,奔跑速度快。由于狐不会掘洞,捕捉时不会堵门,所以在洞内捕捉较容易。狐每年 2～3 月和 7～8 月各产仔一次,每次 3～4 只。狐不冬眠,冬季亦外出活动觅食。

根据獾狐的生活习性和活动规律,可用于捕捉獾狐的方法很多,但比较有效的有如下几种:

(1)大踩夹捕捉法。大踩夹是捕獾狐的优良工具,这种工具比较简单实用,携带操作方便,便于伪装,不易被发现,成效较大。大踩夹类似捕捉老鼠的铁夹子,稍大。它由两个半圆形夹丝及拉紧夹丝的四段弹簧组成,夹丝半径为 15 cm 左右,使用时将夹丝搬开成圆形,并用机关固定。当触动机关时,夹丝便会猛地合拢,夹捕猎物。捕捉时不用诱饵。使用时应注意:①夹子的机关灵敏,应小心,以避免出现不安全事故。②夹子通常下在洞口前獾狐进出必须经过的路线上,只要獾狐从此路过,就能将其捕住。③夹子一般要系在一根铁棍上,并将铁棍插入附近土内,以免獾狐将夹子带走。④下好夹子后,洞口要恢复原样,不能留有破坏迹象。⑤在其他洞口要故意制造一些假象,使其不从这些洞口出入。⑥夹子下好后,要经常前去查看,以免夹住獾后跑掉或误伤人畜。

(2)挖洞捕捉法。当查知獾狐在洞,可结合翻挖处理采取挖洞的办法进行捕捉,其法有二:一是顺洞掏挖,二是竖井拦截。顺洞掏挖是由洞口开始,沿着洞的走向逐节地开膛挖掘,直至捉到獾狐为止,此法适用于洞身较短且洞顶土层不厚的情况。竖井开挖是先探明獾洞走向,然后于洞顶开挖竖井,如洞身长,转弯多,可多段进行,这样节节逼近,直至捕捉到獾狐。此法适用于长洞。挖洞捕捉法,当挖至靠近獾狐时可用麻袋或铅丝网笼堵罩洞口,由两人入洞捕捉。

(3)下网捕捉法。当獾狐在洞内时,可在洞口下胶丝网捕捉。

捕捉害堤动物,消灭堤身隐患是确保堤防完整和安全,提高堤防工程抗洪能力的有效措施之一,也是一项经常性的堤防管理工作。在山东黄河堤防上每年都捕捉到一些獾狐和其他害堤动物,但这些害堤动物繁殖力很强,不可能一网打尽,因此必须把捕害灭患工作作为一项经常性的工作来抓,经常在沿黄群众中间广泛宣传捕害灭患的重要性,使群众性的捕捉害物的活动持久地开展下去。与此同时,还要采取措施清除堤、坝坡上的树丛、杂草,清理旧土牛、旧房台等,整理料垛和备防石,彻底消除獾狐生存、活动的环境。

(原载于《人民黄河》1989 年第 3 期)

技术咨询在黄河下游河道管理中的作用

随着我国经济的高速发展,特别是交通、电力等基础行业的快速发展,近年来跨越黄河的桥梁、管道、电缆等工程越来越多。截至 2004 年 7 月,山东省境内已建的跨越黄河的铁路桥梁就有 5 座、公路桥梁 13 座、浮桥 46 座,穿越河道的管线有 270 处。河道主管部门及建设单位都认识到,为确保黄河防洪安全,建设穿黄工程必须认真执行《中华人民共和国水法》、《中华人民共和国防洪法》、《中华人民共和国河道管理条例》等有关水法规的相关规定。为此,新建设非防洪工程时,都注重了技术审查和技术咨询,分析所建工程对防洪和洪水对所建工程等方面的不利影响,研究消除不利影响的措施,确保了黄河防洪和所建工程的安全。

1　技术审查和技术咨询的主要内容

1.1　技术审查的主要内容

河道主管机关依据水利部、国家计委水政[1992]7 号文《河道管理范围内建设项目管理的有关规定》,对申请在河道管护范围内建设项目进行审查时,据情召开专家咨询或审查会。根据设计文件,技术审查的主要内容为:①是否符合江河流域综合规划和有关的国土及区域发展规划,对规划的实施有何影响;②是否符合防洪标准和有关技术要求;③对河势稳定、水流形态、水质、冲淤变化有无不利影响;④是否妨碍行洪、降低河道泄洪能力;⑤对堤防、护岸和其他水工建筑物的安全是否有影响;⑥是否妨碍防汛抢险;⑦建设项目防御洪水的设防标准与措施是否适当;⑧是否影响第三人合法的水事权益;⑨是否符合其他有关规定和协议。

1.2 技术咨询的主要内容

建设单位或设计部门为了搞好所建工程的设计,一般委托有关单位进行技术咨询,提出技术咨询报告或河工模型试验报告并进行防洪影响评价。此工作既是对黄河防洪安全负责,也是对建筑物经济、技术、安全性负责。以在黄河河道内建桥为例,其主要技术咨询工作有:①统计实测资料,分析建筑物附近河段河床演变、河道平面变化、横断面变化、主槽的最大宽度和主槽与滩地冲刷深度等,以确定桥梁主跨位置和桥墩参考埋置深度;②分析防洪水位的变化及河道通航要求,以确定桥梁梁底的高度;③按照有关规定,确定桥梁的防洪设计标准;④分析统计历年凌汛情况,根据历史观测记录的流冰尺寸大小及河道平面形态,以不影响排泄冰凌为原则,确定主槽内桥梁主跨跨度;⑤分析桥梁对河道行洪和对堤防工程、险工控导工程的影响及对工程管理的影响,并分析影响程度的大小,提出消除不利影响的措施;⑥对桥位进行综合比选,分析洪水对桥梁的影响并提出消除不利影响的措施;⑦提出结论性的意见。

2 技术咨询工作对黄河下游治理的作用

2.1 避免了大的河势变化

黄河含沙量大、水沙不平衡、河势演变剧烈。经过几十年的治理,黄河下游修建了大量的控导溜势的河道整治工程,形成了以坝护弯、以弯导溜的工程平面格局,河势基本得到控制。跨越河道的桥梁必须在主河槽内设桥墩,高空架设电缆也需要在河道内布设电塔支墩,桥墩等顺水流方向较长,有的达几十米,如果桥墩走向与主流线的交角过大将改变水流的方向,影响原有河势,可能使原来某些河道整治工程着溜点上提或下挫,甚至脱溜,形成新的险点。在所建大桥的设计中,通过技术咨询工作,避免了桥梁轴线走向与黄河汛期主溜线非正交,基本消除了因建桥而影响河势变化的因素。

2.2 防洪工程规划和管理要求得到充分考虑

黄河大堤是防御洪水的主要屏障,目前正在逐步将黄河大堤修建成标准化堤防,所有跨越黄河的建筑物均不能破坏大堤的完整性和抗洪强度。由于黄河下游的河床不断淤积抬高,因此需要考虑建筑物在一定运用年限后的设防问题。以建桥为例,主要考虑两点:一是桥墩的设置应符合有关工程管理规定,即布设在50年后的大堤临河堤脚50 m外,背河淤背区堤脚10 m外,堤身内严禁设置桥墩,但淤背区可以布设桥墩;二是桥梁要尽量与大堤立交,桥梁跨越大堤的梁底高要高出50年后的大堤顶高程2.5~4.5 m,以满足未来50年大堤加高时的施工高度要求和交通高度要求。若不能满足施工要求,应在架设桥梁时预先把大堤加高至未来50年的高度。桥梁梁底高程至50年后的大堤堤顶净高,如果无法满足交通要求时,应在大堤背河侧修建穿越桥梁的辅道,以保证防汛交通通畅。

2.3　保证了黄河安全泄洪

在黄河河道内建设桥梁的桥墩,减小了过流面积,对泄洪有一定影响。为减小其影响,两岸大堤之间(主槽、滩地)均应架桥跨越,桥跨要尽量大,其中主槽跨度要考虑排泄洪水和冰凌的要求,滩地桥跨可适当减小,尽量避免因桥墩设置出现较大的壅水而影响泄洪。按照《中华人民共和国河道管理条例》规定的"桥梁和栈桥的梁底必须高于设计洪水位,并按照防洪和航运的要求,留有一定的超高"的要求,确定梁底高程,避免桥梁阻水。

关于小浪底水库对桥位所在河段河道的减淤影响,小浪底水库蓄水运用的前 10 年按不冲不淤考虑,后 40 年按年均升高值考虑,从而可保证桥梁的梁底高程高于未来 50 年的设防水位,以避免桥梁阻水。

2.4　保证了黄河安全排凌

黄河凌汛灾害是山东省严重的自然灾害之一。黄河下游河道由西南向东北,河道纬度的差异,导致冬季平均气温下段比上段低 3～4 ℃,下段封河早、开河晚、冰层厚。在开河期,往往上段解冻开河、冰水齐下时,下段仍冰层固封,在弯曲河段或在宽河道向窄河道的过渡段容易发生冰凌插塞堆积,甚至形成冰坝,阻塞水流,致使水位急涨,漫滩成灾。虽然小浪底水库等在下游发生冰塞冰坝后可以停止泄水,但距下游河道较远,主河槽内的槽蓄水量也能造成漫滩等灾害。加上天寒地冻,出险后取土、抢护困难,所以极易造成决口失事。

在主槽内布设桥墩,无疑对防凌不利,特别是跨度较小时容易卡冰,造成险情。但桥跨过大又增加桥梁的造价,所以要选择合适的桥跨。一般根据历年凌汛期观测的流冰块大小,在满足排凌要求的前提下,来确定桥跨的最小尺寸。

3　讨论

3.1　黄河下游河道的淤积及通航问题

由于黄河泥沙问题尚没有根治,因此下游河道逐年淤积的趋势在近期内无法改变。在黄河下游河道内修建建筑物,必须考虑河道的淤积问题。目前主要按照黄委对小浪底水库设计综合分析,运用后的 50 年内,下游窄河道可减淤 10 年,前 10 年按不冲不淤计,后 40 年设防水位按年均升高值计算。小浪底水库和其他大型水库起拦洪、拦沙作用时,河道的淤积升高值有一定变化。而目前小浪底水库已开始运用,上中游的水土保持工作也取得了一定的成效,但还没有公认的新河道淤积升高值,需根据变化的黄河水沙条件研究确定。

根据原黄河水系航运规划,黄河下游河段为四级航道(航宽 90 m,航深 1.9 m,弯曲半径 480 m,水上建筑物净空尺度为 8 m),通航 500 t 级机动驳船。根据艾山以下河道实测断面资料统计,流量为 300～500 m³/s 时主槽宽(非汛期)为 200～400 m,航宽较易满足。艾山以下河道经过长期整治,河弯的弯曲半径都在 500 m 以上,也满足航运要求。在弯道断面,深槽的存在使航深较易满足;对于过渡段,只有当流量在 1 000～1 300 m³/s 时,水深才能满足航深要求。该河段内已有桥梁,净空基本都不满足通航净空要求。下游河段历史上曾季节性通航,但由于冬季封冰,枯水季流量小,洪水期流速大,通航十分困难。近20 年来,下游河段航运早已停止,今后复航的可能性较小。考虑通航问题必定增加桥梁的高度和工程投资,建议有关部门对此问题进行进一步研究。

3.2　技术咨询的程序问题

　　每一条河流都有其特点,黄河更有其特殊性。桥梁设计单位很难掌握每条河流的河道水文情况,调查研究和技术咨询是必要的,一般应在设计初期进行。但设计任务都很急,技术咨询与设计工作往往是同步进行,甚至滞后于设计工作,在进行防洪影响评价后不得不对初设进行较大的改动,造成时间、人力、物力的浪费。造成这种情况的关键是技术咨询程序不对。根据多年的咨询实践,建设单位或设计部门在开始设计之前,应首先委托有关单位进行技术咨询。以建设桥梁为例,首先,应对预选的桥位、主槽最大宽度、主跨最小宽度要求、滩地桥跨宽度要求、河道泥沙淤积情况、未来设防水位、未来堤防断面等基本的技术参数进行咨询;其次,在有了基本参数后,进行桥梁的布设,初步确定跨堤方式及高程等;再次,进行防洪影响评价,并报河道主管部门进行防洪影响评价审查;最后,进行详细的初步设计。

(原载于《人民黄河》2005 年增刊)

第四章 河道治理

论黄河下游的治理方略

黄河经过 50 多年的治理,已初步建成了防洪工程体系,这个工程体系概括为"上拦下排,两岸分滞"控制洪水,"拦、调、排、放、挖"综合处理泥沙。4 次加固了黄河大堤,50 多年黄河伏秋大汛没有决口,成就巨大。但是近 20 年以来,随着流域人口的增加和社会经济的快速发展,黄河流域的用水量越来越大,生态水和冲沙水被大量挤占,黄河下游河床显著萎缩,过洪能力急剧下降。又由于黄河具有水少沙多、水沙搭配不协调的自然属性,下游河道历来复杂难治。近年来,黄河下游二级悬河加剧,目前黄河的河床与 20 世纪 50 年代相比,普遍抬高了 2~4 m,主槽高于滩面 3 m,滩面高于背河地面 4~6 m。其中东坝头至陶城铺一带,局部河段的滩面横比降已经高达 1‰~2‰,远大于河道纵比降 0.14‰。由于主河槽萎缩,下游河道的平滩流量已经从 20 世纪 80 年代以前的 6 000 m³/s 急剧下降到 3 000 m³/s,局部河段不到 2 000 m³/s。同时,二级悬河的存在,槽高滩低堤根洼,使发生横河、斜河的几率增加。顺堤行洪,可能使平工变为险工,堤防安全受到严重威胁。2003 年兰考生产堤溃口后,由于滩面横比降大,进入滩地顺堤行洪的流量曾占到大河的1/3,东明段大堤的临堤水深在 4~6 m,局部堤段大堤背后发生渗水管涌。足以说明,二级悬河的存在,增加了防汛工作的难度和风险,也可以说,二级悬河是黄河下游防洪的心腹之患。

面对黄河当前的突出问题和未来黄河长治久安的历史使命,黄河下游的治理方略应该是"固堤、定槽、治滩、挖河",即宽滩固堤、定槽排洪、治理滩区、挖河疏浚。

1 固堤(宽滩固堤)

黄河下游陶城铺以上称为宽河,陶城铺以下成为窄河。河道的特性是上宽下窄,比降上陡下缓,排洪能力上大下小,这是沿河群众在与洪水的不断抗争中,在历史的背景条件下,遵循了水流的自然规律形成的。从黄河下游的整个格局看,具有一定的科学性。窄河段的过洪能力远小于陶城铺以上的宽河段,按防御花园口 22 000 m³/s 的洪水,窄河段只有其防洪能力的 50%。黄河下游的滩地面积 3 544 km²,陶城铺以下只有 774 km²,占下游滩地面积的 21.80%。宽河段在维持黄河下游河道安全行洪、整体格局的稳定中具有独特的作用:宽河滩地可以削减洪峰,减小窄河段的防洪能力,有利于落淤沉沙,淤滩刷槽,维持河槽的排洪能力和减缓河槽的抬升速度;宽河段滩地的沉沙,也大量减少了进入河口的泥沙,减缓了河口河道的淤积、延伸、摆动的速度,不但使河口河道行河时间延长,也减缓了由于溯源淤积使整个黄河下游河床的抬高。因此,宽河段是窄河段存在的条件,窄河段河道的安全排洪、河道稳定是宽河段存在的结果。

　　黄河下游形成的堤防工程是下游防洪工程体系的最重要组成部分,不能轻言废弃和大规模地改变上下游防洪工程体系的格局,还必须大规模地整修加固大堤,逐步形成标准化堤防,这是防洪保安全的物质基础和基本保障。

2　定槽(定槽排洪)

　　定槽就是积极地开展河道整治,稳定中水河槽,减少堤防出现严重险情,防止堤防发生冲决。黄河下游河道整治起源于防洪需求。1949 年汛期出现 7 次洪峰,山东河势发生剧烈变化,险工有 40 多处溜势大幅度下延,9 处脱河,新险丛生,昼夜抢险达 40 余天,特别是罗家、沟头、葛家店、张辛庄、小街子等险工因对岸上湾河岸大量坍塌后退、滩尖切削、河势下延,造成长达 3 km 多的临堤抢险局面。为防止临堤被动抢险,1950 年春修建了 14 处透水柳坝工程、6 处柳泊护滩工程。经过汛期考验,护滩效果良好。从此揭开了黄河下游河道整治的序幕。截至 1958 年底,基本上完成了陶城铺以下窄河段整治。1965～1974 年对高村至陶城铺过渡型河段进行了重点整治,并取得了初步控制主溜的效果。1973 年以后,对高村以上游荡型河段进行了重点整治,在工程布点基本完成的基础上,不断完善工程布局和调整工程的控溜长度,为防洪争取了一定的主动权,整治技术也在不断完善。

　　实践证明,河道整治工程作用巨大,主要表现在:①控导了溜势,争取了防洪主动,避免了平工抢险;②稳定了河道流路,保证了涵闸引水,支援了工农业生产;③护岸护村,扭转了滩区人民生产、生活动荡不安的局面,保障了群众生活相对安定;④约束了河道的平面变形和主槽深泓点的摆动,改善了河道的断面形态,有利于泄洪排沙。

　　河道整治工程设计标准是控制中水流量,兼顾大洪水和小水流量,现河道小水流量行河时间长,中常洪水和大洪水出现几率变小,局部出现的整治工程不适应小水流路是正常的,只需针对性地对工程采取上延下续措施,或加以局部调整,完善工程,黄河下游的河势控制就会更好,河槽就会更稳定。假若真把黄河下游陶城铺以上河槽搞成只有几百米宽,随着河槽不断淤积抬高,可能会出现"三级悬河",下游的防洪形势会更严峻。

3　治滩(治理滩区)

　　滩区是黄河下游河道的重要组成部分,是洪水通道和滞洪区。进入黄河下游河道的泥沙约有 1/4 淤在河道内,同时,黄河滩区人口稠密,住有 181 万人。滩区横比降的加大,洪水只要漫滩,往往造成偎堤水深较大,顺堤行洪,滩区是将来较长时期防汛工作中矛盾的焦点,必须把治理滩区作为黄河下游治理方略的重要组成部分。治理滩区是一个系统工程,它包括自然淤滩和相关工程建设,局部结合工程措施淤滩,部分滩区人口迁建和安全设施建设,发展生产、补偿和优惠政策的制定等。治理滩区的两大目标:一是滩区人民的安全居住,发展生产;二是基本消除滩地横比降,解除二级悬河威胁防洪安全。

3.1　创造条件,自然淤滩

　　以消除滩地横比降为目标,需要淤填沙量巨大,仅兰考东坝头至东明老君堂右岸滩地,约需沙量 3 亿 m³,必须先行自然放淤,小浪底水库应按设计运用方式运用或制造高含沙洪水有计划地淤滩。在放淤前应修做好进水口门,疏通好进水通道,放淤时,加强退水管理,使其尽可能多地多进水多落淤。主动淤滩与被动淤滩,效果相差很大。以 2003 年兰考生产堤决口后滩地落淤为例,9 月 18 日生产堤决口进水至 10 月 29 日晚堵复口门,共计 42 d,滩地累计进水 14.62 亿 m³,落淤 1 597.3 万 t 泥沙,其间大河含沙量较低,以夹河滩和高村两个水文站的平均含沙量统计,含沙量小于 10 kg/m³ 的 16 d,10~20 kg/m³ 的 24 d,大于 20 kg/m³ 的 2 d,最大 25.7 kg/m³,最小 4.6 kg/m³;若主动放淤,从 9 月 1 日大河流量(夹河滩)1 420 m³/s 开始,滩地落淤可达 3 144.3 万 t;若制造较高含沙水量,按 9 月 12 日夹河滩和高村站的平均含沙量 70.15 kg/m³ 计算,约落淤 1.03 亿 t。

3.2　用工程措施人工淤滩

当自然放淤到一定程度,无法自流淤填时,再采用扬水站、吸泥船进行第二步淤填。实施时应进行规划,分条分块,合理布局,尾水尽量通过引黄渠道排入灌区,浇灌农田。

3.3　滩区居民迁建和安全建设

黄河下游滩区战线长,情况复杂,应根据滩区大小、滩地宽窄、滩面高低、居民生产力发展情况等因素,综合确定居民迁建和安全建设。要解决滩区的问题,解决居民的安全居住是关键。对于窄滩及宽滩区距堤防较近的居民,结合淤滩工程的实施,应尽量迁到堤外居住。

因生产力的发展水平决定了居民的生产水平和作业方式,对于宽滩区,距大堤居住较远的居民,迁建堤外确实对生产生活不便,按自愿加政府补助的方式,可引导居民修建避水楼,在南方一些蓄滞洪区都有成功的经验,不难实施。

3.4　修建交通道路(滩区格堤)

在一些面积较大的滩区,特别是堤河已经形成,漫滩洪水顺堤行洪的滩区,结合控导工程管理和抢险,以及居民生产、安全撤退等需要,修建一定高度的格堤(交通道路),其作用不但是能满足生产生活安全撤退等,更重要的是阻断顺堤行洪通路,防洪保安全。在黄河下游已有成功的例子,如东明南滩的老君堂格堤、邹平的梯子坝险工等。

3.5　制定治理滩区的政策

黄河滩区具有行洪、农业生产两种功能。治理滩区,在一定时间内影响居民的生产生活,必须处理好两者之间的关系。有计划淤滩时,应制定退耕淤滩的政策,在淤滩期间给滩区群众一定补偿,待滩地淤填到一定高程后,再交给农民耕种。对于自然漫滩洪水,应执行 2000 年国家制定的"蓄滞洪区运用补偿暂行办法",给予滩区群众补偿。

4　挖河(挖河疏浚)

利用挖河疏浚进行航道治理在国内外实施较多,具有不少的研究成果和成功的范例,挖沙技术也相对成熟。如美国的密西西比河、荷兰的莱茵河、法国的塞纳河、美国的德拉瓦河、加拿大的圣劳伦斯河等所进行的河口治理,挖河疏浚是其主要手段。

采用拖淤疏浚治理河流,在我国已有近千年的历史。在秦汉时期亦有利用疏浚措施增大河道泄洪的记载。宋朝神宗熙宁六年(1073 年)四月,开始设置了专门的浚淤机构——疏浚黄河司,此后陆续出现了一系列的专用浚淤工具,先有候选官员李公义献"铁龙抓扬泥车法疏浚河道",后有宦官黄怀信另制成"浚川耙"。

至元正四年(1344 年)后,礼部尚书泰不华建议疏导下游及海口,置"撩清夫"、"混江龙"、"铁扫帚",为保漕运,元之贾鲁到明之白昂等,曾屡在孙家渡、涡河口、赵皮寨等设浚夫和浚船,维持分流。

明嘉靖十四年(1535年),总理河道刘天和主张用"兜勺"、"方勺"、"杏叶勺"浚浅。同年,刘天和又博采众议,创"平底方舟长柄铁耙浚河"法,疏浚济宁至徐州运道之淤。自嘉靖中期至万历初年,又有总理河道朱裳置龙爪船爬荡海口,吴桂芳用混江龙于桃、伏、秋汛发水时在淤浅段拖淤。

清顺治九年(1652年),采用"铁罱子吸泥"法,凡遇水淤,驾船捞取。清康熙年间,靳辅创"浚船铁犁"浚河,后在乾隆、嘉庆及道光年间均推行过拖淤,并创设翻泥车锁船逼溜等,出现了"长柄泥合"、"双齿锄"、"五齿耙"、"九齿耙"、"十二齿耙"、"空心锹"、"吸耙"、"铁耙"等专用浚淤工具。

清咸丰五年(1855年),河决铜瓦厢,走现河道。同治初年,山东下游及海口淤积日重,除沿用前人成法拖淤外,光绪十一二年间(1885年、1886年间),前抚臣陈士杰、张曜先后创平头圆船,挑挖清淤,"水落则登滩挑挖,水涨则乘船淘爬"。后又利用小火轮、长龙舢板拖淤。光绪十五年(1889年),山东巡抚张曜托外国人德威尼订购法国制"铁管挖泥船"两只,嗣在利津太平湾及天津蛮子营试验。

历史上的挖河疏浚黄河,利用人力和水力,受技术经济条件限制,只能是局部的,用之有效的事例有之,持怀疑或否定态度的典型事例也不少。由于这些疏浚措施简单,动力不足,其作用极其有限,在解决局部短河段淤积,并有一定的水力条件相配合才能有一定的效果。但是,尽管如此,千百年来的黄河拖淤疏浚治理,仍为后人积累了丰富的成败经验,对条件优于从前,技术和装备都发展了的今天,具有一定的参考作用。

从1997年11月起,黄河河口段已进行了3次挖河疏浚,同时启动了模型试验研究和原型观测研究,表明挖河对降低水位是有一定效果的;挖河后在一定时段内有一定的减淤作用,主要表现为以上河段的溯源冲刷。

山东黄河河道(高村至利津)自1950年7月至2003年5月,共淤积27.71亿m^3,平均年淤积0.523亿m^3,其中主槽平均年淤积0.256亿m^3。小浪底水库投入运用后,山东黄河严重淤积的局面得到改善,2000年5月至2003年5月,山东河道冲刷1.556亿m^3,其中主槽冲刷0.383亿m^3,2003年汛期,主槽又冲刷0.965亿m^3,根据我们现有国力情况和技术装备条件,是完全有能力、也完全能够做到靠挖河措施挖除淤积在主河槽的沉积泥沙,这是使河槽不抬高可行的主要办法。挖河主要是从河口挖起,至少挖至陶城铺,像引黄渠道清淤一样,这一措施应作为下游治理的一个长期任务。

东明滚河防护工程优化设计浅议[1]

1　河道及工程概况

黄河河道东坝头至老君堂系游荡型河段,主溜摆动频繁,河床宽浅散乱,淤积严重。

---

[1]　李祚谟、裴自力等同志参加了该项工作。

据大断面统测资料,1983～1986 年油房寨断面最大摆幅为 4 590 m,平均摆动强度为 2 368 m/a,1986 年汛前主槽平均高程为 69.03 m(大沽基点,下同),滩地平均高程为 68.68 m,堤河底高程为 66.85 m,主槽比滩地高出 0.35 m,滩地比堤河底高 1.83 m,形成了悬河中的"悬河"。

　　自东明上界至谢寨闸(大堤桩号 156 + 050～181 + 790),堤段长约 26 km,滩地宽 6～10 km,滩面横比降 1/2 000 左右,大于河道纵比降 3 倍,滩岸至堤根多串沟,且堤根有贯通之堤河,宽 200～300 m,深 1.0～1.5 m,如遇较大洪水,串沟吸溜,甚至夺河走溜,有发生滚河的可能,大堤的防洪安全受到严重威胁。

　　东坝头至老君堂河段已修建杨庄、禅房、王夹堤、大留寺、单寨、马厂、大王寨、王高寨、新店集、周营、老君堂等一系列整治工程,但工程还很不完善,工程长度不足,还未形成以坝护湾,以湾导流的河型,河势得不到控制。

　　自东明上界至谢寨闸,在大堤临河一侧原有土石坝 34 道,其中坝长不足 150 m 的有 15 道,坝长 150～300 m 的有 17 道,其余有不少坝长在 100 m 左右。一般是以 3 道坝为一组,有的以单坝独立布置,各坝裆距不一,坝与坝或坝组之间有较大空档,有的坝裆长达 4 850 m,没有形成完整的滚河防护体系,而且工程强度单薄,例如土坝基高度不足,按 1983 年设防水位标准尚需加高 0.5～3.6 m,土坝基已用乱石裹护的才 22 道(均在 25 坝以上,累计护砌长仅 2 485 m)。这些旱地上修筑的坝,未经洪水考验。

2　滚河防护工程各方案简述

　　根据黄委水科所《黄河东明段滚河可能性及堤河护岸工程模型试验报告》分析,东明滚河段大体上可划分为 3 段,上界至阎潭闸为上段(大堤桩号 156 + 050～162 + 600),长约 6.6 km,阎潭闸至董庄为中段(162 + 600～172 + 200),长约 9.6 km,董庄至谢寨闸为下段(172 + 200～181 + 790),长约 9.6 km。上段主要危险来自兰考杨庄险工下首洪水漫滩后顺堤行洪和通向阎潭闸的串沟过水;中段是滚河防护的重点,不但要承接上段堤河行洪,而且单寨至新店集连坝,大水漫顶有可能溃决,串沟走溜,形成横河、斜河,洪水严重淘刷大堤;下段主要是防护堤河行洪,刷坍大堤,尤其是谢寨附近,水深流急,严重威胁堤防安全。

　　要防止滚河,并非易事。除完善该段河道整治,加强对河势的控制外,还应对滚河后堤防采取防护措施。1986 年以来,山东河务局对滚河防护工程反复进行研究,委托黄科所做了动床模型试验,先后编制了长坝方案,短坝方案和长、短坝结合方案的初步设计,本文对这三个方案作浅议,并加以比较择其较优方案。

2.1　长坝方案

　　黄河大堤阎潭闸至刘楼(大堤桩号 162 + 600～177 + 000),长 14.4 km,在临河一侧修建 11 道坝,坝长 700～1 400 m,其中土石坝 8 道(1#、2#、4#、6#、8#、9#、10#、11# 坝),裆距为坝长的 1.4～2.9 倍,透水柳坝 3 道(3#、5#、7# 坝)。在阎潭闸以上除改建现有坝外,并增建 9 道坝,坝长 270～300 m,裆距为坝长的 1.5 倍。土石坝作为临堤行洪时防守抢险的阵地,透水柳坝起缓流落淤的作用,布置坝位考虑与交通道路结合,阎潭闸以下坝的长度仅占右岸滩地宽度的 1/6～1/10,对河道行洪、滞洪无影响。

工程设计:土石坝坝顶高程按险工标准,超出 1983 年设防水位 2.0 m,顶宽 12.0 m,边坡 1:2,并采用粘土包边盖顶,新坝裹护长度为坝长的 1/3 左右,采用粗排乱石护坡,内坡 1:1.3,外坡 1:1.5,顶宽 1.0 m,高度与土坝基顶平。坝基除裹护部分以外其两侧及护坝地植树植草,适水柳坝采用栽植高柳,林带宽 30.0 m,株、行距均为 2.0 m,坝轴线与大堤的夹角为 60°~65°。

为保证滩区排除涝水和便于生产交通,土石坝在堤河处建排涝闸或桥,设计过流 30~60 m³/s,采用钢筋混凝土灌注桩框架(排架式)结构。

老君堂与大堤之间地势低洼,堤河狭窄,为避免行洪时水流淘刷大堤,修建格堤一道。长坝方案主要工程量和投资见表 1。

表 1　东明滚河防护工程各方案主要工程量、投资比较

设计方案		长坝方案	短坝方案	长、短坝结合方案
新建防洪坝(道)		17	42	28
改造利用旧坝(道)		11	31	28
修建格堤(道)		1	1	1
建透水柳坝(道)		3	—	—
土方工程量(万 m³)		245.9	297.5	244.6
石方工程量 (万 m³)	裹护石方	9.5	17.6	12.9
	备防石	5.7	6.0	3.9
排涝闸(座)		5	3	3
交通桥(座)		5	1	2
钢筋混凝土工程量(m³)		2 390	1 030	1 209
植树(万株)		6.2	4.2	2.7
植草(万 m²)		36.5	47.5	31.6
占地(亩)		1 032.4	989.8	769.1
挖地(亩)		6 214	6 985	5 852.5
投资(万元)		3 307.1	4 447.3	3 220.6

2.2　短坝方案

在尽量改造利用原有 34 道旧坝的基础上,增设部分新坝,除修建老君堂至谢寨格堤外,根据堤河行洪溜势,在各坝组的空档增设丁坝 42 道,其中上段 9 道,坝长 270~300 m,档距为坝长的 1.5 倍;中段 16 道,坝长 150~500 m,档距为坝长的 1.2~1.7 倍;下段 17 道,坝长 120~180 m,档距为坝长的 1.0~1.5 倍。新增防洪坝布局原则上不过堤河,保留一定的堤河宽度排除涝水。为确保董庄、白庄、穆庄三个近堤村庄处堤段的防洪安全,采取截断堤河修建长度为 600、340、450 m 的坝,档距为坝长的 1.5~2.0 倍。

新建、改建土石坝设计标准和结构与长坝方案大堤相同。

本方案主要工程量及所需投资见表 1。

2.3　长、短坝结合方案

短坝方案经黄委会批准,自 1987 年开始实施至 1990 年底共投资 638.4 万元,已建成防洪坝 11 道及老君堂至谢寨格堤一道,共完成土方 68.5 万 m³、石方 3.2 万 m³。从近 4 年工程施工情况看,由于受投资所限,短期内还不能解除滚河的严重威胁。为加快滚河防护工程的建设速度,在短坝、长坝方案的基础上制定了长、短坝结合方案,除尽量利用原有旧坝外,把少数新修的短坝改为长坝,上、中段基本同短坝方案,下段近堤三村庄与大堤之间,顺堤行洪时,对大堤威胁较大,若修短坝,挑溜方案不当,也影响村庄的安全。因此,取在村庄上游修筑坝长分别为 600、340、800 m 的较长坝,既能挑溜外移,又能掩护村庄;在下段另改造旧坝 7 道,新建短坝 3 道,并将原 33# 坝接长至 700 m,使顺堤行洪水流离开大堤,由老君堂工程上首泄入河槽。

新建、改建土石坝设计标准和结构与上述方案大致相同。

3　滚河防护工程方案的优选

由动床模型试验可以看出,长坝方案的优点是:①防护大堤效果好,使堤河外移至坝头外,离堤根 200～300 m 范围内为静水,可以解除大堤被冲决的威胁,防洪安全可靠;②有利于重点防护,由于发生滚河或顺堤行洪后,长 20 余 km 的大堤出险地点难以预估,必须做全线防守的准备,战线长,防守被动困难,长坝方案可使全线防守改为重点防守,缩短了战线。短坝方案防护大堤的效果与长坝方案基本相同,但由于短坝离堤较近,大堤直接被正回溜冲刷的威胁没有解除,长 20 余 km 的堤防普遍成为临堤下坝的险工,战线过长,防守任务重。

从工程量与投资方面考虑,长坝每米工程可防护大堤长 2.3 m,短坝每米工程仅防护大堤长 1.5 m 左右,二者相比,短坝土方工程量为长坝的 1.2 倍,裹护石方量为长坝的 1.9 倍,短坝投资是长坝方案的 1.3 倍。不过长坝方案存在的问题是占挖土地集中,群众工作难度大,坝头局部冲刷坑较深,单坝防守较短坝难度大。

长、短坝结构方案,不仅保留了长坝方案的主要优点,而且比短坝方案可少建新坝 14 道,累计坝长可缩短 2 520 m,节省土方 52.9 万 m³、石方 6.8 万 m³,少占耕地 221 亩,少挖耕地 1 133 亩,减少投资 1 226.7 万元,详见表 1,可缩短工期,尽早发挥工程效益。经反复研究比较,我们认为长、短坝结合方案为东明滚河防护工程较优方案。

黄河下游的河势及河势变化❶

我们在黄河防洪、河道整治、河道管理工作中,经常用河势及河势变化来描述河道的演变情况。通过观测河势,总结河势变化规律,因势利导,进行整治,修建控导工程,达到控制有利河势、改造不利河势、除害兴利的目的。为正确地理解和表述河势的变化,促进河道的管理和研究工作,本文拟对河势、河势变化等有关问题进行探讨和叙述。

1　河势、河势变化

山东黄河的河型,可分为游荡型、自游荡向弯曲过渡型及弯曲型,这是不同来水来沙条件的水流与自然情况下河床边界或人工强化河床边界长期相互作用的结果,不同河型

---

❶　该文写作得到了李祚谟副总工的指导。

的河道呈现出不同的演变规律。

　　河势是河道演变的势态,通常指河道的平面变形,它包含河道平面轮廓及主流线位置两方面内容。二者其一或同时发生变化,即称做河势变化。直观描述河道演变,通常用套绘河道不同时期、不同流量下河道平面外形和主流线的方法。在河道演变过程中,水流与河床边界无时不在调整的量变过程中,在一定条件下,也可能发生质的变化,如河道自然裁弯取直现象,见图1。在河道管理工作中,必须注意经常研究河势变化,控制有利河势,改造不利河势。河道整治规划系依据国民经济各部门对河道的综合要求编制。凡基本符合或发展趋势符合体现河道整治目的要求的规划治导线的河势,即所谓有利河势。其主流线与河床边界相互适应,相对稳定。反之为不利河势。

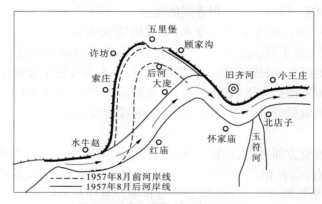

图1　河道自然裁弯取直示意图

2　河势变化的原因

　　引起河势变化的原因,主要是水流、泥沙、边界条件三种因素,任何一个因素发生变化时,就会引起河势发生变化。

2.1　泥沙

　　泥沙运动在水流与河床相互作用中起着纽带作用。河道发生变化的根本原因是由于输沙的不平衡。黄河游荡型河段,河面宽浅,沙洲密布,汊道丛生,水流的挟沙力随着主河槽的宽度、深度等边界条件的变化而调整,当相互不适应时,原来的主槽逐渐被泥沙淤死,伴随着水流向低洼处滚动,另一条主槽产生,河势就发生了变化。心滩、边滩的形成发育,对溜势影响很大,或分散溜势,或改变溜向,或在消长过程中形成横河、斜河。小水时形成坐弯,大水时又容易裁直。

2.2　边界

　　边界条件对河势变化有着重大的影响。河道比降及其变化决定河床的纵向变形。自然情况下,如果河床组成物质的砂性土,缺少粘结力,水流易冲动,河床平面变形较快,河势变化大;如果组成物质是粘性土,抗水流的冲蚀能力强,河势的平面变形受到遏制,河势变化即相对减弱。如突向河中天然的山头或人工修建的险工、控导工程,约束水流,限制河床横向变化,对河势起着制约的作用;其着溜点不同,导流能力与影响对岸的程度也不同。

2.3 水流

在河湾内,水流的横向环流作用使凹岸淘刷、河底冲深、凸岸淤积,造成河床的平面摆动,推动着河势发生变化。流量变化,水流能动量也相应地变化,在弯曲河段内,随着流量的涨落而出现"小水坐弯,大水取直"。也就是当大河流量较小时,能动量较小,水流归槽,流路弯曲;随着流量的增加,凸岸滩嘴过流增加,滩尖发生冲刷,主流外移;当水流涨到漫滩以后,主槽对水流的约束作用减小,流势更加顺直。在一处工程上"涨水河势下延,落水河势上堤"的现象比较明显。

3 河势变化中的"正变"与"反变"关系

黄河上多年来总结河势变化的一种现象,叫做"一弯变,弯弯变",即河势在上弯发生变化时,往往引起下弯河势变化,其变化形式有"正变"关系与"反变"关系之别。

3.1 正变关系

由于上弯河势变化,引起下游的河势变化,弯道着溜位置在方向上是一致的,即上弯河势上提,下弯的河势也随着上提;上弯河势下延,下弯的河势也随着下延。出现这种河势变化的河段,水流规顺单一,河床边界相对稳定,上、下弯道送、迎溜较相适应。

3.2 反变关系

由于上弯河势变化,引起下弯的河势变化,弯道着溜位置在方向上是相反的,即上弯河势上提,下弯河势随着下延;上弯河势下延,下弯河势随着上提。出现这种河势变化的河段,一是上、下河湾工程布局不尽合理,两者衔接配合不当。如彭楼至苏阁河段,彭楼险工以 12# 坝为界,分成上下两个弯道,下弯曲率半径过小,形成陡弯挑溜;老宅庄工程与桑庄险工首尾相接,长 6 217 m,但由于老宅庄工程中部 21# 坝上下呈"人"字形凸入河中,不能导流入桑庄险工;李桥、邢庙险工,首尾相接,中部呈凸形布置,李桥险工弯道半径小,邢庙险工平面形式下败后退,缺乏控导河势的能力,不能送溜至郭集工程;郭集工程长度不足;吴老家工程布置过分靠上。由于上述工程布局存在一系列问题,导致彭楼至苏阁河段河势不稳,分析近 20 年的河势变化,有着较明显的规律。即彭楼险工河势上提至上弯,以下的老宅庄、李桥河势下延,桑庄、郭集、苏阁河势均上提;彭楼河势下延至下弯,老宅庄、李桥河势上提,桑庄、郭集、苏阁河势下延。二者河床边界土质局部有胶泥嘴,抗冲性强,形成"Ω"形或"S"形河湾,也存在反变关系。这类河湾的特点是两弯顶相距较近,中间的直段短,弯曲半径小,河湾环流作用较强,直段对水流调整作用不大,使得下弯充分感受到上弯的影响。

4 治导线

治导线一般是指河道经过整治以后,在设计流量下主河槽的平面轮廓。我们认为应包含河道控制与主流导向两个内容。黄河大中小水的河槽边界与主流线(实际是有一定宽度的主流带)是不同的,我们河道整治工程控制的是中水河槽及主流的导向。规划阶段主要是初步确定河宽、流路以及弯道的控制,将整治后的主河槽概化成两条平行线作为规划治导线,虽不完全符合河槽平面形态的实际情况,但已能表达出规划的目的要求。而工程设计阶段除上述内容外,还必须确定主流导向,才能完全反映出设计整治的意图、目标及作用。修建工程的每个弯道大都是由不同半径、复合连续的圆曲线组成的,分别承担着迎溜入弯、控制边界、调整水流、导溜出弯的功能,严格讲设计的弯道仅能适应设计整治流量的水流情况。设计阶段是在充分调查研究分析河势流向演变的基础上,因势利导,依照规划流路明确定出主流导向以及工程的总体布置,而设计弯道末段的导流段各坝头的连线,既是导至下弯的主流方向,也是主流带最外缘的一条流线。

5 河势查勘

河势查勘是河道观测工作的一个组成部分,是河道管理工作的重要内容。河势查勘成果是调查了解河势变化情况,分析研究河势演变规律及发展趋势的原始资料,也是制订防洪方案和河道整治规划的重要依据。

汛前河势查勘,主要是调查汛前河势状况,分析预估汛期各类洪水情况下可能发生的河势变化及对防洪的影响,为拟订防洪方案提供可靠依据,做到心中有数,争取防守主动。汛末河势查勘,主要是调查了解汛期实际发生的河势变化,并分析其变化原因、发展趋势和对今后防洪、防凌可能带来的影响,为制定汛末工程整修、次年河道整治计划和拟订防凌方案提供可靠情报。

河势查勘工作的主要内容是:调查了解两岸险工、控导工程在不同流量情况下的着溜部位和上下游、左右岸的对应着溜关系,以及滩岸坍塌、淤积、工程出险、滩地漫水、行洪、落淤等情况,并根据历史河势演变情况,分析研究各河段的河势演变规律及发展趋势,在此基础上提出今后工程防洪措施和河道整治工程修建计划意见。查勘时期应随即绘制河势图,标清河道平面轮廓及主溜线,各险工、控导工程着溜部位与坝号,滩岸冲淤变化以及查勘时间,大河流量等。为便于比较,事先应将上次(或前期)河势查勘的结果用不同颜色绘于图上。最后综合各项结果,编写出河势查勘报告。

在汛期,每处险工、控导工程须安排专人经常观测工程着溜部位和河势变化,记录各次洪峰水位表现与溜势变化情况,对滩岸坍塌较严重的重点河段,汛前应安设滩地标志桩,设专人定期进行量测,以利掌握滩岸冲淤变化;当花园口站出现流量为 5 000 m³/s 以上的洪峰时,需要追踪洪峰查勘河势,并绘出河势图,发现河势变化较大的河段及时上报。洪水漫滩应注意观测滩地进水和退水时间、水深、淹没范围以及行洪走溜与堤防出险等情况。

对黄河下游河道整治几个问题的认识[●]

此次参加华北水利水电学院、黄河水利委员会举办的"河道整治高级研讨班",参观考察了长江科学院,葛洲坝水利枢纽工程,荆江河段的河势,部分堤防、护岸、矶头、分洪闸,西陵峡的河势,三峡水利枢纽坝址等,开阔了眼界。开拓了思路;听取了多位专家、教授的专题研究报告,丰富了知识,对有关问题加深了认识。通过研讨争论,大家的认识更加接

[●] 1990 年 12 月在黄委会河道整治高级研讨班上的发言。

近,这必将有益于今后的工作,希望今后多组织一些考察研讨活动,如对黄河上、中、下游,外流域的考察等,广泛吸收各地对治理河道的好经验,结合我们黄河的实际情况,在继承黄河传统治河技术的基础上,不断完善,不断创新,把黄河的事情办得更好。

从1950年初,黄河下游开始有计划地、先下后上进行河道整治。40年来,各河段先后修建了大量的河道整治工程,现在陶城铺以下河势已得到控制,高村至陶城铺河段基本得到控制,东坝头至高村河段布点工作已初步完成,东坝头以上也修了一些节点工程,河道整治对确保防洪安全、护滩保村、涵闸引水、通航诸方面,起到了有利的作用。在河势已经得到控制的河段,主流日益稳定,有效地防止了河势巨变,高村以上宽河段河势游荡范围也有所减小。在现有工程情况下,黄河下游的年平均输沙能力基本处于超负荷状态,表现为河床不断淤积抬高,且高村以下河段淤积速度大于东坝头以上河段。高村以上宽河段发挥了滞洪铺沙的作用,大于0.05 mm的粗颗粒泥沙全部淤积在宽河段,使整个黄河下游河床淤积速度基本处于平衡。现高村以上宽河段正按照"黄河下游第四期堤防加固河道整治可行性研究报告"(以下简称"第四期河道整治可行性报告")中的指导原则、目标等,每年以较大规模投资速度进行整治,引起了各方面的关注和担心,就有关几个问题谈一谈个人粗浅的认识。

1　规划中的整治原则和应补充的内容

1.1　整治原则

(1)以防洪保安全为主,兼顾护滩、引水和航运的要求。

(2)险工和控导工程相结合,稳定河势,减小河势游荡范围,有利于排洪输沙、淤滩刷槽。

(3)统筹上下游,兼顾左右岸,局部服从整体,近期服从长远。

(4)对已布置节点工程,不断进行调整、改造、充实、完善,充分发挥已有工程控制河势的作用。

(5)根据河床演变规律,因势利导,以短坝垛或平顺护岸护弯,以弯导流。工程结构应因地制宜、就地取材,在继承传统技术基础上,不断革新,采用新材料、新技术。

1.2　规划中需补充的内容

对宽河段按"第四期河道整治可行性报告"规划治导线主槽宽度进行整治后,以下两个问题需加以补充:

(1)对排洪有什么影响。

(2)泥沙的淤积纵向与横向分布将有何调整。

2　河宽

"第四期河道整治可行性报告"整治河宽定为孟津白鹤至东坝头1 200 m,东坝头至高村1 000 m,高村至孙口800 m,孙口至陶城铺600 m,是根据分析花园口、夹河滩、高村、孙口等断面4 292~16 016 m³/s主流宽度而得出的,我们认为定得太窄,值得商讨。首先,选用代表主河槽宽度的断面,都是很早就作工程的弯道卡口断面。主流在此受工程的控制影响较大,主流宽度在较短的距离内变化大,河槽单一窄深,最窄处(河脖)的宽度只是直河段主槽宽的 1/3~1/2,因此不足以代表整治河宽。其次,用主流宽度代替主河槽宽度也不太合适,据我们观察,高村至陶城铺直河段的主槽比较明显,一般宽 800~1 300 m。东明上界至高村直河段的主槽宽 1 200~3 300 m,如果主河槽整得太窄,束水必将攻沙。冲上淤下,使河道冲淤纵向分布情况出现大的变化,对山东艾山以下窄河段的防洪带来不利的影响。

3　治导线

什么是治导线,应该有一个比较确切的概念。"第四期河道整治可行性报告"中的规划治导线(两条平行线),我们理解的是指河道经过整治以后,在设计流量下主河槽的平面轮廓,即概化了的主河槽的两条水边线。治导线从字面解释应包含河道控制与主流导向两个内容,黄河大中小水的河槽边界与主流线(实际是有一定宽度的主流带)是不同的。我们河道整治工程控制的是中水河槽及主流的导向。规划阶段主要是初步确定河宽、流路以及弯道的控制,规划治导线将整治后的主河槽概化成两条平行线,虽不完全符合河槽平面形态的实际情况,但已能表达出规划的目的要求。而工程设计阶段除上述内容外,还必须确定主流导向,才能完全反映出设计整治的意图、目标及作用。修做工程的每个弯道大都是由不同半径、复合连续的圆曲线组成,分别承担着迎溜入弯、控制边界、调整水流、导溜出弯的功能。严格讲设计的弯道仅能适应设计整治流量的水流情况。设计阶段是在充分调查研究分析河势流向演变的基础上,因势利导,依照规划流路明确定出主流导向以及工程的总体布置。而设计弯道末段的导流各坝头的连线,既是导至下弯的主流方向,也是主流带最外缘的一条流线。目前我们不可能完全沿着平行的主槽水边线修做工程,实际也不符合弯道水流主流线位置变化的一般规律。

4　整治建筑物的高度、型式、结构

4.1　高度

"第四期河道整治可行性报告"确定的整治建筑物的顶部,按防御当地 5 000 m^3/s 为目标,其超高 ΔH 按下式计算:

$$\Delta H = \Delta h + a + c$$

式中,ΔH 为超设计水位的高度,m;Δh 为弯道横比降壅高,m;a 为坡面上波浪壅高,m;c 为备用超高,m。

经确定参数数值计算,取得了控导工程超高,见表1,我们认为原定的工程超高太多。按公式计算并考虑的几项超高内容是没有实际意义的。因为控导、护滩工程不是大堤,大堤是确保安全、万无一失的工程,而控导工程是允许洪水漫顶、允许水毁的工程,如果太高,往往形成以控导、护滩工程连坝或通往工程的道路为骨干的封闭圈、半封闭圈,减小了洪水漫滩几率,增大了滩唇高度,加大了工程连坝临、背河的滩面高差和滩面横比降。在形成的半封闭圈中,滩地下半部倒灌水,不利于水沙交换,不利于淤滩刷槽,不能很好地发挥陶城铺以上河道 2 770 km^2 滩区淤沙滞洪的作用。

表 1　控导工程超高

河段	波浪壅高 （m）	横比降壅高 （m）	备用超高 （m）	计算超高 （m）	采用超高 （m）
高村以上	0.61	0.2	0.2	1.01	1.0
高村至孙口	0.56	0.2	0.2	0.96	1.0
孙口至位山	0.47	0.2	0.2	0.87	1.0

　　建议新修河道整治建筑物的超高，以高出当地滩面 0.3～0.5 m 为好，稍高于滩面主要考虑有利于工程管理，使工程连坝在高度上区别于耕地，不使雨水汇流于连坝。对已修建的、高度按防御当地 5 000 m³/s 水位加 1 m 的整治建筑物，在已形成封闭圈或半封闭圈的地方，在工程上、下首（或只在工程上首）降低高度，石化一段连坝，作为洪水进滩的滚水坝，主动淤滩，便于水沙交换。

4.2　整治建筑物的型式、结构

　　黄河下游河道整治建筑物，应主要提倡下挑式的短坝垛和平顺护岸，以坝（垛）、岸护弯、以弯导流，减小河床边界糙率。

　　整治建筑物的结构，在继承黄河传统的柳石、土石结构的同时，试验、发展、推广新的结构型式。新的结构型式应技术上可行，经济节约，便于施工，出险几率小。

　　（1）钢筋混凝土预制板桩平顺护岸见图 1，按设计治导线，将钢筋混凝土预制板桩做成一个平顺的护岸实体，板桩护岸后按连坝宽度标准修筑土体，以钢筋混凝土板桩护弯导流。目前，城建系统已用预制钢筋混凝土桩来处理基础，预制工厂化，施工构件化，且处理基础深度 10～20 m，能够满足黄河冲刷坑深度的要求。

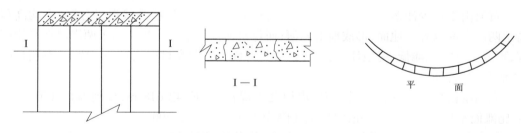

$I-I$　　　　平　　面

图 1　钢筋混凝土预制板桩平顺护岸示意图

　　（2）土工织物加筋土坝（垛）或护岸。就是利用高强廉价的土工织物铺埋在坝基土中（见图 2）。用做抗拉材料，改变土体的变形和强度特性，提高土的抗剪强度，从而增强土的承载能力和稳定性。我们曾进行过有关计算，在相同条件下，用抛根石或土坝基内加筋，使坝体稳定达到相同的稳定安全系数，结果加筋的费用只占抛根石所需费用的 60% 左右。另外，此种结构一可防止水流淘刷土胎、带走土粒、破坏坝基，二可防止洪水漫顶、行水走溜对坝基进一步冲刷，且此种

图 2　加筋土坝示意图

结构在水上施工,简便可行。

5　对部分河湾进行调整改造

河道整治工程由堤防险工和控导(护滩)工程组成。现下游两岸共有险工 139 处,坝垛护岸 5 184 道,工程长 315.7 km;控导护滩工程 175 处,坝垛 3 084 道,工程长 275 km。在现有的工程中,有的是在经过河势调查分析、规划设计基础上修建的,整治效果较好;但也有部分工程缺乏统一规划,是盲目被动修建的,河塌到哪里就修到哪里,群众称为"背着石头撵河",修建的工程起不到控导河势的作用;也有部分工程,在修建过程中,考虑一时一地的利益,不按照规划的工程整治线修,使工程在平面布局上存在着严重不足,虽修建了不少坝岸,但不能很好发挥一个河湾的整体作用。据初步统计,河南河务局 46 处险工,只有 20 处经常靠水的坝岸,占 50% 左右;山东河务局孙口以上河段,有险工、控导工程 27 处,坝岸 761 段,经常靠水着溜的只有 17 处工程,在这 17 处工程中,大河 1 000 m³/s 左右靠水着溜的坝岸仅占 49%,有的河段的河势近几年向不利的方向发展(如彭楼至苏阁河段),必须重视对这些河段的调整改造工作。在调整研究的基础上,敢于舍弃、进退,改善河道边界条件,强化工程约束作用,使这些河段的河势向规划的有利方向发展。

退耕淤滩是减缓"二级悬河"的重要措施

1　"二级悬河"的现状

黄河由于水少沙多,水沙不平衡,下游河道处于不断淤积抬升状态,河道的平均高程高于两岸大堤以外的地面,形成地上悬河;而行水河槽的平均高程又高于两岸滩地平均高程,形成了"槽高、滩低、堤根洼"的"二级悬河"局面。东明高村至上界等河段,具有明显的"二级悬河"特征。

东明游荡型河道现有 3 段大滩,堤根处为堤沟河,长 42 618 m,堤河宽度 150～500 m,比滩面平均高程低 1～2 m,滩地横比降为 1/2 000～1/3 500。

如东明南滩,位于东明黄河滩区的南部,临黄堤桩号 156 + 050～181 + 790 段,长度 25 740 m,堤河宽度 150～200 m(有的堤段达 400～500 m),深 1.2～2 m。滩区横比降较大,为 1/1 875～1/3 235,是黄委在册的顺堤行洪险段。油房寨断面主槽高程平均比滩地高 1.06 m,滩地平均高程比堤根高 3.4 m,设防洪水位比背河地面高 8～10 m,临黄堤桩号 181 + 790～189 + 000 段,长 7 210 m,堤河宽度 150 m,深 1.5 m,此段滩地横比降为 1/3 500～1/3 600。

除游荡型河段外,其他河段也有"二级悬河"存在,如位于高村以下的鄄城刘口河段,主槽宽 480～1 700 m,滩地宽 3 000～6 000 m,河道纵比降约 1/8 000,而滩地横比降为 1/1 500～1/800,横比降是纵比降的 5.3～10 倍。

以上河段均是典型的"二级悬河"。

2 "二级悬河"的危害

由于严重的"二级悬河",河道淤积,主槽萎缩严重,2002 年 7、8 月间进行的调水调沙试验表明,高村以上河段在流量不足 2 000 m³/s 的情况下,即发生了漫滩。该河段滩地横比降大于河槽纵比降较多,当遇大洪水时,高出两岸滩地的河槽水流一旦冲出主槽,极易发生大的溜势变化,漫滩水流很容易在滩地沿串沟或低洼地带流向大堤,引发横河、斜河、滚河、洪水顶冲堤防或顺堤行洪,将严重威胁堤防安全,甚至有冲决黄河大堤的危险。黄科院进行的"东坝头—高村滚河模型试验"、"1999 年汛期洪水预报"、"2000 年汛期洪水预报"和 2000 年 9 月进行的"东坝头—苏泗庄河段特大洪水预报模型试验"中,在此河段曾多次出现滚河。

"二级悬河"河段,由于槽高、滩低、堤根洼,主槽平滩流量小,已呈现出了洪水漫滩早、滩地水深大、滞洪水量多、漫滩洪水演进异常、洪水位表现异常偏高、小水成大灾的特点。从"96·8"洪水和调水调沙试验的洪水位表现看,在汛期突发较大洪水的情况下,虽然达不到设防流量,但在某些河段洪水有可能超过大堤设防标准,洪水演进异常也增大了防洪调度的难度。"二级悬河"的加剧,使滩区群众的损失也相应增加。如"96·8"洪水,山东省滩区淹没面积 7.6 万 hm²,水深一般在 1.5～3 m,最大水深 4.0 m。在 2002 年首次调水调沙试验中,东明北滩等发生大漫滩,最大水深近 3.0 m。

当汛期大水期间引发横河、斜河、滚河时,由于堤河的大量存在,一般低于滩唇高程 3～4 m,相应堤段水深也比其他堤段深。漫滩时堤根水深 4～5 m,大洪水时,堤根水深将达到 8～10 m,一旦生险,因水深大会给抢险带来极大的不便。如发生水深 3 m 以上的漏洞,一是在较大水压力的作用下,漏洞水流流速大,发展快;二是洞口至水边的距离达 9 m 以上,一些堵漏措施不借助其他工具无法实施,将很难抢堵成功。

堤沟河地势低洼,雨季很容易存水,有的堤沟河常年有水,群众无法种植农作物,严重影响群众生产。

3 治理的对策和意见

3.1 要用系统的观点研究和治理"二级悬河"

黄河下游河道上宽下窄,排洪能力上大下小,淤积上多下少,经过几十年不懈治理,在排洪输沙方面,在较长时段内,已形成了一个相对平衡的系统。"二级悬河"的治理是整个下游河道治理的一个重要内容,要站在黄河下游防洪保安全和扶持滩区人民生产生活奔小康的出发点。因此,要有两个系统的观点:一是"二级悬河"的治理要放入黄河下游防洪保安全系统中;二是河道治理与滩区治理及大堤防护是一个系统,做规划、制订方案和设计工作都要从全局出发,统筹考虑各方面的问题,任何时候在局部河段缩窄河道,都要对整个系统加以考虑,牵扯到的有关问题要进行研究给予回答。

3.2 退耕淤滩,淤筑"相对地下河"

"二级悬河"的形成是水沙和边界条件长期共同作用的结果,也是自然因素和人的活动共同影响的结果,必须淤高滩区才能缓解这一局面。滩区既是行洪的河道,又有较多群众居住和生产,淤滩需要多年才能实现,将影响农民的生产、生活。因此,解决淤滩地与农民生产的矛盾是关键。据调查，近年来由于化肥、农药的价格较高，而粮食价格偏低，种地的收入相对较少。鲁西南地区有些农民做生意，常将土地按每亩每年 100 元或 50 元加 100 kg 小麦的价格租给别人种植，并由租赁人承担公粮等。鉴于滩区群众的生活水平现状，在淤滩时，若制定补偿政策，如凡因淤填堤沟河、滩地而影响生产的土地，按每年每亩 100 元或 100 kg 小麦加 50 元的单价补偿，待滩地淤填到一定高度后再交给农民耕种。按此办法，应比较容易实施。

3.3　淤滩实施方法

按目前来水量状况，仅靠漫滩洪水落淤难以达到预期的效果。根据滩区的现状，可采取自流放淤和船淤相结合的方法分步实施淤滩。第一步，充分利用较大的横比降和各河段现有大量引黄和淤灌闸的有利条件，由引黄或淤灌闸引水自流到堤沟河放淤。目前东明南滩控导工程上现有王夹堤、大王寨、王高寨、新店集、司胡同 5 座引水闸。东明西滩有堡城引水闸，东明北滩有冷寨引水闸等。当自流放淤到一定程度，无法自流淤填时，再采用黄河上大量的吸泥船进行第二步淤填。

实施前可先进行试点试验，探讨研究引水的时机、含沙量、渠道防淤、尾水排放等情况，摸索出适合淤滩淤堤沟河的可行方法。大面积推广时，要按照试点试验，全面规划，分条分块，合理布局，尾水尽量通过引黄渠道排入灌区，浇灌农田，淤滩高程高于滩唇，消除横比降，形成"相对地下河"。

3.4　完善顺堤行洪（滚河）防护工程体系

为防止滚河发生后危及堤防安全，多年来，山东黄河河务局在可能发生顺堤行洪甚至滚河的堤段修建了 87 段防护坝。其中东明河段防护坝 55 道，工程总长度 12 546 m，护砌总长度 5 535 m，坝裆距离 100～2 470 m。但滚河防护坝均为旱地修做，基础较差，未经洪水考验，坝裆距太大，且都是传统的土石坝结构，有的还没有裹护，不能完全有效地掩护堤防。鉴于消除堤沟河需要时间，为避免近几年顺堤行洪等险情发生，建议尽快完善防顺堤行洪（滚河）的工程体系，特别是要研究探讨新技术、新材料坝型，以防出现顺堤行洪（滚河）时突发险情、抢护不及的局面，确保堤防安全。

3.5　在一定范围内鼓励农民退耕植林

花费大量人力、物力、财力，大规模地进行淤滩后，缓解了"二级悬河"的局面。但生产堤的破除难度很大，同时受来水量的限制，漫滩洪水仍可能较少。另外，黄河大堤随着河道的不断淤积抬高，还要加高加固、修建险工及控导工程，仍需要大量的土方，将在临河滩地一定范围内挖取。据不完全统计，1950～2001 年，东明县沿堤范围内黄河堤防、险工共取土 3 382 万 m³，折合堤线长度每米取土 793 m³，按平均取土宽度 300 m 计，折算取土坑深达 2.64 m。因此，保持滩地经常有效淤积和还淤非常必要。

在 20 世纪 60、70 年代，鄄城县河务部门曾进行植柳落淤淤填堤沟河试验。具体做法是：春天沿堤沟河横向密插柳橛，宽 20～50 m，柳带裆距约 80 m，到汛期柳枝长到高 1 m 多，试验表明，落淤效果非常理想，一般的堤沟河经过一两个汛期即可淤平。借鉴该试验成果，在具有较宽滩地河段，大堤临河堤脚以外 1 km 范围内种植用材林，选择柳树、杨树等速生树种，汛期可起到很好的缓流落淤效果，可保持该区域内不断淤积抬高。若能将较小的漫滩洪水在大堤堤脚外 1 km 的范围内落淤，对保持滩地的均衡淤高有重要意义。

为此,建议在宽河道大滩内,鼓励农民退耕植林,临河堤脚以外 1 km 范围内植树,这样不但可以缓流落淤,也可在汛期大水时防风浪淘刷大堤。

3.6 疏浚主槽,保证主河槽的泄洪能力

主槽的不断淤积抬高是造成"二级悬河"的重要原因之一,保持"相对地下河",也要采取措施,使主槽减少淤积,保证主河槽的泄洪能力。除充分利用小浪底水库调水调沙冲刷河道外,还应不断地进行河道疏浚,特别是两个弯道之间的直线段,往往淤积较为严重,应采取疏浚的方式疏通,以利于中小水通道的形成,保证主河槽的泄洪能力。

对治理"二级悬河"的几点认识和建议

黄河以泥沙闻名于世,平均每年从上游输送到下游的泥沙为 15.6 亿 t。黄河的水量主要来自上游,上游水量占 54%,而沙量仅占 9%,是黄河水量的主要来源区;黄河的沙主要来源于中游,其中游头道拐至龙门区间水量占 13% 而沙量占 53%,是黄河泥沙和粗泥沙的主要来源区。黄河具有沙多、河川径流较少、水沙异源、水沙量年际变化较大等特点。1986 年以来,黄河水沙又呈新特点,即来水枯、来沙少、洪峰流量不大、枯水流量历时长、断流现象严重、汛期来水量相对较少、非汛期来水量相对较大等。

黄河的下游,由于泥沙的淤积,早已成为著名的地上悬河(即"一级悬河"),滩面高程平均高出背河地面 3~5 m。在此基础上,经过多年的演变,河道地貌又出现"槽高、滩低、堤根洼、背河地面更低"的局面,形成了所谓"二级悬河",且这种不利状况有不断加强的趋势。

1 "二级悬河"的成因

所谓"二级悬河"是相对于黄河的"地上悬河"(一级)而言的,即河槽平均高程高于滩地平均高程。"二级悬河"从本质上讲就是"槽高、滩低、堤根洼",简单地说就是"悬河"之上又形成了一条"悬河"。1973 年 11 月到 1999 年 10 月是"二级悬河"演变形成和发展的主要时期。这期间,一方面来水来沙条件不断恶化,并受中、上游大中型水库调节及工农业用水影响,黄河下游汛期来水减少,高含沙洪水增多,主槽萎缩淤积加快。另一方面,人类活动的不断加剧,下游滩区的生产堤、控导工程连坝等一些挡水建筑物将滩区围成了许多封闭圈,使洪水漫滩机遇明显减少。而对大堤进行加高大量的近堤取土,使堤沟河更加严重,"二级悬河"形势不断恶化。

由此可见:上游来水量减少,改变了河道横向淤积分布,是"二级悬河"形成的主要原因。其次,人为因素的影响,如:大型水库调蓄上游来水,大洪水发生几率减小,加之生产堤挡水减少了洪水漫滩,复堤取土等改变了水流的自然边界条件,加剧了嫩滩淤积和形成堤沟河,加快了"二级悬河"的形成,随着来水来沙条件的日趋恶化和人类活动的不断增加,如任其发展,"二级悬河"的不利局面将不断加剧。

2 "二级悬河"的危害

"二级悬河"对防洪构成严重威胁。"二级悬河"程度的不断加剧进一步增大了黄河下游的防洪负担,特别是在河道不断淤积萎缩、主槽过流比例降低、主河道抗洪能力和对水流控制能力很低的情况下,一旦发生较大洪水,滩区过流量将会明显增加,极易在滩区串沟和堤河低洼地带形成集中过流,造成重大河势变化。横河、斜河特别是滚河的可能性增大,主流顶冲堤防和堤河低洼地带顺堤行洪都将严重威胁下游堤防的安全,甚至造成黄河大堤的冲决与溃决。

"二级悬河"易导致一部分河道整治工程失去控制主流的作用。黄河下游的河道整治工程对于固定中水河槽、稳定河势、护滩保堤起了积极作用。但"二级悬河"的加剧,使得河道整治的难度增大。由于近年来上游来水来沙偏估,黄河下游主河槽淤积抬高、断面萎缩、平滩流量减小、滩槽高差降低,与过去相比,以前的平滩流量现今早已漫过主槽,河道整治工程稳定河势的作用显著削弱。由于生产堤修复和其他人类活动的影响改变了洪水漫滩的边界条件,使洪水上涨时控导工程承受的压力加大,而控导工程多为土石结构,使得在平滩流量以上被破坏的几率增加。水位一旦超过工程顶高程,漫溢的水流将迅速导致工程垮坝。垮坝后的工程对溜势的控制作用更弱,今后河道的整治难度进一步增大。又由于滩地的横比降大于纵比降,而水具有往低处流的特性,所以极易造成河势在工程上首坐弯,抄工程后路或在工程下首滩地分流,使河道整治工程的送溜作用大大降低。

"二级悬河"对滩区群众的生命财产安全造成极大威胁。滩区是洪水的行洪区,又是滩区人民繁衍生息的居住地,在严重的"二级悬河"河段,由于槽高、滩低、堤根洼,主槽平滩流量较小,洪水漫滩演进必然呈现洪水漫滩早、滩地水深大、滞蓄水量多、排水困难、小水成大灾的特点,对滩区群众迁安避洪极为不利。如遇较大洪水,洪水涨水段小流量即开始进滩,进滩水流横冲直撞,切断滩区群众撤退道路,群众撤退困难,迁安救护难度增加,直接威胁滩区群众的生命财产安全。

3 治理的原则和目标

治理"二级悬河"将是长期艰巨的任务,要立足于系统的观点,不能头痛医头、脚痛医脚,应本着"防洪为主、统筹兼顾、综合治理、局部利益服从全局利益"的原则逐步减缓"槽高、滩低、堤根洼"这一状况,使河势得到规顺、堤防得到加固,从而减缓对防洪的压力,使河道得到长治久安、滩区群众安居乐业。

以防洪为主是我们治河的立足点和出发点。在确保防洪安全的前提下,尽可能照顾到各个方面的利益,从而实现治黄社会效益和经济效益的最大化。综合治理表明了治理黄河问题的根本所在,同样也是解决"二级悬河"问题的根本性措施,但泥沙的解决需长期的努力,在黄河问题没有得到根本性解决之前,"二级悬河"的治理措施必须考虑到各个方面,如淤堤河、挖河、修建河道整治工程、修建滚河防洪工程、滩区实行补偿性政策等。仅靠单项措施远远解决不了问题。在黄河的泥沙没有得到根本性解决之前,要想消除"二级悬河"是非常困难的。因此,我们提出要逐步减缓"二级悬河"这一近期目标,并通过治理措施的实施,使河势得到控制、堤防更加巩固,从而实现黄河长治久安、滩区群众安居乐业的目标。

4　防治措施与建议

（1）在目前水沙条件和河床边界条件下，单纯依靠自然的力量是很难改变"二级悬河"不断加剧的局面的，在普遍槽高滩低的情况下，仅依靠人工全面抬高滩面工程量又巨大，应通过人工与自然放淤相结合进行实施。通过有计划地引洪淤堵滩区串沟，淤填堤河及低洼地带，抬高滩面高程，减小滩面的横向比降，缓解"二级悬河"不断加剧的不利局面，减小出现滚河和顺堤行洪的可能性。

（2）解决"二级悬河"的根本点是降低主河道，增大主槽排洪能力。在今后相当长的时期内，主槽依然是淤积抬高的趋势，解决主河槽的淤积抬高是黄河下游治理的主要问题。理论和实践证明，使用机械挖河疏浚可以有效地降低主河槽河底高程，如果与固堤，淤填堤沟河、串沟、低滩等相结合，对防治"二级悬河"可以取得较好的效果。

（3）继续进行黄河调水调沙。不利的水沙条件是形成"二级悬河"的最主要的原因。2002 年首次调水调沙试验取得成功，黄河下游河道总冲刷量为 0.326 亿 t。实践证明，在水沙条件具备的情况下，通过小浪底水库的调节，可以制造出对下游河道有利的水沙过程。实施自然漫滩与有计划淤滩相结合，淤滩刷槽，逐步缓解"二级悬河"的不利局面。

（4）保持水土是解决黄河问题的根本所在，同样也是解决"二级悬河"问题的根本性措施。目前采取在堤防临河侧种植防浪林的措施以保证堤防安全。该措施既节省投资，改善堤防沿线环境，经济效益高，又能达到防浪护堤的目的，是堤防建设的重要内容。通过改善滩区的种植结构，既保持滩区群众生活水平，又能缓解发生横河、斜河和顺堤行洪时造成的危害。

（5）坚持杜绝堤根取土，形成新的堤沟河。今后应加强水政执法力度，搞好河道、工程管理，禁止在近堤范围内取土，避免形成新的堤河、洼地。

总之，应针对"二级悬河"的不利状况，采取工程措施与非工程措施相结合、主动措施与补救措施相结合的办法，进行综合治理，从而遏制"二级悬河"的不利局面的发展，并使其逐步得到改善，最终实现黄河长治久安、滩区群众安居乐业。

（原载于《山东机械》总第 153 期）

从长江"98"洪水看黄河防洪工程建设和加固[❶]

1　长江"98"大洪水出险基本情况及特点

1.1　"98"长江洪水出险特点

1998 年 6~8 月，长江流域出现 3 次大范围降雨过程，洪峰接连出现，由于高水位持

---

❶　该文写于 1999 年 10 月。

续时间长,堤防工程不断出险。长江堤防险情具有以下几个特点:①险情多,范围大。据统计,长江中下游堤防共发生险情6 135处,其中较大险情4 764处,险情波及范围大,有的堤段堤坡外大面积发生管涌,有的渗水堤坡长达十几千米。②险情分布广。长江中下游江西、湖北、湖南、安徽、江苏5省沿江堤防均发生大量险情。其中江西省574处,湖北省3 934处,湖南省1 323处。湖南省、江西省堤防出险密度最大,每千米分别达到13处和8.6处。③险情严重。江西九江干堤、湖北孟西垸、湖南安造垸决口,给人民生命财产造成重大损失。江西赣西大堤公路桥附近,右堤发生管涌,沙盘直径达3 m左右。监利三支角管涌群最大涌径达1.2 m,监利南河口管涌群为浅层溃口性管涌,发展极为迅速,一日下滑4.5 m。洪湖长江干堤在250 m长范围内发生裂缝并下滑,缝宽1~8 cm,下滑深度3~20 m,有近20 m有明水。这些险情如不及时进行抢护,将产生严重后果。

1.2 "98"长江洪水各类险情出险情况

长江中下游堤防发生的险情主要有以下几种:①通过堤基渗出的管涌,长江中下游堤防共发生管涌1 573个,占险情总数的25.6%。这是高水位下最易出现的一种险情,长江干支流管涌随处可见,分布在离堤脚几米到1.5 km范围内,直径从几厘米到2.5 m,洪湖和监利河段管涌多发生在水塘里,管涌出水量大小不一,不及时处理就会造成大险。如洪湖长江干堤乌林中沙角(桩号491+600~491+610)管涌,背河为老潭坑。8月3日15时45分,距内堤脚50 m坑底出现三孔管涌,孔径分别为0.08、0.2、0.4 m,平行于干堤排列,间距均为5 m,三处沙盘均高0.3 m,直径1.5 m,此时,外江水位33.37 m,堤顶高程34.26 m,潭坑内水面高程26.50 m,水深约4 m,管涌点高程22.50 m。②堤坡、堤脚散浸。据统计,长江中下游堤防共出现散浸险情2 501处,占出险总数的40.80%,是出险次数最多的一种险情。沿江干堤险情随处可见,多发生在堤身单薄堤段。如监利县长江干堤万家大脑堤段,长32.70 km(桩号560+000~592+700),内堤坡全线渗水,渗水位置距堤顶只有1 m左右。③堤防背水坡脱坡。脱坡263处,占总数的4.3%,堤防高、断面不足、修筑质量差、深层有粘土层的堤段极易发生滑坡。彭泽县马当乡的跃进堤、太泊湖堤曾出现大面积滑坡,堤顶宽度仅2 m。④闸口险情。这类险情128处,占总数的2.1%。长江穿堤建筑物主要是排水管道、排水池及众多的交通闸口。大洪水时,要实施封堵、屯堵。特别是闸口,由于修建时标准要求不一,屯堵时质量难以控制。因此,每处闸口都是防洪的薄弱环节。这种情况在九江市比较突出,九江市沿江共建有闸口84个,洪水期间,多处闸口发生险情,如56号闸口正中内侧出现一孔径2 cm的泡泉,很快便发展到0.5 m,堤内做反滤工程已无法控制,经水下探摸,进水口在水深1 m的闸土结合部。⑤部分堤段存在白蚁,产生集中渗流。这类险情占875处,占出现总数的14.3%,如赤壁有两个直径1.5 m、深2 m、相距2 m并相互连通的特大白蚁穴,发现时洞壁距迎水面仅0.5 m。

2 黄河防洪工程现状及存在的问题

近几十年来,黄河河床淤积严重,过洪能力急剧降低,"悬河"形势加剧,防洪水位逐年抬高,1950~1998年,高村、孙口、艾山、泺口、利津5个水文站3 000 m³/s水位分别抬高了3.94、4.18、3.72、3.90、2.70 m。尤其1987年以来黄河来水量较小,主河槽淤积进一步加剧,1987~1997年黄河下游河道主河槽每年平均淤高0.12~0.16 m,平槽流量由

6 000 m³/s 左右降为 3 000 m³/s 左右,"二级悬河"的不利局面进一步加剧(见图1、图2),即便是中常洪水也可能发生滚河、斜河和顺堤行洪,威胁堤防安全。目前,黄河下游河床高于两岸地面 3～5 m,防洪水位高于地面 8～10 m,防洪承受的压力远远大于长江,出现渗水、管涌、漏洞、滑坡等险情后的抢护难度也远远超过长江,存在的问题主要有以下几点。

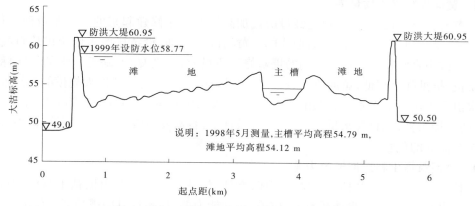

图1　黄河下游河道鄄城大王庄断面示意图

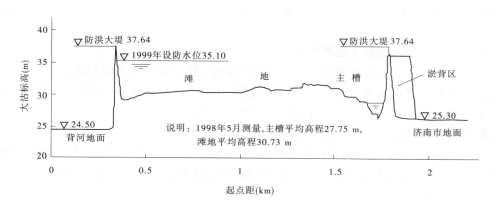

图2　黄河下游河道济南泺口断面示意图

2.1　堤防险点险段多,抗洪能力不足

由于基建、防汛岁修投资少,按防御大洪水要求,许多应该修做的工程没有修建,工程上的险点、险段得不到及时消除,严重影响了防洪工程的抗洪能力,山东黄河共有临黄堤 803 km,按照 2000 年的设防标准,截至 1998 年底有 580.5 km 高度不够,占黄河大堤总长度的 72.2%;有 405 km 不能满足抗渗稳定要求,其中出逸点高出允许值 4 m 以上的有 128 km;有黄委、省局在编的重大险点险段 67 处;有 2 767 段险工坝岸高度没有达到设计标准。如果遇到中常以上洪水持续时间较长,出现堤基、堤身渗漏,堤防管涌、漏洞的可能性很大,1996 年花园口站发生 7 600 m³/s 洪水,防洪工程大量出险,如果发生 22 000 m³/s 的大洪水,将面临更加严峻的局面。

2.2 黄河堤基条件差

黄河下游堤基不均匀,有的层沙层淤,有的为强透水沙层,在高水位条件下,极易发生渗水、管涌等险情,从而危及堤防安全。黄河历史上决口频繁,堤防老口门堵口时秸料、树枝、麻绳、木桩等修做的坝体埋入地下,年久腐烂后成为软弱层,也容易形成渗水通道。

2.3 黄河堤防修筑质量差

黄河堤防同长江一样,也是经过历代加高培厚逐年修建起来的。山东黄河现行河道是1855年黄河于铜瓦厢决口后形成的。黄河改道初期,沿黄居民多修筑民埝自我保护。后民埝改为官修官守。这一时期的堤防修筑质量差,土料复杂,缺乏科学的修筑标准,堤防质量、抗洪强度很低,黄河决口频繁。新中国成立后,进行了3次大规模的加高加固,前两次由于机械化水平不高,采用了人海战术,大兵团作战,突击修筑,部分堤段碾压质量差,两工接头多,土料含水量大,在高水位条件下,容易发生渗水、陷坑、裂缝、滑坡等险情,甚至有溃堤的危险。

2.4 黄河筑堤土料抗冲刷能力差

长江大堤主要由红粘土和壤土筑成,嫩江、松花江大堤主要由黑粘土筑成,而黄河大堤主要由砂壤土筑成,渗透系数大,抗剪、抗冲能力差,如果长时期遭受高水位浸泡、冲刷,很容易发生渗水、管涌、滑坡、坍塌等险情,一旦出险,险情发展快,抢护不及时易于决口成灾。从堤防抗洪能力上讲,同长江相比,黄河大堤不如长江大堤,一旦出现溃口险情,8～10 m高的水头直冲两岸平原,堵口难度比长江要大得多,淹没损失也远远超过长江和松花江。

2.5 黄河涵闸多,增加了出险机遇

山东黄河目前共有分泄洪闸、引黄涵闸72座,部分涵闸建成时间较长,老化严重,新建涵闸没有经过洪水考验,洪水期间,闸底板与地基之间、建筑物与两侧大堤结合部容易发生渗漏,危及堤防安全,且一旦出险抢险难度极大。可以说,每一处涵闸就是一处险点。

2.6 黄河堤防背河坑洼、池塘多,增加了抢险难度

据统计,山东黄河堤防距堤脚200 m范围内有坑塘、鱼池、洼地、堤河、水库1 359处,水井、渠道等违章设施5 309处,房屋641 025间,这些违章建筑的存在,使险情不能及时发现、及时抢护,增加了黄河防洪的压力。

2.7 黄河险工坝岸头重脚轻、稳定性差,根石普遍不足

山东黄河临黄堤共有险工104处、3 872段堤岸,其中砌石坝岸651段。砌石坝是经过3次戴帽加高修建起来的,坝面坡度1∶0.35～1∶0.4,头重脚轻,稳定性差,极易出现跨坝险情,例如泺口险工10#～14#坝,1985年11月17日夜泺口水文站流量1 690 m³/s时垮坝,王家梨行险工8#～11#坝在1981年12月25日夜,在枯水流量下垮坝,如果发生在大洪水期间,必将造成紧张抢险局面,危及大堤安全,必须引起高度重视。

2.8 害堤动物大量存在

黄河大堤土层均匀厚实,温度、湿度适宜,且人的活动少,便于动物穴居觅食,历次黄河防洪工程普查均发现大量害堤动物和洞穴,主要是鼠穴和獾洞,鼠洞呈群集分布,存在于堤身内,大大削弱堤防的抗洪能力。獾洞垂直深入堤内几米至几十米,危害堤身严重,如发现不及时,洪水期间容易产生陷坑、渗水、漏洞等险情,甚至有溃堤的危险。

2.9　蓄滞洪工程问题较多

蓄滞洪工程普遍存在工程标准低、质量差、分泄洪闸老化失修等问题,一旦蓄洪运用,可能发生渗水、管涌、裂缝、坍塌等严重险情,工程防守抢险任务非常重。例如:二级湖堤加固工程尚未竣工,老湖调蓄能力低的问题仍然存在;退水入黄不畅;齐河北展宽区向徒骇河泄洪的河道没有开挖等。

3　对黄河防洪工程建设和加固的意见

人民治黄以来,黄河防洪工程建设取得了重大成就,基本形成了"上拦、下排、两岸分滞"的工程体系,非工程措施有很大进步,确保了黄河50多年伏秋大汛安澜。在当前应加快黄河下游防洪工程建设的步伐,加高、加固黄河堤防,完善河道整治工程,疏浚主河槽,提高河道排洪能力,抬高沿河两岸地面,淤筑"相对地下河",以彻底消除渗水、管涌、漏洞等险情,从根本上解决溃决问题。

3.1　加高加固堤防

黄河泥沙在较长时间内难以得到有效的控制,黄河下游的防洪任务仍是艰巨而长期的。堤防工程作为永久性工程,即使近期小浪底水库建成发挥防洪作用,仍为抵御洪水的主要屏障。鉴于黄河下游堤防没有达到近期设防标准,河槽淤积严重,排洪能力下降的状况,为确保黄河防洪安全,使黄河堤防能抵御设防洪水,以后应在以下几方面努力:①继续加强两岸防洪工程建设,加高培厚两岸堤防,进一步完善防洪工程体系,使黄河防洪工程按2000年标准全部达标;②尽快消除险点隐患,加高改建不足标准的或稳定性不足的险工坝岸、涵闸,修建不抢险坝,增强工程的稳定性和抗洪能力;③完善蓄滞洪工程;④增加防汛岁修经费,及时处理水毁工程,保持工程完整和抗洪强度;⑤继续加强淤背工程建设,采用新技术将挖河疏浚与放淤固堤结合,改变河道断面形态,形成"相对地下河"。

3.2　加快河道整治和防滚河工程建设

针对小浪底修建后下游河道可能发生的变化,加快河道整治步伐,固定中、小水河槽,稳定下游河势,有效地解决大堤冲决的威胁。黄河高村以上河段为游荡型河段,当发生大洪水时,极易发生滚河、斜河、横河,危及大堤安全。应加快修建稳定河势、控导主流的河道整治工程,缩小游荡范围,淤滩、淤临,减小滩面横比降。高村以下河段,应继续完善和调整已有河道整治工程节点,研究不抢险或少抢险的筑坝新结构,争取防洪的主动性。

3.3　探明黄河堤基土质、堤身险点隐患,采取措施彻底处理,增强抗御洪水能力

黄河堤防是在民埝的基础上修筑的,不但有决口的老口门,还有战争年代遗留下来的军沟、碉堡等隐患,但从未进行过全面的地质钻探,特别是堤基情况。采取现代科技手段,对黄河堤基、堤身情况进行彻底普查,掌握全部堤段的堤基土质、堤身隐患情况很有必要。分别对堤防老口门堤段、施工质量较差的堤段、基础薄弱堤段、历史遗留问题较多的堤段及其他薄弱堤段采取垂直铺塑、截渗墙、压力灌浆、加修前戗、淤背等加固措施,把堤身隐患彻底消除在洪水到来之前,增强工程抗洪能力。

3.4　采取强有力措施,消除背河老口门潭坑、鱼池、坑塘、洼地及临堤取土深坑和堤河

九江大堤决口就是由于堤防坐落在沙质古河道上,背河有深水坑塘,临河粘土覆盖层被破坏,形成渗流通道,发生管涌险情,因抢护不及时,导致溃堤,一定要吸取九江决口的

经验教训,下定决口,下大气力,对黄河大堤背河的坑塘、鱼池、水井等隐患采取平整回填、淤垫、拆除措施,彻底消除背河不易发现的泡泉滋生地,背河回填后及时进行淤背。

3.5 在防洪工程建设中积极推广新技术、新材料

在新修坝岸中,多使用模袋混凝土沉排、长管袋充填土沉排、绳索混凝土块体沉排,这些结构具有较好的整体性和柔性,可随河床冲刷坑的变形而变形,减少工程运行期的抢险,也可采用插板桩坝、灌注桩坝等新技术,增加坝体的抗冲力。

3.6 重视涵闸可能发生险情的处理

对涵闸可能发生的险情,采取修筑闸前围埝,涵闸土石结合部、土混凝土结合部进行防渗处理,压力灌浆,闸后修建养水盆。

3.7 加强滩区、蓄滞洪区安全建设

一方面,黄河滩区既是行洪河道的一部分,又是滩区群众赖以生存的家园,由于河道逐年淤积,洪水漫滩几率增大,严重威胁着滩区群众的生命财产安全;另一方面,滩区大量的村庄、树林阻碍黄河行洪,增加了洪水预报难度。"96·8"洪水以后,山东省从滩区群众的长居久安考虑,投入大量的财力、物力,把具备条件的村庄搬到滩外,解决了滩区15万多人的防洪安全问题,但山东省还有46万人的滩区群众避洪问题尚未完全解决,黄河滩区也应实行国家对长江平垸行洪、移民建镇的政策,破除生产堤,修筑避水台,有条件的可以将滩区群众外迁。要按照这一思路重新搞好规划,纳入国家移民建镇统一建设,以加快黄河滩区安全建设步伐。

3.8 加强堵口技术研究,适应抢大险的需要

在防洪工程大量险点隐患没有得到消除加固以前,在汛期或高水位情况下,会出现坍塌、渗水、管涌、漏洞等严重险情,如果抢护不及时,措施不当,堤防有溃决的危险,必须严肃对待。对工程出现的每一种险情,须全力以赴进行抢护,但更重要的是研制革新一批实用、快速、方便操作的抢险新机具,改变多年来离不开传统手段的局面,提高抢险技术的科技含量。

改造长清桃园工程的意见

黄河下游山东陶城铺以下属弯曲型河道,在齐河水坡至程官庄河段,呈现出 S 形弯道,长约 11 km,其中长清桃园工程上首至韩刘险工下首的官庄河湾,长约 5 km,而脖颈直线长只有 2.5 km。位于官庄河湾脖颈处的长清桃园工程,屡遭洪水破坏,小水出小险,大水漫顶垮坝,凌汛卡冰壅水,年年紧张抢险。为了改变这种不利局面,我们调查研究了工程演变的历史,并提出了改造工程的具体意见。

1 桃园工程平面形态演变

长清县桃园护滩工程始建于 1969 年,当年修建了 7#、8#、10#～14# 坝岸工程,1970年、1972年又分别续建了 5#、6#、9# 坝和 1#～4# 护岸。工程长度 694 m,护砌长度 921 m。

当时的工程布局比较规顺,起到了控导河势、保滩护地的作用。1975 年 9 月 27 日至 10 月 2 日,黄河涨水,10 月 6 日,长清姚河门水位 38.47 m,相应流量 6 900 m³/s。这次洪峰水位高,持续时间长。桃园护滩工程先后多次出险,1#~5# 坝岸漫顶,毁坏严重;6#、7# 坝被洪水冲毁;8#~14# 坝大部被冲垮。水流从 6#~8# 坝挡内冲决连坝基穿过,弃弯经桃园、杜圈、杨庄、雾露河等村以东,三朱村以西顺势而下,直撞韩刘闸(韩刘险工 11# 坝)。洪水过后,水流归槽入弯。1976 年 8 月 27 日,黄河又一次洪峰进入长清县境,姚河门最高水位达 39.46 m,相应洪峰流量 9 000 m³/s。桃园护滩工程 6#~9# 坝之间,溃决过水成河,其他坝也严重出险,工程又一次失去了控导作用,主溜裁弯取直顶冲对岸韩刘险工 7#、9#、11# 坝,致使其出现根石走失、坝身蛰陷、险工下首塌岸严重等险情,抢险用石 1 500 m³。桃园工程溃决,坝后新河水势很大,百吨渡船都可行驶。大水过后,截堵新河,水流复归旧河。原坐落在坝基上的 47 户房屋全部塌入河内,7# 坝后退约 85 m,8# 坝后退 200 多 m,河势下移 300 m 左右。1982 年 8 月 27 日,黄河又一次洪峰进入长清县境,姚河门出现最高水位 37.15 m,相应流量 6 500 m³/s。此次洪水持续时间长,水位较高,10#、11#、12# 坝吃溜紧,多次出现严重险情。其中 11#、12# 坝经奋力抢护又后退 10 多 m,形成了现在的工程形状(见图 1)。1988 年 8 月,在大河流量为 5 000 m³/s 的情况下,桃园工程 13#、14# 坝再次发生下垫坍塌,13# 坝有 60 m 长的坝坡坦石及根石塌入水中,土胎裸露,后经抛铅丝笼、柳石枕抢护,方得以化险为夷。这次抢险用石料 2 316 m³、钢筋 668 kg、铅丝 11.67 t、木桩 500 根、柳枝 6 万 kg、草袋 3 000 条、麻绳 1 t、木板 2 m³,用工 5 300 多个,投资 117 400 多元。

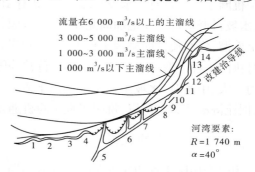

图 1　桃园工程平面现状图

2　桃园工程屡遭冲毁的原因

桃园护滩工程屡遭冲毁的主要原因有以下两方面。

2.1　工程布局不合理

如图 2 所示,坐落在急弯脖颈处的桃园工程,上首距对岸水坡工程下首只有 2 km 左右,桃园工程迎溜与送溜方向近于直角。在不同流量下,工程整体的迎溜、控溜、送溜的能力不佳,接、送溜集中在 2~3 道坝上,大溜顶冲,形成较大的回流淘刷,加之环流的作用,恶性险情频频出现。自 1975 年以后,桃园工程几经水毁,6#~12# 坝后退,使工程本身形成了急弯之势,13#、14# 坝突出河心。此种工程布局,今后恐难免出现更加险恶的险情。黄河的水流特性是:"小水走弯,大水走滩,中水易于塌岸,大水易于裁弯取直。"一旦大水漫顶,冲毁工程,工程后面的滩地成为新河,全河自然裁弯取直之事就可能发生。这样必然引起以下河段的河势变化,使韩刘工程下首着主溜,甚至使其以下的苗庄工程靠河。苗庄工程坐落在南沙河故道的河口地带,基础差、工程低矮,若遭水毁,大河必走卢城洼。如此不仅给滩区人民带来较大的经济损失,还会使下游河势发生预想不到的变化。

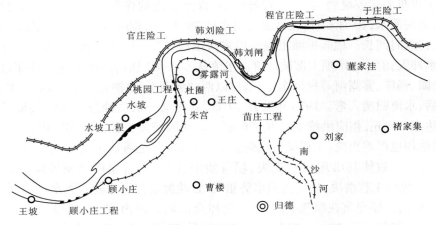

图 2　桃园工程位置图

2.2　上弯送溜位置不当

　　桃园工程上首对岸水坡护滩工程,共有 16 道坝。9# 坝是护滩保村的骨干坝,每年汛期,水坡村群众都自发地加固此坝,坝身坚固,根石部位明显外移。小水时,该工程 9# 坝以上着溜,将水流挑向桃园工程 1# ～4# 护岸,淘刷堤根。另据调查,1975 年和 1976 年大水时桃园工程上弯顾小庄护滩工程下首被冲毁的 8# ～10# 坝没有得到恢复,削弱了导溜能力。大、中水时,水坡工程 12# 坝以下着主溜,挑溜至桃园工程中下部,坝岸着溜夹角大,回流淘刷严重。所以,桃园工程出险机遇多,多次因冲刷严重而被毁坏。

3　改造桃园工程的意见

　　为改变桃园工程历年紧张抢险的被动局面,防止其向更加恶化的方向发展,必须有计划地进行改造。目前提出的改造方案有以下 4 种:

　　(1)顺其自然,裁弯取直。即在河湾脖颈处裁弯取直,加固下游苗庄工程。河道取直之后,水坡与韩刘两工程间的直线段约 4 km,可以使韩刘险工 9# ～44# 坝着溜,然后送溜至苗庄工程,以保持下游河势不变。

　　(2)改造桃园工程 5# ～14# 坝的工程结构,加固根石,使工程成为滚水坝。小水时,工程可以有效地控导河势,少出险情;大洪水时,工程成为潜水坝,大部分水流仍走老河道,一部分水流漫坝,大水过后,河复归旧槽。

　　(3)改造桃园工程的平面形态。图 1 标出了大河各种不同流量情况下的主溜线,据以改造工程外形,使 1#、4#、5#、6#、7#、10#、11# 坝坝头构成一新的治导线,弧线半径为 1 740 m,弧心角为 40°。按此治导线改造 12# ～14# 坝,使桃园工程的平面形态进一步改善,增强其控导河势的作用。

　　(4)改造工程的平面形态与加固部分坝段相结合。此方案按照方案(3)改造工程的平面形态,同时加固 5# ～11# 坝间的坝段及连坝,一方面增加桃园工程控导河势的能力,另一方面使其具有漫顶行洪的作用。

　　我们分析比较认为,第(4)种方案是较为理想且较为容易实现的方案。现在杜圈、雾露河两村,居民已大部迁走,桃园工程11#~14#坝坝后,遗留下许多旧房台,基本与坝顶平,有条件按方案(3)所述的治导线退修工程。退修工程时,可将原坝坦石拆做新坝根石,另新增坦石按长450 m、顺坡高10 m、垂直厚1.0 m计,约需石方4 500 m³。这在技术上是可行的,经济上也是合理的。

再者,位于桃园工程对岸下首的齐河官庄、韩刘险工都有百年以上的历史,两险工基本相接,官庄尾坝与韩刘首坝间仅有380 m长的空档。官庄险工有坝岸67段,韩刘险工有坝岸31段,工程长度分别为3 223、1 403 m,组成了一个近似半圆形的河湾。该河湾工程的靠溜情况见表1。

表1 官庄、韩刘险工靠溜坝岸统计

大河流量(m³/s)	靠主溜坝号	
	官庄险工	韩刘险工
2 000 以下	20#、26#、30#、35#、40#	11#、15#、17#
2 000~4 000	30#、36#、40#、44#	17#、31#
4 000~6 000	40#、46#、62#、72#、74#	17#、31#

长清桃园工程改造以后,着溜工段将要变长,控溜能力增强,6 500 m³/s以下流量出流方向基本一致,对岸下弯的官庄险工着溜段下延到44#~74#坝间,官庄险工与韩刘险工仍能较好地将溜送出,韩刘险工以下的河势也将有一定的改善。

(原载于《人民黄河》1990年第1期)

对彭楼至苏阁河段整治的意见

黄河下游彭楼至苏阁河段长34 km,有6个河湾、5处险工、4处控导工程,共计坝垛195段,工程长22 km。由于历史的原因等,几处工程布局不尽合理,存在一定问题,河势控制不稳,工程出险多。近几年又出现不利河势,给防洪与引黄供水带来不利影响。本文拟对此河段几处工程提出调整改造的意见,以提高工程控溜、送溜能力,促进河势向有利、稳定的方向发展。

1 1990年汛前河势

由于彭楼险工溜势下滑,主溜进入毛楼弯,造成老宅庄控导工程上部吃溜加重,桑庄工程全部脱溜,主溜直入芦井弯,芦井工程2#~13#坝靠河,8#~13#坝靠溜(见图1);李桥险工上首坍塌坐弯,40#~49#坝靠大溜;邢庙工程不靠河,郭集工程全部脱溜。郭集工程以下滩地急骤坍塌,1989年一般坍塌宽250~300 m,最宽达400 m,面积2 000余亩;从1989年汛后至1990年5月又坍塌宽100多m,在郭集以下已形成一个大的河湾。由于郭集工程溜势大幅度下滑,以下河势形成右圈河,吴老家工程前淤滩宽约 1 km,主溜顺南岸滩地直冲林楼以下滩尖,使滩岸迅速坍塌,1988~1990 年汛前已坍宽近 400 m,造成苏阁险工着溜点下滑 8~9 段坝,苏阁闸前淤滩,引水困难。如林楼以下低滩继续坍退,可能造成苏阁险工全部脱河,在苏阁险工以下滩地坐弯,引起以下河道发生重大变化,给防洪带来不利影响。郭集工程以下滩唇已全部坍入河中,距郭集工程 23# 坝 450 m 处,滩地有一串沟,直冲堤根,黄河流量 1 000 m³/s 滩唇出水高度只有 0.5 m,黄河流量超过 3 000 m³/s 就可能漫滩,水流将直冲鄄郓交界以上一段大堤,高洪水可能造成顺堤行洪,对堤防威胁很大。

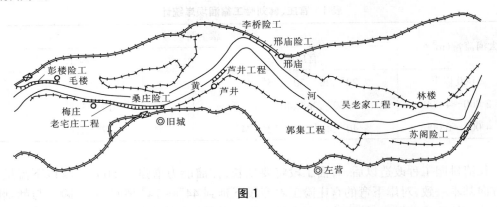

图 1

2　河势、工情分析

由表 1 看出,在黄河不同流量情况下,老宅庄工程着溜段均在上部,黄河流量 1 000~2 000 m³/s,老宅庄工程 21# 护岸后至叠庄险工 13# 坝之间,工程前淤滩宽达 100~200 m,旧城闸引水困难。而桑庄险工、郭集控导工程着溜段偏下,中、小水流量时,着溜段只在工程最末段 1~2 段坝,工程有时甚至脱溜,溜冲工程以下滩地坐弯。李桥险工着溜段偏上,邢庙险工大多不靠溜,吴老家工程前淤滩,而苏阁河势不断下滑,河势向不利情况发展。

分析彭楼至苏阁河段河势不稳的主要原因,首先由于历史的原因,几处工程布置不尽合理。例如,老宅庄控导工程与桑庄险工首尾相接,长 6 217 m,由于老宅庄控导工程过分靠前,一直不能很好发挥河湾的整体作用,河湾导溜、送溜情况不好。在老宅庄控导工程的布置中,21# 护岸上、下呈"人"字形凸入河中,托溜外移,不能导流滑入桑庄险工使老宅庄工程的下段基本不发挥作用。李桥、邢庙险工,首尾相接,呈凸形布置,上首李桥险工弯道半径小,下首邢庙工程过分下败,无送溜段,形不成稳定导流、送溜作用,不能达到送溜至郭集工程中段的目的。其次,在多沙河道中,控制河道的工程不完善,潜存着河道不稳定的因素,当高含沙水流淤积或冲刷河道时,河势容易出现新的不平衡、不稳定,出现河道摆动,溜势提挫。再次,在郭集控导工程长度不足,着溜段偏短,导流能力不好的情况下,吴老家工程修做得偏上,不能发挥其应有作用。

由于彭楼至苏阁河段河势不稳,导致本河段的工程险情较多。1988 年汛期,老宅庄、桑庄、郭集 3 处工程,共抢险 29 道坝、50 坝次,用石 3 615 m³,本河段每公里抢险用石 150

m³,为菏泽地区所辖河段抢险用石平均数的 2.1 倍。几处工程着溜段短,溜势集中在工程上首或下首几个坝上,不能发挥一个河湾工程的整体作用,违反了"以弯导流"的原则,一方面出流散乱,造成下游河势的复杂化;另一方面,溜势集中的几个坝前流速太大,根石走失严重,造成单坝重复出险,险情重、抢护难、防汛被动。如郭集控导工程 23# 坝,是工程的最后一道坝,在 1988 年汛期该坝抢险 9 次,用石 1 414 m³、柳料 8.2 万 kg、铅丝 1 871 kg、绳缆 3 289 kg。此坝从 1973 年始建至 1988 年汛后已累计用石 11 578 m³、软料 343 万 kg、铅丝 6 t,平均每米坝长裹护用石 73.7 m³。

表 1　彭楼至苏阁河段工程靠河着溜坝岸统计

项目	彭楼	桑庄		芦井控导工程	李桥		郭集	吴老家	苏阁
	彭楼险工	老宅庄控导工程	桑庄险工	芦井控导工程	李桥险工	邢庙险工	郭集控导工程	吴老家控导工程	苏阁险工
现有坝岸(个、段)	36	37	20	13	20	12	21	10	26
工程长度(m)	3 330	3 800	2 417	1 860	1 371	1 486	3 500	800	2 950
1982 年汛期 ($Q_{高村}$ = 12 500 m³/s)		5~13	15~16				18~20		10~13
1982 年汛期 ($Q_{高村}$ = 9 900 m³/s)		6~8	14~15				18~20		11~13
1988 年汛期 ($Q_{花园口}$ = 6 300 m³/s)		6~19	19~20	8~10			22、23		10~13
1982 年汛期 ($Q_{高村}$ = 2 900~3 540 m³/s)	26~33	12~13	12~81	不靠溜	49、50	不靠溜	18~21		11~13
1988 年汛前 ($Q_{高村}$ = 720~786 m³/s)	32、33	5~7	19、20	不靠溜	43~47	不靠河	18~21	工程前淤滩	6~7
1988 年汛后 ($Q_{高村}$ = 810~830 m³/s)	10~14	10~14	19、20	不靠溜	45~49	不靠溜	22、23	工程前淤滩	8~9
1989 年汛后 ($Q_{高村}$ = 1 950 m³/s)	12、13	5~9	19、20	8~10	41~44	不靠溜	不靠溜	工程前淤滩	13~16
1989 年汛后 ($Q_{高村}$ = 1 000 m³/s)	17~20	5~7	脱溜	不脱溜	38~49	不靠河	21、22	工程前淤滩	14、15

3　调整改造工程的意见

为改变彭楼至苏阁河段的不利河势,防止继续恶化,应抓住关键工程进行调整改造,辅助对其他工程进一步完善,可收到事半功倍的效果。

(1)调整改造老宅庄工程。因老宅庄工程布置过分靠前,不能与桑庄险工配合发挥整体作用,必须进行调整改造。可采取"中退、上出"的办法,使工程凸出部分后退,将上段凹入部分填充,将老宅庄工程的中、上段改造成一直线段,作为老宅庄工程的下段与桑庄险工弯道的迎溜段,以充分发挥老宅庄工程的下段与桑庄险工控溜、导流的作用,送溜至李桥险工的中、下段,消除溜入芦井弯,使李桥险工上部着溜的不利局面。老宅庄工程中部后退部分,可做成护岸形式,以减少工程后退的距离和地方工作的难度。

(2)改造李桥、邢庙险工的平面形式。使工程中部凸出部分适当后退,并将邢庙险工中、下段的坝接长,使李桥险工与邢庙险工形成一个控溜、导溜都较好的弯道,发挥邢庙险工的送溜作用。

(3)在郭集控导工程长度不足,不能有效控制河势的情况下,吴老家控导工程布置的位置偏上,已不靠河,工程前淤滩宽达 1 km,应先修做坝岸护住林楼附近滩地不使坍塌后退,以避免苏阁工程着溜发生大的变化;同时继续接长郭集工程,以增加其导流、送溜能力。

(原载于《人民黄河》1991 年第 5 期)

山东黄河河道发生横河、斜河的原因及其防御生险的措施

山东黄河河道位于黄河下游的最末段,自豫鲁两省交界至河口全长 617 km,现行河道是 1855 年铜瓦厢决口以后形成的,现已行河 125 年。按河型大体可分为 4 段:上界至高村为游荡型河段;高村至陶城铺为游荡向弯曲转变的过渡型河段;陶城铺至义和庄为弯曲型河段;义和庄至河口为河口段。

据统计,黄河自 1855 年铜瓦厢决口至 1938 年花园口决口改道,山东黄河共行水 83 年,其中有 57 年发生决溢灾害,共计决溢 377 次,口门 424 个,平均三年两决口,每年决口 7 次之多。黄河大堤决口有 4 种类型:冲决、漫决、溃决和扒决。上述 424 个口门中,属于冲决的有 78 个,漫决的有 184 个,溃决的有 34 个,扒决的有 15 个,其余 113 个因历史记载不详,难以确定。人民治黄以来,山东黄河堤防经过 3 次大规模的复堤,目前堤顶高程为设计防洪水位 2.1~3 m,且经反复密锥灌浆,堤身隐患减少,因此发生漫决和溃决的可能性比较小。然而由于河势突然变化,形成横河、斜河、顶冲堤防,造成冲决的可能性依然很大,如冲向险工、控导工程,也会产生根石走失甚至垮坝等严重险情。1983 年 8 月 20 日刘庄险工出险,1964 年河道工程及 1978、1988 年东明老君堂控导工程出险等,都是出现横河、斜河造成的。因此,研究横河、斜河发生的原因及预防出险措施对解决黄河下游的防洪问题具有重要的现实意义。

1　什么是横河、斜河

横河、斜河是因河势突然发生变化,水流急剧弯曲,折冲滩岸控导工程或堤防(平工或险工堤段)而形成的。设主溜与滩岸控导工程或堤防的夹角为 α,当 α 接近直角时,就是横河;当 $45° < \alpha < 90°$ 时,就是斜河;当 $\alpha < 45°$ 时,则不作为斜河。

2　发生横河、斜河的原因

横河、斜河是黄河下游河道平面形态变化的表现形式,它是水沙相互运动的后果。由于黄河水沙在年内和年际间变化很大,河道冲淤变化剧烈,经常处于强烈的冲淤调整状态,尤其是高村以上游荡型河段,组成河床的泥沙颗粒较粗,河槽宽浅,水流散乱,沙洲密布,河心滩众多,两岸工程又不配套,河势极不稳定,很容易形成横河、斜河。

产生横河、斜河的条件主要有以下4点:

(1)当弯曲河道的凹岸土质松散,抗冲能力差,而弯道的下首又有抗冲刷性能较好的粘土或亚粘土时,在横向环流的作用下,弯道向纵深发展,迫使水流急转,就易形成横河、斜河。如于林弯的形成和发展就属于这种情况,于林弯在南小堤险工至刘庄险工河段(见图1),1949年汛期,南小堤险工$10^\#\sim13^\#$坝前头先后垮掉30~60 m(这是于林弯的初发时期),险工下首的张村掉入河内。1951年后,南小堤险工着溜部位进一步下滑,险工下首的陈楼、于林、万寨等村正处于主溜所向,且各村沿岸都有程度不同的胶泥分布,抗冲刷能力强,到1955年底,该段河道虽时有下挫,但南北河的局势仍保持不变。刘庄险工主溜仍稳定在$9^\#$坝上下,经过长时间的顶冲淘刷,至1956年底于林、万寨的胶泥嘴基本塌掉。1957年于林弯即大幅度地向纵深发展,更因万庄户、韩岗等村土质好又处在弯的下段,起到抗溜作用,致使河道形态更为弯曲,水流由南北变向为东北、西南向,刘庄险工溜势上提到$3^\#$坝以上,形成横河。1958年大水期间,万庄户、韩岗等村的胶泥块塌去大部,于林弯进一步加深,河道进一步曲折。由于大水期间弯顶至胡寨间出现了3条串沟,1959年9月大水(花园口站洪峰流量9 050 m^3/s时),河水夺串,直冲刘庄险工下首的郝寨村滩沿上下。

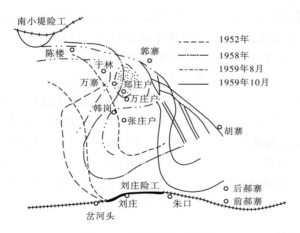

图1　于林弯横河形势图

(2)在洪水降落时,弯道内溜势上提,弯道下段形成新滩,水流受到滩嘴的阻挡,也会形成横河、斜河。1985年汛末,大河流量在2 000 m^3/s左右,大留寺工程下首新淤滩坐弯挑溜,使马厂工程前出现横河就是如此(见图2)。从9月下旬到10月下旬一个月的时间里,随着弯顶坐深,溜势由顶冲马厂工程$25^\#$坝逐渐上提到$16^\#$坝。此次横河造成马厂控导工程先后有7道坝出险12次,抢险用石3 112 m^3、柳枝35.85万 kg。

(3)高村以上游荡型河道宽浅散乱，汊道众多，但其中有 1 股或 2 股为主要流路，在大河流量急剧变化过程中，由于水沙情况与河床边界不相适应，主河迅速淤塞，主溜转向支汊，形成横河、斜河。如王夹堤至新店集河段 1988 年汛后在河槽内形成一大的心滩，开始主溜走右股，随后右股分流量减少，主溜逐渐流向左汊，在大王寨工程前出现斜河(见图 3)，造成大王寨工程紧张抢险。

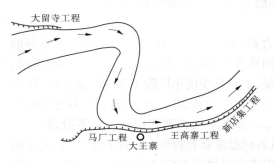

图 2 1985 年马厂工程横河示意图   图 3 1988 年汛后大王寨工程斜河示意图

(4)工程平面总体布置不当，属凸凹不平型，弯道曲线不规顺，上下弯迎溜送溜配合不好，局部弯道半径过小，陡弯挑溜，或主溜集中在少数几个凸入河中的丁坝挑溜，而形成横河、斜河。

从发生横、斜河的地点来看，多在游荡型河段，但某些过渡型河段，在某种水沙情况与边界条件(包括工程位置)不相适应时，也会形成横河、斜河。

从发生横、斜河的时间来看，多在洪水的落水期或枯水期，有时大河流量仅 100～200 m^3/s 发生横河、斜河，主溜顶冲堤防和险工，造成严重险情。因此，对黄河下游来说，不仅要防御稀遇的特大洪水，也要严防中小流量时出现横河、斜河。

从横河、斜河的发展过程来看，有的横河、斜河从发生、发展到消失经历的时间较短，有的经历的时间较长，这主要取决于河床的边界条件。高村以上游荡型河段，组成河床的泥沙颗粒较粗，河道易冲易淤，因此横河、斜河的发展过程比较快，一般 1～2 个月，有的甚至几天就可完成。高村至陶城铺过渡型河段沿程有广泛的粘土分布，水流淘刷速度慢，因此横河、斜河的发展过程相对缓慢，一般经一个汛期或数年才能完成。

凡是受横河、斜河顶冲的堤段在弯道横向环流的作用下，凸岸滩嘴不断向河中延伸，凹岸不断坍塌坐弯，致使河面缩窄，单宽流量增大，溜势集中，淘刷能力很强，一旦生险，抢护困难。

3 防御横河、斜河生险的措施

(1)进一步搞好河道整治。河道整治是人工干预的办法，通过采取必要的工程技术措施，改善河道水流状况和边界条件，强化边界对水流的控制作用，使河势向有利方向发展，达到稳定河势、控导主溜，从而减小发生横河、斜河的可能性，增强防御横河、斜河生险的预见性和主动性。

目前，陶城铺以下弯曲型河段主溜比较稳定；高村至陶城铺过渡型河段按规划流路应做的工程已基本布设,需要续建配套,加固完善,以提高控导河势的能力;高村以上游荡型河段由于两岸工程稀少,尚不能控制河势。因此,今后河道整治应以高村以上游荡型河段,特别是新店集以上河段为重点。

(2)对发展缓慢的河湾进行裁弯取直。对过渡型河段发展相对缓慢的河湾,可以利用挖泥船或采取爆破等方式进行人工裁弯取直,引导河势向有利方向发展。

(3)适当调整工程布局,改善边界条件,避免陡弯挑溜,使河道水流规顺,河势逐步趋于稳定。

(4)注意河势变化,储备料物及时抢护。在游荡型河段,横河、斜河的发展比较快,不论是冲向险工堤段还是平工堤段,都容易产生大的险情。因此,要加强河势观测分析,预测其发展趋势,对可能发生横河、斜河的堤段,及早加固并准备好一定的抢险料物,争取防守的主动。

(原载于《人民黄河》1990 年第 4 期)

山东东明游荡型河段河道整治工程效益分析

1　东明河段河道整治工程发展概况

山东东明上界至高村河段,位于黄河下游游荡型河段的下段。新中国成立前该河段仅有谢寨(李连庄)、青庄及高村 3 处险工,对河势基本没有控制作用,河槽有充分的游荡余地。新中国成立后于 20 世纪 50 年代增建了少数险工,但只能起到防护险点的作用。1956 年试修了七堤等 7 处护滩(控导)工程,1959 年两岸又先后兴建了姚寨、油房寨、林口、周营、河道等护滩工程。试修的护滩(控导)工程多数只修了土坝基,在裹头做法上为柳盘头、淤泥草皮、雁翅护林等,虽对水流的约束作用增强,但不能抗御大溜淘刷。由于这一时期水丰沙多,大部分护滩工程被冲垮,剩余工程控制河势的作用较差,河势变化无常,主流摆动范围达到 4 km。截至 20 世纪 60 年代中期,高村至东明上界河段,右岸坍塌老滩近 0.7 万 hm²,落河村庄 20 个。河势在摆动过程中,常因心滩阻水出现横河、斜河,造成主流横冲,当顶冲到工程薄弱环节或空档时,就会出现紧张的抢险局面。20 世纪 60 年代中期以后,开始有计划地修建控导工程,初步限制了主流摆动范围,水流向规顺发展,歧流逐渐减少,基本改变了该河段滩岸、村庄掉河的局面,平工没有再出险情。

2　河道整治工程的作用和效益简析

截至 1993 年底,东明河段已修有险工 4 处、坝(岸)125 道(段),工程长 13 120 m;控导(护滩)工程 8 处、坝(垛)185 道(座),工程长 17 440 m。实践证明,河道整治工程作用巨大,主要表现在:①控导了溜势,争取了防洪主动,避免了平工抢险;②稳定了河道流路,保证了涵闸引水,支援了工农业生产;③护岸护村,扭转了滩区人民生产、生活动荡不安的局面,促进了滩区生产发展,保障了群众生活相对安定;④约束了河道的平面变形和主槽深泓点的摆动,改善了河道的断面形态,有利于泄洪排沙。

河道整治工程的经济效益与其他水利工程的经济效益不同,它有自己的特点和体现形式。一是河道整治工程免除了一定范围内的黄河洪水灾害,由此减免的损失即为效益。黄河洪水带来的损失可分为有形损失和无形损失。有形损失是指可以用货币或实物指标计算的损失,如滩地坍塌造成的农作物失收,房屋、交通、水利工程设施的损坏等。无形损失是指无法用货币或实物指标计量的损失,如因洪水造成的生命死亡、疾病、精神上的痛苦,洪水冲塌区居民的恐慌及带来的社会不安定因素等。二是河道整治工程效益随着时段洪水的出现而体现,特别是遇到大洪水或时段内水沙量大、冲刷力强时能够充分体现出来。三是随着国民经济的发展,河道整治工程所保护的滩地内的工农业生产也随着发展,所以河道整治工程效益也随着增长,即在同一地点不同时段会体现出不同的效益。四是河道整治效益是社会效益,工程管理单位没有财务收入,因此也就没有财务评价。

3　河道整治工程效益计算

河道整治工程效益计算,可采用时段免除灾害损失替代法。东明上界至高村右岸河段,自新中国成立后至 20 世纪 60 年代中期的 15 年时间,是滩岸坍塌期,视为一个计算时段。在这一个时段里,坍塌老滩近 0.7 万 hm², 落河村庄 20 个,洪灾损失主要是农、林、牧、副、渔业用地的损失及国家、集体和个人所有的财产损失等。20 世纪 60 年代中期至今近 30 年的时间,由于修建河道整治工程,滩岸处于稳定期,再没有出现老滩大面积坍塌和村庄落河现象,这段时间相当于两个计算时段。该河段河道整治工程的效益,视免除耕地不再坍塌、村庄不再落河等为效益。

3.1　河道整治工程效益计算

一个时段的洪灾损失可按下式计算:

$$S = \sum_{i=1}^{n} V_i$$

式中, V_i 为第 i 类财产在一个时段内的财产损失值。

东明黄河滩区,存在着旱、涝、洪等自然灾害。据历史资料记载,1950~1987 年的 38 年中,大旱 4 次,大涝 6 次,洪水漫滩 16 次,平均每 3 年发生 2 次大的自然灾害。在未进行滩区水利建设之前,这里旱不能浇、涝不能排,实际灌溉面积只占耕地面积的 3.3%,粮食产量低而不稳。1987 年前,东明滩区仅有少量的沥青路、砂石路,密度为 0.06 km/km²,而且标椎低、路面质量差,交通主要靠村间土路,路窄不平。因此,滩区内交通运输业不发达,也很少有乡镇企业,仅有少量的农产品加工、日用品代销和砖瓦厂等。近几年,滩区由国家扶持进行了水利建设和交通建设,粮食产量不断提高,加之油田建设和开发,交通道路状况不断改善。1990 年后,有的乡、村又办起了小型农机具制造、运输、养殖、机修等工副业项目,使人均收入有所增加,但由于发展时间短,总产值不大。所以,在进行经济效益计算时,主要考虑了河道整治工程修建后避免村庄落河、耕地坍塌及保护油田设施(20 世纪 80 年代后期始)等几个主要项目,对工副业损失、一般工程设施和交通设施损失等项目不再计算。村庄内人口、耕地、房屋等固定资产,均可按防汛技术基础工作"两化"建设调查所得到的有关资料取平均数求得。

(1)村庄落河财产值的计算。每个村的国家和个人资产值为146.83万元,当村庄落河时,考虑到占资产值40%的财产、生产生活用具可临时抢运出来,所以两个时段落河财产值为:

$$V_1 = 146.83 \times 60\% \times 20 \times 2 = 3\,524(万元)$$

(2)坍塌滩地粮食价值的计算,1987年前,东明滩区耕地只占土地总面积的57.2%。考虑滩区农业生产受各种灾害影响,粮食产量低而不稳的实际情况,逐年调查了粮食年平均产量后,计算两个时段坍塌耕地的粮食价值为:

$$V_2 = \sum_{j=1}^{30} 0.7 \times 57.2\% \times f_j \times 0.6 = 14\,986(万元)$$

式中,f_j 为每公顷耕地年平均粮食产量,kg,单价取0.6元/kg。

(3)保护油田设施效益的计算。20世纪80年代后期始,东明滩区内马厂和桥口油田的设施也受到了保护。经粗略估计,这部分油田设施的总价值为25 440万元,取其一半作为一个时段内效益的一部分(V_3),即12 720万元。

(4)防汛救护、迁安群众的费用计算。根据经验,黄河滩区由于土地坍塌、村庄落河等引起的防汛救护、转移安置受难者的费用,一般占各类损失总和的10%~20%。取10%计算为:

$$V_4 = (V_1 + V_2 + V_3) \times 10\% = 3\,123(万元)$$

(5)根据上述计算结果,河道整治工程的效益为:

$$\sum_{i=1}^{4} V_i = 34\,353(万元)$$

3.2 修建河道整治工程投资计算

河道整治工程建设的投资由初始一次性投资加历年管理维护抢险投资等,一般以修做土、石方工程和所用其他材料量计算,所以每处工程在计算中,工程量和所需材料均采用从建设开始至计算时的累计量。单价为现行标准,依照有关定额和规定,修做坝基土方单价为11.31元/m³,石方单价为84.39~100.43元/m³,秸柳料单价为0.3元/kg。经计算,工程总价值(C)为5 428万元。

3.3 经济效益评价

东明上界至高村河段右岸修建河道整治工程的净效益为:

$$\sum_{i=1}^{4} V_i - C = 28\,925(万元)$$

效益费用比为:

$$\sum_{i=1}^{4} V_i / C = 6.33$$

由此可见,山东东明游荡型河段河道整治工程的经济效益是好的。

(原载于《人民黄河》1995年第2期)

"模型黄河"工程建设的必要性

认识自然,才能改造自然,认识自然离不开生产实践和科学试验。面对新世纪治黄形势的要求,科学试验有其不可替代的作用。"模型黄河"工程可以系统地反映影响黄河变化的各种因素和它们相互之间的关系,能够将一些抽象的现象直观地展现在人们面前甚至可以量化,能够直观反映各种不同治理方案的结果,因此建设"模型黄河"工程是现代治黄和科技治黄的必然选择。

1　解决治黄重大问题的要求

黄河存在的洪水威胁严重、水资源供需矛盾尖锐、水土流失和水环境恶化等 3 大突出问题,使得黄河治理开发的任务极为艰巨。我国所制定的 21 世纪可持续发展议程和实施西部大开发的重大战略决策,也对黄河的治理开发提出了更高的要求。黄河的治理开发对于黄河流域社会经济的可持续快速发展,将起着重要的保障作用。

面对新世纪国家社会经济发展对黄河治理的要求,由国务院正式批复的《黄河近期重点治理开发规划》明确提出了 2001~2010 年的治理开发目标和保障实现这一目标的各项措施。其中,提出了加快由黄土高原模型、水库模型、河道模型及河口模型等所构成的"模型黄河"工程建设的重要任务。通过"模型黄河"工程建设,搭建治黄科学试验研究平台,提高治黄现代化的科技水平。

因此,建设"模型黄河"工程是解决治黄生产实践重大关键技术问题和应用基础问题的要求。

2　认识黄河基本规律的要求

鉴于黄河问题的复杂性,加上受种种条件的限制,黄河的观测资料难以达到系统化、全面化,且原型观测的周期又较长,特别是难以对影响自然现象各要素的作用以及它们相互之间的转换关系给出明晰的结果,因此仅靠原型观测资料进行分析研究,对黄河的一些基本规律还难以取得深化认识,从而直接影响到治黄措施的重大决策。以往,在黄河治理开发中曾有过这方面的经验教训,例如在建设黄河花园口、位山、王旺庄等拦河坝工程时,对黄河水沙条件及河床演变等自然规律缺乏深化认识,加上没有进行必要的模型试验,前期试验论证分析不够,致使工程失败,造成人力、物力的很大浪费;又如在黄河下游河道整治初期,个别河段河道整治工程是因险而建的,前期缺乏对全河段工程规划方案的充分论证试验,加之受投资力度的限制,工程修建慢,致使工程建成后仍不能有效控制河势,流路调整难以到位等;再如一些水利工程的建设,由于不符合黄河多沙河流的特点而导致工程建成后不能正常运行,有的不断改建,有的甚至失去作用。随着流域及其相关地区社会经济的发展,黄河防洪、减淤、供水、灌溉、发电和生态环境保护之间的矛盾将愈来愈突出,管理与决策的多目标性将更为明显。显然,仅靠已有的理论和实践经验来决策各种重大的治理开发方案,已满足不了现代治黄的要求。通过模型试验,可以有机地反映各因素之间的相互关系,并可通过对因素进行分离,定量回答在不同边界条件下各种因素的影响程度,从而与其他科学手段相结合,有效地揭示出黄河的内在规律,提高管理与决策的科学性。

　　另外,"模型黄河"是庞大而复杂的治黄科学技术条件平台的重要组成部分之一。通过"模型黄河"工程建设,可以为有效地整合黄委系统内的科研力量,理顺科研管理体制和运行机制创造条件,从而形成一支多学科交叉、优势互补、技术手段先进、人员结构合理的创新攻关队伍,促进治黄科技的发展。同时,亦可吸引国内外有志于研究多泥沙河流问题的专家、学者更多地关注黄河、研究黄河。因此,建设"模型黄河"工程,不仅可以为黄河治理开发服务,而且可以使人们对水沙运行基本理论和基本规律的认识取得新的突破,使治黄科技水平提升到一个新的高度。

3　黄河问题复杂性的研究要求

　　实体模型试验在国内外很多工程的建设中都起到了较大的作用。早在 1875 年,为了改善法国加龙河在波尔多城附近的航运条件,法国学者法齐就制作了一个水平比尺为100 的动床河工模型,对河道疏浚措施的效果进行了试验研究。在 20 世纪初,模型试验首先在德国,随后在法国、意大利等国都得到了比较迅速的发展。

　　20 世纪 30 年代以后,美国在清水水流模型试验方面发展相当迅速,结合密西西比河主要支流的整治和渠化,在河工模型试验方面也有显著的发展。与此同时,在苏联也有一定的发展。自 20 世纪初开始,在德国的莱茵河和美国的密西西比河等河道治理中,以及在法国的塞纳河河口、英国吉的塞汶河河口、美国的旧金湾河口等河口治理中均采用了实体模型试验。

　　20 世纪 60 年代以后,随着电子计算机和计算方法的飞速发展,数学模型也有了长足的发展。国内外纷纷开发出了很多数学模型,特别是国外开发出了很多有代表性的数学模型,如美国密西西比大学国家计算水科学与工程中心的 NCCHE 模型、美国陆军工程兵团的 HEC 模型、丹麦水力学研究所的 Mike 模型、荷兰的 Delft3D 模型、英国 Wallingford水力研究所的模型等。这些模型在世界上很多国家的河口治理、河道整治、洪水预报、水污染防治等方面得到了广泛的应用,并在河流治理研究中逐渐形成了目前的以数值模拟计算为主的技术途径。与此同时,实体模型试验的发展却相对缓慢。不过,对于一些复杂的河道整治问题,以及包括对一些应用基础问题的研究,仍主要依靠实体模型试验的方法,或结合其他方法进行综合研究。例如,对土壤侵蚀的研究所采用的手段仍主要为实体模型试验和野外观测试验,尤其在土壤侵蚀数学模型的研制、开发中,多是结合室内外试验观测研究进行的。目前,如美国的内务部农垦局在对 RIO Grand 等河流河道整治中都开展了实体模型试验。另外,美国不少研究单位在研究河流水环境问题时,也开展了大量的模型试验研究,像对于鱼类生存的河流水力学问题、河流污染物扩散等问题的研究中,都借助于河工模型试验及水槽试验的方法。在研究水利工程建筑物改建的水力学问题、引水道的防冲及防护措施等问题时,也都开展了相应的河工模型试验及水槽试验,而且,有时对同一问题的研究同时开展了这两种类型的试验。

黄河是一条多泥沙河流,其演变规律比世界上其他任何河流都要复杂得多。例如,河床冲淤剧烈且堆积性强,河势调整迅速且摆动幅度大,等等。因此,对其他一般河流的现有认识和结论大都不能直接应用于黄河上,甚至目前的一些水动力学理论还难以求解黄河的高含沙水流等问题。从研究手段上而言,经验证,如 Delft3D 模型、HEC 模型、GSTAR 模型等用于黄河河床演变计算中均存在很多问题,国内已开发的数学模型也都不能完全解决上述问题。因此,目前在黄河问题研究中,还难以用数值模拟的方法取代实体模拟试验的方法。

总之,黄河问题的复杂性和特殊性,决定了在研究黄河问题时,尤其对一些重大、复杂问题的研究,必须采取结合模型试验或以模型试验为主的综合研究手段,必须建立起能够满足黄河问题特殊性需要的综合性的科技平台。因此,建设"模型黄河"是研究黄河复杂问题的客观要求,也是目前治黄科技发展的必然要求。

4 "三条黄河"联动的要求

"原型黄河"是我们治理开发和管理的对象,为更好地建设"原型黄河",还必须建设好另外两条"黄河",即"数字黄河"和"模型黄河"。

"数字黄河"工程,可以用功能强大的系统软件和数学模型对黄河治理开发与管理的各种方案进行模拟计算和分析研究。但数学模型模拟计算的可靠度必须靠大量的、详尽的、完整的实测资料来验证。鉴于对原型某些方面测验的资料有限,在时间上、空间上不能完全满足验证数学模型的要求,在一定程度上影响了数学模型的计算精度和推广使用,制约了数学模型的改进和提高。因此,"数字黄河"工程建设,还需要通过"模型黄河"工程的运用,为数学模型的建立和验证提供更多的物理参数,同时通过基础研究模型和动床模型的研究也可为数学模型的构建、控制方程的改进等提供重要的理论基础,从而促进数学模型模拟技术的提高。

当然,与其他科学方法一样,模型试验作为一种科学研究手段亦有一定的局限性,"模型黄河"也需要与"数字黄河"相结合。例如,对于短河段的试验,往往因模拟原型河段的末端断面缺少水位观测资料而使试验受到影响。为此,可通过数学模型演算,补充其水位参数,从而也就可以保证实体模型能够对一系列更为复杂的过程进行模拟试验。

在"三条黄河"联动的实际应用中,可首先通过对"原型黄河"的研究,提出黄河治理开发与管理的各种需求,再利用"数字黄河"对黄河治理开发方案进行计算机模拟,提出若干个可能的方案或预案。同时,亦可利用"模型黄河"试验直接提出黄河治理开发的重大方案或预案。然后,进一步利用"模型黄河"对提出的优化方案或预案进行试验论证,提出可行方案或预案。最终将所选方案或预案在"原型黄河"上实施,经过"原型黄河"实践,逐步调整、优化,以保障实施的各项治理开发方案技术先进、经济合理、安全有效。

"三条黄河"相互关联,互为作用。"数字黄河"是"原型黄河"的虚拟对照体。"模型黄河"是研究"原型黄河"演变基本规律和治理开发方案的手段。"数字黄河"和"模型黄河"都是研究黄河的手段、工具,不是黄河治理开发的最终目的。借助于这些手段和工具可以更好地研究"原型黄河",认识"原型黄河"。通过这种手段的联合运用,实现各种治理开发方案在"原型黄河"上技术先进、经济合理、安全有效的目标。

　　"模型黄河"工程建设,是体现黄河治理与开发科技含量的一个重要标志。工程的建设和实施,将极大地提高治黄决策水平。由于黄河的治理是一项长期的艰巨任务,因此作为黄河治理开发重要科技支撑平台的"模型黄河"工程,必将具有极为广阔、长远的应用前景,产生巨大的社会效益和经济效益。

(原载于《人民黄河》2004 年第 3 期)

"模型黄河"工程应用前景展望❶

　　为实现黄河的长治久安,以科技进步推动黄河治理开发和管理的科学化、现代化,黄委党组于 2001 年提出了建设"原型黄河"、"数字黄河"、"模型黄河"的现代治黄理念,其中"模型黄河"是"三条黄河"的重要组成部分,也是一个复杂而庞大的系统工程。为有计划地进行这一工程建设,黄委专门成立了"模型黄河"工程领导小组。自 2002 年 2 月以来,先后邀请委内外专家、学者进行了咨询,同时对国内外相关科研单位和大专院校模型建设情况进行了调查研究。在听取各方面意见和建议的基础上,组织有关单位联合编制了《"模型黄河"工程规划》,并于 2003 年 7 月报送水利部。2003 年 8 月 25 日,《"模型黄河"工程规划》在北京通过水利部审查,并以水规计[2003]565 号文批复。自此,"模型黄河"建设进入全面实施阶段。

1　在解决黄河治理开发重大问题中的应用

　　新中国成立以来,治理黄河虽取得了巨大的成就,但目前仍面临着一些急需解决的重大问题:一是洪水威胁依然是我国的心腹之患;二是水资源供需矛盾十分突出;三是生态环境恶化尚未得到有效遏制。鉴于黄河问题的复杂性,加上受种种条件的限制,黄河的观测资料难以达到系统化、全面化,原型观测的周期又较长,特别是难以对影响自然现象各要素的作用以及它们相互之间的转换关系给出明晰的结果,因此仅靠原型观测资料进行分析研究,对黄河的一些基本规律还难以取得深入认识,从而将直接影响到治黄措施的决策。通过建设"模型黄河"工程并结合其他科学手段,将有效地揭示黄河的内在规律,为管理的科学决策提供强有力的支撑。

　　"数字黄河"工程可以用功能强大的系统软件和数学模型对黄河治理开发与管理的各种方案进行模拟计算和分析研究,但数学模型模拟计算的可靠度必须靠大量、详尽、完整的实测资料来验证。由于对原型某些方面测验的资料有限,在时间上、空间上不能完全满足验证数学模型的要求,使得在一定程度上影响了数学模型的计算精度和推广使用,制约了数学模型的改进和提高。因此,需要通过"模型黄河"工程的运用,为数学模型的建立和验证提供更多的物理参数,同时,通过对基础研究模型和动床比尺实体模型进行研究,也

---
　　❶　李士国等同志参加了该项工作。

可为数学模型的构建、控制方程的改进等提供重要的理论基础,从而促进数学模型模拟技术的提高。

2　在当前黄河治理开发中的应用

2.1　黄土高原水土流失治理

控制黄土高原地区水土流失是治黄的一项重要措施。根据《黄河近期重点治理开发规划》,近期黄土高原水土保持生态建设将以多沙粗沙区为重点,把治沟骨干工程和淤地坝的建设作为小流域综合治理的主体工程。淤地坝建设既是减少入黄泥沙最有效的措施,又是退耕还林的重要措施,对解决农民土地问题、治理区的封育保护、生态修复、巩固退耕还林成果都具有重要意义。为实现这一目标,迫切需要解决许多技术问题。通过"模型黄河"工程的运用,需要研究和解决的坝系建设的关键技术有:①坝系总体布局;②淤地坝减蚀作用和范围;③沟道坝地拦泥减沙效益研究。另外,还要研究不同治理措施组合的蓄洪减淤作用:①以典型小流域为对象,研究各种水土保持措施及其不同组合方案下,在不同类型区、不同降雨情况下的蓄洪减蚀作用和效果;②小流域洪水基流流量在治理前后的变化;③各单项措施之间合理的配置比例;④影响单项措施的减水减沙因素等。

为开展上述关键技术研究,还必须探讨小流域水土流失基本规律等基础应用问题。应主要以典型小流域为研究对象,将野外试验小流域观测与室内模型试验相结合,重点研究多沙粗沙区小流域坡面侵蚀与重力侵蚀的基本规律。

2.2　水库问题

由于黄河水少沙多、水沙分配极不均匀,因此黄河水库的运用及管理较其他江河水库更为复杂。黄河水库不仅具有一般少沙河流水库应有的功能,而且具有拦沙、防洪减淤等功能。因此,黄河水库存在更多、更复杂的关键技术问题,而且大多需要结合模型试验的方法才能得到解决。

通过"模型黄河"工程的运用,研究水库运用方式、库区冲淤演变规律、库区治理措施、水沙调控机理及调水调沙运用方式等。近期需要重点开展小浪底水库运用方式、降低潼关高程及三门峡水库库区治理方案研究。

根据黄河治理开发规划,今后一定时期内将在干流陆续建设古贤、碛口和大柳树等大型水库,在沁河等支流也将建设一些水利枢纽。在规划、设计和施工中将会有很多关键技术问题需要解决,其中不少问题都需要通过模型试验的方法进行研究。

2.3　河道治理

黄河干支流河道由于地理位置、地质地貌、来水来沙条件、治理程度以及演变特性不同,使得其存在的问题也不尽相同。根据《黄河近期重点治理开发规划》,黄河小北干流河段、渭河下游河段、宁蒙河段以及黄河下游河段将是近期重点治理的河段。通过"模型黄河"工程的运用,将研究解决:①小北干流河段放淤问题;②小浪底水库调水调沙运用对下游防洪减淤作用的评价;③黄河下游挖河疏浚、放淤等关键技术;④黄河下游"二级悬河"治理;⑤渭河下游河道及宁蒙河段河道整治方案优化等。

2.4　河口治理开发

黄河河口属陆相弱潮强烈堆积性河口,水少沙多,海洋动力较弱,潮差小,感潮段和潮流短。由于黄河每年都要将大量泥沙输往河口,致使黄河河口长期处于自然淤积、延伸、摆动、改道的状态。面对新世纪治黄形势的要求,通过"模型黄河"工程的运用,将研究和解决:①延长流路使用年限、稳定流路、安排泥沙的治理措施;②黄河河口综合治理方案;③河口沙嘴与潮流间的相互影响、入海径流和潮流动力的输沙能力与影响范围;④黄河河口演变规律和发展趋势、河口尾闾淤积的主要影响因素及对黄河下游淤积的反馈作用等。

3　应用前景

近年来,黄河出现了诸如水资源供需矛盾日益尖锐、河道严重萎缩、行洪能力急剧降低、生态环境恶化等一系列新问题,这大大增加了黄河治理开发的难度。另外,黄河流域乃至全国社会经济的快速发展、流域生态环境建设的实施、以西部大开发为标志的我国经济发展战略中心的转移、水资源的统一调配,尤其是黄河治理要达到"四个不"(即堤防不决口、河道不断流、水质不超标、河床不抬高)的目标,都决定了在黄河治理开发中需要解决更多、更复杂的技术难题。由于黄河实测资料观测内容有限,难以对原型水沙变化及河床演变进行全过程的观测,同时,数值模拟技术还不成熟,还需要进行长时间的完善和改进,因此黄河存在的很多问题不可能仅靠实测资料分析、数值模拟的方法加以解决,必须结合实体模型试验的方法,进行综合分析研究。通过黄土高原模型、水库模型、河道模型及河口模型,可以研究和解决黄河治理开发中的重大工程技术问题和基础应用问题,提出黄河治理的科学方案。可以说,"模型黄河"工程有着很好的应用前景。届时,"模型黄河"工程将成为泥沙研究的国家重点试验基地。

"模型黄河"工程的建设实施以及相应的现代化测控系统的配套完善,将实现"模型黄河"与"数字黄河"的紧密耦合,使有关黄河的重大治理方案可以在"模型黄河"和"数字黄河"集成的模拟环境下进行论证、比选和完善;将不断促进治黄科技发展,使"模型黄河"在治黄事业乃至我国水利科技事业中发挥更大的作用。由于黄河演化规律极其复杂,因此黄河治理要达到"四个不"的目标,难度是相当高的。例如对于小浪底水库及其他大型水利枢纽的运用与管理、黄河河道治理等都是黄委面临的长期的研究课题。可以说,建设"模型黄河"工程的意义是长远的。

"模型黄河"工程的建设和运行充分引入开放、竞争、合作的机制,坚持面向社会、开放合作的原则,通过科学、有效的管理体制和优良的服务体系,吸引国内外所有关注黄河的专家、学者利用"模型黄河"工程开展黄河问题的研究。黄河问题的研究亦将采取多部门合作、跨学科攻关、多层次创新的途径,并且通过建立"模型黄河"工程信息资源成果共享机制,把"模型黄河"工程建成一个开放的、多功能的、面向社会的科技服务平台,为黄河的治理开发发挥更大的作用。

"模型黄河"工程的建设和运行,不但可以通过与"原型黄河"、"数字黄河"互相配合来解决黄河治理存在的问题,而且可以把"模型黄河"工程建设成为爱国主义教育基地,通过建设黄河展览馆,向公众展示黄河的历史和现状,增加公众对黄河的了解。

4　结语

在研究黄河问题的过程中,需要"原型黄河"、"数字黄河"和"模型黄河"的互相配合。

根据美国等其他国家的实体模型发展趋势,将来通过吸收和学习国外新的模拟理论和技术,还可以利用"模型黄河"工程开展黄河水质污染输移、河流生态等方面的试验研究,为黄河治理开发提供更多领域的科技服务。因此,可以预测,"模型黄河"工程的应用前景是广阔的。

(原载于《人民黄河》2004 年第 3 期)

对戴村坝工程结构及修复建设必要性的探讨

1　戴村坝工程历史沿革

　　戴村坝工程始建于明永乐九年(公元 1411 年),是我国古代著名水利工程之一。该工程包括拦河石坝、窦公堤、灰土坝三部分(见图 1)。戴村坝工程位于山东省东平县彭集镇南城子村东北的大汶河内,控制汶河流域面积的 97%,中心坐标为北纬 $33°58'$、东经 $116°32'$,是大汶河、大清河的分界处,坝上为大汶河,坝下为大清河。

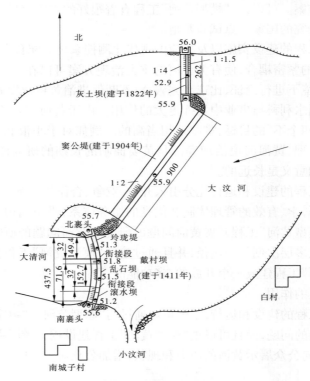

图 1　戴村坝水利枢纽示意图

　　据旧东平县志和碑文记载,明永乐九年(公元 1411 年),尚书宋礼采用白英老人(老人:相当于乡镇百姓公举的协助地方官进行管理的长者)的建议,于戴村附近筑土坝五里十三步,将大汶河拦截南趋,经小汶河济运以畅漕运(见图2),在村北坎河(即今汇河,现河口已改在戴村坝以下)留口不坝以备分泄。每遇重运临,则聚沙成堰,截水南流涓滴尽趋,伏秋大汛则任其冲刷,归河入海。万历元年(公元1573年),待郎万恭在坎河口垒石为滩,以防其溢。万历十七年(公元1589年),"总河潘季驯拆除土坝一段,改筑石坝名曰玲珑,水大则漫坝而西,水小则顺堤南趋",万历二十一年(公元1593年)汶河发生大洪水,次年(公元1594年)尚书舒应龙又于河口之下开渠泄水,因于两旁各筑石堰以防冲,名曰滚水坝,中留石滩泄水名曰乱石坝。至此便形成初具规模的三坝连接拦截汶水的戴村坝。此后各朝也曾对大坝进行整修和改建,但其工程量甚微,仅在坝的高低之间有所变动,如"雍正四年(公元1726年),内阁学士何国宗将大坝增高一尺;乾隆十三年(公元1748年),大学士高斌、漕运总督刘统勋又将大坝降低一尺五寸"。

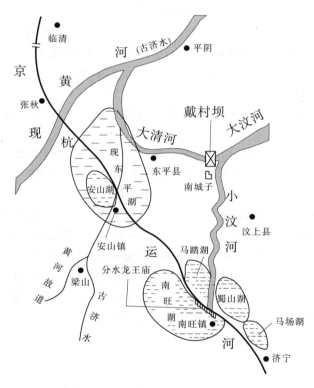

图2　白英老人建议示意图

道光二年(公元1822年),中丞琦善于坎河口增筑三合土坝一道以防玲珑等三坝水毁。光绪三十年(公元1904年),漕运大臣窦子桂改修了三合土坝与拦河石坝之间的太皇堤,用白灰砂浆砌块石,墙后用沙壤土填平,后人称之为窦公堤。民国二十二年(1933年),工程师孔令容对大坝进行了一次较大的整修,对坍塌部位的坝面、坦坡及跌水进行了整修加固,并在部分坝段前后浇筑混凝土墙,深2m,并将戴村坝工程正名为:"北部叫灰土坝,中部叫太皇堤(窦公堤),南部叫滚水大坝(拦河石坝)。"

1959年,小汶河被筑堤堵截后,戴村大坝已失去引汶济运的作用,但在拦沙缓洪、固定河槽、引水灌溉、保障大清河防洪安全等方面还发挥积极作用。因此,1965 年、1967 年、1974～1977 年、1997 年又由东平县湖管局,先后对拦河石坝、灰土坝和窦公堤进行了 4 次较大整修。重点修复了玲珑坝残缺坝岸,并做钢筋混凝土护面和抛石护脚,对部分坝段进行挖基换土和浆砌石截渗防漏处理,对滚水坝进行了灌浆处理,坝下抛石固根,对南北裹头进行了整修。

2 戴村坝工程结构探析

(1)冲毁前拦河石坝全长 437.5 m,其中北部玲珑坝长 149.4 m,高程 51.3 m(黄海高程,下同);乱石坝长 152.5 m,高程 51.5 m;南部滚水坝长 71.6 m,高程 51.2 m;各坝间的衔接渐变段计长 64.4 m,高程 51.6～51.8 m。

(2)灰土坝长 262 m,顶高 52.9～53.0 m,顶宽 6 m,其顶面与坡面均是在原三合土基础上用 50#～80# 水泥砂浆砌料石和块石镶护而成的,临坡 1:1.5,背坡 1:4。

(3)窦公堤长 900 m,顶高 55.5～56.9 m,背坡 1:2～1:3,临河面有顶宽 0.8 m、底宽 1.5 m、高 7 m 左右的白灰砂浆砌块石重力挡土墙,背后衬顶宽 2～3 m、坡 1:2～1:3 的土堤,其中 262 m 长挡土墙倒塌,于 1974 年按临河面 1:1.5～1:2 的坡度对土坡夯实后,用干丁扣块石护坡至 53.5 m 左右。

(4)拦河石坝和灰土坝的南北坝头,其坝头高程由南向北分别为 55.6、55.7、56.9、56 m。

拦河石坝拦汶河而建,建筑构造没有记载可考证,乱石坝被冲毁后,建筑结构展现在世人面前。经查勘发现,坝底为柏木排桩(见图 3、图 4),直径 0.25～0.3 m,横向间距 3～5 cm,纵向间距 2～3 cm,内用三合细土填筑;表面用大块石镶砌(见图 5),大块石尺寸一般为厚 0.5 m、长 1.44～2.0 m、宽 0.4～1.0 m(俗称万斤石),相临石块用铁铆扣连接,铁铆尺寸为厚 3.6 cm、长 16.3 cm、宽 9.7 cm,呈 ⊐⊏ 形,块石缝隙以杨藤加水熬到沸点冷却后和三合土拌和灌注,坝两侧均筑有条石镶砌的裹头,上下及左右块石间用铁铆闩相连。1967 年整修戴村坝时,玲珑坝坝前有一水坑,抽干水后露出柏木基础,柏木桩长 4.5 m 左右,大头直径 0.25～0.3 m,中心到中心 0.8～1.0 m,形成梅花形。柏木表面用火烤焦表皮作防腐处理,桩顶与块石之间填厚薄不等的黄表纸,使桩基受力均匀。桩顶以下 0.1～0.5 m 已不同程度腐烂,以下基本完整。

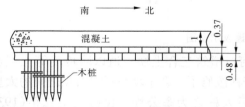

图 3 北断头以北临河立面结构 (单位:m)

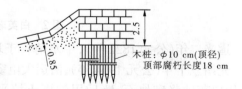

图 4 北断坝头断面(背坡部分) (单位:m)

灰土坝坝身全部用三合细土夯打而成,坝面用熬制的杨藤水拌土经夯击修筑,采用此种材料修筑过水溢流坝,堪称创举,经长期运用考验,工程质量可靠,至今坚硬如石。光绪六年(1880 年)整修时,又在坝的上下游密下桩排,内砌大石,中配三合细土进行扩建,并

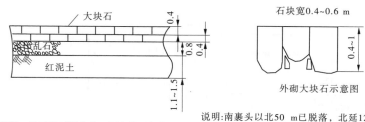

说明：乱石外面原砌有一层大块石保护。

说明：南裹头以北50 m已脱落，北延12 m未脱落，
再北延至断头用乱石抛护。

图 5　滚水坝背水坡坍塌情况　（单位：m）

在坝的两侧砌筑裹头，光绪三十年(1904 年)再次进行修补。

新中国成立后于 1974～1977 年进行了大面积整修扩建，因运用时间长，坝体冲刷严重，于 1977 年整修时将坝面和坝坡全部改为浆砌粗料石护面；在下游抛石固基，并增设部分无砂混凝土排水孔，以及时排除渗水。

三位一体的戴村坝枢纽工程，布局合理，设计精巧，坚固耐冲，整体性好，在经济文化落后，科学技术不发达，缺乏现代设计、施工手段的情况下建设此坝，堪称我国水利史上的一大创举，经过近 600 年的漫长岁月，仍可抵御汶河洪水，这充分验证了我国古代劳动人民的智慧和高超的建筑艺术。后人称赞戴村坝"高厚坚实，涓滴不行，石工横亘，既无尾闾以泄水，又无罅隙以通沙……"戴村坝枢纽工程虽已建成近 600 年，但从现代水利学来看，它是一个完整的拦河枢纽工程，在结构与现代水利枢纽工程有许多相辅相成之处，保障了明清两代的漕运用水。拦河石坝相当于现在的拦河溢流堰式单孔拱型砌石坝，窦公堤相当于拦河土石坝，灰土坝相当于溢洪道，小汶河口门相当于现代枢纽中的引水渠。

3　戴村坝工程出险情况及出险原因

2001 年 7 月下旬，泰莱山区连续降雨，流域平均降雨量 209 mm，最大点雨量东周站 353 mm，大汶河来水量急剧增大，7 月 31 日 18 时临汶站洪峰流量 1 040 m³/s，8 月 1 日 12 时戴村坝站洪峰流量达 1 050 m³/s。年久失修的戴村坝工程抵御不住洪水的冲刷，8 月 1 日 8 时 30 分戴村坝中段乱石坝集中过溜，下部根石走失，坝体自下而上逐渐下滑，出现墩蛰，随即坝体被冲开，坝段部分被冲毁，随后险情扩大，10 时 30 分口门达到 100 m，深约 3 m(见图 6、图 7)，两侧滚水坝、玲珑坝不再过水，水流全部集中在口门下泄。东平湖水库防指按照黄河防总批准的方案组织抢险，全力制止险情扩大，8 月 3 日 16 时险情基本得到控制。8 月 4 日 4～12 时，汶河流域部分地区降大暴雨，个别站特大暴雨，临汶以上地区平均降雨量为 87 mm，最大点雨量楼德站 246 mm。8 月 5 日零时临汶站洪峰流量 2 050 m³/s，5 日 10 时戴村坝站洪峰流量 2 620 m³/s。受 8 月 4 日汶河降雨的影响，大汶河形成第二次洪水，把戴村坝抢修的防护工程冲毁，口门进一步扩大，8 月 6 日口门宽 140 多 m，7 日在水势减缓后，又对乱石坝口门两侧和滚水坝进行了抢护。

戴村坝工程虽然精巧坚固、施工质量好，但由于年久失修，工程严重老化，木桩基础已经腐烂，坝体渗水严重，消能设施基本失去作用，在洪水的猛烈冲刷下，基础被洪水淘空，形成集中过流，这是戴村坝出险的根本原因。近 600 年来，大坝经过多次整修，但仅限外

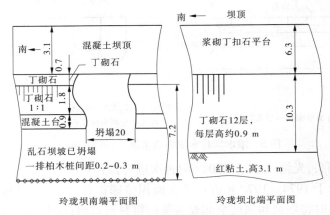

图 6　断坝头以北临水坡　(单位:m)

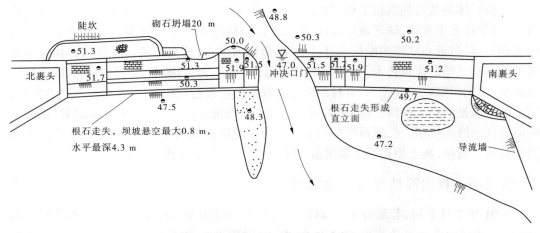

图 7　戴村坝水毁示意图　(单位:m)

部处理及增减坝的高度,没有对坝体和基础采取翻修改建等根本加固措施。1997年也只是对两侧裹头进行了整修,坝下增抛了部分根石,至于坝基渗水和坝面蛰裂等问题,因投资所限没有进行处理。坝内长期渗水,淘空了包裹木桩的土体,导致木桩腐烂,坝基已不能承受坝体自重,稳定性能大大降低,加之戴村坝下游采沙规模不断扩大,致使下游河床降低 6.5 m,较大的坝上下游水位差形成溯源冲刷,加剧了坝体淘刷,进一步削弱了基础和消能设施,导致戴村坝出现跨坝险情。

4　戴村坝工程的作用和修建的必要性

4.1　历史作用

　　戴村坝枢纽工程是我国古代著名的水利工程,其主要作用是"截汶入海,使趋南旺以济运";"水盛则漫入清河以疏其溢,水落则尽泄入南以防其涸"。即拦截利用汶河水源,补济运河水源的不足,以确保当时南北航运畅通,此间对于拦沙分水、确保京杭运河航运、沟通我国南北经济文化交流发挥了重要作用。分洪济运后,减小了大清河下泄流量,对于缓解东平湖水患,促进生产发展起了非常重要的作用。因此,受到历代官方的重视,不断出资进行整修,也得到当地人民的颂扬。

4.2 现实作用

目前戴村坝工程虽然已经失去"引汶济运"的作用,但仍然发挥着稳定河势、拦沙缓洪、引水灌溉等作用。

(1)稳定戴村坝下游河势,塑造固定下游河槽。戴村坝工程修建后,经过长时期的河床塑造,上下游河床均已固定,河势流向趋于稳定,当发生中常洪水时,洪水经戴村坝缓洪并抬高上游水位后漫坝而西,水流以与坝体较大夹角偏左侧冲切坝下河内鸡心滩的左侧,左岸南城子护滩上游不受洪水淘刷,因而该滩岸土地地势较高,农作物长势旺盛;南城子护滩一般会漫过根石偎水而不靠溜,下游后亭护滩靠溜行洪。

这次东平湖洪水,由于乱石坝段被冲毁,戴村坝附近下游河槽下切 9 m 以上,上游河槽也下切 3～5 m,8 月 5 日 0 时戴村坝流量 1 300 m³/s,洪水全部在决口河槽内出流,洪水没有冲刷坝下鸡心滩,而是以与坝体较小的夹角直冲左岸坝下南城子护滩以上高滩地,南城子护滩以下的后亭护滩不靠溜,失去控导作用,因南城子滩地下为山基构造,否则会迅速坍滩至南堤,造成决溢险情。当戴村坝流量较小时,坝下洪水流势下移,南城子护滩工程处河槽下切,深达 5 m。造成根石坍塌走失出险,严重威胁南城子护滩工程安全。溜出南城子护滩偏向右岸,后亭护滩工程、古台寺险工不靠溜,后亭以下南岸坍滩,河势溜向有较大变化,而且极不稳定,短时间内不能完成河床重塑,给防汛工作带来不利影响。因此,从稳定下游河势、争取防汛主动来讲,必须尽快修复戴村坝工程。

(2)拦沙缓洪,减轻东平湖水库防洪压力。由于戴村坝工程的存在,洪水期戴村坝以上河段可以蓄滞部分洪水,减少了入湖水量,减轻了东平湖水库的防洪压力。坝上下游水面截然分开,形成上下游河道不同的水面比降,水面趋于平缓,实际上起到了缓洪的作用。戴村坝工程将大量泥沙拦截于坝上,减少了泥沙对下游河道和东平湖水库的淤积,有利于保持东平湖水库的库容和蓄滞洪水的能力。

(3)抬高坝上水位,有利于上游引水灌溉。戴村坝工程修建后,抬高了坝上水位,发挥了拦蓄汶河水的作用,解决了枯水季节流量小、水位低、引水灌溉困难的问题。如果枢纽工程失去作用,戴村坝工程上游引水建筑物将无法引水,汶河和大清河沿岸农业生产将受到严重影响。

(4)中国古代水利建设的活化石,具备深厚的研究、观赏价值。戴村坝工程作为完整的拦洪分水枢纽,已有近 600 年的历史,无论从总体布局,还是从内部构造来说,都具有很高的学术研究价值,可供后人研究、观赏。东平县政府已将其列入东平县"八大景观"之一,列入东平县旅游建设总体规划。

秉承历代先人矢志重修戴村坝的精神,本着对中华民族古代文明成果负责的精神,也为了中国的水利史研究,承前启后,告慰先人,教育后人,应尽快修复戴村坝。

(原载于《山东黄河科技》2001 年第 4 期)

第五章　防讯抢险

论行政首长在抗洪抢险中的现场指挥

抗洪抢险事关重大,关系到一个地区的人民生命财产安全,甚至影响到我国整个国民经济的发展和社会的安定。防汛工作实行各级地方人民政府行政首长负责制,充分体现出党和政府对防汛工作高度重视和对人民生命财产安全高度负责的精神。

行政首长平时以一个地方生产力的发展、社会稳定、人民群众生活的提高为己任,依法行政;在防汛抢险工作中,以防洪保安全为目标,全力组织抗洪抢捡。行政首长能否做好抗洪抢险现场指挥,关系到整个抗洪抢险工作的成败。抗洪抢险也需要掌握一定的指挥方法和艺术,在此基础上才能做到科学决策,正确部署,指挥得当,从而取得抗洪抢险斗争的胜利。

1　熟悉情况是做好防汛抢险指挥的基础

1.1　熟悉防洪预案

黄河防洪预案是防洪抢险的战略性文件,是抗洪指挥、决策、调度的基本依据,是未雨绸缪、主动防洪的关键环节。其目的在于能够依法防洪抗洪,缜密周全地准备,从容不迫地指挥,从而最大限度地降低洪灾损失。通过研读本区防守责任段的防洪预案,争取得到以下收获:①对防洪工程及滩区情况有所了解。防洪工程是防洪保安全的基本物质基础,包括堤防、险工、控导(护滩)及蓄滞洪工程等,要了解防洪工程是否都达到了设防标准,还存在哪些薄弱环节,以便洪水时期对其进行重点防守;黄河滩区面积、村庄、人口、财产、避洪设施等,要了解大水时需要转移的人口及安置地点,以便在洪水到来之前安全转移群众和可能转移的财产。②清楚可使用的防守和抢险力量。黄河防洪抢险实行的是专业队伍和群众队伍相结合、军(警)民联防的抢险体系。专业队伍是防洪抢险的技术骨干力量,由河道堤防、闸坝等工程管理单位的管理人员、护堤员、护闸员等组成。群众防汛队伍以沿河乡镇群众为主,由青壮年农民或民兵汛期上堤分段防守。中国人民解放军及武警部队是历年确保防洪安全、迁移救护群众的坚强后盾,是防汛抢险的突击力量。③理清防汛抢险的指挥思路。《中华人民共和国防洪法》规定:防汛抗洪工作实行人民政府行政首长负责制,统一指挥,分级分部门负责。对于刚参与黄河防汛的行政首长,通过研读防洪预案,应了解通过什么途径进行防汛抢险指挥,建立什么样的系统为指挥服务,哪些是需要亲自处理的,哪些是授权有关人员办理的,以及调度人员、料物的权限等。

1.2　做好汛前查勘和检查

一个好的防汛抢险指挥,应熟悉自己防区内的河道和工程情况。有效的办法是汛前到辖区内进行查勘和检查,做一些调查研究,对河道和工程情况增加一些感性认识。

2　调度指挥系统是做好防汛抢险指挥的保障

在2001年东平湖抗洪抢险中,面对突发性的暴雨和大规模的抗洪抢险,初期的后勤供应显得被动。参战人员吃饭、饮水得不到保障,有几个昼夜得不到休息;抢险措施和方法的运用也不够恰当,秩序有些混乱;抢险工具和料物缺乏。抗洪抢险是一个系统工程,必须建立相应的子系统,规范有效地运转,才能使抗洪抢险有条不紊地进行。

2.1　技术指导系统

(1)技术指导系统构架。黄河防汛抢险涉及面广,情况复杂,需对雨情、水情、工情等大量的信息进行汇总,对河道洪水进行演进分析。还要根据现场的变化情况,对防守力量、料物供应、后勤保障等不失时机地提出调整意见,抢险工程的修做也需要指导。这些都需要具有一定防汛工作经验和抗洪抢险知识的技术人员参加,并建立合适的系统各负其责,才能取得抗洪斗争的胜利。

(2)技术人员应具备一定素质。技术人员作为行政首长的参谋和助手,其业务水平与责任心直接影响到行政首长的指挥效果,甚至影响到抢险工程的安危。因此,技术人员必须具备一定的素质。

2.2　后勤保障系统

防汛抢险,后勤保障方面显得尤为重要。黄河一旦发生险情,就要根据前方指挥人员的要求和抢险工程的需要,因地制宜地尽快选用合适的抢险料物进行抢护。如果供应及时,保障有力,使用得法,就可化险为夷,并可取得事半功倍的效果;否则,将会贻误战机,造成被动。

在黄河的大洪水期,抗洪抢险是压倒一切的急事,又是涉及到各方面的大事,需要动员和调动大批人员和物资,特别是在紧急时刻,全民都要投入到抗洪抢险斗争中来。抢险时,在黄河两岸有限的区域聚集了大量的人员、车辆,要保证抗洪抢险有秩序地进行,就必须在人员的吃、住、行、宿,车辆交通,电信通讯诸方面有所保障。

(1)防汛抢险料物供应系统。防汛抢险中使用的料物,大到几万平方米的土工布、几万袋的沙料,小到几十米的尼龙绳、一把剪刀,往往是现场抢险人员需要什么就要什么。在2001年东平湖抢险中,曾出现过用直升飞机从400 km外运送6名潜水员到抢险现场,也出现过副县长、局长安排找一把剪刀等抢险小工具,需现去商店购买,甚至出现有些东西临时买不到的现象。这既说明了抢险现场需要料物的不确定性,又说明了建立完整的料物供应系统的重要性和必要性。

(2)生活保障系统。防汛抢险一般正值伏秋酷暑,让战斗在一线的人员及时吃上饭、喝上水是最基本的条件。因此,须建立现场和后方协调组,现场协调组随时掌握在一线防汛抢险的人数及变化情况,后方协调组集中安排定点饭店、食堂,将做好的食物包装成份饭运送至工地分发。

(3)通信保障系统。通信是黄河防洪抢险的生命线。防汛抢险中需要及时、准确地掌握相关区域的雨情、水情、工情和灾情，以便对当时防洪形势作出正确分析与预测。根据防洪工程现状或出险情况，快速提出人员、料物的调度方案，为决策者提供全面支持，使之能做出正确决策，力争使洪灾减小到最低程度。这就需要有一个采用现代技术、高交叉、可靠的通信保障系统。

（4）交通保障系统。在大规模的防汛抢险时，现场和附近道路交通十分繁忙。抢险现场既要堆放大量的抢险料物，又要满足交通顺畅的要求，处理不好容易造成堵车。因此，需要一个好的交通保障系统。

3　统揽全局并正确指挥是抢险取胜的关键

3.1　树立战胜洪水的信心和决心

随着泥沙的淤积，黄河的主河槽漫滩流量由 20 世纪 70 年代的 5 000～6 000 m³/s 减小到现在的 3 000 m³/s 左右。洪水到来时，河势变化增大，不少河段将出现顺堤行洪、滚河、横河、斜河的可能。过去的平工变险工，脱坡、坍塌、风浪淘刷等险情会随时出现。面对汹涌的洪水和不断出现的险恶工情，现场指挥应具有"狭路相逢勇者胜"的大无畏精神，在战略上藐视洪水，在战术上重视险情，树立战胜洪水的信心和决心，沉着应战。

（1）处变不惊。大洪水期，出现各种不同的险情是预料中的事。作为一个现场指挥，越是在复杂的情况下越需要冷静，不能乱了方寸。只有这样，才能保持清醒的头脑，从容应付各种不利局面，发挥应变能力。

（2）随机应变。当情况发生变化时，现场指挥要根据不同的变化情况和变化状态，适时地调整抢险料物供应和抢险力量的部署，以适应新的变化。

（3）蓄以应变。洪水涨落的不同时期会出现不同的险情。涨水期，易出现控导工程漫顶走溜，险工根石走失，顺堤行洪，滚河、横河、斜河等险情；落水期，易出现垮坝，冲垮控导工程连坝、坝岸，大堤滑坡等险情。现场指挥平时应注意向工程技术人员学习、请教，重视抢险经验的自我积累，并做好随时进行应变的准备，以应付预料中出现的险情。

（4）静观待变。对历史遗留的险点险段及防洪预案中预测可能出现的险情，指挥者要安排人员重点防守，准备好抢险料物，以应对可能出现的险情，变被动为主动。

（5）以不变应万变。无论情况怎样变化，作为一个成熟的指挥，都要保持沉着冷静，准备好防守力量、强大的抢险力量以及可用于抢险的料物，并调集能独当一面、经验丰富的技术人员。

3.2　统揽全局

在防汛抢险中，现场指挥员必须全局在胸，切忌顾此失彼。当局部和全局发生矛盾时，局部要自觉服从全局；为了保护全局利益，必要时甚至需要牺牲（损失）局部利益；在保证全局的前提下，也要兼顾局部利益。为此，需要做好各方面的指挥协调。如黄河滩区的生产堤，它虽然在中小洪水时保护了滩区的农业生产和滩区群众的利益，但实际上是以淤积抬高河槽、形成"二级悬河"的局面为代价的；蓄滞洪区内的围湖造田则是以缩小蓄洪区面积、减小有效蓄洪库容、抬高蓄洪水位为代价的。在大洪水到来时，各级地方行政首长在面临是破堰分洪保大局还是守堰护堤保局部的问题上，都会经受严峻的考验。现场指挥在这个问题上不应当有丝毫含糊，必须服从上级防汛指挥机构的统一指挥和调度，一定要令行禁止,雷厉风行,不折不扣地执行上级命令,切不可拖延塞责,更不可拒不执行。

3.3　重点险段临阵督战

一个指挥,组建起指挥调度系统,充分发挥各个系统的作用并使其有效运转,是搞好指挥的基础和前提。在此基础上,要抓关键性的问题,重要的抢险现场和重点防守堤段,要亲临现场督战和检查,用无形的力量激励和鞭策现场指战员,鼓舞士气,树立信心,增强凝聚力,从而取得抗洪抢险的胜利。

(原载于《人民黄河》2003 年第 4 期)

黄河下游防汛队伍中的机动抢险队

黄河下游防汛队伍是一支专群结合、军民联防的队伍。群众防汛队伍是黄河下游防汛工作的基础力量,根据行政区划,按一、二、三线组织。以民兵、乡镇企业的工人及青壮村民为基础,党团员为骨干,吸收有防汛抢险经验的群众参加,组织基干班、防汛队。

黄河职工队伍是黄河防洪的一支专业力量,在平时,从事防洪基建工程施工、岁修、管理、养护、工程普查、消灭工程隐患、制订防洪方案和常备料物的筹备、通讯设施的管理养护等工作。到汛期,则集中全力搞好水情观测、预报、防汛值班和抗洪抢险等工作,并将青壮黄河职工组织为专业机动抢险队,进行严格的抢险技术训练,配备好交通、照明和各种抢险工具料物,使之成为一支能作出快速反应的有战斗力的专业抢险骨干技术队伍。

1　组织机动抢险队是防洪抢险的需要

黄河下游一年内有 4 个涨水期,分别称为"桃汛"、"伏汛"、"秋汛"和"凌汛"。伏秋大汛是黄河下游的主要洪水期,洪水出现后,来势猛、预见期短,对下游威胁很大,并且洪水中挟带大量泥沙,往往引起河床的强烈冲淤变化和水流溜势的急剧改变,冲刷险工堤段或出现新的险情;在洪水过程中,主槽会发生大的纵向冲刷,有时可达 4~5m,有的还在局部河段发生严重淤积,洪水位骤然上涨,多处险工堤段出现险情,造成防守的紧张局面。凌汛易在下游弯曲型河道发生卡冰,甚至形成冰坝,造成紧张的凌汛。黄河又是闻名于世的"地上悬河",如济南附近黄河防洪水位高出市区地面 10 m 左右,对城市安全威胁很大。黄河工程出险的特点是"危、难、急"(即危险、难抢护、紧急),加之黄河堤防线长,工程多,难以防守,都需要有一支能作出快速反应的有战斗力的专业机动抢险队,一旦出现险情,抢早、抢小、抢了,并适应抢大险、打恶仗的局面。因此,黄河下游山东河务局及各修防处(局)段(所),从 1985 年开始,组建了专业机动抢险队,见表1。

每个机动抢险队由 40~50 人组成,队员都是年青的黄河干部职工,守纪律,能打硬仗;由政治、业务素质好的同志担任队长,由熟悉黄河防汛抢险技术的同志任技术负责人,每个队按军事组织设置 3~4 个班,每班 12 人。平时由所在修防处段管理,大水到来时由局处统一调用。机动抢险队的任务是:当堤防险工发生较大险情急需时,能立即行动,突击进行抢护。

表 1 山东河务局机抢险队统计 （单位：个）

隶　属	河务局	菏泽处	聊城处	济南处	德州处	东营处	惠民处	位山工程局	小计
局属队	3								3
处属队		1	2	1	1	2	3	1	11
段属队		5		3	3	4	5	2	22
合　计	3	6	2	4	4	6	8	3	36

注：表 1 为 1988 年统计数字。

2 机动抢险队工具料物的配备

为使机动抢险队做到高度机动迅速,战之能胜,配备了一定的交通车辆、抢险所用料物、抢险专用工具及照明设备。平时除车辆外,工具料物及照明设备专库保管,任何人任何事情不得借用和挪用,以保证用时携带齐全。每队配 3 部卡车,其中一部照明车,事先装备好,另两部先落实好车辆,接到洪水预报后随时调用。随车必备工具料物见表 2;照明设备是 15 kW 的发电机组一部,并配套好各种器材,见表 3;每队专用料物配备见表 4,平时存放在分段部或险工守险房,发生险情后由指挥部调运供应。

表 2 随车必备工具料物

名称	单位	数量	备注	名称	单位	数量	备注
铁锨	张	25	安好锨把	镐	把	3～5	安好镐把
地排车	辆	3	拴好拉绳	捆枕压杠	副	6	或捆枕架 1 副
垫桩	根	30	直径 15 cm,长 2.5 m	木工手锯	把	2	
手硪	盘	2	拴好硪辫子和硪把	打桩油锤	把	6	安好锤把
木工斧子	把	20		月牙斧	把	20	
锛	把	2		断线钳	把	1	
钢丝钳子	把	10		手电筒	个	25	
救生衣	件	20		摸水杆	根	2	长 5 m 以上
绳子	根	50	直径 15 mm,长 6 m 以上	大板	块	4	20 m×6 m×0.05 m
板斧	把	2		话筒	个	2	带扩音器
口哨	个	2		指挥小旗	面	2	
18# 铅丝	kg	25		土工布	m²	300	
12# 铅丝	kg	50		麻袋	条	300	
大篷布	块	2	不小于 6 m×8 m,其中一块拴好坠营				

表 3　发电机组照明器材

名称	单位	数量	备注	名称	单位	数量	备注
探照灯	盏	4~6	500~1 000 W/每盏	防水灯头	个	50	
灯泡	个	200	100 W/个	塑料护套线	m	1 000	
三相闸刀	个	6	其中:30 A 的 1 个, 15 A 的 5 个	配电盘	个	1	
防水线	m	200					

表 4　专用料物

名称	单位	数量	备注	名称	单位	数量	备注
18# 铅丝	kg	200		1.5 m 木桩	根	200	
12# 铅丝	kg	2 000		2 m 木桩	根	200	
麻袋	条	3 000		核桃绳	根	300	
篷布	块	4		六丈绳	根	200	
尼龙织袋	条	3 000 1 000	规格 0.5 m×1 m 1 m×1.2 m	八丈绳	根	100	

3　机动抢险队的训练

一是开办短期训练班,在防汛指挥部的领导下,组织抢险队员集中学习防汛抢险知识和技术,时间一般在 6 月下旬至 7 月中旬安排一个月左右的时间,抽调有实践经验的工程技术人员任教员,以黄河防汛抢险技术手册为主要教材,要求每个队员学会搂厢、捆枕与堤防渗水、管涌、漏洞、脱坡、风浪等抢险技术。有时还采取现场教学的办法,边讲边做,效果较好。二是进行实战演习,以检验指挥人员的应变能力及指挥水平,采用的抢险方法是否科学可靠;考察抢险队员实际技能是否全部掌握,在事变面前是否能守纪律听指挥、行动协调、团结一致,去夺取抗洪抢险斗争的胜利。实践证明这两种方法都是行之有效的。

1986 年 7 月 19 日,德州处在齐河段大王庙险工进行了一次较大规模的联合抢险实战演习,参加演习的有机动抢险队及沿黄乡(镇)的防汛队长和基干班长等。齐河段一、二机动抢险队、济阳段及省局安装队机动抢险队,分别进行了捆抛柳石枕、柳浮枕、柳石搂厢,抢堵漏洞项目的演习。从实际操作看,捆抛柳石枕技术掌握比较熟练,各队有条不紊,质量均合乎要求,搂厢各队均能按要求修做。对于漏洞的抢堵,各队均本着临河截堵断流、背河导渗反滤,临背并举的原则,抢堵漏洞有成功也有失败,其情况见表 5。

表 5　抢堵漏洞情况

队　别	漏洞编号	漏洞距水面深（m）	堤身土质	漏洞直径 临	漏洞直径 背	自抢堵至闭气耗时（min）	抢堵方法
济阳队	1#	1.67	红土	0.3	0.1	4.0	棉被包淤泥软楔堵洞,临河抛土袋做月堤,填土闭气,背河反滤围井导渗
齐河一队	2#	1.3	红土	0.3	0.1	11	胶泥塞堵洞口,麻袋装土做月堤,填土闭气
齐河二队	3#	1.2	砂土	0.3	0.1	10	胶泥网堵洞口,麻袋装土做月堤,填土闭气
安装队队	4#	1.3	砂土	0.5	0.25	13	胶泥、麻袋装土做月堤,背河减流缓冲,临河抢堵
齐河一、二队	5#	1.3	砂土	1.0	0.4	3 min后溃决	棉被、帆布软帘

通过实践,进一步认识到抢堵漏洞是防汛抢险的重点,对不同条件下漏洞的发展及危害有了更进一步的认识,对漏洞的处理也有了较深的体会,检验了理论与实际中的差距,以便更好地研究和完善查险抢险的方法和措施,同时也清醒地认识到在实际防洪斗争中,抢险时的条件要比演习差得多,出现的险情要比人造的险情复杂、险恶得多,还可能遇到恶劣的天气,另外通过演习也暴露了我们在防汛工作中的薄弱点,从而更进一步提高了抢险队员对防洪抢险重要性的认识,达到了训练队伍的目的。

4　实战效果

1988 年 8 月份,黄河出现 4 次较大洪水,10～24 日高村站流量持续在 5 000 m³/s 以上,因水流集中、流速大、冲刷力强,河势工情发生了不少变化。东明老君堂控导工程,由于大溜顶冲,工程下段 21#～27# 坝相继出险,特别是 26# 坝险情严重,8 月 17 日 21 时,出现迎水面 50 m 长坍石及根石墩蛰,东明段在组织抛石抢护的同时,险情发展很快,出险坝段围长达 110 m,其中出险的迎水面长 50 m,15 m 宽顶坝就塌掉了 11 m,从迎水面向里呈阶梯式蛰塌,大半个坝顶几乎掉入水中。当时各级领导很快奔赴现场,连夜组织力量抢护,局管鄄城机动抢险队奉命从 100 多华里外用 1 h 40 min 的时间,于 18 日凌晨 4 时 35 分赶到现场,比限时 18 日 5 时赶到提前 25 min,菏泽段机动抢险队也按时于凌晨赶到。抢险队根据险情,采取编抛铅丝笼护根,抛石护坦,捆抛柳包铅丝笼大枕,并用双股龙筋绳揽枕稳定险情,他们技术熟练,配合默契,经过 48 h 的奋力抢护,控制住了险情。仅 26# 坝抢险就用乱石 1 110 m³,铅丝笼 50 个 99 m³,捆抛柳石枕 880 m,石料 264 m³,柳料 10.96 万 kg,铅丝 935 kg,麻绳 235 kg,木桩 40 根,土方 510 m³。

1988 年 8 月 17 日上午,艾山站流量达 5 400 m/s,长清桃园护滩工程 13[#] 坝前尖石护坡蛰动,14[#] 坝也有滑动迹象。修防段即组织抢护,散抛乱石抢护坡,随蛰随抛,并采用挂柳缓溜,抛柳石枕护根,由于水大溜急,大溜顶冲淘刷,坝前水深 7～10 m,柳石枕短小,加石不足,沉不下去,险情稳定不住,且石护坡继续下滑,情况趋于恶化,13[#] 坝石护坡下蛰长 65 m,高 2 m 左右,水面以下土胎呈陡坡裸露。下午 1 时局管天桥段机动抢险队奉命赶到工地,立即探清险情,采用连续抛 8 个大柳石枕抢护,枕长 10 m 多,直径 1.2～1.3 m,双股龙筋绳拉固,在柳料供不应求的情况下,后改抛大铅丝笼,每个 2m³ 多,至 19 日晨基本控制住了险情。

软帘革新三法

1　管袋式软帘

将软帘缝制成两层,由顺坡若干条长管袋和底部一条横管袋组成,管袋间缝筋绳,纵向长横管袋在堤顶部位设有进料口。展开软帘使其到位后,从堤顶向软帘进料口装填小土袋或砂石料或散沙土,待软帘底部横管袋装满料物后,再装填两个边管袋,压住软帘两边,使其不漏水,然后装填内管袋,直至装满,再用小土袋培压软帘的四周边,后用散土把整个软帘盖压。也可将底部横管装满小土袋和土料后,再展开软帘,可能效果会更好。

2　探漏框架式软帘

将软帘制成 2 m×4 m 或 2 m×5 m 等尺寸的框架,可由 4 根钢管现场拼装,软帘可用防滑土工布或帆布,四周缝制成可穿钢管的管套,钢管四周预焊螺栓,以便与 4～6 根操作杆相连。实施步骤:发现漏洞后,即带框架式软帘进入现场拼装,将框架式软帘放到可能是漏洞进水口的位置,如果背河出水口水流减小,证明软帘盖住了进水口,否则继续快速移动软帘,直至盖住进水口并居中。操作杆应留在框架式软帘上,一可用其压住软帘,使其与堤坡贴紧;二可以此作为标志,沿此范围压土袋。

3　防滑软帘

当前我们储备了大量的编织袋抢险,如与软帘配合使用,必须制造和使用防滑软帘,使软帘和编织袋间的摩擦系数达到 0.5 以上,这就要求抢堵漏洞的软帘既要有足够的强度,又要有足够的摩擦系数。

另外,以往在漏洞出水口做反滤围井所用的材料,不是秸料就是砂石料,既原始,效果又不佳,应用土工布合成材料制成滤水软排,既能把土颗粒留住,又能排水不淤堵,还携带方便,便于储存和使用。

菏泽市刘庄引黄闸闸门抢堵与启示

　　刘庄引黄闸位于黄河南岸菏泽市刘庄险工 16#、17# 坝之间,大堤桩号 221 + 081,1979 年修建。该闸为桩基开敞式结构,有东、中、西 3 孔,每孔净宽 6 m,净高 4 m,闸室全长 17 m,上有 8.3 m 宽公路桥和 4 m 宽铁路桥,两岸各有钢筋混凝土岸箱一孔,基础设有 92 根直径 85 cm 的钢筋混凝土灌筑桩。上游粘土铺盖长 60 m,其上砌混凝土预制块;下游粘土铺盖长 25 m,其上为浆砌石消力池。设计引水流量 80 m³/s,加大流量 150 m³/s,设计灌溉面积 6.4 万 hm²。钢筋混凝土平板闸门,设 3 台 2×40 t 卷扬式固定启闭机,每孔闸门由上下两叶组成,两边各设有 4 个导向轮,在门槽导轨上滚动。该闸未设检修闸门。

1　闸门故障情况

　　1998 年 7 月 13 日上午,刘庄引黄灌区管理处要求刘庄闸放水淤灌,放水流量 10～20 m³/s。当 3 孔闸门提高 0.15～0.2 m 后,只有中孔少量过流,随后又将 3 孔闸门提高 0.2 m,东孔中孔过流后闸门下降控制在 0.15 m 高度处,但西孔闸门落闸时,不仅发出咚咚响声,而且闸门落到约 0.35 m 高度时被卡阻,单孔过流流量约 13 m³/s。西孔闸门出现故障后,中孔、东孔闸门立即关闸,停止放水,随后观测刘庄险工水尺水位 61.3 m,大河流量 2 300 m³/s,闸前水位 61.7 m,闸后水位 60.15 m,水位差 1.55 m,闸前水深已达 5.25 m (闸底板高程 56.45 m)。此时大河流量仍在继续增大,水位不断上升,在临河强大的水压力作用下,水闸单孔泄流量不断增大,如长时间下去将有可能引起闸门的损坏,发生险情。

2　抢堵方法和效果

　　1998 年 7 月 14 日,山东黄河河务局技术专家组赶赴刘庄引黄闸,经过现场了解、观测和分析,制订了用柳石(淤土袋)枕塞堵和挂土工布苦盖挡水的抢堵方案。

2.1　柳石(淤土袋)枕堵塞底孔

　　捆抛直径 1.1 m 柳石枕一个,该枕外层为 0.2～0.3 m 厚的柳枝,中部为麻袋装淤土,且每隔 0.5 m 放直径 35 cm 左右的大块石,并放长 27 m、直径 4～5 cm 的麻料龙筋绳一根,外部用 8# 铅丝束腰,间距 10 cm。在船上捆枕,当抛枕于闸门前以后,过闸流量减小了约 2/3,随后又抛投了淤土枕、柳捆淤土袋,但效果不明显,加上闸门顶止水已不起作用,漏水仍很严重。

2.2　悬挂土工布苦盖挡水

　　用幅宽 2 m 的土工布,先裁剪出 8 块,每块长 10 m,将每 4 块搭接在一起,形成两块 10 m×7.1 m 的土工布(长宽均大于闸孔的高与宽),再将 2 块土工布重叠缝制在一起,最终形成一块双层苦盖布。为了能使苦盖布在闸前水中迅速下沉展开,有效挡水,底部卷拴一长 5.8 m、重 300 kg 左右、直径约 0.3 m 的钢筋水泥电线杆。为使苦盖土工布均匀受力,避免撕裂,在顶部卷拴一长 5.8 m、直径 8 cm 的钢管,沿苫盖布宽度方向布设 15 根加筋绳(直径 8 mm 的尼龙绳),间距 0.5 m,每根可承担 50 kg 以上的重量,加筋绳拴系通过水泥杆和钢管与苫盖布缝制在一起,松紧适宜、均匀受力。为加大保险系数、便于操作,在电线杆两端和中间拴系 4 根核桃绳。先将尼龙绳在闸门工作桥设置的横梁上系牢,然后在船上将土工苫布紧贴闸门放下。当苫布放下后,探摸表明苫布在电线杆坠下的情况是下沉迅速、到位情况较好。随即从闸门后观测,顶止水处和开启的闸孔漏水停止,土工苫布挡水和止水效果良好。随后又在闸前抛投了 20 条土袋(每袋装土 30~40 kg)进行维护,以防止紧靠闸底板处再次发生漏水,经以上处理,黄河一号洪峰通过闸门未发生漏水现象。

3　闸门卡阻原因分析

闸门卡阻后,技术人员在现场通过观测和停水后检查,确认西孔左下导向轮向右歪斜顶在导轨上不能正常转动或滑动,造成闸门卡阻(见图 1)。导向轮由虚线正常位置歪斜为实线位置。固定此导向轮底座的四个螺栓其中左边的两个螺栓已完全不起作用,右边的两个螺栓丝已锈蚀,螺帽压不到底,不能起固定作用。

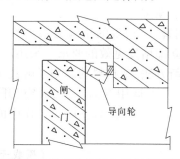

图 1　西孔闸门左下导向轮歪斜示意图

4　几点启示

早在 1997 年 8 月中旬菏泽市河务局在一次检查中,已查出刘庄引黄闸闸门存在着严重的损坏现象:一是 3 孔闸门顶、底、侧不同部位的止水橡皮严重磨损脱落,固定螺栓及压板锈蚀,致使正常情况下闸门漏水达 2 m³/s 以上。二是 3 孔闸门上的 24 个支撑导向轮,由于锈蚀严重,只有 2 个轮子能转动。尤为严重的是西孔闸门左右两侧下端的支撑轮、中孔左侧下端的支撑轮的固定螺栓或轮座底板螺孔已磨损断裂,致使支撑轮起不到支撑作用,直接影响闸门启闭。三是每孔闸门的上叶(高 2.5 m)和下叶(高 1.5 m)之间连接钢板因长久锈蚀,厚度已由原来的 12 mm 减为 6~7 mm,连接强度大为减弱。

对此,基层管理部门进行了认真分析,认为该闸位于刘庄险工中部,1996、1997 年汛期均为大溜顶冲。为确保防洪安全,应对该闸立即进行维修加固。但因经费紧缺,刘庄引黄闸闸门的问题带到了 1998 年汛期,并在洪峰到来之前继续运用,以致出现闸门卡阻现象。

4.1 搞好工程管理,不能放过一点隐患

引黄涵闸既是兴利工程,又是防洪工程的一个组成部分,管护好涵闸是确保其防洪安全和兴利的关键,但兴利要服从于防洪,要在防洪安全的前提下兴利。近几年汛期闸门关闭失灵已有几例。按照有关规定,大水到来之前要关闭闸门,必须严格执行。对检查出有严重问题的涵闸,在没有处理之前应制定有关度汛措施,限制运用。另外,市场经济条件下管理单位如何运作,责、权、利的划分等问题有待研究。

4.2 必要的工程管理经费是工程安全运行的保证

工程管理创造的直接和间接的经济效益是巨大的,但因种种原因工程管理经费不足的问题又是客观存在的,导致了工程管理工作举步维艰,一些工程因资金不足不能及时维修,被迫带病作业,长此下去不仅影响防洪安全,也难以形成良性发展的运作机制。如何解决工程经费问题,已成为亟待解决的问题。作者认为首先应提高引黄水价,目前的水价太低,既不反映其价值,更不反映市场价格,一瓶矿泉水的价钱可买六七百立方米黄河水,而且水费征收困难,拖欠现象严重。其次,上级应根据已改变了的社会经济情况,增加防汛岁修经费投入,尽最大可能满足工程需要。再次是黄河应像地方水利和其他大江大河一样征收防洪工程维护费、水资源费。

4.3 做好切实可行的工程抢护预案

从刘庄闸闸门抢堵的实例看,原预筹的抢险方案大都是传统的老的方案,实施费时长、用料多,不适应洪峰将至、立即堵复见效的要求。采用新材料等具有一定的优越性,但部分涵闸管理人员对新技术、新方法、新材料的运用了解甚少。我们应根据管理工作的检查观测、维修养护、防汛抢险和调度运用等需要,去研究、开发和引进、推广新技术、新材料、新设备、新工艺,普及到基层管理单位,真正解决工作中的实际问题。

(原载于《人民黄河》1998 年第 11 期)

浅议漫顶坝岸的防护

1996 年 8 月上、中旬,黄河花园口站分别出现了第一、第二次洪峰(以下简称"96·8"洪水),洪峰流量分别为 7 860 m³/s 和 5 560 m³/s,8 月 10 日和 15 日两洪峰分别通过高村站,流量分别为 6 200 m³/s 和 4 470 m³/s,相应水位分别为 63.87 m 和 63.34 m。两次洪峰在孙口河段合并为一个洪峰向下推进,于 22 日安然入海。这次洪水从流量和水量上看虽属中常洪水,但水位表现异常高,传播速度慢,使得河道控导(护滩)工程大部分漫顶,造成了不同程度的损害。

1 漫顶工程防护概况

在"96·8"洪水中,山东黄河共有 102 处、1 213 段控导工程坝岸漫顶,占工程总数的 60.8%。河务部门根据防洪抢险预案和洪水位到达本河段的表现情况,撤守前对漫顶坝

岸采取了必要的预筹工程防护措施。各单位上报计划对 23 处控导（护滩）工程的 150 段坝岸进行防护，占漫顶坝岸总数的 12.4%，防护面积 53 173 m²，计划用料：石方 14 422 m³，柴柳 446.91 万 kg，资金 107.44 万元。山东黄河河务局实际批复防护面积 31 638 m²，石方 7 871 m³，柳料 240.76 万 kg，资金 50.84 万元。上报的防护方法，除有 2 处工程计划在坝岸加修子埝未批复外，其他均为柴柳压石防护，并批复实施。

2　防护效果

"96·8"洪水漫顶的控导工程坝岸，漫顶水深一般在 0.2～0.5 m，最大水深 1.51 m。经封顶防护的坝岸，大部分坝基保持完好，对防止冲毁坝顶起到了显著的作用。但也有些工程坝顶或坝后走溜较大，对工程毁坏较严重，有的甚至被冲毁。如利津五庄控导工程，经压柳防护后，在眉子石后顺河方向仍出现深 1.0～1.5 m、宽 1.5～2.0 m 的冲沟，并造成眉子石下蛰等险情。滨州翟里孙 10# 坝和小街 1#、+1# 坝坝后走溜，所压柳石被冲走，进水处坝身被冲垮。经分析，压柳防护的坝岸受冲遭到较重程度毁坏的原因：一是压柳厚度不够，柳枝透水走溜，坝岸土坝体仍受到水流冲刷；二是滩区生产堤与控导工程连坝相连接，控导工程有的坝段较低，水流先从此进入滩区，形成集中的过水通道，溯源冲刷成沟，直至坝身全部坍塌；三是坝头过于突出，坝身单薄，直接顶冲大溜，在长时间漫滩水流的冲击下，上部坝身全部冲塌，形成坝后走溜，连坝和坝岸被冲成几十米宽的深槽。但也有用压柳防护的坝岸，坝顶走溜较小或没有溜的，一般落淤厚度 0.3～0.6 m，给坝面整修带来一定困难。

3　对控导工程坝岸顶部防护的探讨

对于漫顶洪水，控导工程坝段顶部进行防护，河防部门的防护抢险预案都做了较详细的计划，但也有的认为防护的效果不大。总结抗洪抢险的经验，认为对控导工程坝段顶部进行防护是很有必要的，怎样才能取得好的效果，关键是要把握好封顶处理的条件和方法。

3.1　封顶防护的条件

大水漫坝顶，并非所有的坝段都要进行封顶防护，可以掌握对出现以下几种情况的坝岸防护：一是按水位预报值漫顶水深超过 20 cm；二是按地形条件分析可能出现行洪走溜或历史上洪水曾由此行洪走溜的坝段；三是坝基植被较差的坝段；四是防护的部位应是坝基迎水面后部无石裹护的土坝基和坝顶部，以防坝头被洪水"摘茄子"或冲走土坝胎。

3.2　封顶防护的方法

统计"96·8"洪水对坝岸顶部防护的方法，全部采用的是传统的压柴柳法，且多是满堂防护，有的上报的防护宽度达 30 m，整处工程都要求进行防护，方法单一，用柳量大，在滩地漫水工程临背河都是水的情况下，购柳运柳都很困难，而且把周围的柳枝砍掉很多，对当地生态环境不利。在洪水将至、时间紧迫的情况下，采取简单易行、方便有效的防护方法是非常重要的。柴柳封顶的防护方法可以有多种：一是满堂压柳，即将坝基无石裹护的后部临水面或坝顶眉子石后 3～4 m 宽，沿坝面平均铺压；二是排压法，即垂直水流方向每隔 1.5～2.0 m 间距，横排铺宽 2 m，长度不等，分析行水走溜较小的坝岸段，间距也可以适当放大；三是格子网，即在工程表面将柳料铺放成纵、横间距各 2 m 的网。

传统的压柳防护坝岸技术,可就地取材,简便易行,便于黄河职工修做,其费用按定额每平方米 80 kg 柳料,约 40 元。压柳防护并非是唯一可行的方法,在"96·8"洪水期间,胜利油田投资兴建的利津崔家控导工程,在抢险料物不足的情况下,采用篷布护坝胎抗击水流的冲刷,效果较好,共计用篷布 5 100 m²,费用约 23 元/m²。

土工织物是防洪、抢险工程中一种比较理想的新材料,它具有质轻、抗拉强度大、抗冲、耐磨、防腐性能好、储运方便、施工速度快、易于保证工程质量等优点,可以用在漫顶工程的防护中。在全国水利工程和抗洪抢险中有许多应用实例,例如用排体护底、护坡、防止冲刷,用土枕和土工布治理防汛中的脱坡、跌窝、漫顶和修筑丁坝;以无纺织物作反滤防止堤坝背水坡管涌或散浸,均取得了好的效果。但在黄河防汛抢险中应用得不多,主要是对土工织物的性能认识不深刻,应用意识不强。有的对其耐老化等性能存有疑虑,实际上,只要科学合理地储、运、用,各种顾虑是不必要的。如果在控导工程坝岸漫顶防护采用土工布代替柳料封顶,其好处是土工布单价较低,每平方米仅 2～8 元,较柳料经济,又便于运输和储备,将给防汛抢险带来很大的经济效益和社会效益。铺放方式可采用满堂铺的形式,即在需防护的部位,四周用 T 形钉加木板条钉牢,中间也用 T 形钉加木板条成0.4 m×0.4 m 的网格状。T 形钉用 φ6 mm 圆钢制作,钉头长 20 cm,钉身长 30 cm。铺放土工布时,要注意做好藏头和钉压,以避免土工布底通水和漂浮。

每年汛前按计划购置土工织物存放在仓库中备用。土工织物质地柔软,易被一些齿鼠和锐物穿破,同时也应防止有机物如燃料油污染,以免加速老化。

4　对工程管护的要求

漫顶洪水对工程损害的程度如何,也与工程自身的强度和状况有很大关系。因此,应通过对工程的管理维护,尽量减少出现因行水走溜而造成毁坏的条件。以提高工程强度为主要目标,在工程布局上尽量做到以下几点:

(1)保持整个控导(护滩)工程的顶面相对平坦,要求工程纵向坡度与大河水面坡度的一致。在垂直于河流方向的每个断面上,顶面基本相平,当出现漫顶洪水时,坝裆即是相对薄弱的部位,应注意加强坝裆处连坝的防护。

(2)整体工程顶面应高于当地滩面 0.5 m 以上,以避免成为进水口门。现有的工程达不到此项要求的,应在工程整修计划中逐步加高加固。

(3)应接受历次洪水中工程毁坏的经验教训,单坝抗溜的工程易遭毁坏。在今后新建工程中,工程布局应发挥各个坝(垛)的整体迎溜、导溜、送溜的作用,不要再形成单坝抗溜的局面。

(4)处理好土石结合部,保证用粘土夯实严密;整个工程坝面都要植多年生须根、生长期长、保持工程水土的草种,以进行防护。特别强调汛前不要在坝顶铲除草皮以作防汛查水小道,此种方法有损工程强度。植低、矮的草皮不但能防护工程,而且无碍防汛查水,或者将坝(垛)沿子石加宽至 1.0 m,以利查险。

(5)应注意工程上首小流量坐弯的情况。此处易形成薄弱点,大水时洪水首先从此处进水漫滩,抄工程的后路。保证足够的防护长度是十分必要的。

(原载于《人民黄河》1998 年第 6 期)

大汶河琵琶山河段抢险的启示

1 出险情况

2003 年 9 月 3～4 日,大汶河大汶口水文站以上流域平均降雨量 104 mm,大汶口—戴村坝区间平均降雨量 115 mm,最大点雨量为大汶口雨量站的 160 mm。受降雨影响,9 月 4 日 19 时大汶河大汶口水文站出现了 1 940 m³/s 的洪峰流量,5 日 6 时戴村坝水文站出现了 2 250 m³/s 的洪峰流量。9 月 5 日 4 时,大汶河干流琵琶山拦河坝右岸 80 m 长的老坝段被洪水冲毁,发生滚河,洪水直冲右岸滩地,坍塌宽度 80～100 m,长度约 2 000 m。若险情继续发展,将危及大汶河堤防及肥城市 2 万多人民生命财产的安全。

2 险情抢护情况

险情发生后,当地政府组织几千名群众,调动大量设备和物资进行抢险,同时调动当地武警进行支援。根据分管防汛的副省长的指示,还调动了黄河抢险专家和抢险队伍来支援大汶河抢险。

经现场查勘险情,确定的抢险方案为:①在右岸坍塌滩岸段修建 7 个坝垛,以保滩护堤、控制河势;②做好爆破拦水坝的准备,以调整河势,是否破坝则需要根据天气形势变化和水情预测来确定。

在对滩岸坍塌段进行抢护时,每个坝垛均配备了黄河专业机动抢险队,并由肥城市配备 1 名市级领导、2 名局级领导、300 名民工及 3 个排的战士,实行三班轮换作业。

抢险初期,为扼制滩岸继续坍塌,组织先期到达的部分武警战士和群众就地获取部分鲜棉花秸、鲜玉米秸及小土袋来填充已有的钢筋笼,并用推土机将其推入拦河坝的断头处。

经过一昼夜的紧张抢险,每个坝头抛护秸料土袋钢筋笼 40～60 个,滩岸得到了有效保护,基本控制了坍岸势头。抢险用柳料、石头等也有部分运抵现场。由于抢险河段坍岸处遭雨水浸泡后非常泥泞,因此车辆无法通行,运来的部分料物堆在了通往琵琶山拦河坝的路口处,造成取用料物困难。

根据料物的供应情况,及时调整了抢险方法,改钢筋笼填充土袋和鲜秸料筑坝护岸为抛柳石枕、铅丝笼装石块和散石裹护进占,掩护土坝基填筑。同时,要求各坝点注意清理各自的作业场地,适当降低作业面高度,打通道路和扩大作业场地,使料物能运进来。经过 3 天 2 夜的紧张抢险,抢修的 7 个坝头一般长 10～30 m、宽 15 m,掩护坍岸 40～50 m,真正起到了以点护面、以坝护弯、护滩保堤的作用。

此次抢险共完成工作量为:抛填 1～3 m³ 的钢筋笼 530 个、抛铅丝笼 650 个、捆抛柳石枕 40 个、装填使用小土袋 9.1 万条、抛散石 1 500 m³、散土筑坝 2 万 m³、铺土工布 600 m²。

3　启示与建议

（1）面对突发性的暴雨洪水和大规模的抗洪抢险,建立防汛抢险现场调度指挥系统非常必要。抗洪抢险是一个系统工程,必须建立相应的子系统,规范有效地运转,才能使抗洪抢险有条不紊地进行。一般应建立技术指导、后勤保障(料物供应、生活及交通保障)、宣传发动等系统。技术指导的核心是技术人员。作为行政首长的参谋和助手,技术人员的业务水平与责任心直接影响到行政首长的决策和工程抢险的成败。要求到达现场的技术人员在查勘现场后,能够根据洪水特性和险情特点,准确判断和分析出工程出险的主要原因,随之制定出行之有效的抢险方案和计算出所需的抢险料物数量,进而能够在现场指导抢险队伍实施抢险。后勤保障的核心是让抢险人员能够吃上饭、喝上水,有休息的场所,能够及时供应抢险所需的各种料物和工具。大规模防汛抢险时,现场和附近的道路十分繁忙,已有的生产路、上堤路往往不能满足抢险时双向交通的需要,必须切实组织好进出现场的循环交通道路,必要时须临时开辟新的交通道路。通过抢险现场的宣传教育,鼓舞参战的抢险人员树立起防汛抢险"匹夫有责"的光荣使命感,始终保持高昂的斗志,去夺取防汛抢险的胜利。

（2）合理搭配抢险力量是保证连续作战的基础。防汛抢险任务具有急、难、险、重的特点,有一定的技术性要求,并且工作量大、劳动强度高,往往是昼夜不停地连续奋战。因此,合理地搭配抢险力量是非常重要的。实践证明,军、警、民和黄河专业抢险队有机组合是一种比较好的形式。人民群众是防汛抢险的主力军,防汛抢险时大量料物的筹集、运输,现场料物的搬运、集装等,都需要大量的人力,这些都离不开人民群众;部队官兵是防汛抢险的突击队,他们大都是20岁左右的青年,组织纪律性强、体力好、文化水平高,适应在前沿干一些技术性强、要求有一定速度和体力的工作;黄河专业抢险队是防汛抢险的技术骨干,他们大都经过一定的培训,掌握了一定的抢险方法和技能,经过了抢险实践的锻炼,适合于在前沿进行技术指导,并同所配备的部队官兵一起工作。

（3）就地取材,适时适地运用抢险方法,才能掌握抢险的主动权。如何利用已有的条件和人力,因地制宜、就地取材,最大限度地遏制险情和延缓险情的发展,不仅反映了现场指挥员的能力和素质,而且体现了工作责任心和对人民群众高度负责的态度。在大汶河抢险中,采取就地获取玉米秸和棉花秸,同小土袋一起装填钢筋笼的方法,不仅增加了笼体的体积和重量,而且具有抗冲缓流的作用,控制了险情发展,效果很好。

（4）最大限度地发挥机械化抢险的作用。大汶河抢险时,抢险场地泥泞难行,用人力运输土袋和石块,效率很低,后来通过利用装载机进行短途运输,人机配合,工作效率大大提高。例如:在装土袋区,由人力将小土袋装入装载机料斗,装载机运输到前沿,再由人力卸入钢筋笼;在石料场,人力将钢丝笼网片铺入料斗中,将石头装满,并封扎钢丝笼,由装载机运至坝头直接抛投。

（5）抢险用料物的质量好坏关系到抗洪抢险的成败。大汶河抢险中,需要用由直径为10～16 mm的钢筋焊接的钢筋笼,但由于部分钢筋笼焊接质量不好,因此在抛投过程中,约有50%钢筋笼的钢筋焊缝发生了断裂,一些土袋漏出被水冲走,起不到应有的作用。后来不得不重新用铅丝和麻绳对钢筋笼进行封扎,从而影响了钢筋笼的使用,延缓了抢险进度。因此,对抢险料物的筹集必须提高认识,把好质量关。

　　(6)多植树,为防汛抢险储备料源。在防护堤岸、堵复决口、控导溜势等方面的紧急抢险中,用秸柳料作埽工比用专用石料具有多、快、好、省的特点。原因在于秸柳料具有一定的弹性,更能缓和水流的冲击和阻塞水流,但筹集秸柳料存在时间长、料源不足等问题。收集秸柳料还需要地方政府逐级安排,层层落实,待秸柳料运输到抢险现场,一般需要 2 d 时间,这将会影响抢险进度。如果抢险时间长,用秸柳料量大,则需要在几十平方公里的范围内收集秸柳料。为不耽误抢险时间,应提倡在水利工程的坝裆、未裹护石头的土坝基、大堤临背河堤脚、堤肩等部位沿河道两岸多植树,为防汛抢险储备料源。

(原载于《人民黄河》2004 年第 12 期)

黄河堤防堵口裹头技术研究

　　裹头是将决口口门两边的断堤头用抗冲材料裹护起来的一项措施。其作用一是防止断堤头无限制地坍塌,不使口门继续扩大;二是为随后的堵口提供一个稳固的阵地。历史上黄河堤防决口后,受当时的社会经济、技术水平的制约,无法在汛期决口后立即实施堵口,多选择非汛期堵口,修做裹头时流速小,施工相对较容易,多采用埽工技术。现今堤防一旦决口,政治影响和经济损失巨大,应立即实施堵复工作,尽可能快地堵复决口。实施汛期堵口首先要修筑裹头,必须在高水位、大流量下进行。因此,研究适用于汛期堵口的裹头技术十分必要。

1　裹头时机及条件分析

1.1　裹头时机、位置分析

　　堤防决口之初,口门水头差较大,水位较高,口门水流流速大,向两侧拓展快,堤防临背皆是水,难以进行高强度施工,直接在断堤头上裹头难以奏效,且要进行清理施工场地,调集人员、料物、机械等准备工作。因此,确定裹头的时机和方式是:①决口后,从两断堤头后退一定距离,在堤防临河侧堆筑防冲体(铅丝网石笼、柳石枕或土袋),目的是遏制口门发展速度,为裹头赢得时间,同时进行正式裹头的有关准备工作;②在有一定准备的基础上,从两断堤头后退一定距离开始裹头,这时河道流量还较大,口门不宜限制太窄,以免加大口门处的冲刷。

1.2　汛期堵口条件分析

　　汛期堵口不利条件较多,如堤防两侧都有水,交通不便,料物筹集、运输困难,工作面狭窄等。但也有不少有利条件,如决口处附近的淤背区可作为土料来源,淤背区顶面可作为料物的中转站及后方作业区等;附近的险工上存有一定数量的备防石可供使用;党、政、军领导及军、警、民都在第一线,便于加强领导,集中指挥,调集人员、料物等。另外,黄河下游建立的一批专业机动抢险队,配备了大型机械、照明设备,加之研制了一批实用的新机具,均可用于修做裹头和堵口。

1.3 汛期堵口裹头技术基本要求

汛期堵口,口门过流量大,冲刷力强,工作面小,交通不便。在这种情况下,对裹头技术措施的要求是:①要防护材料单位体积较大,整体性好,抗水流冲击能力强;②要抛投强度高,连续作业;③要充分利用好就近险工上的备防石和淤背区的土料和场地;④要有合理的技术方案,对传统技术方案既不能全盘否定,也不能照搬,因此要汲取传统技术方法的精髓,充分利用新技术、新材料、新机具;⑤上、下裹头受水流冲击强度不同,下裹头比上裹头受水流冲击大,因此要区别对待,采取不同的防护措施。

2 现有裹护技术分析

现有裹护技术修做的裹头类似丁坝防护,即用抗冲体将土坝胎裹护起来,一起发挥护岸的作用。主要有以下几种:

(1)传统裹头技术。多用埽段保护断堤头,一般有用搂厢裹护、用长枕裹护和用搂厢与枕结合裹护 3 种修做方法。在历史上这种技术曾发挥了很大的作用。所用的秸柳料有一定的弹性,修成的整个埽体也具有适应变形的能力,有缓和水流冲击和阻塞水流的作用,且能就地取材。埽工技术要求人员、料物准备充分,操作上技术性较强。历史上利用埽工堵口都在汛后小水时进行。

(2)钢木土石组合坝堵口技术修做裹头。该技术抢修裹头的方法是:首先从决口两端堤头上游一侧开始,打筑一排木桩围筑堤头,用铅丝进行连接固定,并在木桩外侧加挂树枝理顺水流,减小洪水对堤头的冲击。然后在木桩排与堤头之间填塞石子袋,使决口两端堤头各形成一道坚固的保护外壳,以防止决口进一步扩大,为封堵决口建立可靠的桥头堡。当决口处冲刷深度和水头差不大、堤头扩展坍塌不快时,此种方法不失为一种有效的方法。当堤头扩展坍塌迅速,冲刷深度大于 10 m 时,需要研究和使用裹护面积大、防护效果好、使用方便、能就地取材的方法,以满足堵复堤防决口的需要。

(3)丁坝防护型裹头。用散石、柳石枕、铅丝笼等构件裹护堤头,这种方法实施时均在小流量下进行,在大流量、高流速情况下如何实施有待研究。

从以上分析可知,现有裹头技术直接用于汛期修筑裹头的难度较大,必须进行改进。

3 上裹头技术研究

3.1 方案选择

决口后,随着口门的发展,主流将逐步偏向下裹头,上裹头坍塌速度将趋缓。经对传统的以长枕为主的方案和土工合成材料长管袋软体排方案等进行分析研究,若在上裹头的正面及上跨角以长枕为主,堤坡两侧防护采用长枕或土枕,操作及防护效果均有保证,但存在现场操作需要人员及料物多、断堤头场地狭窄、施工进度慢、很难达到抛投强度等缺点,同时用柳量大,短时间内难以筹集。若利用管袋式软体排装土、小石子、砂子等,既可人工装填,也可用机械输送充填,具有施工速度快、运输量小、防护效果好的优点,并且可发挥其整体性好、适应变形能力强等特点,还可大量使用淤背区土料,发挥就地取材,克服料物筹集、运输两难的缺陷,用于修做裹头将优于长枕方案。

3.2 管袋式软体排方案设计

3.2.1 工程平面布置

在抢护断堤头时,为便于作业并考虑到堤头的不断坍塌扩展,裹护工程布置应预留适当坍塌长度。整个裹头均采用管袋式软体排,半圆头用若干个上窄下宽的管袋式软体排相互搭接而成。顶部成半圆形。临河侧从半圆头圆心算起,防护 100 m;背河侧从半圆头圆心算起,防护 50 m。详见图 1。

3.2.2 工程结构设计

管袋式软体排结构设计内容包括:结构形式、厚度选择、排幅等。

(1)结构形式。由滤水保土的土工布材料作底布,并在底布上缝制若干条纵向管袋,直径 0.8~1.0 m。在底布末端缝制一横向管袋(底管袋),直径1.0 m。底管袋和纵向管袋相互联通。沿纵向管袋方向设置若干条筋绳,箆拴着底管袋,并与底布缝制在一起,与管袋布和软体排布一起承受荷载。底管袋和纵向管袋的下部开设若干装料孔,以便于人工装填土料、土袋、砂子、石子等,装填后再用细绳扎紧封死。纵向管袋顶端留喇叭型进口,以便于装填料物。可机械充填,也可人工装填。裹头临背河侧的

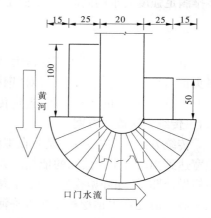

图 1 工程平面布置 (单位:m)

管袋式软体排可用电动软体排展开机具展开,然后从岸上用泥浆泵充填或人工填土料、砂子等。

装填料物孔按管袋式软体排施放的条件决定是否设置。如在堤坡上直接施放软体排,则不需在纵管袋中部、下部和横管袋上设置装料孔,只在纵管袋的顶部设置装料孔即可。若预留适当断堤坍塌长度进行布置,须在纵向管袋和横向管袋上设置装料物孔,发挥人多、就地取材、旱地便于作业的优势,迅速装填料物,使软体排随着断堤头的坍塌面到位,起到防护作用。每个管袋上布设若干个装料孔。一般每个装料孔应控制 2 m 管袋。如果充填物是泥浆,要求管袋布能保证泥浆中的水迅速排出,而细骨料不能穿过。

(2)管袋式软体排充填厚度。软体排的压载量大小主要取决于充浆后的土工管袋厚度,管袋重量应能满足抗浮稳定性。抗漂浮所需管袋厚度可按 SL/T225—98《水利水电工程土工合成材料应用技术规范》估算。

(3)软体排单体宽度。管袋式软体排尺寸是指一次连续充填或一次展开软体排的最小尺寸,即每块管袋式软体排的加工尺寸。它主要取决于施工场地和施工能力及抗冲稳定要求。

(4)软体排裹护体长度确定。为保证断堤头和口门底部河床达到极限冲刷状态时软体排裹护体仍能维持稳定,按最大冲刷坑深度计算排体总长度。当最大冲深为 21.7 m 时,经计算裹护体长度为 34.6 m,为安全计,取 40 m;当防护大堤临背河堤坡时,按滩面行进水深计算,经计算管袋式软体排裹护体长度为 20 m,为安全计,取 25 m。

(5)加筋绳。每个管袋体内垂直水流方向布设两根直径为 12 mm 的筋绳,两相邻纵

管袋间布设一根直径为 12 mm 的筋绳。筋绳的好坏直接关系到裹护体能否安全运行,因此选择筋绳时,须考虑块体水下脉动、悬挂和排体滑动等因素。

3.2.3 材料选择

土工织物管袋式软体排施工技术,要求管袋材料具有足够的强度,承受施工过程中充填材料(土料、碎石子、沙子)产生的压力;面层具有适当的孔眼,在充灌压力下,充分排出多余的水分,增加强度,并能阻挡骨料流出管袋。当用泥土充填管袋式软体排时,要求软体排满足强度要求的同时,还要满足保土透水性及防堵性要求。

4　下裹头技术研究

下裹头比上裹头受水流冲击大,特别是正面将受水流顶冲,坍塌将非常严重,因此下裹头正面是抢护的重点。通过对"钢板桩方案"、"管袋式软体排充砂子、石子方案"及"传统方法改进方案"的比较分析,选定传统方法改进方案。

4.1　传统方法改进方案

传统方法改进思路:一是先在拟修裹头处的临河一定范围内抛投大网兜(内装土袋),顶宽达到 10 m,作为搂厢的依托。大网兜体积 10 m³ 左右,由自卸车运抛。二是在上跨角修做搂厢,搂厢外抛投柳石枕;下跨角等其他部位以抛大柳石枕、大铅丝笼为主。三是在搂厢之前先在堤顶挖槽至接近临河水位,临河侧先抛投部分柳石枕,减缓水流的冲击。柳石枕要增大石头用量,以增加柳石枕的重量。四是搂厢以柳石为主,可以充分利用就近险工上的备防石,当石料运输困难时可直接用土或沙土装成小土袋。当筹集柳料困难时,可用尼龙绳大网兜装秸料等代替部分柳料。五是充分利用先进的运输工具以及近几年来研制的抢险新机具等。充分利用机械设备工效高、强度大、能连续作业的优势,辅以人工,将大大提高抢险效率,作到快速、高效抢险。

4.2　传统方法改进方案修做裹头设计

按传统方法改进方案中的主要思路是:临河侧防护段先修 40 m 长、10 m 宽的防护体,作为搂厢的藏头段;断堤头的正面作成半圆形,上跨角 1/4 圆弧内约 21 m 做柳石搂厢,顶宽 7 m;下跨角 1/4 圆弧内,先抛投大体积柳石枕,顶宽 5 m,再抛投顶宽 5 m 的大铅丝笼,边坡 1:2。下裹头平面布置见图 2。

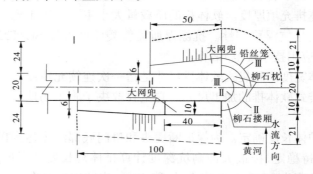

图 2　下裹头平面布置　(单位:m)

(原载于《人民黄河》2003 年第 3 期)

第六章 水资源管理

利用水权理论加强黄河水资源
权属管理探讨

1 水权的内涵及特点

1.1 水权的内涵

综观国内外,水权尚未有一个权威的定义,作者以为,水权即水资源产权,是指水资源稀缺条件下有关水资源占有、使用、收益、处分权利的总和,其最终可归结为水资源的所有权和使用权,其中水资源所有权主要是指水资源的占有权和处分权,是水资源分配和利用的基础。水资源的所有权属于国家,国家拥有水资源所有权的体现是国家征收水资源费;使用权是指各用水单位和个人依照法律规定获得水的使用和收益的权利,用水单位或个人获取水的使用权的前提是按标准水价(含资源水价、工程水价和环境水价)缴纳足够的水费。

1.2 水权的特点

水权是有偿的,水的所有权和使用权在一定条件下可相分离,新水权的获得,一般应尊重流域内现有水权,通常新水权在获得水权管理部门许可前,需获得现有水权拥有者的同意。水权管理普遍采用以流域为基础的分段统一管理形式,各级水权管理者的水权许可,不得超出自身所拥有的水权范围和总量,且不应侵害原有水权。水权的限制条件通常有取水用途,水量,流量,取水时间,地点,取水相关建筑物,水质以及取水优先级别等。

2 黄河水资源权属管理现状及所面临的主要问题

2.1 黄河水资源权属管理现状

取水许可制度,是国家通过立法确定的,取水单位和个人只有在获得取水管理机关取水许可,并遵守取水许可所规定的条件才能使用水资源的一项用水管理制度。取水许可制度适用于以下三种取水活动:其一,经批准用水单位直接从地下或江河、湖泊取水作为自备水源;其二,取水单位并非为了自用,而是兴建各种供水工程向社会供水,经批准直接从地下或江河、湖泊取水;其三,依照法律规定不需经过许可便可直接取水的。1993年国务院《取水许可制度实施办法》(以下简称《办法》)的发布实施,是水权法制建设的一个里程碑,标志着取水权管理步入法制化轨道。几年来黄河流域通过实施取水许可制度,广泛开展取水许可登记、审批、发证、年审工作,使无序取水现象得到了有效遏制,促进了计划用水、节约用水和水资源保护,水资源统一管理得到进一步加强。

在黄河水资源权属管理方面,近几年主要开展了以下几项工作:

(1)黄河取水许可管理方面。根据《办法》和水利部的授权文件,黄委制定了《黄河取水许可制度实施细则》等规范性文件,对黄河干流和重要跨省区支流的取水许可实行全额或限额管理,并按照国务院批准的黄河可供水量分配方案对沿黄各省(区)的黄河取水实行总量控制。从1994年起黄委组织开展了取水登记、发放取水许可证、审批新改扩建工程的取水许可(预)申请、取水许可证年审等监督管理工作。2000年6月黄委对管理范围内所有地表水和用于工业及城镇生活的地下水取水户换发了取水许可证。

(2)水量调度方面。1998年经国务院批准由计委和水利部颁布了《黄河可供水量年度分配及干流水量调度方案》和《黄河水量调度管理办法》,黄委成立了专门的调水机构,加大了调水工作力度,有效缓解了黄河断流的局面。

(3)水资源保护方面。组织开展了黄河干流纳污量调查、省界水体水环境监测,建立了黄河水质数据库,定期编发水环境监测简报、月报和年报。组建了水资源保护监督管理执法队伍,依法进行了入河排污口监督管理和取水许可水质管理,对流域内发生的重大水污染事件进行调查。

(4)水资源规划及基础研究方面。1984年黄委提出的《黄河水资源开发利用预测》为1987年国务院批准的黄河可供水量分配方案提供了依据。1997年审查的《黄河治理开发规划纲要》提出了黄河水资源开发利用的原则和规划意见。组织有关省(区)编制了黄河流域片水中长期供求计划、缺水城市供水水源规划,组织开展了《黄河水资源供需预测与对策》的研究工作,编发了黄河用水公报和黄河水资源公报。黄委及所属单位正在开展的黄河长治久安研究(堤防不决口、河床不抬高、河道不断流、水质不超标研究)将在黄河大规划修改前为黄河的综合治理开发提供依据。

2.2　存在的主要问题

(1)黄河水权管理制度不完善。目前黄河水权管理起步较晚,实践过程中也存在一些问题,主要表现在:①现行《中华人民共和国水法》确立的水资源管理体制亟待改革。现行的水权管理体制(国家对资源实行统一管理与分级、分部门管理相结合制度)一方面导致了水权二元结构的存在,另一方面水权虽然理论上归国家或集体所有,实质上归部门或者地方所有,国家水资源拥有的产权流于形式(应由国家征收的水资源费一直未开征),导致水资源优化配置障碍重重。②水资源宏观调控机制尚不健全,流域内按行政区域分割管理问题突出。在取水许可管理过程中,流域机构缺少水行政主管部门职能的法律支撑,管理缺乏力度和必要的手段。尽管黄河水利委员会代理水利部行使权力,并且在黄河水管理上发挥了积极的作用,但水资源开发利用各自为政的现象没有从根本上得到改观,"水从门前过,不用白不用,多用比少用好"等观念长期驱动人们的用水行为。过量引水加剧了黄河断流,引起了更大的生态环境问题。③取水许可监督管理制度不够完善,取水与计划用水、节约用水管理相脱节,取水许可证年度审验、水资源保护、生态系统维护等工作有待加强。④现行法律框架下取水权和水资源使用权的有关规定不全面,关系不明确,不利于有效保护各方利益和利用市场机制优化水资源配置。⑤长期以来,在取水总量控制的指导思想上,保证社会生活和社会生产用水,常常难以保证生态用水和环境用水,致使许多地方水源枯竭,污染严重,生态系统被破坏。

(2)流域机构水权管理权威不高。1998年国务院机构改革"三定"方案进一步明确了水利部统一管理水资源(含空中水、地表水、地下水),原地矿部承担的地下水行政管理职能以及原建设部承担的城市规划地下水资源的管理保护职能交给水利部承担,取水许可证由水利部实施统一管理,不再授权其他部门颁发。水资源管理体制有待按国务院明确的权属进一步理顺,水行政主管部门特别是流域管理机构的水权管理权威有待进一步树立。另外,在现有的水权管理视野之外,还应当对大气水(空中水)等潜在的或在一定程度上是现实的水资源的水权问题予以适当的关注。

(3)没有建立黄河统一的水权和水市场体系。黄河水资源短缺的严峻形势和即将实施的跨流域调水,要求充分考虑水权、水价、水市场改革,逐步建立与健全全流域统一的水权和水市场体系。

3 对黄河水资源权属管理的几点思考

3.1 流域管理体制亟待进一步改革

目前我国在七大流域设立了流域管理机构,流域管理很重要的一个方面就是维护生态水权、环境水权以及保证生态用水和环境用水的合理流量,使自然水权免受社会水权的侵害。流域机构过去几十年在流域规划、防汛调度以及水资源管理等方面发挥了重要作用。但是,对中央各部门之间的意见分歧和各省(自治区、直辖市)之间的利益分歧仍难以协调,缺乏防患于未然的能力和及时解决水权管理问题的权责,需要进行必要的改革。明确赋予流域机构水量分配权和调度权,特别是对控制性枢纽和大型引水口门的统一调度权,是大势所趋。

3.2 流域管理与区域管理相结合的水资源权属管理模式亟待进一步确立

水资源权属管理是水资源统一管理的必然要求,在流域统一管理的前提下,流域管理与区域管理相结合的水权管理模式是理顺各种关系,逐步实现地表水与地下水、水量与水质、城市与乡村水资源统一管理与水权统一管理的必然结果。

3.3 取水许可制度是走向水权管理的基础

尽管取水许可制度与水权管理制度在管理机制和调度方式上存有差导,但多年来,我国取水许可制度经过不断完善已形成一套较为行之有效的管理体系,在取水许可管理、水量分配、水资源总量和水质控制等方面已逐步向水权制度靠拢。与水权制度相比,取水许可制度不少可取之处值得继承和发扬。一是我国的取水许可制度经过多年努力,已基本实现地表水、地下水取水许可的统一管理;二是强有力的行政协调能力在解决诸如黄河断流、引黄济津应急调水、2000年挽救塔里木河下游生态调水等复杂水问题中,发挥了至关重要的作用。因此,在取水许可制度向水权制度转变的过程中,如何扬弃是关键。

3.4 取水许可制度向水权制度的转变需要逐步实施、因地制宜

(1)取水许可制度向水权制度转变应逐步实施。通常应先建立省(区)分水协议、断面水质控制协议等总量和质量控制体系,建立用水权限概念,同时逐步形成早期用水调度方案和相应的协商体制,逐步建立两套指标体系,即水资源管理的宏观控制体系和微观定额体系,力争实现地下水与地表水、干流与支流水资源的统一分配与管理,在取水许可规范化、公开化的基础上,引入水权拥有者平等参与水管理的机制,进一步严格限定取水条件,逐步建立取水优先权体系;在此基础上,通过立法等手段形成水权管理的法制化体系;在

水权管理法制化、国家和政府宏观调控的基础上,水权转让的尝试和水权市场的探索才可能成为一种现实。

(2)取水许可制度向水权制度转变的过程中同时还需注意因地制宜。如水资源严重短缺且供需矛盾较大的黄河地区在取水许可制度的转变上就有较大的现实意义。

(3)搞好水权试点,在取得成功经验的基础上逐步推广。1987 年国务院关于黄河可供水量分配方案的颁布实施,1989 年山东省水利厅和山东省黄河河务局关于山东省各地市引黄水量分配方案的出台以及 1995、2000 年各引黄取水口取水许可水量指标的分配,为黄河水权交易市场奠定了基础。因此,黄河流域省(区)之间、省内地区之间、不同取水户之间可以通过水权转让和交易,促进黄河水资源的优化配置,解决争水、抢水等水事纠纷。建议首先选择 1~2 个较大的工业或生活引黄取水口作试点,与用水单位签订有偿供水协议,实行有偿供水,提高其用水保证程度;其次,目前存在着工业或城市生活用水大量挤占农业用水的现象,可选择效益较好的工业取水口作为突破口,实行农业取水权有偿转让实践,再在试点的基础上,逐步总结推广。

2000 年山东黄河水资源的调度与管理

1　前言

2000 年黄河水资源的统一调度管理成效显著,在供需矛盾依然尖锐、小浪底水库部分蓄水情况下,实现了全年不断流,并顺利完成引黄济津送水 10 亿 m³ 的任务。

2　来水、引水情况

自 1999 年 3 月开始实施水量统一调度以来,2000 年是第一个完整的调水年份,结束了近 10 年来年年断流的局面。2000 年是新中国成立以来黄河第二个严重枯水年份,全年高村站(见图 1)来水量为 134.73 亿 m³,不足正常年份的一半,引水量为 59.03 亿 m³,引水占来水的 43.8%。山东黄河在工程基础上,采取行政手段,精心预测、精心调度、精心监督、精心协调,避免了无节制的引水,没有发生断流。水量统一调度既保证了黄河最后一个水文站利津水文站不断流,保护了河口地区的生态环境,又基本满足了沿黄各市的引水需要。

3　2000 年山东黄河水资源调度管理基本情况

2000 年 3~4 月份,山东省出现了历史上罕见的干旱,全省平均降水量仅 9.9 mm,较常年偏少 76%,较 1999 年同期偏少 24.7 mm,是历史同期降水最少的一年;全省平均气温较常年同期偏高 2.1 ℃,是新中国成立以来最高值。由于气温持续偏高,降水持续偏少,加之日照时间长和恶劣的沙尘暴天气等因素影响,农田普遍失墒严重,旱情发展迅速,引黄供需矛盾异常突出。为确保黄河不断流,在合理安排生态环境用水的前提下,采取限水、轮灌、关闸等措施,精心调度、合理分配有限的黄河水,用于工、农业及生活用水,最大限度地发挥了有限黄河水资源的社会效益和经济效益。

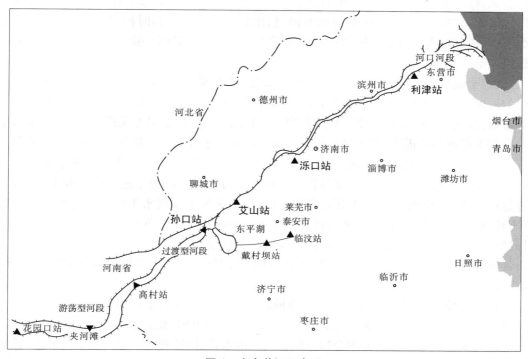

图1　山东黄河示意图

3月9~12日进入高村站的平均流量仅280 m^3/s左右,此时如果再引水将导致利津站断流。从长远利益考虑,果断采取了关闭山东省利津站以上所有引黄涵闸的调度措施。3月13~20日,正值春灌用水高峰期,进入山东黄河水量明显不足,仅维持在400~600 m^3/s之间。主要是按照沿黄各地用水需要,分清轻重缓急,保证急需用水。自3月20日16时起,为缓解引黄供需矛盾,把有限的黄河水引好、用好,开始实施轮灌调度措施。先后进行3次轮灌,将沿黄市地划分为2~3个轮灌段,每一轮灌段引水5~7 d。5月中旬到6月上旬,进入高村站的流量基本维持在150~250 m^3/s之间,为确保利津站不断流,除生活用水和重点工业用水,其他用水基本停止引用。6月中旬,水量明显减少,高村站仅维持在150 m^3/s左右,利津站流量最小为2.1 m^3/s,随时都面临着断流的危险。为此,山东黄河河务部门关闭了所有引水口门,禁止滩区一切引水。同时积极向上级反映面临的困难,要求加大小浪底水库下泄流量,限制河南引水。6月25日利津站流量恢复到29.5 m^3/s,沿黄市(地)部分引黄涵闸方开闸引水,为夏播作物生长提供抗旱水源,以解燃眉之急。7~12月份由于沿黄市(地)用水需求相对较为分散,引黄供需矛盾较为缓和。

4　水资源调度管理主要做法

(1)统一思想,提高认识。思想指导行动,只有思想认识提高了,才能有自觉行动。为了提高人们尤其是直接管理者对黄河水资源统一调度管理重要性的认识,变被动管理为主动管理,充分发挥管理人员的管理能动性,同时为获得地方政府及沿黄群众的理解和支持,黄河河务部门抓住一切时机,充分利用会议及媒体广泛宣传黄河水资源统一调度管理的意义,以科学为依据,用事实说话,积极引导,努力转变人们的思想观念,清除"把黄河水用尽喝干"、"黄河水门前过,谁用也不错,想什么时候引就什么时候引,想引多少就引多少",以及"黄河水入海是一种水资源浪费"等错误思想,为黄河水资源统一调度管理奠定思想基础。

(2)明确目标,强化措施。在黄河水资源统一调度管理中,制定了软硬目标,其中硬目标为确保利津站不断流,软目标为合理利用有限的黄河水资源,充分发挥其经济效益和社会效益,在黄河水资源的调度管理过程中,硬目标必须实现,而且是无条件的,在确保利津站全年不断流的前提下,努力做到科学合理配置黄河水资源。为保证目标的实现,采取了两种措施:一是完善制度,明确责任。1999年制定并颁布实施的《山东引黄供水调度管理办法》,使得山东黄河水资源调度与管理工作有章可循。同时为了进一步明确责任,制定并修改完善了《引黄供水责任书》,明确规定:山东黄河引黄供水工作实行各级河务局长(所长)负责制;把引黄供水调度管理工作作为对各单位进行年度目标考核的一项重要指标进行考核。二是加强监督、检查,保证调度指令的贯彻执行。限水调度期间,不定时派出督察组,巡回检查,一旦发现违规违纪行为发生,严格按照《引黄供水责任书》的有关规定予以处罚。

(3)采用统分结合、以统为主的管理模式。省级水量调度部门负责制定水量调配方案,包括轮灌段的划分、轮灌时间的确定、轮灌段内各市的引水指标控制等,各市级水量调度部门根据省级水量调度方案合理分配本辖区内水量,报请省级水量调度部门批准,并接受监督。这种管理模式能够充分发挥省、市级水量调度部门水量调度管理积极性,使全局利益和地方利益有机结合,充分发挥有限黄河水资源的效益。

(4)发布实时水情信息,公布水量调度方案,争取当地政府部门的支持和理解。5月初,山东沿黄地区持续干旱,旱情极为严重,黄河来水又严重不足,为确保利津站不断流,并最大限度地利用好有限的黄河水资源,黄河河务部门及时分析并公布黄河来水引水情况,经与政府部门沟通协商决定采取轮灌、限水等调度措施,部分沿黄群众对此不理解,发生了干扰引黄渠首管理工作的过激行为,事件发生后,黄河河务部门耐心解释,稳定群众情绪,恢复引黄渠首管理部门的正常工作,并报请政府部门对事件进行追查处理,杜绝此类事件再次发生。同时建议沿黄地区充分挖掘一切水源,节约用水,宜井地区多发展机井灌溉,灌区上下游做到兼顾用水,充分发挥有限黄河水资源的最大效益。

(5)研究水量演进规律,做到科学调度管理。为掌握水量演进规律及实时调度的需要,加测加报各水文(位)站10时、14时、16时水情以及部分涵闸闸前水位,根据水位、流量资料逐渐探索出水量演进规律,根据水量演进规律及时调整引水指标,确保利津站不断流。

5 存在的问题

(1)引黄供需矛盾仍然十分突出。山东黄河水资源供需矛盾主要表现在时间分布上,其次表现在数量上。山东对黄河水资源的需求在时间上比较集中,主要在2月中旬至6

月底,经测算在这一时段沿黄各地工农业及生活用水正常年份 40 亿～60 亿 m³,而该时段黄河来水相对较少,高村站 2～6 月份,80 年代平均来水 93.1 亿 m³,90 年代平均来水 79.6亿 m³。工农业及生活用水量大,又要合理安排生态环境用水,供需矛盾十分突出,水资源调度管理任务十分繁重。

(2)目前山东省黄河水资源管理采用了统分结合、以统为主的管理模式,该管理模式过于强调行政管理职能,而黄河河务部门作为流域派出机构属于事业单位,无行政管理职能,这种内在矛盾必将影响到水资源调度管理工作的正常开展。该管理模式使得水资源调度管理权过于集中于省级河务部门,市县参与管理的积极性受到约束,必然导致地区间矛盾,而且有时是很尖锐的。

(3)水文测验无法满足水资源调度管理要求。山东黄河干流 5 个水文站主要为防汛需要而设置,测验误差设计、测次确定都是根据防汛需要而定的,适合于大水测流。而水资源调度管理与防汛对水文测报要求不同。水量调度期间河道内来水较小,要求测流精度较高。目前的水文设施远远不能满足水资源调度管理的需要。

(4)水资源调度管理制度及法规还不健全。目前,制定并执行的办法规定,其有效范围仅限黄河系统内部,其约束力及效力范围尚不足以保证黄河水资源调度管理工作顺利进行。

(5)科技手段落后。还没有建立起实时调度系统和信息系统,从而不能保证我们在调度水量时,准确、及时地掌握情况。

6　对策与措施

(1)制定地区经济发展规划要充分考虑黄河水资源和地区水资源状况,按照以供定需的原则开发利用黄河水资源,同时要多源并举,并适当加强地区水资源的调蓄能力,缓和黄河水资源供需在时间分布上的矛盾,坚决摒弃完全依靠黄河水资源的思想。

(2)积极探索更为有效的水资源调度管理模式,充分发挥各级管理部门管理的积极性,把有限的黄河水资源管好、用好。

(3)进一步完善黄河水资源管理法规,对干扰黄河水资源正常管理的行为予以界定,并明确相应的处罚措施,为黄河水资源管理工作保驾护航。在干旱年份,农业生产冬灌、春播、夏种等用水高峰期,小浪底水库分阶段集中下泄 1 200 m³/s 左右,其余时间小流量下泄,确保黄河下游农作物关键用水期的需求,缓解供需矛盾。

(4)加强水文等基础设施、调度系统和信息系统建设,努力使水文设施、信息反馈等满足水资源调度管理要求。水文设施建设包括增加水文站(重点考虑行政区界处)、改善水文测验设施、提高水文测验精度、增加水文测次等。

7　结语

2000 年,在黄河来水严重不足,各地旱情异常严重的情况下,通过限水、轮灌等措施,精心调度有限的黄河水,优先保证了城乡人民生活和重点工业企业用水,重点照顾了滨海缺水地区和经济型农业生产用水,通过科学合理配置,最大限度地发挥了有限黄河水资源的经济效益、社会效益和生态环境效益。

黄河未断流,保持了一定的入海流量,为近海鱼类提供了生存条件,绝迹多年的黄河鲥鱼又在河口出现,候鸟纷纷在这里栖息、繁殖,遭到破坏的生态环境正在得到恢复。同时,黄河不断流对防止海水入侵、防止土壤沙化、减少河道淤积、确保黄河防洪安全,也起到了重要作用。

从黄河断流谈引黄蓄水❶

　　黄河是山东省主要的客水资源,年均(高村站)来水量为 407 亿 m³。目前,山东黄河共建成引黄涵闸 57 座,设计引水能力 2 429.5 m³/s,实际最大引水流量达 1 058 m³/s。自 20 世纪 50 年代至 1994 年累计引用黄河水 2 003.15 亿 m³,其中 3~6 月、7~10 月、冬四月引水分别占全年的 56.86%、32.4%、10.74%。全省已有 11 个市(地)的 68 个县(市、区)用上了黄河水,实际受益面积 2 738 万亩。"七五"期间,平均年引水量为 88.1 亿 m³,约占同期来水量的 30%,1989 年山东遇到特大干旱,全省引黄水量达 123.5 亿 m³,保证了全省粮食产量和国民经济的稳定增长。黄河还是济南、青岛、淄博、天津等大中城市和国家重点企业以及河口地区居民生活的重要水源。黄河水是沿黄地区经济、社会发展的命脉。

　　自 1972 年以来,山东黄河在春季平均三年有两年断流,且断流河段和断流时间越来越长,1995 年利津站断流达 120 d 之久。黄河断流给沿黄地区人民增添了忧虑。作者认为,要解决黄河断流带来的用水危机,必须修建调蓄水库,丰蓄枯用。

1　黄河断流对沿黄工农业生产的影响

1.1　山东黄河断流情况

　　据统计,1972~1995 年的 24 年中,有 17 年山东黄河出现断流。其中 1981 年和 1995 年山东出现全河断流。尤其是 1991 年以后,山东黄河春季连年出现断流,并且出现新的特点:一是首次断流时间提前。20 世纪 80 年代以前断流一般是在 5、6 月份发生,90 年代以来,断流提前到 2、3 月份。二是断流时间增长。1990 年以前,利津站发生断流的天数一般为 3~20 d,最长的是 1981 年为 36 d,1991~1995 年断流天数分别为 17、82、54、74、120 d。三是断流河段不断上延。20 世纪 70~80 年代,断流河段一般在道旭以下河口地区;1992~1994 年断流河段上延到齐河附近;1995 年断流河段上延到河南夹河滩以上,且为有记载以来春季断流干河时间最长、河段最长的年份。据统计,利津、泺口、艾山、高村、夹河滩站断流天数分别为 120、76、62、12、66 d。

1.2　黄河断流对工农业生产的影响

1.2.1　黄河断流对沿黄地区农业生产的影响

　　山东省沿黄地区干旱缺水,特别是 1976 以来,连续干旱。有些年份夏季旱情也很严

---

❶　该文写于 1995 年底。

重。1995年直到6月中旬,沿黄地区累计降雨才88 mm,春旱严重。小麦春灌和棉田造墒主要靠黄河水,在上半年黄河来水少、断流时间长的情况下,仍然引蓄黄河水42亿m³,为小麦增产和春播造墒创造了条件。黄河断流给沿黄地区用水造成了很大困难,1992年,利津站断流82 d,东营市受旱面积达350万亩,全市有230万亩耕地不能播种,1 289个村庄89万人、12万头牲畜缺水。1995年山东省引黄灌区小麦少浇2 500万亩次,减产约12.5亿kg。德州地区因黄河断流,少引黄河水8.5亿m³,约计减产小麦3.4亿kg,减少收入5.4亿元。

1.2.2　黄河断流对沿黄地区工业生产和居民用水的影响

黄河断流,给沿黄工业生产和居民生活用水影响巨大。以1995年为例,滨州市出现了空前的水荒。工业供水从6月12日起全部停止。大部分工厂企业处于停产、半停产状态,一些大企业只得临时打深井维持生产;居民生活用水也比往常压缩一半以上,每天在排队等水。德州市为了度过水荒,市区被迫连续两次减量供水,日供水由12万t压缩到5万t,工业生产缺水2 000万m³,有139家工厂因缺水停产减产,损失工业产值约6亿元。因缺乏大的蓄黄河水工程,工业生产过量开采地下水,形成了面积达3 000 km²的巨大漏斗区,地面出现沉陷现象,个别建筑物因地面沉降出现了裂缝,并呈现加剧的趋势。济南市黄河水厂也因黄河断流停产3个月,减少日供水量10万t。就连蓄水能力较强的东营市和胜利油田,现已建成大中小平原水库70余座,蓄水能力达3.7亿m³,但由于1995年黄河断流时间长,水库蓄水得不到补充,市区居民二楼就上不去水。黄河北岸地区每日只供水6 h。为保居民用水,油田生产减少地下注水260万m³,约计减产原油30万t,减少产值216亿元。

1.3　黄河断流对工农业生产产生较大影响的原因

1995年7月20日,断流达4个月的黄河下游迎来了盼望已久的黄河水,漫长的干河局面终于结束了。黄河断流对工农业生产影响较大的原因是靠河用水的思想严重。滨州市10万多人口,工业和生活用水全部依赖黄河,但当地的水库容量只有400万m³,蓄满后只供全市用水两个多月,黄河断流时间一长,就危及工业生产和人民生活用水。德州市调节水库只有300万m³,仅可供全市用水1个月左右。这些例证说明沿黄蓄水水库少,调蓄能力差。

2　黄河断流探源

根据近几年黄河下游断流情况,分析其原因,一是黄河流域水资源时空分布与灌溉需水要求不相适应,即汛期来水多、用水少,非汛期来水少、用水多。二是沿黄各省(区)引水量不断增加。1949年,全河工农业生产耗水仅为74.2亿m³,1980年达到270亿m³,1989~1992年4年平均引黄河水量308亿m³,其中引水量最多的1989年达333.7亿m³,水资源利用率已达57.3%,居全国七大江河首位。三是1986年以来,黄河流域降水偏少,属偏枯水系列,进入下游的水量逐年减少。四是全河水资源调度不统一。黄河干流上已建成的8座大型骨干工程,分属不同部门管理,追求目标各异,统一调度难度大。尤其是春季沿黄农业灌溉用水时,没有统一的水资源分配和调度措施,造成了上、中游大引,下游长期断流的局面。例如近几年上游龙羊峡、刘家峡水库在4~6月份下泄流量一般在

900～1 000 m³/s之间，宁夏、内蒙河段引水就达 800 m³/s，仅给中、下游留下 100～200 m³/s，虽然三门峡水库每年结合防陵运用为下游春灌用水调节 15 亿 m³，但仍然满足不了下游春灌及工业和人民生活用水的需求。进入山东河段的黄河水，也缺乏强有力的调控手段，造成了河口地区黄河长期断流。五是引黄渠首工程水费价格低廉，有些地区用水浪费的现象比较严重。

综上所述，黄河下游断流天数取决于黄河上、中游引黄发展变化和大、中型水库运用方式及管理调度水平。根据近几年黄河来水及下游断流情况，预计 2000 年以前黄河下游断流情况不可能有较大改善。考虑小浪底水库 2000 年建成运用对径流的调节作用，防凌调蓄 20 亿 m³ 水补充下游春灌，2000 年后，黄河下游 3～4 月份断流情况将有较大改善，5～6 月份仍将可能发生长时间断流。

3 修建调蓄水库，丰蓄枯用

目前，山东省汛期（7～10 月）和冬四月（11 月～次年 2 月）各地引水量相对较少，黄河水量大部分弃水入海。冬季引黄水量占同期来水量的 15%～20%，弃水较多，开发潜力较大；汛期引水量占同期来水量的 15% 左右，但汛期来水含沙量较大，大量开发问题较多；春季 3～6 月份用水高峰季节，引水量占同期来水量的 50% 以上，水量沿程大幅度递减，河口地区最先受到黄河断流的威胁，水资源供需矛盾十分尖锐。

由于黄河来水时空分布不均，加上下游引水的影响，黄河呈现断流与弃水现象并存的现象。要科学地利用黄河水，必须增修蓄水工程，从分析黄河的径流量、流量和含沙量变化情况看，在冬四月或是汛期引黄蓄水，以备春季灌溉之用，即丰蓄枯用也是可行的。

3.1 径流量变化情况

黄河径流主要来源于上、中游流域降水产生的地表径流。受上中游大中型水库的调节及引黄影响，新中国成立 40 多年来，黄河径流发生了很大变化。1951～1994 年利津站年均径流量为 368 亿 m³，其中 3～6 月、7～10 月、冬四月的水量分别为 66.6 亿 m³、226 亿 m³、75.2 亿 m³。20 世纪 70 年代由于上游水库相继投入运用，不仅对来水有较大的调节作用，而且改善了上中游河段的引水条件，全河用水量由 1949 年的 74.2 亿 m³ 增至近期（1988～1992 年）的 308 亿 m³，黄河上中游引水量的增加，持续影响到下游。利津站 1970～1994 年年平均入海水量减至 276 亿 m³，较多年平均偏少 25%，其中 3～6 月、7～10 月、冬四月的水量分别为 40.3 亿 m³、171 亿 m³、64.6 亿 m³。1987 年以来，黄河流域降水偏少，随着上中游引黄水量的增加，弃水入海的水量明显减少，上游龙羊峡水库投入运用，改变了上游来水的自然变化条件，径流年际及年内趋于均匀，受其影响，下游来水也发生了相应的变化。据统计，1987～1994 年，利津站年均入海弃水水量 183 亿 m³，较多年平均偏少 50%，其中冬四月水量只比多年平均偏少 38.8%。以上分析说明冬四月和汛期，黄河余水量较多，有水可蓄。

3.2 流量变化

流量变化与径流变化趋势基本一致。据统计，利津站（1951～1994 年）多年平均流量为 1 160 m³/s，其中 3～6 月、7～10 月、冬四月月平均流量为 634 m³/s、2 130 m³/s、716 m³/s。20 世纪 70 年代以来，受上游大中型水库调蓄及引黄影响，年内各时段平均流量明显减少,利津站年平均流量为 868 m³/s,其中 3~6 月、7~10 月、冬四月月平均流量分别为 372 m³/s、1 610 m³/s、609 m³/s,可以看出冬四月流量基本没有减少,有水可引。

3.3 含沙量变化

根据历年实测水沙量统计计算,利津站多年平均含沙量为 25 kg/m³,其中 3~6 月、7~10 月、冬四月的含沙量分别为 11.1 kg/m³、34.5 kg/m³、8.43 kg/m³。20 世纪 70 年代以来,虽然黄河下游来水来沙均比多年平均明显减少,但含沙量变化不大,利津站年平均含沙量为 25.7 kg/m³,其中 3~6 月、7~10 月、冬四月的含沙量分别为 11.1 kg/m³、35.6 km/m³、8.52 kg/m³。1987 年以来,受龙羊峡水库汛期蓄水影响,汛期上游清水基流明显减少,北干流形成的高含沙水流得不到稀释,导致黄河下游高含沙洪水机遇增大,虽然上段河道淤积调整,山东省河道水流含沙量仍呈增大趋势。利津站年平均含沙量 26.1 kg/m³,其中 3~6 月、7~10 月、冬四月的含沙量分别为 14.8 kg/m³、38.3 kg/m³、5.03 kg/m³,汛期比多年平均值增大,冬四月比多年平均值减少,是引水蓄水的最好时节。

3.4 2010 年来水预测

黄河下游不同保证率的来水量,取决于流域自然来水情况;黄河上中游大、中型水利工程的运用方式,特别是龙羊峡、刘家峡两水库对径流的调节影响;各省(区)工农业发展变化和中上游可能增加的用水量以及 2000 年小浪底水库建成对径流的调节影响。预测利津站来水量:当保证率为 50% 时约为 176 亿 m³,比近几年(1987~1994 年)来水量偏少 4%;当保证率为 75% 时约为 93 亿 m³,在不能保证冲沙水量的前提下,年内各时段均有水可引,黄河断流与弃水现象并存;当保证率为 95% 时约为 60 亿 m³,其中 3~6 月缺水 10 亿~15 亿 m³,必须采取蓄水措施,从冬四月及汛期中调蓄补水,才能缓解缺水矛盾。

(原载于《山东水利科技》1996 年第 2 期)

从山东大旱谈雨水利用

2002 年,山东省遇到了继连续 4 年大旱之后的又一特大旱年份。全省年平均降水仅 400 多 mm,比历年同期偏少近 40%,受降雨、气温等因素的影响,出现四季连旱,17 个市都遭受不同程度的旱情,受旱情的影响,全省有 1 008 万亩农作物干枯死苗,全年粮食减产 50 亿 kg。许多河道、水库干枯,连北方最大淡水湖——南四湖也干得见了底,素有"黄金水道"之称的京杭运河济宁段累计断航 100 多 d,超过 200 万 t 以上的煤炭不能及时外运。全省有 500 多家较大工业企业实行定量供水、限量生产或停产;年创利税 1.4 亿元的滨州棉纺厂印染车间,因缺水被迫关闭;工业、企业经济损失约 110 亿元,有 60 个县级以上城市供水不足,影响人口 207 万;淡水渔业损失也在 30 亿元左右;春季造林 80% 以上死苗,秋种有 347 万亩因缺墒无法播种。初步估算,因干旱造成的直接经济损失达 260 亿元以上。

山东是北方严重缺水的地区之一,全省人均、亩均占有水资源量不足全国平均的1/6,

多年平均淡水资源总量只有 305.82 亿 m³,仅占全国水资源总量的 1.09%,却养育着占全国 7% 的人口,生产出占全国 10% 的粮食,完成占全国 9.3% 的国内生产总值。水资源供需矛盾的日益加剧,使得水资源成为制约山东经济社会可持续发展的重要"瓶颈"。

水资源问题不仅关系到可持续发展,更关系到可持续生存,解决山东省水资源短缺问题,必须充分认识水资源的基础性、战略性地位,依靠科技,坚持开源、节流、治污并举,建立节水型城市和节水性社会。

水资源可分静态和动态两种,根据其存在特点,把江河湖泊及浅层地下水等地球表层可供人类利用的水称为静态水,把处于水循环状态的水称为动态水。动态水的范畴主要包括云中水、降雨及其后续水形态。山东省多年平均降水量即动态水总量是 1 110 亿 t,约是静态水资源量的 3 倍多,开发利用潜力巨大。因此,如何利用好雨水是缓解山东省缺水的重要途径。

1　雨水利用研究及国内外发展现状

为解决水资源紧缺的问题,全世界的水利专家和学者进行了广泛的探索,对雨水利用进行了研究。从 20 世纪 80 年代开始,世界各国开展探索雨水的资源化。目前许多国家在雨水利用方面取得了显著的成效。日本是亚洲开展此项工程最好的国家,而德国是欧洲开展此项工程最好的国家。目前德国的雨水利用技术已经进入标准化、产业化阶段,已能够大量收集、过滤、储存、利用雨水。其城市雨水利用方式有三种:一是屋顶雨水集蓄系统,集下来的雨水主要用于家庭、公共场所和企业的非饮用水。二是雨水截污与渗透系统。街道雨水管道口均设有截污挂篮,以拦截雨水径流挟带的污染物。城市地面使用可渗透的地砖等。三是生态小区雨水利用系统,小区沿着排水道建有渗透浅沟,表面植草皮,供雨水下渗。无法渗透的雨水进入集水池等。日本很多年以前就利用在房屋的落水管下方地面上建成可下渗的结构,将房顶的雨水渗漏到地下,补充地下水。

我国的雨水利用从 20 世纪 80 年代以来有了很大的发展。近几年来,雨水利用在我国,特别是北方干旱地区得到了迅速发展。许多地区将雨水利用当做水利建设的一项重要任务,常抓不懈。广大水利专家、学者在雨水利用理论体系的建立、雨水资源评价方法、雨水过程预测预报、雨水利用类型分区、雨水利用模式、水质改善及标准制定等方面进行了广泛研究和理论探索,取得了非常重要和有价值的研究成果,丰富、发展和完善了雨水利用的技术理论体系,很好地指导了雨水利用的实践过程。甘肃、内蒙古、宁夏、陕西、山西、广西、河北、四川等许多省(区)都开展了雨水利用工作。其利用形式已经由起步阶段单纯用来解决人畜饮水、回补城市地下水,发展到利用雨水进行大田作物、经济作物、设施农业生产、林草植被恢复和城市雨水的综合利用。

2　雨水利用的途径

2.1　城市雨水利用

城市雨水的利用是一系统工程,应该借鉴国内外的先进经验,接受发达国家的先进理念和方法,把城市规划、城市防洪、雨水综合利用结合起来,实现城市发展与生态环保平衡的和谐统一。主要利用途径如下:

（1）采取多种措施使雨水下渗，回补水源。多规划建设绿地，滞蓄雨水；人行道面采用可下渗结构；房屋落水管下改建为可快速下渗式结构；新建车场、广场采用透水材料铺设；新建、改建、扩建的道路中，铺设的雨水管道采用可下渗管道。这些措施既可以使雨水下渗补充地下水，又可以减少泄洪径流，减轻城市防洪压力。

（2）建蓄水池集结雨水。主要是在马路两侧修建蓄水池，将无法渗漏到地下的地面水集结起来，在学校、企业、小区、大型公共场所里面修建蓄水池，将屋顶雨水、地面雨水集结起来，用于非饮用水，如道路养护、消防用水、洗车、冲厕、浇树、浇花及景观用水等。

城市雨水利用得好，不仅缓解城市用水，而且有利于城市防洪，减少城市水土流失。

2.2　农村雨水利用

推广利用具有国内领先水平的全生态农业免灌技术，纳雨蓄墒，节约农业灌溉用水。农业灌溉是用水大户，山东省总用水量中，灌溉用水量多年平均为 174 亿 m^3，约占总用水量的 73%。据了解，我国开展的全生态农业免灌技术，试验地降水利用率达 70%，可以使年降水量 300 mm 的地方，基本不用灌溉就能正常进行农业生产。主要是集蓄雨水，发挥土壤水库的调蓄作用。适时深耕是纳雨蓄墒的关键，山东省一般伏秋多雨，秋后要进行秋播的农田，应抓紧秋耕，蓄雨保墒；麦收后休闲的农田要抢早进行伏前深耕，以便纳伏雨，蓄深墒；春季一般干旱少雨，土壤蒸发强烈，因而春耕宜早不宜迟，宜浅不宜深。

集雨回灌地下补源。山东省地下水资源开采利用程度比较高，由于地下水长期过量开采，造成海（咸）水入浸，目前全省海（咸）水入浸面积已达到 1 000 km^2，新增 50 余万人口吃水困难。漏斗区地面出现塌陷、裂缝，机井大量报废，生态环境趋向恶化。集雨回灌，补充地下水源，对遏制上述现象具有现实意义。山东省大部分地区具备修建集雨回灌补给地下水工程的地质条件。从受雨面开始，发挥土壤水库的调蓄作用，使降雨尽可能下渗，减少地面径流，对进入河道的径流再修建拦蓄工程进行拦蓄，同时利用河网入渗以及回灌补源工程增强水资源地下调蓄能力。

窑窖贮雨，解决农村饮水。截至 2001 年底，全省尚有历史性缺水村庄 3 307 个，138.28 万人的吃水问题有待解决，并且还有因干旱、人口增长、水污染等因素造成的 600 万新增和临时性缺水人口。解决农村饮水问题走集雨利用的路子，对许多缺水地区来说，比建水库、跨流域调水等措施更现实、更有效。窑窖贮雨工程规模小，投资少，技术难度小，易于施工建设，并且易于分批分期建设，适合在广大贫困山区和其他缺水地区开展。

修建集雨水池，补充农田灌溉用水，有旱就有涝，旱涝都是农作物的大敌。如果用水泥或浆砌石，在大田里修建直径十几米的圆形竖井，下雨涝时将表面的径流存在集水池里，干旱时用于农田灌溉，可作为农田灌溉补充水源。

山区集雨，改善生态环境。山东省水土流失严重，特别是鲁中南中低山区、鲁东丘陵山区尤为突出。土壤侵蚀以水力侵蚀和水力风力混合侵蚀为主要形式。集雨利用，使降雨层层拦截，减少地面径流，有利于水土保持。通过建设水平梯田、鱼鳞坑、深翻改土等就地拦蓄雨水径流，促其入渗，减轻了土壤的冲刷侵蚀，水土保持作用十分明显。雨水利用工程建设可以配合小流域综合治理，对促进生态环境具有重要意义。

3　对雨水利用的思考

3.1　城市雨水是资源，不是祸水

在山东省的城市规划和建设中，把雨水当做洪水一排了之，花巨资建设排水沟、管道和泄洪河道，忽略了雨水资源化的问题，缺乏城市雨水综合利用的设施。雨水是资源，要树立"综合利用在前，排放在后"的指导思想，大力开展以社区为单位的雨水综合利用，减少雨水径流和排放，可在学校、企业、小区、大型公共场所等单位里面和道路两侧修建蓄水池，并将积蓄的雨水用于冲厕、洗车、消防、浇花、洒路、取暖、水景观、城区河道生态用水等，也可回灌补充地下水，努力实现社区雨水零排放。新建、改建、扩建城区道路，人行道应采用透水砖铺设，一是可以下渗补充地下水，二是可以减少泄洪径流，减轻管道压力。

3.2　节制地下取水，大力开发利用雨水资源

水资源不可能无限制开发利用，兴利除害是有条件的，不可能无限制地透支下去。在河湖干枯的情况下，在频繁的干旱面前，各地转而不停地大规模开采地下水，投入的抗旱资金多用来打井，寻找应急抗旱水源工程。导致地下水位持续下降，截至 2001 年末，山东省地下水漏斗区面积已超过 2 万 km^2，2002 年沿黄及平原地区地下水位平均又下降 3～5 m，最大下降幅度达 30 多 m，济南泉水一年没有喷涌，群泉干枯，污水入侵，环城公园东段水质严重污染。地下水资源的枯竭带来了严重地质灾害和生态危机，在缺水现实面前，需重新检讨用水安全，在节制地下取水的同时，还应进行雨水资源的开发，即节流与开源并重。

3.3　重视蓄水工程汛限水位或汛期超蓄库容的研究

雨水的利用重要的是有蓄水工程，已建的大中型水库和塘坝是雨水有效利用的重要组成部分。山东省降雨季节性强，多集中在汛期，此时，蓄水工程按调度规程，水位应降至汛限水位，汛期如遇降雨不足，蓄水工程则处于无水可用的境地。因此，应重视对蓄水工程汛限水位或汛期超蓄水量的研究，根据大坝在设计中预留的安全系数或者坝的超载能力，在保证大坝安全的前提下，适当提高汛限水位，少留防洪库容，设置超蓄库容，最大限度地发挥蓄水工程的蓄水能力。

3.4　保证雨水利用的资金投入

雨水利用和其他开源节流措施一样，资金投入是必不可少的，但雨水利用要比其他开源措施投入小、见效快。建议政府将雨水利用的投入列入计划，采取政府投资、地方集资和用户投入相结合的方法，多渠道解决雨水利用的资金投入问题。特别是在城区设施的新建、改建、扩建项目中，要做到"三同时"，即雨水利用必须与主体工程同时设计、同时施工、同时投入运行。

3.5　加强雨水利用的宣传教育与示范

应加强宣传雨水利用的意义，普及雨水利用知识，因地制宜地修建雨水利用工程，为山东省的经济增长与水资源可持续利用的协调发展做出应有的贡献。

（原载于《山东经济战略研究》2003 年第 3 期）

引黄补源冲污　恢复济南市区水生态环境

1　引黄补源冲污的可行性

1.1　引黄补源冲污，要先抓水污染治理

济南市内的主要河流有小清河、工商河、护城河、东西泺河等，现主要补充水源为工业和生活污水，例如，小清河金牛公园以上，主要是农业排水、养殖用水，污染源为槐荫化工厂等排放的污水，水流还有一定的自净能力；金牛公园附近则主要是太平河、工商河排入的污水；以下河段随着排污量的增加，则失去了自净能力，完全变成了排污河、臭水河。再如护城河，从趵突泉至大明湖东门河段，主要污染段是舜井街口到解放阁河段的几个生活污水排泄口等。引黄补源冲污，必先加大水污染的治理力度，水污染治理必须从源头抓起，加强对工业污染源的控制，推行清洁生产，节约用水及工业废水内部处理、达标排放。重视对饭店餐饮业生活污水的处理。如果不能集中到污水处理厂处理的，都要求自建小型处理设施。

1.2　沟通水系，引黄补源冲污

具体方案是：①从玉清湖沉沙地，可常年引出 $2\ m^3/s$ 以上经沉淀的原水，经睦里闸泄入小清河源头段。此方案各项工程都已建成，只要加以联结即能实施。②从北店子引黄闸常年引出 $2\ m^3/s$ 的水，在闸后沉沙，清水泄放小清河源头段。此方案各项工程及渠系都已完备，按需要增加适当的沉沙区域即可。③从老徐庄引黄闸放水 $2\ m^3/s$ 以上，经闸后沉沙，泄入太平河，再从太平河泄入小清河。此方案只需增加闸后适当的沉沙区域即可。如果在小清河源头，常年增加 $3\sim4\ m^3/s$ 的水源（扣除汛期不能引水），每年约需 $5\ 000$ 万 m^3。再结合修建数座橡胶坝，定能把小清河水生态环境修复好。④护城河以趵突泉处为分界点，如在此处常年引入 $2\ m^3/s$ 以上的水量，使其向北、向东流动，分别通过东泺河、西泺河入小清河，就可恢复护城河及东西泺河的清洁，每年约需水量 $1\ 000$ 万 m^3 左右。⑤在金牛闸附近建设一个小型提水站，提取清水入工商河，经工商河循环后泄入小清河，可恢复工商河的水质。黄河从 2000 年实行水资源统一调度以来，确保了黄河不断流，每年从黄河引入 $6\ 000$ 万 m^3 的水量，用于补源冲污，改善济南市的水环境，黄河河务部门将保证其用水量。

在广大郊区，结合济南东城、西城的建设，可充分利用洼地、坑圹、砂石坑等修建各类湖泊公园，以增加水面，千万不要再做填坑、填塘造楼的傻事了。水域的扩大将为建设良好的生态环境创造物质条件，它既可滞蓄雨洪或再生水，减少汛期地表径流，为绿地与农田灌溉提供水源，又可调节气候，美化环境，还可供附近居民休息游乐，并可恢复生物多样性，为动物、鸟类及微生物提供适宜的生存环境，取得生态、环境、社会、经济等综合效益。

济南市的城市规划，应大力开发雨水利用的途径。深度开发雨洪资源可获得增加可用水资源、减少汛期径流以及改善水生态环境三重效果。应在山区修建水库、沟道截流工

程拦蓄雨洪,建设适当的蓄洪回灌工程;在市区修建低位草坪,铺设透水道路及广场,修建屋顶花园及雨水截渗回灌工程等,以增加雨洪入渗;在郊区通过疏挖河道、整治坑塘、建拦河闸坝,利用河道、田面及渗井,控制雨洪损失。

2　恢复济南市水生态环境的保障措施

要增强水利发展的生态观,在城市规划、设计、施工与管理中得到充分体现。要充分认识到水生态环境建设与经济社会发展的互动关系。以发展为生态环境建设提供支持,以良好的水生态环境为发展创造条件。

要实行水资源统一管理,改变以往的水资源开发、利用、保护被人为分割的管理体制,建立由水行政主管部门负责的包括蓄水、供水、用水、排水、污水处理、再生水回用的水循环全过程,水量、水质、水环境全方位的城乡统一管理体制,对水资源实行统一规划、统一管理、统一调配、统一发放取水许可证、统一征收水资源费。

要加强与水生态系统有关的林业、环保、农业、园林等部门的协调合作,保证规划的科学合理与切实可行。管好用好鹊山、玉清湖两大平原水库,搞好卧虎山、锦绣川水库上游的综合治理,要保持与恢复维系城市命脉的几大水库的功能,为建设城市良好的水生态环境提供保障。

要加强政策法规建设,建立稳定的水利投入机制及完善的水权制度,完善水资源有偿使用制度及节约用水与水资源保护的各项管理制度。研究、制定节约用水、再生水回用、雨洪水利用以及保证水库下游基本生态用水等政策,并通过立法予以保障。建立合理的水价格体系,以经济杠杆促进节水资源的优化配置。

实行科教兴水,不断提高水利科技水平。加强宣传教育,提高全民的生态环境意识。培养一支高素质的水利队伍,为恢复济南优美水环境而努力。

(原载于《山东水利》2003年第10期)

第七章 杂 议

《人民黄河》——治黄科技人员的良师益友

《人民黄河》自创刊以来对治理黄河事业的发展起到了积极的作用。特别是1979年复刊后,紧紧围绕全河治理防洪工作中心任务和发展经济的总目标,宣传国家有关治黄水利工作的方针和政策,报道治黄科技先进经验和最新技术成果,介绍国内外治河、防洪新技术、新理论、新工艺以及治黄科技动态。为广大科技工作者提供了学术交流的园地,活跃了治黄学术研究气氛,提高了他们的学术水平。同时,为黄河水利事业科技现代化和振兴黄河水利经济提供了大量的科技信息,推动了科技治黄事业的发展,促进了国际治河信息的交流,充分发挥了其媒介、桥梁和纽带的作用,为治黄建设和经济建设起到了指导、参谋的作用,发挥了较大的社会效益和经济效益。

1 山东黄河河务局稿件在《人民黄河》上刊登情况回顾

1.1 作者构成及稿件内容变化

1978年全国科学大会召开后,全国人民迎来了科学的春天,广大知识分子也焕发了青春,他们满怀豪情地投入到各行各业中,把多年积累的工作经验和科研成果整理成宝贵的科技资料,然后利用报刊等宣传媒体向社会传播。据统计,自《人民黄河》复刊以来,山东黄河河务局(以下简称山东局)在该刊发表论文的作者,1979~1988年的前10年里50岁以上的老一辈治黄专家和中年技术人员占70%,而年轻的技术人员只占30%。所撰写的内容也仅限于课题研究报告、治黄研究史、新仪器及新方法的应用、防洪治河、水利建设等治黄生产方面,如《混凝土灌注桩小桩初步试验研究》、《论王景治河》、《无线电定位仪在滨海水文测验中的应用》、《关于提高机淤生产效率的几个问题》等。1989~1998年的10年间,其作者队伍已基本趋于年轻化,发表的论文中,45岁以下的作者占山东局全部作者的60%,所撰写的内容除了上述几方面外,还有新形势下防汛队伍建设、工程管理、水政水资源、水利经济、黄河产业经济的发展、"三新"(新技术、新材料、新工艺)在堤防加固和防汛抢险技术中的应用等十几个方面。

从以上统计可看出,20世纪80年代从事治黄科研工作的人员多数为50年代和"文革"前的大、中专毕业生,由于受历史条件和环境因素的限制,黄河水利科技的发展较为缓慢,科技成果相对较少。改革开放后,黄河水利科技逐步走向了正规化、规范化,广大治黄科技工作者对黄河的治理及水资源的管理有了新的认识和更加科学的方法。进入20世纪90年代,随着体制改革的不断深入,治黄水利事业也发生了较大变化,在老一辈治黄专家的培养和指导下,恢复高考后的大、中专毕业生已成为治黄生产中的技术骨干。他们的年龄都在 40 岁以下,知识面广,接受新生事物快,敢想敢干,参考《人民黄河》解决了不少生产中遇到的难点和疑点,为振兴黄河水利事业做出了重大贡献。

1.2 刊载量统计

根据对 1979～1998 年出版的《人民黄河》统计,20 年来《人民黄河》共刊登山东局技术人员的稿件达 215 篇(见表 1),其中,1979～1988 年共刊登 54 篇,1989～1998 年共刊登 161 篇。其中前 10 年省局机关的稿件占了 54%,基层单位的稿件占 46%;后 10 年省局机关占 44%,而基层单位却上升到了 56%。以上数据充分反映出,随着黄河水利事业的发展,山东局工程技术人员学科学、用科学的积极性越来越高,科技队伍也得到了发展壮大,尤其是基层单位更加突出。从表 1 中还可以看出,进入 20 世纪 90 年代后刊稿量大幅度增长,1993 年达到 24 篇,1997 年达到 29 篇,而且基层单位的刊稿量 1997 年也增加到 21 篇,这充分说明山东局专业技术人员的理论文化素质和专业技术水平都有了较大提高,人们已经越来越认识到利用《人民黄河》这一核心期刊进行学术交流的重要性。

表 1　1979～1998 年山东局在《人民黄河》上发表论文情况统计　（单位:篇）

年份	1979	1980	1981	1982	1983	1984	1985	1986	1987	1988	总计
省局机关	3	2	4	2	1	2	4	3	2	6	29
基层单位	1	1	2	2	5	2	4	2	2	4	25
合计	4	3	6	4	6	4	8	5	4	10	54
年份	1989	1990	1991	1992	1993	1994	1995	1996	1997	1998	总计
省局机关	6	5	4	7	13	7	7	6	8	8	71
基层单位	1	4	4	6	11	11	9	6	21	17	90
合计	7	9	8	13	24	18	16	12	29	25	161

2 《人民黄河》在山东局的发行情况

《人民黄河》复刊后到 1993 年自办发行前,山东局每年订阅该刊不到百份,而且大部分属单位或部门所订,个人订阅者较少,1993 年以后每年的订阅量都有较大的增长。1994 年订阅量还只有 162 份,1997 年就猛增到 380 份,比 1994 年增长了 1 倍还多。除了各单位的业务部门订阅外,有相当一部分属个人订阅。目前,山东局的工程技术人员平均 3 人就有 1 份,几乎所有的技术人员都能够读到该刊。

3 《人民黄河》对山东黄河科技发挥的作用

3.1 《人民黄河》为科学利用黄河水资源、保护水环境提供了重要的科学依据

多年来黄河给沿黄地区的经济发展、生态平衡、环境保护等方面带来了非常显著的效益,对促进工农业生产,提高人民的生活水平发挥了重要作用。但是进入 20 世纪 90 年代以来,山东黄河春季连年出现断流,而且断流时间提前、断流期延长、断流河段不断上延,给沿黄地区的工农业生产和居民生活用水带来很大的困难。针对以上问题,《人民黄河》

在"水文泥沙·水资源"栏目刊登的论文,如 1996 年第 7 期《黄河断流成因及其对策》、第 8 期《黄河流域水资源合理分配和优化调度研究综述》及《黄河水资源供需前景分析》等着重分析了黄河下游断流现状及发展趋势,找出了断流的原因,提出了缓解下游水资源供需矛盾的措施及对策,为黄河水资源的优化配置提供了重要的科学依据。

另外,沿黄地区的有些乡镇工厂为提高利润,降低成本,把工业污水直接排入黄河而造成水质下降,某些有害物质严重超标,破坏了原有的水环境。《人民黄河》1996 年第 2 期刊登的《黄河流域水环境现状及保护对策》等有关文章,指出了黄河水资源污染的严峻形势,呼吁沿黄人民增强保护黄河水资源的自觉性。通过该刊物的广泛宣传,治理黄河污染已提到沿黄地区各级领导的议事日程,减轻了黄河水资源的污染。所提出的有关防污治污的对策与措施,已成为我们黄河下游加强保护黄河水资源不可缺少的参考资料。

3.2 《人民黄河》在黄河下游防洪治河工作中发挥了重要的指导作用

《人民黄河》在山东黄河的防洪治河工作中也发挥了重要的指导作用。近年来由于连续小水,使河道输沙能力降低、河床淤积严重。《人民黄河》设立的"防洪·治河"及"治黄论坛"等栏目刊登的有关论文,针对黄河下游河势的发展变化、黄河大堤存在的问题及防洪形势,分析了近年来黄河下游河道冲淤演变的情况,提出了一系列治理泥沙、河道疏浚、加固堤防的措施,为提高山东黄河堤防的防洪能力、加速河道整治、加强非工程防洪设施建设等防洪措施提供了宝贵的参考资料。同时,为山东局广大治黄科技工作者学习和探讨山东黄河河道的治理及河口治理的对策与措施提供了学习与交流的园地。

3.3 《人民黄河》促进了山东黄河科技工作的发展

近年来,随着科学技术的飞速发展,专业技术人员的知识面需要拓宽、更新,特别是治黄生产中更需要新技术、新材料、新工艺。针对这种情况,该刊始终跟踪水利学科的最新发展,保持自己的领先地位和学术水平,充分利用"技术经验"及"专题信息"栏目,反映水利科技的新理论,介绍国内外先进的水利施工技术、工艺和经验;注意关联行业相近业务、相关学科的发展,及时报道可直接应用于治黄生产实践中的新材料、新设备;通过该刊呼吁各级领导重视科技工作,加大投入研制开发新的治黄技术和设备,充分发挥科技期刊时效性强的特点,为黄河基层部门提供了大量使用价值较高的信息,提高了防洪治河的科技含量。该刊还十分重视全河科技工作的宣传及科技成果的推广工作,大力宣传科技是第一生产力,依靠科技指导治黄生产、振兴黄河事业、发展黄河水利经济。该刊自复刊以来,先后刊登了大量研制获奖的科技成果及治黄经验,介绍了许多可直接应用于生产的科技信息。其中刊登的《ZDT-I 型智能堤坝隐患探测仪》、《新型抗磨蚀材料在机淤生产中的应用》及《堤坝隐患探测技术的应用》等科技成果,给治黄生产带来了较大的经济效益和社会效益。

(原载于《人民黄河》1999 年第 11 期)

南水北调东线穿黄探洞改建为
输水交通两用隧道的建议

1 穿黄探洞概况

南水北调东线穿黄勘探试验洞(以下简称探洞)位于山东省东阿和东平两县内的黄河段,从地面以下约 70 m 的岩层中穿越黄河,北岸出口位于东阿县位山村西南侧,距大堤背水侧坡脚约 100 m 的位山脚下,南岸进口(未建)位于东平县解山村附近。

位山和解山之间是黄河的一个天然卡口,此段黄河河床底部为一掩埋的近南北走向的顶宽约百米的山梁。穿黄工程拟沿山梁轴线在岩石中开挖 3 条隧洞,中心线间距 31 m,洞底高程 − 36.00 m 左右,洞顶岩厚约 40 m,探洞沿 3 条洞的中间 1 条位置布置。

探洞由斜井、平洞、水仓水泵房和支探洞 4 部分组成,探洞总长 633.80 m,斜井从高程 29.20 m 以 20°坡深入黄河河底,全长 165.52 m,至高程 − 27.41 m 接平洞,平洞长 334.78 m,以 3% 的倒坡穿越黄河至南岸解山村生产堤下,终点处洞底高程为 − 26.45 m。斜井和平洞均三心圆拱门洞形断面,宽 2.93 m,高 2.91 m。为了排除施工期间洞内渗漏水、突然涌水及施工用水,在斜井和平洞交接处(桩号 0 + 184.02)东侧设长 33.50 m 的水仓水泵房。

探洞施工采用超前钻孔预注浆堵水技术,灌浆材料采用水泥、水玻璃双浆液。探洞工程于 1985 年 6 月开始施工准备,1986 年 4 月正式开工,1988 年 1 月底主体工程全部完工,首次成功地进行了在黄河水下岩溶地区开挖隧洞的尝试,达到了预期目的。

2 加固的必要性和重要性

2.1 目前探洞存在的问题

探洞竣工后,由于各种原因,永久隧洞工程未能及时实施,探洞空洞维护已 12 年。探洞地层条件复杂,仅断层就有 13 条,长度大于 1 m 的裂隙 485 条,岩隙水较丰富,且黄河水、覆盖层潜水和岩隙地下水三水相通,施工时经常出现涌水。

探洞作为临时工程,阻水帷幕及支护均为临时措施,已超期运行。洞内从局部滴水发展到 1994 年已出现局部线流,而且隧洞四周断层、裂隙处普遍有钙质析出,形成大量的钟乳和石笋。虽多次加固维修,但均为临时措施。1999 年 8 月 30 日上午 10 时,探洞发生集中涌水。经查:涌水点发生在水仓水泵房北侧岩壁高程为 − 26.10 m 左右的溶隙内。经现场测得涌水量为每昼夜 120～280 m³,随即进行了临时性封堵、灌浆处理。

2.2 加固的必要性和重要性

探洞所在河段河道狭窄,是一天然卡口,汛期大水时,涌水严重,悬河突出。探洞存在的问题对黄河防洪安全影响极大,潜在较多的不安全因素。①探洞存在涌水的可能性。随着探洞阻水帷幕效能的逐渐丧失,在水力作用下断层填充物被带走,可能形成通天涌水漏斗。探洞涌水将淹没洞身,由斜井溢出,造成灾害,尤其是黄河大汛期间,河床淤积层被水冲刷揭走而变薄,河水对地下水的补给畅通,所造成的灾害将更大。②对黄河防洪工程构成一定的威胁。探洞全线断层、裂隙和岩溶发育,其中 f_{11}、f_{12}、f_{14} 断层就在黄河大堤和坝岸工程的基础部位出露,根据此次大涌水出水点所处裂隙与断层之间的相互关系推断,探洞涌水裂隙与 f_{14} 断层贯穿的可能性很大,因该断层在开挖探洞时曾发生单孔 210 m³/h 的大涌水现象,表明断层中水路是畅通的,而该断层恰在黄河大堤和险工的基础部位出露,探洞涌水一旦与 f_{14} 断层连通,就会对黄河大堤和险工的安全造成威胁。③该地段防洪工程标准低,工程本身存在隐患,为消除隐患,除探洞本身所占的 200 余 m 长的地段外,两边均进行了机淤固堤处理。因为探洞出口距堤脚约 100 m,一方面不能满足机淤固堤的要求,另一方面,如果按标准进行机淤固堤,势必会掩埋探洞出口,由于探洞的存在,此处根本无法实施机淤固堤,这就造成了探洞工程所在堤段大堤断面单薄长期得不到加固的局面。

2.3 加固方案

探洞涌水情况发生后,水利部、黄委、海委、山东河务局等有关部门非常重视,派专家相继到达探洞现场查勘,研究除险加固措施。委托天津设计院完成了探洞除险加固设计,主要是对探洞进行帷幕灌浆、补强及喷锚支护,进一步提高探洞的阻水效果和围岩稳定性。

3 将探洞改建为输水交通两用隧道的建议及可行性

目前探洞空洞维护已 12 年之久,用去维修管护费用 140 多万元。但东线南水北调何时上马还有待论证,加固后的探洞仍将闲置,国家投入的资金短期内难以发挥作用。若结合加固将探洞改建为输水交通两用隧道对黄河两岸的经济发展具有重要意义,而且是可行的。

3.1 探洞改为输水交通两用隧道技术上可行

根据探洞的开挖情况,该处的地质情况能够满足扩建为永久性隧道的要求。探洞加固要做到一劳永逸,可以结合向京、津、冀地区应急供水方案一起考虑,将探洞扩建为永久工程作为战略储备,借鉴埃及穿越苏伊士运河到西奈半岛连接亚非大陆的隧道结构,将探洞改建至洞径 11.6 m、衬砌厚 0.6 m,上半部通汽车,下半部过水。详见图 1。

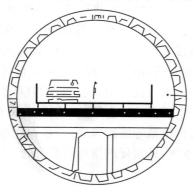

图 1 输水交通两用隧道示意图

两岸进出口可根据交通公路有关规定的坡度采取相应措施解决。

3.2 探洞改建成功意义重大

（1）有利于战备。位山渡口是鲁西平原比较有名的渡口之一，在解放战争时期曾为支援刘邓大军渡黄河做出了重大贡献。位山渡口位于聊城、济南、济宁、泰安4市交界处，北通309、105国道，南接220国道，如将探洞改为输水交通两用隧道，那么济宁、菏泽两市（地）通往聊城、德州、山西、邯郸、北京的大批车辆就会通过此地，形成纵横交错、四通八达的交通网络。输水交通两用隧道位于黄河河底，战时不怕飞机轰炸，可保障两岸交通，是一条非常必要的战备道路。

（2）有利于防洪和河道管理。位山上下游堤防是历年黄河防汛的重点，本河段属于弯曲型河道，右岸是连绵不断的山丘，左岸险工密度大，河道弯曲狭窄，主槽宽度300～600 m，左岸井圈险工13#坝与外山相对，河宽仅275 m，是黄河下游著名的卡口；河道纵比降约为1‰，因河床逐年淤积，目前已高出背河地面3～5 m，防洪水位高于背河地面8～10 m。新中国成立后，经历过5次较大洪水，共出现漏洞、管涌、渗水、坍塌等重大险情499次，防洪形势十分严峻。进入20世纪90年代中后期，两岸群众为了促进当地经济的快速发展，自筹资金在此近40 km长河道内先后架设了11座黄河浮桥，其密度是大的，是严重的阻水建筑物，给黄河防洪增加了压力。浮桥建成运用后，从几年来的管理情况看，浮桥管理单位不能够按规定及时拆除，也不能按时缴纳工程管理维护费。如果将探洞改为输水交通两用隧道，位山上下游所建浮桥将主动拆除，有利于防洪和河道管理。

（3）便利交通，有利于促进两岸经济的发展。穿黄探洞上下几十千米河段无公路大桥，尽管架设了11座黄河浮桥，但是按规定在伏秋大汛期，当预报花园口站流量超过3 000 m³/s时，已架设的浮桥必须在24 h之内拆除；凌汛期艾山以下河段已建浮桥一律拆除；艾山以上河段已建的浮桥，当添口河面出现淌凌时，必须在24 h之内拆除。浮桥一旦拆除，过往的车辆势必绕道平阴黄河公路大桥，既浪费时间，也不经济。如将位山探洞改为输水交通两用隧道，不仅便利了黄河南北两岸的交通，而且也有利于开发当地资源、开拓市场、扩大交流，促进两岸经济的发展。仅以建材资源为例，右岸有张山窝、铁山头、柏木山等石料厂和优质沙场，建材资源极为丰富，而左岸聊城、东阿、阳谷、茌平等地的山石极缺，对石料、白灰、砂子需求量却很大，一旦将探洞改为输水交通隧道，右岸的砂石等建材资源将会进一步得到开发利用，大批砂石将运往左岸畅销。

（4）有利于用活国有资产、节省投资，促进当地旅游业的发展。穿黄探洞改建为输水交通两用隧道后，不仅能提高目前黄河大堤的安全度，而且为南水北调东线过黄河创造了条件。在实施南水北调东线方案前，作为交通隧道，可实行过洞收费，有偿过河，按保守估计，用不了5年的时间即能将国家的投资全部收回，不但再不需要国家投入维修费，且用活了已投入国有资产，还将产生巨大的社会效益。同时右岸有腊山国家森林公园、著名的水泊梁山和东平湖等，左岸有曹植墓等旅游风景，一旦探洞改为输水交通两用隧道，将在黄河岸边形成一道靓丽的风景线，从而促进当地旅游业的发展。

（原载于《山东水利》2000年增刊）

参 考 文 献

[1] 王伟.人工神经网络原理——入门与应用.北京:北京航空航天大学出版社,1995

[2] 许东,吴铮.基于MATLAB6.X的系统分析与设计.西安:西安科技大学出版社,2002

[3] 沈国舫,王礼先.中国生态环境建设与水资源保护利用.北京:中国水利水电出版社,2001

[4] 王正宏.加筋土挡土墙设计方法概述.海河科技,1989(1)

[5] 李殿魁,杨玉珍,程义吉,等.延长黄河口清水沟流路行水年限的研究.郑州:黄河水利出版社,2002

[6] 司书亨.黄河河口河道冲淤特性及治理对策探讨.人民黄河,1994(5):8~11

[7] 李从先,张桂甲.河流输沙与中国海岸线变化.第四纪研究,1996(3):277~282

[8] 朱晓原,张学成.黄河水资源变化研究.郑州:黄河水利出版社,1999

[9] 张金升,冯刚,吴卫华.黄河淤沙墙地砖的试制.新型建筑材料,1993(8)

[10] 高雪鹏,从爽.BP网络改进算法的性能对比研究.控制与决策,2001,16(2)

[11] 董长虹.MATLAB神经网络与应用.北京:国防出版社,2005

[12] Khistofrov A V.Stochastic Model for Water Discharges in Flood Period.Moscow:Moscow University Press,1998

[13] 李泽刚,梁国亭.建设西河口水利枢纽稳定黄河口入海流路.见:第九届全国海岸工程学术讨论会论文集.北京:海洋出版社,1999

[14] 丁晶,邓育仁.随机水文学.成都:成都科技大学出版社,1988

[15] 洪尚池,吴致尧.黄河河口地区海岸线变迁情况分析.海洋工程,1984(2):68~75

[16] Khistofrov A V.Theory of Stochastic Processes in Hydrology.Moscow:Moscow University Press,1994

[17] DingJing,Deng Yuren.Stochastic Hydrology.Chengdu:Chengdu Technology University Press,1988

[18] Kottegoda N T.Stochastic Water Resource Technology.John Wiley and Sons,1980

[19] 许可军.黄河淤泥烧结砖技术.济南城乡建设,1991(5)

[20] 王银山,刘洪才,张玉初.从"96·8"洪水看山东黄河防洪.人民黄河,1997,5(5)

[21] 王昌慈.谈黄河下游断流对环境的影响及对策.水土保持研究,1998,12(5)

[22] 阎永新,李庆金,张广海,等.黄河山东河段"96·8"洪水特性分析.人民黄河,1997,5(5)

[23] 治理黄河研究组.小浪底工程.郑州:河南人民出版社,1991

[24] 王涌泉,徐福龄.王景治河辩.人民黄河,1979,8

[25] 徐新军.宋代以来治河浚淤工具的创新.黄河史志资料,1995,4(2)

[26] 东营市胜利油田黄河河口疏浚工程指挥部.黄河口疏浚试验总结.见:黄河河口治理总结暨学术研讨会论文集.郑州:黄河水利出版社,1995

[27] 孙绵惠,等.1997年黄河潼关河段清淤及洪水冲刷效果分析.人民黄河,1998,10(10)

[28] 齐璞,等.黄河水沙变化与下游河道减淤措施.郑州:黄河水利出版社,1997

[29] 西安交通大学水利学教研室.水利学.北京:高等教育出版社,1983

[30] 华东水利学院.水利学.北京:科学出版社,1979

[31] 赵业安,等.黄河下游河道演变基本规律.郑州:黄河水利出版社,1998

[32] 赵文林.黄河泥沙.郑州:黄河水利出版社,1996

[33]　Dominique Laigle ,Philippe Coussot. Numerical Modeling of Mudflows. Jouranl of Hydraulic engineering,1997,7

[34]　Kranenburg C ,Winterwerp J C. Erosion of Fluid Mud Layers. Jouranl of Hydraulic engineering,1997,6

[35]　Cao Zhixian, Wei Liangyan,Xie Jianheng. Sediment-laden flow in open channels from two-phase flow viewpoint. Jouranl of Hydraulic engineering,1997,6